JEAN-GASPARD MUDISO MBÂ MUNDLA

JESUS
UND DIE FÜHRER
ISRAELS

Studien zu den
sog. Jerusalemer Streitgesprächen

ASCHENDOFF MÜNSTER

NEUTESTAMENTLICHE ABHANDLUNGEN

Begründet von Augustinus Bludau,
fortgeführt von Max Meinertz, herausgegeben von Joachim Gnilka

Neue Folge
Band 17

D 19

© Aschendorff, Münster Westfalen, 1984 · Printed in Germany

Gesamtherstellung: Aschendorff, Münster Westfalen, 1984

ISBN 3-402-03639-8

INHALT

VORWORT

Die vorliegende Untersuchung wurde im Wintersemester 1982/83 unter dem Titel „Jesu Wirken in Jerusalem. Form, Tradition und Redaktion in Mk 11,27–12,37" von der Katholisch-Theologischen Fakultät der Ludwig-Maximilians-Universität München als Dissertation angenommen. Allen Professoren spreche ich meinen aufrichtigen Dank aus.

Mein besonderer Dank gilt in erster Linie dem verehrten Lehrer Prof. Dr. Joachim Gnilka. Er schlug mir das Promotionsthema vor und verfolgte stets mit großem Interesse und viel Geduld, beratend und ermutigend das Werden der Arbeit. Auch dafür, daß er sie in die Neutestamentlichen Abhandlungen aufnahm, bin ich ihm zu großem Dank verpflichtet.

Nicht geringen Dank schulde ich sodann meinen Oberen in der Gesellschaft des Göttlichen Wortes. In großzügiger Weise haben sie mir dieses Studium ermöglicht. Und die Steyler Missionsprokur (SVD) St. Augustin bei Bonn hat die Drucklegung dieser Arbeit finanziert. Auch ihr sage ich herzlichen Dank.

Viele liebe Menschen haben mich in diesen Jahren auf ganz verschiedene Weise begleitet und unterstützt. Es ist nicht möglich, sie alle hier zu nennen. Ausdrücklich erwähnen darf ich jedoch Frau Erika Köberlein. Sie hat ihre ganze Freizeit damit verbracht, den ziemlich schwierigen Text schnell und gewissenhaft zu tippen. Ihr und ihrer Familie sowie allen anderen Freunden, den nahen und den fernen, habe ich für die erfahrene Hilfsbereitschaft und Freundschaft an dieser Stelle herzlich zu danken.

Es sei schließlich noch auf die Arbeit von Hernando Guevara „La Resistencia judia contra Roma en la epoca de Jesus", Meitingen 1981 hingewiesen, die ich leider nicht mehr berücksichtigen konnte, da sie mir erst nach Abschluß meiner Untersuchung bekannt wurde. Es handelt sich dabei um eine im Biblicum (Rom) unter Prof. Dr. P. Roger Le Déaut verfaßte Dissertation über die jüdische Aufstandsbewegung gegen Rom zur Zeit Jesu. Guevara setzt sich mit der ziemlich umstrittenen Darstellung der Zeloten von M. Hengel (Die Zeloten, Leiden/Köln 1961; ²1976) ausführlich und sehr kritisch in den „Notas" auseinander. (Vgl. auch das Autorenregister S. 343).

München, im November 1982   Jean-Gaspard Mudiso M. Mundla

I. EINLEITUNG

1. Fragestellung und bisherige Behandlung des Themas

Nach M. Albertz und R. Bultmann nehmen die Streit- und Lehr-bzw. Schulgespräche einen breiten Raum im Mk-Evangelium ein. Sie seien hier das, was die Reden bei Mt und Lk sind und stellen eine besondere Ausdrucksform, eine Gattung dar.[1]

Während sich jedoch die Forschung immer schon mit den Gleichnissen Jesu, der Wunderfrage usw. sehr intensiv beschäftigt hat, wurde den Streit- und Schulgesprächen kaum Aufmerksamkeit geschenkt. Die erste Arbeit, die sich in extenso mit dieser Gattung befaßt hat, ist die bereits zitierte Monographie von M. Albertz über die synoptischen Streitgespräche. Zum großen Teil lag das Manuskript schon 1918 fast druckfertig vor, konnte aber wegen der Schwierigkeiten im Lande erst 1921, kurz nach R. Bultmanns „Geschichte der synoptischen Tradition" erscheinen.[2]

Die Untersuchung von M. Albertz versteht sich, wie der Untertitel zeigt, als „Ein Beitrag zur Formengeschichte des Urchristentums" und beschränkt sich auf die synoptischen Evangelien.[3] Sie wird in zwei Hauptteile gegliedert. Der erste Teil: „Untersuchungen" behandelt das synoptische Material unter der Überschrift A) „Versucherische Streitgespräche" und B) „Nichtversucherische Streitgespräche". Dabei mußte die Erklärung der Streitgespräche, „die etwa zwei Drittel des ursprünglichen Manuskripts füllten" wegen der erwähnten Schwierigkeiten des deutschen wissenschaftlichen Buchhandels zurückgestellt werden.[4] Unter den „versucherischen" Streitgesprächen glaubt Albertz zwei vormarkinische Sammlungen entdecken zu können, eine galiläi-

---

[1] *M. Albertz*, Streitgespräche, Berlin 1921; *R. Bultmann*, Geschichte, Göttingen [8]1970, bes. S. 8ff; *ders.*, Geschichte, Ergänzungsheft ([4]1971) bearbeitet von G. Theißen und Ph. Vielhauer; *ders.*, Erforschung der synopt. Evangelien ([5]1966, Berlin), S. 27–31. Vgl. ferner *V. Taylor*, Formation, bes. 63–87. Einen guten Überblick über den Stand der Diskussion von den Anfängen an bietet jetzt *A. J. Hultgren*, Jesus and his Adversaries (= Jesus), bes. 25–36.203–204

[2] *M. Albertz*, Streitgespräche, Vorwort V–VII; S. 1; 4. Kurz zuvor erschienen die Untersuchungen von *M. Dibelius*, Die Formgeschichte des Evangeliums, Tübingen 1919 und *K. L. Schmidt*, Der Rahmen der Geschichte Jesu, Berlin 1919.

[3] Vgl. *M. Albertz*, Streitgespräche, S. 2.

[4] *M. Albertz*, Streitgespräche, Vorwort V.

scher (Mk 2,1–3,6 = Mt 9,1–17; 12,1–14 = Lk 5,17–6,11) und eine jerusalemischer (Mk 11,15–17; 11,27–33; 12,13–40 = Mt 21,12f.23–27; 22,15–46 = Lk 19,45f; 20,1–8; 20,20–47) Herkunft. Er schreibt: „Wie das älteste uns erhaltene Evangelium bereits eine Zusammenstellung von Parabeln Jesu enthält, so an zwei verschiedenen Stellen seiner Erzählung auch Streitgespräche Jesu. Es kann demnach kein Zweifel sein, daß der urchristlichen Überlieferung die Streitgespräche ähnlich zusammenzugehören scheinen wie die Parabeln."[5] Die von ihm vorgenommene Abgrenzung der zweiten vormarkinischen Sammlung in Mk 11–12 versucht Albertz mit dem Argument zu rechtfertigen, daß „die Bemerkungen Mk 11,18 und 12,12 im Verein mit der Allegorie (Mk 12,1–12) Lichter" seien, „die der Evangelist dem andersartigen Stoff seiner Streitgespräche aufgesetzt" habe, „den Weg zur Passion zu beleuchten". Die nach Ausscheidung dieser Fremdteile übrig bleibenden Gespräche bildeten also ein zusammenhängendes Ganzes. So formuliert er sein Ergebnis: „Da Mk ihre Ordnung gestört hat, ist das Ganze vormarcinisch, eine Sammlung von Kampfesworten Jesu im Tempel, die vor Mk ihr Eigenleben gehabt hat."[6]

Im zweiten Teil faßt Albertz die „Ergebnisse" seiner Arbeit zusammen. Er versucht „A) die Stufen der Entwicklung des Streitgesprächs von Jesus bis zum synoptischen Evangelium" nachzuzeichnen und kommt zu dem Ergebnis, daß „am Anfang ... das Urgespräch" stehe, „das heißt das lebendige Gespräch Jesu mit seinen Partnern. Die zweite Stufe (sei) die Nacherzählung von Mund zu Mund, die dritte die Aufzeichnung und Sammlung der Streitgespräche".[7] Sodann untersucht er „B) das Streitgespräch im Vergleich mit anderen Ausdrucksformen des synoptischen Evangeliums" und schließlich „C) das Streitgespräch Jesu im Zusammenhang mit der israelitisch-jüdischen Entwicklung der Streitgespräche", um das Wesen und den geschichtlichen Ursprung dieser Ausdrucksform stärker zu beleuchten.[8] Zwei Texte von Q schließen dann die Arbeit ab.

Zur Kritik des Buches von M. Albertz hat R. Bultmann bereits in der zweiten, neubearbeiteten Auflage seiner Geschichte der synoptischen Tradition (1931) das Nötige gesagt. Das braucht hier nicht wiederholt zu werden.[9] Im übrigen hat die Untersuchung von Albertz weitgehend freundliche Aufnahme erfahren. Bis heute berufen sich

---

[5] M. *Albertz*, Streitgespräche S. 2; vgl. S. 5; 16–36; 107f; 110.113f.

[6] M. *Albertz*, Streitgespräche 17. Er sieht doch richtig, daß Mk 12,41–44 etwas anderes ist (ebda 17).

[7] M. *Albertz*, Streitgespräche 3.

[8] M. *Albertz*, Streitgespräche 3.

[9] Vgl. *R. Bultmann*, Geschichte 41 Anm. 1; ferner *H.-W. Kuhn*, Sammlungen 18 + Anm. 23; bes. S. 39–42; *A. J. Hultgren*, Jesus 28f.31f.

zahlreiche Forscher auf die Ergebnisse von M. Albertz[10] und halten es nicht für nötig, sie zu überprüfen. Das hängt wohl auch damit zusammen, wie wir bemerkten, daß in der Forschung die Streit- und Lehrgespräche bislang wenig Beachtung fanden. Dies scheint erfreulicherweise nun aber anders zu werden, und es mehren sich die Stimmen derer, die M. Albertz nicht mehr so fraglos folgen wollen. Während jedoch bereits einige Arbeiten über die sog. galiläischen Streitgespräche in den letzten Jahren vorgelegt worden sind,[11] fehlt nach wie vor eine Untersuchung über die „Jerusalemer Streitgespräche" in Mk 11–12. Das soll nun der Gegenstand dieser Arbeit sein.

2. Aufgabe

Wie bei M. Albertz soll auch hier der formgeschichtliche Gesichtspunkt im Vordergrund stehen. Dabei wird der Versuch gemacht, insbesondere die Ergebnisse von M. Albertz einer genauen Prüfung zu unterziehen. Aber auch R. Bultmanns Kategorie „Streitgespräch" im Unterschied zu „Schul- bzw. Lehrgespräch" und in ihrer Beziehung zu anderen Typen von Gespräch im Evangelium und im rabbinischen Judentum sowie die Pascha-Haggada-Hypothese von D. Daube sollen überprüft werden.

Sollte sich die These von M. Albertz bestätigen, daß wir es in Mk 11–12 mit einer vormarkinischen Sammlung von Streitgesprächen zu tun haben, so wird nach deren Funktion und Sitz im Leben zu fragen sein. Es drängen sich dabei zunächst folgende Fragen auf: Was ist ein Streitgespräch? Worin unterscheidet sich das Streit- vom Lehrgespräch und von anderen Formen des Gesprächs im Evangelium und in der näheren Umwelt des NT? Eine Präzisierung des Begriffes „Streitgespräch" ist geradezu notwendig, will man Mk 11,27–33 und 12,13–37 pauschal als eine Sammlung von Streitgesprächen bezeichnen. Daß Mk 12,1–12 inhaltlich, d. h. der Sache nach zwar im jetzigen mkn. Kontext vorzüglich paßt, formmäßig aber ganz anders zu beurteilen ist, hat schon, wie gesagt, Albertz selber richtig erkannt,

---

[10] Vgl. das Referat bei *H.-W. Kuhn*, Sammlungen S. 40 Anm. 179. Allerdings ist die Zahl der Autoren, die mit Albertz in Mk 11–12 eine vormarkinische Sammlung von Streitgesprächen annehmen, geringer als im Falle von Mk 2,1–3,6. Vgl. z. B. *E. Trocme*, Formation 29: „ . . . nous serions tenté d'accorder la préférence à la seconde (collection) . . ."; ders., Jésus de Nazareth 65.

[11] Vgl. *H.-W. Kuhn*, Ältere Sammlungen im Markusevangelium (StUNT 8), Göttingen 1971; *W. Thissen*, Erzählung der Befreiung (FzB 21), Würzburg 1974; *A. J. Hultgren*, Jesus and his Adversaries, Minneapolis 1979; *J. Dewey*, Markan public Debate (SBL Diss. Series 48), Chico 1980.

und darum diese Einheit aus der angeblichen Sammlung herausge-
nommen.[12] Aus diesem Grund wird sie auch hier nicht behandelt.

Bei der Ausarbeitung waren wir bestrebt, den religionsgeschichtlichen Hintergrund der in den verschiedenen Perikopen begegnenden
wichtigen Begriffe mehr oder minder ausführlich zu erhellen. Der
Aufweis solcher religionsgeschichtlicher Parallelen schärft immer
zugleich auch das Bewußtsein für die Distanz und das Neue, das mit
und in Jesus Christus und im Urchristentum aufbrach.[13] Gleichzeitig
bemühen wir uns darum, die theologische und/oder christologische
Dimension des vom Evangelisten Markus zusammengestellten Materials sowie seine eigene Deutung herauszuarbeiten.

---

[12] *M. Albertz,* Streitgespräche 17 bzw. 36 nennt diese Perikope „Allegorie" bzw.
„Weinbergallegorie", nicht aber „Streitgespräch".

[13] Vgl. *M. Hengel,* Sohn Gottes 137. In seiner Untersuchung „Judentum und Hellenismus" weist er mit Nachdruck auf die Problematik der Bezeichnung „hellenistisches"
und/oder „palästinisches" Judentum hin (vgl. Kap. II, näherhin S. 191–195). S. 193
schreibt er: „Das gesamte Judentum ab etwa der Mitte des 3. Jh.s v. Chr. müßte im
strengen Sinne als „hellenistisches Judentum" bezeichnet werden . . ." Wird dennoch
in dieser Arbeit diese Bezeichnung weiterhin verwendet, so nicht etwa weil diese
Problematik nicht gesehen wird als vielmehr weil m. E. die pauschale These von
Hengel zu nuancieren ist, und zwar in dem Sinne wie es u. a. *H. Hegermann,* Das
griechischsprechende Judentum 328–352 tut, wenn er S. 329 meint: „Es gab dort (=
im Mutterland) gewiß weiterhin mannigfaltige Einflüsse des Hellenismus, aber sie
blieben äußerlich. Nur in der Diaspora, . . . kam es zu einer neuen, hellenistischen
Ausprägung des Judentums."

Kapitel I

Die Frage nach der Vollmacht Jesu (Mk 11,27–33)

I. Abgrenzung der Perikope

Die erste literarische Einheit des von uns ausgewählten Abschnittes Mk 11,27–12,37 bildet Mk 11,27–33. Im Kontext des Markusevangeliums bereitet die Abgrenzung dieser Perikope nicht wenige Schwierigkeiten.

Die Vollmachtsfrage wird nach Markus am 3. Tag des Aufenthaltes Jesu in Jerusalem aufgeworfen und zwar im Tempel. V 27 markiert deutlich einen neuen Anfang, wie es typisch markinischem Stil entspricht: καὶ + Verbum.[1] Es beginnt außerdem ein neues Thema im Vergleich zu der unmittelbar vorhergehenden Perikope Mk 11,20–25. Mk 11,33 schließt die Szene gut ab und grenzt sie von der nachfolgenden Perikope Mk 12,1–12, die eine selbständige literarische Einheit ist, deutlich ab. Auch formgeschichtlich unterscheidet sich dieses Stück von der Vollmachtsfrage. Es ist kein Streitgespräch, sondern ein „Gerichtsgleichnis",[2] das wiederum eine neue Frage behandelt, obwohl es nach Meinung des Redaktors Markus nicht ohne einen engen inneren Zusammenhang mit unserer Perikope Mk 11,27–33 steht.

Nach rückwärts ist die Abgrenzung dieser Einheit sehr umstritten. Das ταῦτα im V 28 setzt ein Geschehen voraus, ohne dessen Kenntnis man die Frage nicht versteht. Mit anderen Worten: es bedeutet, daß diese Perikope in einen größeren Zusammenhang gehört. Welcher aber ist dieser Zusammenhang in unserem Fall? Die Antworten darauf fallen sehr unterschiedlich aus und es ist in der Forschung noch kein consensus darüber in Sicht. Soll man sich mit der Auskunft zufriedengeben, der sachliche Bezugspunkt lasse sich im jetzigen Zusammenhang nicht mehr ausmachen[3] oder die Vollmachtsfrage wäre ursprünglich ohne geschichtliche Veranlassung überliefert worden?[4]

---

[1] *V. Taylor*, Mk 48f; 52f; *M.-J. Lagrange*, Mc LXVIIff.

[2] *J. Blank*, Sendung 18 (+ Literatur).

[3] *K. L. Schmidt*, Rahmen 294.

[4] *M. Dibelius*, Formgeschichte 42 + Anm. 1; *W. Manson*, Jesus the Messiah 40; *J. Schniewind*, Mk 144; *C. G. Montefiore*, Synoptic Gospels I,271.

Es sprechen aber gute Gründe dafür, daß sich das ταῦτα ursprünglich auf die Tempelreinigung Mk 11,15–16 bezog und daß die beiden Perikopen ursprünglich zusammengehörten.[5] Mk 11,17 ist nur lose an V 15f angeschlossen, wie schon oft beobachtet worden ist.[6] Auch die Seitenreferenten Mt 21,12f und Lk 19,45f haben das Künstliche der Anreihung von Mk 11,17 empfunden und daher V 17 organischer mit der vorhergegangenen Tempelreinigungsperikope zu verbinden versucht.[7] In der Tat, sowohl die Anreihungsformel: καὶ ἐδίδασκεν καὶ ἔλεγεν als auch die Einzelelemente des Verses: καὶ ἔλεγεν αὐτοῖς und καὶ ἐδίδασκεν sind typisch markinische Wendungen und werden also der markinischen Redaktion zuzuschreiben sein.[8] Ebenso lassen VV 18.19.27a die Hand des Redaktors Mk erkennen.[9] Ob V 15f eine eigenständige Einheit gebildet haben kann, die ohne ein deutendes Jesuswort existenzfähig wäre, scheint sehr unwahrscheinlich. R. Bultmann erwägt darum sehr vorsichtig, ob ursprünglich diese Verse nicht doch mit der Vollmachtsfrage verbunden gewesen sein könnten.[10]

Schließlich bestätigt eine sprachliche Beobachtung, worauf D. Daube aufmerksam machte, die aber kaum beachtet wird, die Annahme, daß Mk 11,15–16 und 11,27b–33 zusammengehören. Das Verbum ποιεῖν V 28ff, bemerkt Daube, hat wohl in vielen Sprachen den allgemeinen Sinn von „tun", aber „in Hebrew and Aramaic as well as in Greek and in English it would as a rule be used of

---

[5] Vgl. die ausführliche Diskussion bei *A. J. Hultgren*, Jesus 70–72. Er selber tritt für die Zusammengehörigkeit der beiden Perikopen ein (71f).

[6] *R. Bultmann*, Geschichte 367; *J. Roloff*, Kerygma 91 und Kommentare.

[7] Vgl. *J. Roloff*, Kerygma 91.

[8] Vgl. Mk 2,27; 4,2.21.24; 6,10; 7,9; 8,21; 9,1.

[9] Anders *Roloff*, Kerygma 92, der V 18a der Tradition und V 27b dagegen der Redaktion zuschreibt. Uns scheint es umgekehrt zu sein. Das versuchen wir in der literarkritischen Analyse zu zeigen. Auch die Belege, die Roloff bringt, Mk 8,31b und 15,1, gehören u. E. der Tradition an. Roloff erklärt Mk 11,18a, der vom Tötungsbeschluß der Gegner spricht, für einen „Vorgriff". Er übersieht dabei, daß Mk 3,6 schon von der Tötung Jesu die Rede ist und interessanterweise unter Verwendung der gleichen Vokabeln! Die Übereinstimmung der beiden Verse 3,6 und 11,18 ist fast perfekt. Und daß ἀπολέσθαι bei Mk „sonst nie in redaktionellen Passagen" erscheint, stimmt einfach nicht. Vgl. *R. Bultmann*, Geschichte 66. Im übrigen sind die erwähnten Gegner V 18a die stereotype Bezeichnung der Gegner Jesu bei Markus. Vgl. *R. Bultmann*, Geschichte 54; *E. Schweizer*, Die theologische Leistung des Markus, 38. Vgl. ferner *G. Strecker*, Die Leidens- und Auferstehungsvoraussagen im Mk-Ev. 26 Anm. 24; *R. Pesch*, Die Passion des Menschensohnes 173 + Anm. 38.

[10] *R. Bultmann*, Geschichte 36; 18 + Anm. 3. Hält Bultmann hier nur zögernd die Zusammengehörigkeit dieser Perikopen für möglich, so entscheidet er in seinem Johannes-Kommentar die Frage doch negativ: „Ist die Frage also sachlich eine Parallele zu Mk 11,27, so doch nicht literarisch, daß man annehmen müßte, der Erzähler habe die in der modernen Exegese beliebte Verbindung zwischen Mk 11,27 mit 11,15–17 vollzogen" (88 Anm. 2).

undertakings not purely academic".[11] Das ταῦτα ποιεῖς verlangt also einen konkreten Bezugspunkt, der nichts anderes sein kann, als das Vorgehen Jesu im Tempel. Hinzu kommt, daß Jesus erst V 29a namentlich erwähnt wird, hier nur mit Pronomen. Damit dürfte die Abgrenzung unserer Perikope sowohl nach vorne als auch nach rückwärts gegeben sein.

Gehörten also ursprünglich die Tempelreinigung und die Vollmachtsfrage zusammen und bezog sich das ταῦτα zunächst auf das Vorgehen Jesu im Tempel, so hätten wir hier „eine völlig in sich abgerundete Streitgesprächsszene"[12], deren Ausgangspunkt sich die Tempelreinigung durchaus wahrscheinlich macht. Nachdem also Jesus die Verkäufer und Geldwechsler aus dem Tempel vertrieben hat, stellen ihn die zuständigen Autoritäten nun zur Rede. Es ließe sich so die ursprüngliche Einheit reibungslos rekonstruieren. Sie umfaßte demnach VV 15f.27b–33.[13]

Für die Trennung der ursprünglichen Einheit dürfte der Redaktor Mk verantwortlich sein. Und was er damit bezweckte, wird deutlich, wenn man den Kontext Mk 11,11.12–14.15–19.20–25.27ff sorgfältig betrachtet.

Für die Zusammengehörigkeit dieser Perikopen spricht auch die Tatsache, daß sie im Johannesevangelium eng miteinander verbunden sind, obwohl dort die Diskussion (Joh 2,13–22) ganz anders verläuft und von seiner Theologie stark bestimmt ist.[14]

II. Literarkritische Beobachtungen

A. Quellenlage

Abgesehen von der Andeutung bei Johannes (Joh 2,13–22) wird uns die Vollmachtsfrage von den drei Synoptikern allein überliefert. Offensichtlich folgen Mt und Lk ihrer markinischen Vorlage, wie ein

---

[11] D. Daube, New Testament 220.

[12] J. Roloff, Kerygma 93.

[13] Für die Zusammengehörigkeit von Mk 11,15f und 11,27–33 plädieren u. a. J. Sundwall, Zusammensetzung 19f; A. Suhl, Funktion 142; H. Patsch, Einzug 4f; F. Hahn, Hoheitstitel 171 + Anm. 3; 173; M. Goguel, Jean Baptiste 49; H. Zimmermann, Methodenlehre 155; J. Jeremias, Abendmahlsworte 51; W. Feneberg, Markusprolog 170f; P. von der Osten-Sacken, Streitgespräch 382; W. Beilner, Christus 180; D. Daube, New Testament 220–223; M. Albertz, Streitgespräche 19f.34f. Nach ihm ist Mk 11,15–17 nicht nur ein „Vorbericht" zu den Streitgesprächen, sondern auch „Voraussetzung zur Vollmachtsfrage"; ferner vgl. die meisten Kommentare, z. B. C. E. B. Cranfield, Mk 362; V. Taylor, Mk 468f.470; A. Loisy, Synoptiques II, 293f, J. Schmid, Mk 210ff.213; E. Klostermann, Mk 116f; E. Lohmeyer, Mk 240; J. Bowman, Mk 222; E. Haenchen, Weg 382ff; M.-J. Lagrange, Mc 294–297; R. Schnackenburg, Mk II,147; J. Wellhausen, Evgl. Mci 92. Dagegen z. B. G. Wohlenberg, Mk 306.

[14] Zur Diskussion: Johannes oder die Synoptiker? Vgl. R. Schnackenburg, Joh-Evgl. I, 360ff, bes. 368–370; Ders., Verfahren 160ff.164 mit Literatur; R. Bultmann, Joh-Evgl.

Vergleich des Materials und die zum Teil wortwörtlichen Übereinstimmungen mit dem Mk-Text zeigen. Mt und Lk haben lediglich
stilistische Verbesserungen am Mk-Text vorgenommen.[15]

Bei Markus steht die Frage nach der Vollmacht Jesu zwischen dem
2. Teil der Perikope von dem verdorrten Feigenbaum (11,20–25) und
dem Gleichnis von den bösen Winzern (12,1–12), kurz vor dem
Passionsgeschehen. Mit ihr beginnt eine Serie von Gesprächen und
Auseinandersetzungen Jesu mit seinen Gegnern während seiner
Wirksamkeit in Jerusalem. Man pflegt sie seit M. Albertz die „Jerusalemer Streitgespräche"[16] zu nennen.

B. Analyse des Textes

Die Scheidung von Redaktion und Tradition hilft uns, einen Blick
in die Arbeitsweise eines Redaktors zu werfen und seine Traditionen
zu rekonstruieren. Erst wenn wir also die Analyse des Abschnittes
vorgenommen haben, können wir feststellen, welche Motive den
Redaktor bewegt und geleitet haben können, seine Tradition neu zu
interpretieren und welche Aussageintention diese Tradition
ursprünglich besaß.

Nun ist die literarkritische Beurteilung unserer Perikope sehr
umstritten. Die Schwierigkeiten beginnen bereits mit dem Eingangs-
vers: V 27. Die Autoren sind sich darin nicht einig, ob V 27 ganz oder
zum Teil nur dem Redaktor zuzuschreiben ist.[17] Man weist auf die
Beobachtung hin, daß das Verbum in V 27a ἔρχονται ein Plural,
während V 27b ein Genitivus absolutus singular ist: περιπατοῦντος
αὐτοῦ. Es ist also nur von Jesus die Rede. Das ist ein Zeichen dafür,
daß hier ein Bruch vorliegt.[18] Außerdem spielen in der ganzen
Perikope die „Begleiter" Jesu keine Rolle. Nicht einmal werden sie
ausdrücklich erwähnt. Alles spielt sich allein zwischen Jesus und

---

88 und Anm. 2. *E. Trocmé*, Expulsion 10f sowie *F. M. Braun*, Expulsion 193f.199f
nehmen in dem geschilderten Vorgang bei den Synoptikern und im Johannesevangelium zwei verschiedene Ereignisse an, was sehr unwahrscheinlich ist, wie auch
R. Schnackenburg, Joh-Evgl. I, bes. 368ff; *Ders., Verfahren* 160ff, gezeigt hat.

[15] Vgl. *J. Schmid*, Mt und Lk 137–139; *A. J. Hultgren*, Jesus 68ff; ferner die Kommentare
u. a. von *P. Bonnard*, Mt 309f; *E. Lohmeyer – W. Schmauch*, Mt [4]305f; *E. Klostermann*,
Mt 169; *Ders.*, Lk 192f; *E. Schweizer*, Mt 267; *W. Grundmann*, Mt [4]454; *Ders.*, Lk [6]370f.

[16] *M. Albertz*, Streitgespräche, bes. 16–36.

[17] *J. Sundwall*, Zusammensetzung 71f; *R. Bultmann*, Geschichte 18f; *V. Taylor*, Mk 468f;
E. Klostermann, Mk 119. *H. Zimmermann*, Methodenlehre 155, entscheidet nicht deutlich, was nun Redaktion und was Tradition ist. Er schreibt: V 27 ist „im wesentlichen
als redaktionelle Bildung des Evangelisten anzusehen."; *J. Roloff*, Kerygma 92 und
Anm. 9; *J. Gnilka*, Mk II,137.

[18] *K. L. Schmidt*, Rahmen 276; *R. Bultmann*, Geschichte 369; *V. Taylor*, Mk 469.

seinen Gegnern ab. Man hat den Eindruck, daß niemand (Volk oder Jünger) sonst noch anwesend ist. Einig ist man sich lediglich darin, daß V 27a sicher redaktionell ist. Die Formel καὶ ἔρχονται ist eine typisch markinische Wendung (10,46; 11,11.15). Ebenso weist der Gebrauch des impersonalen Plurals wie des Praesens historicum als Erzähltempus: ἔρχονται auf die Hand des Redaktors Markus hin.[19] Auch das „πάλιν" ist typisch markinisch.[20] Hier paßt es gut in den Kontext. Denn es ist notwendig, Jesus und seine Jünger wieder nach Jerusalem zurückkommen zu lassen, nachdem sie Mk 11,19 die Stadt verlassen hatten.

Sowohl Mk 11,19 als auch Mk 11,27a sind als mkn. Redaktionsarbeit anzusehen.[21]

Mk 11,27b findet sich eine zweite, genauere Ortsangabe: καὶ ἐν τῷ ἱερῷ περιπατοῦντος αὐτοῦ. Jesus befindet sich nun im Tempel.[22] Nach F. Neirynck sind zweite Ortsangaben bei Mk oft seiner Tradition entnommen.[23]

Man hat schon die Beobachtung gemacht, daß Markus' besonderes Interesse nicht den πρεσβύτεροι, sondern den anderen zwei Gruppen, den ἀρχιερεῖς und γραμματεῖς gilt.[24] Die letzten sind bei ihm die Gegner Jesu schlechthin von Anfang der öffentlichen Tätigkeit Jesu bis zu seinem Tod.[25] Warum sollte nun Mk die πρεσβύτεροι, die ihn, wie gesagt, nicht besonders interessieren, hier ausdrücklich erwähnen, nachdem kurz zuvor Mk 11,18 nur von den γραμματεῖς und ἀρχιερεῖς und nicht von ihnen die Rede war? Als Verbindungsglied mit Mk 12,10, da nach jüdischer Tradition[26] mit οἰκοδομοῦντες die Führer des Volkes gemeint sind? Diese Interpretation sucht m. E. zu weit und überzeugt nicht. Die Erwähnung der drei Gruppen an dieser Stelle dürfte Mk aus seiner Tradition übernommen haben. Hier wie in der Passionsgeschichte werden die drei Instanzen zitiert und für den Tod Jesu verantwortlich gemacht: Mk 14,43.53; 15,1 (vgl. 8,31). Wir halten also V 27b für traditionell.[27] Auch V 28 ist traditionell. Er formuliert die Hauptfrage, die den Streit provoziert: ἐν ποίᾳ ἐξουσίᾳ

---

[19] V. Taylor, Mk 46f; R. Bultmann, Geschichte 369; J. Lambrecht, Redaktion 37f.

[20] V. Taylor, Mk 192 mit Literaturangabe; R. Bultmann, Geschichte 364; K. L. Schmidt, Rahmen 89; F. Lentzen-Deis, Taufe Jesu 41.

[21] Vgl. u. a. R. Bultmann, Geschichte 18.36; J. Sundwall, Zusammensetzung 72.

[22] Vgl. H. Braun, Radikalismus II,44.

[23] Vgl. F. Neirynck, Duplicate expressions 182ff; bes. 188f.

[24] R. Bultmann, Geschichte 54; K. L. Schmidt, Rahmen 274; K. Kertelge, Die Epiphanie Jesu 162.

[25] R. Bultmann, Geschichte 54; K. L. Schmidt, Rahmen 271.

[26] So M. Horstmann, Studien 25; vgl. Bill., I,876; P. Hoffmann, Herkunft und mkn. Rezeption 177f + Anm. 35; J. Blank, Jesus 24f.

[27] So auch R. Pesch, Die Passion des Menschensohnes 173 + Anm. 38; G. Strecker, Die Leidens- und Auferstehungsvoraussagen 26. Dagegen J. Roloff, Kerygma 92; P. Hoffmann, Herkunft und mkn. Rezeption 177 + Anm. 35.

ταῦτα ποιεῖς; ἤ τίς σοι ἔδωκεν τὴν ἐξουσίαν. . .; und gehört unbedingt zum Kern der Auseinandersetzung. VV 29–30 bringen die Antwort Jesu auf die Frage seiner Gegner. Sie wird, wie es bei den Rabbinen geläufig war, als Gegenfrage formuliert. Nichts weist darauf hin, daß hier der Redaktor am Werk ist. Wir haben es hier mit der vormarkinischen Tradition zu tun, wie das semitische Kolorit von V 29b zusammen mit der Erwähnung Johannes des Täufers zeigt.

Ob VV 31–33, die uns über das Dilemma der Gegner und ihre Antwort berichten, dem Redaktor oder vielmehr der Tradition zuzuweisen sind, ist sehr umstritten. R. Bultmann läßt zwar das Apophthegma mit V 30 enden und betrachtet V 31f als Zusatz.[28] Seine Gründe überzeugen aber nicht.

a) Daß die Debatte ursprünglich mit einer Gegenfrage schließen mußte, „wie es dem Stil des Streitgespräches auch bei den Rabbinen entspricht", scheint dem neutestamentlichen Befund nicht ganz gerecht zu werden. Bultmann selber bringt ja auch einige Beispiele, die seiner Behauptung widersprechen: Mk 2,17.19; 3,24f; 7,6.28; 10,6–8.[29] Außerdem, muß er nicht zugeben, daß es selbst bei den Rabbinen nicht immer der Fall ist? „Die Antwort auf den Angriff erfolgt in mehr oder weniger prinzipieller Form, besonders gern als Gegenfrage oder als Bildwort oder als beides zugleich."[30]

b) Das zweite Argument Bultmanns für den sekundären Charakter von V 31f betrifft den Gebrauch des Verbums: πιστεύειν. Es ist also inhaltlicher Art: „Auch das πιστεύειν zeigt, daß V 31f von einem Hellenisten (vielleicht von Mk selbst) stammt."[31] Ob dieses Argument so beweiskräftig ist? Richtig sieht Bultmann, wenn er auf die Bedeutung des πιστεύειν und πίστις in den Evangelien und gerade auch bei Mk aufmerksam macht.[32] Das bedeutet aber nicht, daß schon der Gebrauch dieses Begriffes unbedingt auf Mk oder einen Hellenisten zurückgehen muß. Markus kann ihn genauso gut in seiner Tradition vorgefunden haben. Und das scheint hier der Fall zu sein. Denn der Gebrauch des πιστεύειν mit Dativ ist sowohl im NT[33] als auch in der

---

[28] R. Bultmann, Geschichte 19; F. H. Colson, Mk 11,27–33, S. 71–72, hier S. 72; ferner A. J. Hultgren, Jesus 70, hält VV 30b–33 für „secondary elements". Dagegen V. Taylor, Mk 470.

[29] R. Bultmann, Geschichte 42f.

[30] R. Bultmann, Geschichte 42. Ebda 45 schreibt er: „in manchen Fällen wird die Gegenfrage nicht (allein) durch ein Wort, sondern wie Mk 12,13–17 (. . .) durch eine Demonstration oder symbolische Handlung gegeben."

[31] R. Bultmann, Geschichte 19. In ähnlicher Weise argumentiert auch H. Braun, Jesus 114; weiter C. G. Montefiore, Synoptic Gospels I,271f.

[32] Vgl. J. Roloff, Kerygma 152ff, bes. 169–173; K. Tagawa, Miracles et Evangile 116f; J. M. Robinson, Geschichtsverständnis 101f; J. Schreiber, Theologie des Vertrauens 235–243; K. G. Reploh, Markus – Lehrer der Gemeinde 22f.

[33] Vgl. Mt 21,32; Joh 4,21; 5,24; 1 Joh 5,10.

LXX[34] gut bezeugt. Und, daß die Führer des Volkes Johannes den Täufer und seine Botschaft nicht anerkannt haben, weiß die ganze christliche Tradition darüber zu berichten.[35] Aber auch ein Zeuge wie Fl. Josephus, der sicher nicht als Feind der jüdischen Obrigkeit gelten kann, bestätigt es in seinen Antiquitates, XVIII, 116–119, wo von Johannes dem Täufer die Rede ist. Daher dürfte E. Lohmeyer recht haben, wenn er gegen Bultmann behauptet: „Das Urteil läßt sich durch den Gebrauch von πιστεύειν (. . .) nicht begründen und angesichts von Mt 21,32; Lk 7,29f kaum halten".[36] Hier wie Mk 11,22c.23ff ist dem Redaktor der Hinweis auf πιστεύειν bzw. πίστις willkommen gewesen. V 31b dürfte also auch traditionell sein. Auch V 31a ist traditionell. Das Verbum διαλογίζεσθαι, das das Dilemma der Gegner und ihre Überlegungen beschreibt, kommt bei Mk siebenmal vor.[37] Auch hier zwingt der Gebrauch des Verbums allein nicht dazu, den Vers als redaktionell anzusehen. V 31a läßt nirgends typisch markinische Elemente erkennen. Er ist vielmehr ein wesentlicher Teil von V 31b, der, wie gezeigt, traditionell ist. Hinzu kommt, daß die Satzkonstruktion semitisch ist: διελογίζοντο . . . λέγοντες. Schließlich, wie soll Markus überhaupt von den Überlegungen der Gegner gewußt haben, wenn es ihm nicht von der Tradition überliefert worden wäre? Denn „wissen konnte er bestenfalls allein, daß sie gesagt haben „Wir wissen es nicht".[38]

Auch die Seitenreferenten Mt 21,25c und Lk 20,5 bringen diese Überlegungen der Gegner. Dabei ist nicht nur die sachliche, sondern vielmehr die fast wörtliche Übereinstimmung mit Mk zu beachten. Mt und Lk nehmen hier lediglich stilistische Verbesserungen vor. V 31f ist also keine Erfindung des Redaktors. Er ist fest in der Tradition verankert. Das wird durch den Kommentar des Redaktors V 32bc bestätigt. E. Lohmeyer ist zuzustimmen, wenn er meint: „Es ist deutlich, daß diese Erwägung, so gewiß der urchristliche Erzähler sie anstellt, doch nicht seine Erfindung ist, sondern ein notwendiger Bestandteil des Gespräches."[39]

Dieser Kommentar des Redaktors V 32bc bietet seinerseits eine ganz seltsame Satzstruktur. Wir haben hier einen klaren literarischen Bruch, nämlich ein Anakoluth.[40] Ein solcher Bruch aber ist ein Indiz

---

[34] Vgl. Gen 15,6; 45,26; Ex 4,1.5.8.9; 14,31; Num 14,11; Dt 9,23 . . .

[35] *M.-J. Lagrange,* Mc 303; vgl. Mk 9,13; Mt 21,32; Lk 7,29f.

[36] *E. Lohmeyer,* Mk 242 Anm. 5. So auch *V. Taylor,* Mk 470.

[37] Mk 2,6.8 (bis); 8,16.17; 9,33 und 11,31.

[38] *E. Haenchen,* Der Weg 393. – Allerdings schreibt Haenchen dem Redaktor Markus diesen Vers zu.

[39] *E. Lohmeyer,* Mk 242.

[40] *V. Taylor,* Mk 50.471; *Blass-Debrunner,* Grammatik § 470,3; *E. Lohmeyer – W. Schmauch,* Mt 306.

dafür, daß hier der Redaktor am Werk ist, denn es kann kaum auf mündliche Überlieferung zurückzuführen sein. In der Tat weisen verschiedene Elemente auf markinische Redaktionsarbeit hin:

1. MARKINISCH IST DAS VOKABULAR

a) ὄχλος kommt 37mal vor und immer im Singular.[41]

b) Das Verbum φοβέομαι begegnet 12mal, oft in redaktionellem Kontext, so z. B. 9,32; 10,32; 11,18; 12,12.[42]

c) γάρ ist eine typisch markinische Begründungsweise.[43] Es kommt 68mal vor.

2. PARALLELE ZWISCHEN JESUS UND JOHANNES DEM TÄUFER

Auch die Erwähnung Johannes des Täufers in diesem Kontext paßt gut zur markinischen theologischen Konzeption. W. Marxsen hat überzeugend dargelegt, daß für Mk Johannes der Täufer in se keine Bedeutung hat;[44] er ist vielmehr der „Vorläufer des Messias"[45] und als solcher gehört er in das Evangelium hinein.[46] Nun liebt es Markus, Parallelen zwischen Jesus und Johannes dem Täufer zu ziehen, um die Rolle des Täufers am Anfang des Evangeliums klarzustellen. In unserem Zusammenhang geht es darum, daß die Führer des Volkes es nicht wagen, und zwar aus Angst vor dem Volk, die prophetische Rolle des Johannes zu negieren (V 32b). Ebenso wagen sie es nicht, auch aus Angst vor dem Volk, Jesus sofort festzunehmen (Mk 11,18; 12,12).

Aus diesen Gründen meinen wir dem Redaktor Markus V 32b zuschreiben zu sollen.

V 33 bildet den Abschluß und Höhepunkt des Gespräches. Er entscheidet über den Streitpunkt. Antwort der Gegner und Antwort Jesu stehen sich gegenüber. Das Gespräch bliebe freilich unvollendet ohne sie. Interessant ist die Beobachtung, daß die Antwort Jesu V 33c den genauen Wortlaut der Frage seiner Gegner V 28a und V 29c wiedergibt. Wie VV 28a und 29c ist auch V 33 Bestandteil der Tradition.

Unsere Analyse kommt zu dem Ergebnis, daß die Redaktionsarbeit des Markus nur aus VV 27a und 32b besteht. Die übrigen Verse gehören der vormarkinischen Tradition an.[47]

---

[41] *V. Taylor,* Mk 194; *M.-J. Lagrange,* Mc LXXX.

[42] *V. Taylor,* Mk 276 zu Mk 4,41.

[43] *R. Schnackenburg,* Mk 9,33–50, jetzt in: Schriften 142 + Anm. 39; *H. W. Kuhn,* Sammlungen 33 Anm. 131.

[44] *W. Marxsen,* Der Evangelist 19.

[45] *J. Gnilka,* Martyrium 80; *A. Vögtle,* Wunder und Wort, in: *ders.,* Das Evangelium 227.231.241.

[46] *W. Marxsen,* Der Evangelist 38.

[47] Vgl. noch *G. S. Shae,* The Question 1–29; ferner *A. J. Hultgren,* Jesus 70.

III. Form- und Gattungskritik

A. Sprache des Textes

Mk 11,27 schildert ganz kurz die Situation und stellt die Personen, die an dem Geschehen teilhaben, ebenso knapp vor. Jesus befindet sich in Jerusalem, und zwar im Tempel: καί ἐν τῷ ἱερῷ ...Offensichtlich liegt es dem Redaktor Mk sehr daran, die folgende Szene in Jerusalem zu lokalisieren. Warum ihm Jerusalem so wichtig ist, wird zu erläutern sein. Bemerkenswert ist an dieser Stelle zunächst die Tatsache, daß Mk nie die semitische Form Ἰερουσαλήμ, sondern immer die hellenistische Ἱεροσόλυμα gebraucht.[48] Ist dieser Wortgebrauch ein Hinweis auf seine Adressaten? Der Begriff τὸ ἱερόν taucht bei Mk zum ersten Mal hier im Kapitel 11, genauer Mk 11,11 auf. An unserer Stelle V 27b begegnet er bereits zum fünften Mal.[49] Der Evangelist mißt dem Tempel große Bedeutung bei, wie seine Interpretation des Wirkens Jesu in Jerusalem zeigen wird. Jesus geht im Tempel umher: περιπατοῦντος αὐτοῦ. Das Verbum περιπατέω, dessen Verwendung mit Dativ sich nicht nur im NT, sondern auch bei hellenistischen Autoren belegen läßt, bedeutet zunächst „gehen, wandern, umhergehen, einhergehen". Im übertragenen Sinn kommt es auch vor und hat die Bedeutung: „seinen Lebenswandel gestalten, leben".[50] Bei Mk begegnet das Wort 8mal, abgesehen von Mk 16,12, und zwar nur in traditionellem Gut. Auch die Gegner Jesu werden ausdrücklich genannt. Es sind οἱ ἀρχιερεῖς καὶ οἱ γραμματεῖς καὶ οἱ πρεσβύτεροι, Mitglieder des Synedriums und Führer des Volkes, die höchste Autorität in Israel.[51] Nur die Hauptakteure, Jesus und seine Angreifer werden vorgestellt. Von anderen Leuten, sogar von den Jüngern Jesu oder von Zuhörern im Tempel ist keine Rede. Ganz indirekt könnten die Jünger mit der knappen redaktionellen Notiz V 27a: ἔρχονται ... gemeint sein. Und V 32b ἐφοβοῦντο τὸν ὄχλον, ἅπαντες γὰρ ... wird ebenso indirekt das Volk erwähnt. Im übrigen gilt das ganze Interesse der Erzählung nur Jesus und seinen Gesprächspartnern. Von ihrem Anliegen ist hier noch nichts gesagt. So gewinnt man den Eindruck äußerster Eindringlichkeit und Konzentration auf das Gespräch selbst.

Mk stellt keine Verbindung nach rückwärts her. Er hebt vielmehr von neuem an. Allerdings könnte das πάλιν in V 27a irgendwie diese

---

[48] Vgl. *V. Taylor,* Mk 227 zu Mk 5,7f; *Moulton-Geden,* Concordance z. St.
[49] Vgl. *Moulton-Geden,* Concordance z. St.
[50] *W. Bauer,* Wörterbuch 1286f; *Blass-Debrunner,* Grammatik § 198,5.
[51] *E. Lohse,* Umwelt des NT 53ff.82ff; *J. Blank,* Jesus 20ff; *M. Hengel,* Judentum und Hellenismus 143ff.

Funktion haben. Jedenfalls zeigt es an, daß Jesus vorher schon in Jerusalem gewesen ist.

V 28 formuliert recht deutlich die Streitfrage. Anlaß dazu ist das Vorgehen Jesu im Tempel (Mk 11,15f–17), worauf das doppelte ταῦτα hinweist: ἐν ποίᾳ ἐξουσίᾳ ταῦτα ποιεῖς; ἤ τίς σοι ἔδωκεν τὴν ἐξουσίαν ταύτην ἵνα ταῦτα ποιῇς; Mit einer Doppelfrage wird Jesus aufgefordert, sich zu seiner Vollmacht zu äußern. Mk liebt es, Doppelfragen zu stellen (vgl. Mk 9,19; 12,14).[52] In unserem Zusammenhang wird die erste Frage: ἐν ποίᾳ ἐξουσίᾳ ταῦτα ποιεῖς; von der zweiten ἤ τίς σοι ἔδωκεν τὴν ἐξουσίαν ταύτην . . . dahin präzisiert,[53] daß nun nach der Herkunft der Vollmacht Jesu gefragt wird. Die Formulierung der Frage selbst bestätigt diese Sicht. Der Satz: ἤ τίς σοι ἔδωκεν τὴν ἐξουσίαν ταύτην ἵνα ταῦτα ποιῇς ist überladen. Denn mit dem bestimmten Artikel „τὴν" und dem Demonstrativum-ταύτην ist die ἐξουσία bereits bestimmt.[54] Der folgende erklärende ἵνα-Satz, der die Frage nochmals wiederholt, ist eigentlich überflüssig. So haben es auch die Seitenreferenten Mt und Lk empfunden und ihn darum weggestrichen. Man darf also die Doppelfrage nicht überinterpretieren oder isoliert betrachten, wie es Gam Seng Shae tut.[55] Richtig dürften die Autoren sehen, die mit E. Lohmeyer meinen, daß es sich um „eine Frage, doppelt in der Form, aber einheitlich in der Richtung"[56] handelt. Bemerkenswert ist, daß der markinische Jesus es offensichtlich auch so verstand. In seiner Antwort VV 29c.33d wiederholt er wörtlich die erste Formulierung, während erst seine Gegenfrage V 30 an die zweite Formulierung ἤ τίς σοι ἔδωκεν τὴν ἐξουσίαν . . . erinnert.

Als auslösender Faktor des Streitgespräches wird ταῦτα angegeben. Nun, darüber, worauf sich dieses ταῦτα bezieht, gehen die Meinungen weit auseinander.[57] Negativ stimmt man darin überein, daß sich das ταῦτα in V 28b nicht auf V 27b, d. h. auf περιπατοῦντος beziehen kann. Das gäbe sonst keinen Sinn. Schon die Seitenreferenten haben diese Schwierigkeit gesehen und setzten darum anstatt von περιπα-

---

[52] G. S. Shae, Question 10–11 scheint die Frage der Gegner als zwei verschiedene zu betrachten, wenn er schreibt: „the first of the two questions is evidently the main question, as its recurrence in V 29b and 33b indicates". Dagegen meint A. J. Hultgren, Jesus 69: „the second question is more original . . ."

[53] W. Grundmann, Mk 236; G. Wohlenberg, Mk 306 gegen M.-J. Lagrange, Mc 302; D. Daube, New Testament 217.

[54] Blass-Debrunner, Grammatik § 252,1 und 292.

[55] So G. S. Shae, The Question 11; A. J. Hultgren, Jesus 69–70.

[56] E. Lohmeyer, Mk 241; V. Taylor, Mk 470; E. P. Gould, Mk 218; W. Grundmann, Mk 236; ferner F. Neirynck, Duplicate expressions, bes. 191f (Literatur!); R. Pesch, Naherwartungen 103 + Anm. 168.

[57] R. Bultmann, Geschichte 18 Anm. 2; V. Taylor, Mk 469f; J. Schmid, Mk 210–213; M.-J. Lagrange, Mc 294–297; E. Haenchen, Der Weg 393f; E. Klostermann, Mk 116.

τοῦντος αὐτοῦ: αὐτῷ διδάσκοντι (Mt 21,23b) bzw. διδάσκοντος ... (Lk 20,1a). Bezieht sich also auch für Mk das ταῦτα auf die Lehrtätigkeit Jesu, wie es W. Grundmann annimmt? Es gehe hier um ein lehrendes Umhergehen.[58] Dies löst aber das Problem nicht, abgesehen davon, daß dies im Mk-Text gar nicht steht. Auch die Tatsache, daß jeder erwachsene männliche Israelit bevollmächtigt war, in der Synagoge zu lehren bzw. zu predigen (vgl. Lk 4,16ff; Apg 13,15),[59] spricht dagegen. Im übrigen, davon, daß Jesus in den Synagogen oder im Tempel lehrte, ist oft und ausdrücklich die Rede: Mk 12,35a; 14,49; Lk 19,47; 21,37; 4,16f; Jn 18,20; 6,59; 7,14; Mt 4,23; 26,55. Aber nie hat man ihn deswegen zur Rede gestellt oder verhaften wollen. So heißt es Mk 14,49a z. B. καθ' ἡμέραν ἤμην πρὸς ὑμᾶς ἐν τῷ ἱερῷ διδάσκων, καὶ οὐκ ἐκρατήσατε ... (Vgl. Mt 26,55c; Lk 22,53).

R. Bultmann hat daher die Meinung vertreten, daß sich das ταῦτα auf die Tauftätigkeit Jesu (bzw. seiner Gemeinde) bezogen habe, „da die Tempelreinigung nicht als Anlaß einer rabbinischen Debatte, um die es sich hier handelt, geeignet" erscheine.[60] Man muß Bultmann wohl fragen dürfen, warum die Tempelreinigung den Streit nicht hätte provozieren können, da das Vorgehen Jesu gegen die Tempelordnung verstößt.[61] Mit Recht stellte bereits Billerbeck fest: „Die Frage an Jesum im Mt 21,23 war geeignet, der Ausgangspunkt einer gerichtlichen Untersuchung gegen ihn zu werden."[62] Dabei verweist er u. a. auf Sanh 11,1.2.4. Das dürfte wohl auch für Mk 11,28 zutreffen. Im übrigen läßt der Text selbst m. E. nicht deutlich genug erkennen, daß es sich hier um die Tauftätigkeit Jesu handelt.

Das gibt Bultmann selbst zumindest indirekt zu, wenn er schreibt: „Es wird sich kaum mehr feststellen lassen, ob Jesus selbst getauft hat, wie Joh 3,22.26 behauptet wird."[63] Ähnlich wie Bultmann urteilt auch E. Haenchen.[64] Er sieht in unserer Perikope die Taufpraxis der christlichen Gemeinde vorausgesetzt, „da nur so die Analogisierung von göttlicher Legitimation der Taufe und Vollmacht Jesu möglich sei".[65] Aber geht es hier vordergründig um die Tauftätigkeit des

---

[58] W. Grundmann, Mk [5]236; [7]317; vgl. E. Klostermann, Mk 119; W. Beilner, Christus 181.

[59] E. Lohse, Umwelt des NT 115ff, bes. 119; E. Haenchen, Der Weg 213.393; J. Schmid, Mk 216.

[60] R. Bultmann, Geschichte 18.

[61] So auch J. Schmid, Mk 216f.213; E. Haenchen, Der Weg 394; W. Beilner, Christus 180f; D. Daube, New Testament 220; ferner M. Albertz, Streitgespräche 17.23; V. Taylor, Mk 469f u.a.m.

[62] Bill., I. 860.

[63] R. Bultmann, Geschichte 18 Anm. 2; vgl. die Ausführungen in seinem Johanneskommentar zu Joh 3,22.26; 4,1f. Anders J. Becker, Johannes der Täufer und Jesus 14.

[64] E. Haenchen, Der Weg 392–396.

[65] R. Bultmann, Geschichte, Ergänzungsheft ([4]1971), S. 21.

Johannes? Das scheint keinesfalls sicher zu sein. Vielmehr wird Johannes der Täufer hier durch seine typische Aufgabe und Tätigkeit charakterisiert.[66] Gemeint ist also nicht die Tauftätigkeit des Johannes, sondern seine prophetische Sendung, wie auch V 32b (ἅπαντες γὰρ . . .) ganz richtig interpretiert (vgl. Mk 1,4b).

Bezog sich ursprünglich das ταῦτα auf die sogenannte Tempelreinigung, so hat es im jetzigen Kontext bei Mk zunächst keine Beziehung. Wie es Mk aber verstanden wissen will, wird seine Deutung dieser Perikope zeigen.

Die Führer des Volkes fragen nach der ἐξουσία Jesu: ἐν ποίᾳ ἐξουσίᾳ . . . Von der Vollmacht Jesu ist bei Mk direkt oder indirekt viel die Rede, und zwar von Anfang der öffentlichen Tätigkeit Jesu an (Mk 1,22.27; 2,10; 3,15; 6,7).

Geschickt verbindet V 29a die Verse 28 und 29, indem die Partikel δὲ verwendet wird. Dabei wird Jesus zum ersten Mal in der Geschichte namentlich genannt: ὁ δὲ Ἰησοῦς εἶπεν αὐτοῖς (vgl. VV 33a.c.). Sehr auffällig jedoch ist die Satzkonstruktion in V 29b: ἐπερωτήσω ὑμᾶς ἕνα λόγον, καὶ ἀποκρίθητέ μοι, καὶ ἐρῶ ὑμῖν . . . Dieser Satz enthält, wie K. Beyer nachgewiesen hat, ein semitisches Kolorit: καὶ . . . καὶ statt ἐὰν oder ἄν + Hauptsatz.[67] Auch der Gebrauch der Kardinalzahl „ἕνα λόγον" d. h. εἷς an Stelle vom unbestimmten Artikel τις sowie die gegensätzlichen Ausdrücke: ἐξ οὐρανοῦ . . . ἢ ἐξ ἀνθρώπων in V 30a sind gut semitisch.[68]

Die verhältnismäßig lange Einleitung V 29b wirkt etwas umständlich. Warum stellt Jesus seine Gegenfrage nicht sofort nach V 29a, wie man es erwartet hätte? Zeigt sich hier vielleicht eine Entwicklung in der Tradition oder gibt sich hier eine volkstümliche Erzählweise zu erkennen? Unter der Bedingung, daß die Gegner zuerst auf seine Frage antworten, erklärt sich Jesus bereit, ihnen zu sagen: ἐν ποίᾳ ἐξουσίᾳ ταῦτα ποιῶ. Die Formulierung fällt auf. Jesus wiederholt wortwörtlich, selbstverständlich nun in der 1. Person, die im V 28b gestellte Frage.

Mk 11,30 endlich wird die angekündigte Gegenfrage Jesu formuliert: τὸ βάπτισμα τὸ Ἰωάννου ἐξ οὐρανοῦ ἦν ἢ ἐξ ἀνθρώπων; ἀποκρί-

---

[66] So auch *M.-J. Lagrange*, Mc 303; *V. Taylor*, Mk 470; *E. Klostermann*, Mk 119; *J. Schmid*, Mk 217; *R. Schnackenburg*, Mk II,149; *J. Blank*, Jesus 34; *G. Bornkamm*, Jesus 42; *H. Anderson*, Mk 296f; *F. Lentzen-Deis*, Taufe 84 + Anm. 108 schreibt: „Die Johannestaufe gilt offensichtlich als Merkmal und Zusammenfassung des Wirkens des Täufers"; vgl. schon *A. Loisy*, Evangiles synoptiques II,295–297, hier 296: „Il s'agissait pour eux de se prononcer ouvertement sur la mission de Jean-Baptiste, caractérisée par l'acte extérieur qui la résumait aux yeux du public, la cérémonie du baptême."

[67] *K. Beyer*, Semitische Syntax I,252.

[68] Vgl. *M. Zerwick*, Graecitas biblica 155; *Blass-Debrunner*, Grammatik § 247,2; § 253,3; *A. Springhetti*, Introductio 199; ferner *V. Taylor*, Mk 470; *M.-J. Lagrange*, Mc 302; *E. Klostermann*, Mk 119.

θητέ μοι. Der letzte Satz, der die Aufforderung zu antworten ist, enthält einen Zug mündlicher Überlieferung. Er verweist auf V 29c zurück: καὶ ἀποκρίθητέ μοι, καὶ ἐρῶ ὑμῖν ἐν ποίᾳ ἐξουσίᾳ... Er wird von den Seitenreferenten Mt und Lk nicht übernommen. Der Ausdruck ἐξ οὐρανοῦ, nach rabbinischer Tradition eine allgemeine Umschreibung für Gott,[69] kommt bei Mk nur hier vor. Einmalig ist auch, „daß Jesus sich hier, und hier allein bei Mk der Umschreibung ‚Himmel' für Gott bedient".[70] Die beiden gegensätzlichen Ausdrücke ἐξ οὐρανοῦ... ἢ ἐξ ἀνθρώπων werden ohne Artikel[71] und οὐρανός im Singular verwendet.[72] Sie zeigen wieder einmal deutlich, worum es in diesem Streit eigentlich geht.

Die Gegenfrage Jesu bringt die Gegner in Verlegenheit. Das beschreiben VV 31–32a. Dabei nehmen sie auf das Gefragte direkt Bezug. Das Begriffspaar ἐξ οὐρανοῦ (V 31b) und ἐξ ἀνθρώπων (V 32a) wiederholen den Wortlaut der Frage Jesu (V 30). Der Begründungssatz (V 32b): ἅπαντες γὰρ εἶχον τὸν Ἰωάννην ὄντως ὅτι... enthält nach Blass-Debrunner einen Latinismus.[73] Doch ist der Ausdruck auch im Griechischen bezeugt und bedeutet: halten für, betrachten.[74] Das Adverb ὄντως begegnet bei Mk nur an dieser Stelle und ist am besten auf εἶχον zu beziehen,[75] während das Imperfektum ἦν hier einen plusquamperfektischen Sinn hat. Es ist zu übersetzen mit: „daß Johannes wirklich ein Prophet gewesen war."[76]

Der Gebrauch von διαλογίζομαι mit πρὸς + acc. wird auch bei hellenistischen Autoren bezeugt.[77] An anderen Stellen wird das Verb mit ἐν verwendet (vgl. Mk 2,6.8; Mt 16,17f.21.25; Lk 12,17). Mit ἐπιστεύσατε (V 31c) wird die entscheidende Frage bzw. der Selbsteinwand der Gegner formuliert. Dem Redaktor Mk ist das Vorkommen von πιστεύειν in diesem Zusammenhang ganz recht, charakterisiert ja nach seiner Auffassung Glaube oder Unglaube die Beziehungen der

---

[69] Die meisten Kommentare, so z. B. E. Schweizer, Mk 135; E. Klostermann, Mk 119; M.-J. Lagrange, Mc 302; J. Schmid, Mk 217; E. Haenchen, Der Weg 393; R. Schnackenburg, Mk II, 149; V. Taylor, Mk 470 mit Belegen (Apg 5,38f; Lk 15,18.21; Joh 3,27; Dan 4,26; 1 Makk 3,18 . . .).

[70] E. Hirsch, Frühgeschichte I,128.

[71] Blass-Debrunner, Grammatik § 253,3; M.-J. Lagrange, Mc 302.

[72] Markus verwendet sonst οὐρανός sowohl im Singular (4,32; 6,41; 7,34; 8,11; 10,21; 13,31.32; 14,62) als auch im Plural (1,10.11; 11,25.30.31; 12,25; 13,25.27) – Vgl. R. Pesch, Naherwartungen 161 + Anm. 647.

[73] Blass-Debrunner, Grammatik § 157,1.3.5 und § 397,2 (Latinismus?).

[74] Vgl. W. Bauer, Wb 659 mit Belegen.

[75] Mit W. Bauer, Wb 1137; E. Lohmeyer, Mk 242 Anm. 6; V. Taylor, Mk 471 . . .

[76] Blass-Debrunner, Grammatik § 330,1; M.-J. Lagrange, Mc 303.

[77] W. Bauer, Wb 369 + Belege; V. Taylor, Mk 366 (zu Mk 8,16); vgl. Mk 9,33f.

Juden oder der christlichen Gemeinde zu Jesus.[78] Das Pronomen αὐτῷ bezieht sich eher auf Johannes als auf die Taufe (V 30).[79]

Auf die seltsame Satzstruktur von V 32 wurden wir schon aufmerksam. Der Übergang von direkter zu indirekter Rede bzw. zum Erzählstil ist abrupt: ἐξ ἀνϑρώπων; – ἐφοβοῦντο. Man würde hier wie V 31b einen Konditionalsatz mit ἐάν oder εἰ erwarten. Das scheint auch der Konjunktiv εἴπωμεν nach ἀλλὰ nahezulegen. Jedenfalls haben auch die Seitenreferenten Mt (21,26) und Lk (20,6a) diese Schwierigkeit empfunden und den Mk-Text stilistisch verbessert.

V 33 schließt das Gespräch ab. Im ersten Teil erfahren wir die Antwort der Gegner: οὐκ οἴδαμεν, wobei οἴδαμεν für ἴσμεν steht.[80] Die Antwort Jesu stellt den Höhepunkt und den Schluß der Debatte dar. Sie wiederholt dem Wortlaut getreu die Frage der Volksführer V 28b. Dabei wird Jesus ausdrücklich wieder mit Namen genannt.

Fassen wir zusammen, so zeigt diese Erzählung folgendes Bild: die Szene ist einheitlich gestaltet. Die Anwendung der direkten Rede, der Gebrauch des Praesens historicum wie des Aorists[81] und schließlich das mehrmalige Wiederholen wichtiger Begriffe, Ausdrücke und Sätze machen das Gespräch sehr lebendig: Das Substantiv ἐξουσία kommt 4mal vor; die Streitfrage: ἐν ποίᾳ ἐξουσίᾳ ταῦτα ποιεῖς; bzw. ποιῇς (V 28bc) oder ποιῶ (V 29c.33c) ebenso 4mal fast wortwörtlich; die gegensätzlichen Ausdrücke: ἐξ οὐρανοῦ ἢ ἐξ ἀνϑρώπων 2mal; 3mal das Verbum ἀποκρίνεσϑαι und 10mal λέγειν.

B. Gliederung und Aufbau der Einheit

Die bei der Formkritik gemachten Beobachtungen erlauben es uns, nun die Gattung genauer zu bestimmen. Die Struktur der Perikope zeigt, daß diese Einheit nach einem ganz bestimmten Schema aufgebaut ist:

1. einer knappen Schilderung der Situation (V 27) folgen
2. die Doppelfrage der Gegner (V 28) und die Gegenfrage Jesu (V 30).
3. Überlegung und Antwort der Gegner (VV 31–32a.33a) und die Antwort Jesu (V 33b) schließen das Gespräch ab. Wir haben also folgendes Schema:

---

[78] Vgl. u. a. *J. Schreiber,* Theologie des Vertrauens 218–243, bes. 235ff; *K. Tagawa,* Miracles et évangile 116f; ferner die Kommentare.
[79] Gegen *E. Lohmeyer,* Mk 242 Anm. 5.
[80] *M. Zerwick,* Graecitas biblica No. 332.
[81] Zu dem Tempora-Gebrauch bei Mk vor allem *M. Zerwick,* Graecitas biblica, Kap. IX,240–291; *Ders.,* Untersuchungen zum Markus-Stil. Ein Beitrag zur stilistischen Durcharbeitung des NT (Scripta Pont. Instituti Biblici 81) Romae 1937.

a) V 27: Exposition. Vorstellung der Gesprächspartner,
b) VV 28–30: Konflikt. Frage und Gegenfrage schildern den Gang der Diskussion.
c) VV 31–33: Lösung des Konfliktes durch die Schlußantwort Jesu. [V 32b: Kommentar des Redaktors]

C. Bestimmung der Gattung

Dieses Schema entspricht in der Hauptsache dem der Streitgespräche wie es M. Albertz und R. Bultmann herausgearbeitet haben.[82] Bekanntlich ist diese Gattung in der Umwelt des NT vor allem bei den Rabbinen sehr gut bekannt. Sie verwendeten reichlich das Streit- und Schulgespräch[83] in ihrem Unterricht oder in der Diskussion.[84] Das Gespräch muß aber nicht unbedingt, wie in unserem Fall, mehrere Gänge haben. Es kann, ja Bultmann rechnet damit, daß es ursprünglich eine sehr einfache Form von einer Frage und Antwort nehmen konnte, wie oft bei den Rabbinen.[85] Unsere Perikope ist also ein Streitgespräch.

Durch diese Erzähltechnik wird die ganze Aufmerksamkeit des Hörers bzw. des Lesers immer wieder und einzig auf den Streitpunkt gelenkt und zugleich die Bedeutung der Frage für die Gemeinde sowie die Überlegenheit Jesu über seine Gegner hervorgehoben. Die Erzählung prägt sich leicht und schnell ein und ist gut geeignet für die Unterweisung der Gemeinde.

IV. Interpretation des Traditionsstückes

Die in der literarkritischen Analyse gewonnenen Ergebnisse führten zu dem Schluß, daß der Anteil des Redaktors Mk an der Perikope von der Vollmachtsfrage sehr gering ist. Er besteht nur aus Mk 11,27a

---

[82] *M. Albertz*, Streitgespräche; *R. Bultmann*, Geschichte 9ff; *Ders.*, Erforschung 27–31.

[83] Zur Unterscheidung von Streit- und Schulgespräch *R. Bultmann*, Geschichte 56f.

[84] *M. Albertz*, Streitgespräche 61f.153–164, bes. 156ff; *R. Bultmann*, Geschichte 42–48 mit Belegen; *D. Daube*, New Testament 151ff, meint die Herkunft dieses Schemas aus der „hellenistic rhetoric" (156) annehmen zu können: „The pattern accords with a Greek rhetorical Rule" (152) und „in all probability, the Rabbis adopted the forensic variety from Hellenistic rhetoric" (155). Ihm zustimmend folgt *E. Lohse*, Umwelt 83.

[85] *R. Bultmann*, Geschichte. Ergänzungsheft (4. Auflage 1971), 31: „Die Geschichten sind Wiedergabe einer Debatte, und es ist gleichgültig, wieviele Gesprächsgänge berichtet werden; ja das Ursprüngliche dürfte gerade darin bestehen, daß eine Frage gestellt wird und eine Antwort gegeben wird. Die rabbinischen Gespräche mit mehreren Gängen sind künstlicher."

und Mk 11,32b. Das bedeutet, daß Mk ganz von seiner Tradition abhängig ist. Diese umfaßt die VV 27b–32a.33a.b. Wie verstand die Gemeinde dieses Traditionsstück?

A. Die Bedeutung des Tempels für Jesus und seine Gegner

Wir legten oben schon dar, daß sich das ταῦτα (V 28b) nach unserer Auffassung ursprünglich auf das Vorgehen Jesu im Tempel bezog. Weil er gegen die Tempelordnung und die allgemein tolerierte Tempelpraxis stößt, wird Jesus nun von der zuständigen Autorität zur Verantwortung gezogen.[86] J. Blank erwägt, ob nicht bei dieser Frage (V 28) „vor allem der zweite Teil zu beachten" sei, „da hier der Gedanke einer Vollmachtsübertragung von Person zu Person erscheint (Wer gab . . .)"[87]. Das dürfte eher für Mt als für Mk zutreffen. Offenbar hat Mt die mkn. Frage so verstanden, denn aus der einen Doppelfrage macht er zwei, indem er an die Stelle vom mkn. ἤ ein καὶ (21,23c) setzt.

Die Fragenden sind οἱ ἀρχιερεῖς καὶ οἱ γραμματεῖς καὶ οἱ πρεσβύτεροι, d. h. Mitglieder des Synedriums und Führer des Volkes, wie wir gesehen haben.[88] Nach dem Zeugnis der Evangelien sind sie für den Tod Jesu verantwortlich (Mk 14,43.53; 15,1 parr; vgl. Mk 8,31). Es wird sich wohl in unserem Zusammenhang um eine Delegation handeln. Jedenfalls dürfte es Mk so gedacht haben. Gleichzeitig wird es klar, daß die Gesprächspartner Gegner Jesu sind. Das wird vom Redaktor Mk nur noch kräftig unterstrichen.[89]

---

[86] Wenig überzeugend scheint mir die Meinung von *D. Daube,* New Testament 205–223 zu sein, nach der Jesus zur Rede gestellt wird, weil, obwohl er kein „ordinierter" Lehrer, sondern ein einfacher „Repetitor" war, er sich doch eine unerhörte Autorität anmaßte. Diese Unterscheidung wird in unserem Text nicht einmal angedeutet. Im übrigen geht es hier nicht ums Lehren Jesu, sondern um die Aktion im Tempel. Zur Bedeutung der Ordination für das selbständige Lehren und Entscheiden, vgl. *Bill.,* I,859f mit Belegen.

[87] *J. Blank,* Paulus und Jesus 103. Daß Blank jedoch diesen Vollmachtsübertragungsgedanken bei Jesus ablehnt, geht aus seinen Ausführungen deutlich hervor: „Danach macht Jesus eine völlig unabgeleitete Autorität geltend, die sich weder auf personale Vollmachtsübertragung noch auf ein vorgegebenes objektiv-sachliches Kriterium beruft" (ebda. 103 + Anm. 97) – Anders *A. Loisy,* Evangiles synoptiques II,295: „Dans leur pensée, Jesus allait être obligé d'avouer qu'il était le Messie, ou tout au moins qu'il venait au nom de Dieu, puisqu'il n'avait aucune mission des authorités établies."

[88] S. oben S. 18f; vgl. *A. F. J. Klijn,* Scribes, Pharisees, Highpriests and Elders in NT 259–267; *J. S. Kennard jr.,* The jewish provincial Assembly 25–51; zum Ganzen *E. Schürer – G. Vermès,* History II, bes. 199–226.227–236; *Bill.,* IV, 339ff; I, 257ff u. Register; *E. Lohse,* ThWNT, VII, bes. 858–864 (Literatur!); *J. Blinzler,* Der Prozeß Jesu, bes. 138f; 140ff; *B. Reicke,* Ntl. Zeitgeschichte ²105–113.

[89] Vgl. die mkn. Interpretation der Perikope S. 32ff.

Obwohl Jesus nicht in erster Linie die Geldwechsler, Viehhändler oder den Tempel selbst angreift, sondern dessen Mißbrauch durch die Führer des Volkes tadelt,[90] zieht seine offene Herausforderung den Zorn der Synhedristen nach sich: Wer den Tempel angreift, muß eventuell mit einem gerichtlichen Verfahren rechnen.[91] Denn das Heiligtum[92] wie auch Jerusalem sind das Symbol der Gegenwart Gottes unter seinem Volk (1 Kge 8,10f), der Stolz und die Sicherheit Israels. Auf Jerusalem und dem Tempel beruht das ganze religiös-politische System sowie die Existenz des auserwählten Volkes. Vor allem die Wallfahrtspsalmen,[93] aber auch andere kanonische wie außerkanonische Schriften des Judentums zeigen, was Jerusalem und der Tempel für die gläubigen Juden bedeuteten. Für die messianische Zeit erwartete das Judentum eine größere Herrlichkeit Jerusalems und des Tempels.[94] Aber nach der Zerstörung der Stadt im Jahre 70 n. Chr. richtete sich nun die Erwartung auf ein neues prachtvolles Heiligtum, das Gott selbst oder, seltener, der Messias erbauen würde.[95]

Selbst den Sektierern von Qumran war der Tempel heilig und von großer Bedeutung. Hier war das Bild des Tempels oder Baus für die Gemeinde geläufig.[96] Man verkündete den Tempel der Zukunft, der mit einem geläuterten Priestertum verbunden sein werde.[97]

Diese Verherrlichung des Tempels ist dem Diasporajudentum nicht unbekannt, obwohl man hier eine deutliche Vergeistigung und Spiritualisierung des Tempels und des Tempeldienstes beobachtet.[98] Zwar protestiert Philo gegen eine verfälschte Frömmigkeit, die ihre Sicherheit im äußerlichen Kult sucht und die Reinigung der Seele

---

[90] So auch *J. Schmid*, Mk 211; vgl. *F. C. Burkitt*, The Cleansing 390: „But in all this there is no word of objection to sacrifices as such, to a rejection of the method of worship by sacrificing beasts".

[91] Vgl. Mk 14,58f. – Hier steht jedoch nicht ἱερόν, sondern ναός; ferner Apg 6,8–14; schon Jer 7,1–15; 26,1–19.

[92] Hierzu vgl. *Y.-M. J. Congar*, Das Mysterium des Tempels, bes. 84–110; 111–143; *Bousset-Greßmann*, Religion 97–118; *G. Schrenk*, ThWNT III, bes. 230–247; *H. Seebaß*, ThBL II, 651–654; *Schürer-Vermès*, History II, 237–313; bes. 292ff; *P. Volz*, Eschatologie 217. Zur Beschreibung des Tempels, vgl. ferner *H. P. Rüger*, in: BHH III, Sp. 1941–1947 + Abbildungen; *A. Alt*, Kleine Schriften II, 100ff (= Verbreitung und Herkunft).

[93] Ps 120–134; 84; 48; 87; 102,14ff; 133; 137,5–6.

[94] Vgl. Tob 13,9ff; 14,4f; äth.Hen 90,28f; 91,13; 53,5; Bar 5,1ff.

[95] Vgl. Pᵉsiq 185ᵃ; Midr Hl 4,4 (112b); Midr Ps 22 § 9 (93a); Orac.Sib. 5,420ff; Lv R 9 (111a); Nu R 13 (168b). Dazu *Bill.*, I, 1003–1005; IV, 883–885; 929–937. Zur Erwartung des eschatologischen Tempels, vgl. Ez 40–44; Hag 2,7ff; Sach 2,5–9; Tob 13,16f; 14,5; äth 90,18f; *P. Volz*, Eschatologie 217, *G. Schrenk*, ThWNT III, 238 239f.

[96] Vgl. 1 QS 5,5f; 8,7ff; 1QH 6,25ff; 4Q p Ps 37,3,16.

[97] Zu ihrer Kritik am Jerusalemer Priestertum und Tempelkult, vgl. unsere Studie zu Mk 12,28–34, S. 201–203.

[98] Vgl. *G. Schrenk*, ThWNT III, 240f; *Y.-M. J. Congar*, Das Mysterium des Tempels 91ff.

vergißt, und lehnt sogar den Tempelkult ab.[99] Er gesteht jedoch dem israelitischen Tempeldienst sein Recht zu (Migr.Abr. 92; Spec.Leg. I,66f). Nicht viel anders verhält es sich bei Fl. Josephus. Er schätzt den Tempel hoch.[100] Aber sein griechisch bestimmtes Empfinden sträubt sich gegen eine örtliche Festlegung Gottes. So gebraucht er Wendungen, die alles in der Schwebe lassen.[101] Wie Philo liebt er die kosmologische Ausdeutung des Hauses und seiner Bräuche.[102] Gottes ewiges Haus ist der Kosmos (Ant. 8,107).

Wenden wir uns nun dem NT zu, so fällt zunächst der Wortgebrauch auf. Wird τὸ ἱερόν von der LXX meistens nur für heidnische Tempel und nur selten für den Tempel von Jerusalem gebraucht, so sind im NT die Belege umfangreicher, wenn sie auch nur bei den Synoptikern, in der Apostelgeschichte sowie im Johannesevangelium vorkommen.[103] Während der eigentliche Tempel gewöhnlich ναός genannt wird, bezeichnet τὸ ἱερόν die Gesamtheit der Räume und Gebäude im geweihten Umkreis des Vorplatzes, also den Berg des Hauses, den äußersten Vorhof, zu dem auch die Heiden Zutritt hatten, den Frauenhof, das Tempelhaus,[104] das nur der Priester betreten durfte.

Die Einstellung Jesu zum Tempel wird von zwei scheinbar einander widersprechenden Zügen charakterisiert: einerseits eine ungeheure Ehrerbietung und Bejahung des Tempeldienstes als des von Gott bestimmten Weges der Verehrung Gottes, andererseits außer einer sehr strengen Kritik der Mißbräuche und des Formalismus (vgl. Mk 11,15–17) die ständige Erklärung, daß der Tempel überholt oder sogar außer Kraft gesetzt und zum Untergang verurteilt sei (vgl. Mk 14,58f).

B. DIE ἐξουσία JESU

Diese Überlegenheit des Christus über den Tempel mußte die Frage nach dem Auftreten sowie nach der Autorität Jesu aufwerfen. Darum geht es eben in dieser Perikope. Der Streitpunkt betrifft die

[99] Cher 94f; Det Pot Ins 20; vgl. Cher 97ff; Plant. 126; Vit Mos II, 101–104; Somn. II, 248 . . .

[100] c.Ap 2,193; Ant 8,114.131; 20,166; vgl. Bell 5,459; Ant 8, 102.106; 3,100.202.290 – Zum Sprachgebrauch bei Josephus und Philo, vgl. *G. Schrenk,* ThWNT III, 233f.

[101] Ant 3,129.219; 8,102.106.114f. ·

[102] Ant 3,123.180ff; vgl. Bell. 5,212–217.

[103] Nach *H. Bachmann – W. A. Slaby,* Computer-Konkordanz, 876 begegnet das Wort 71mal, davon nur ein einziges Mal bei Paulus, und zwar in 1 Kor 9,13. Die anderen ntl. Schriften kennen es nicht. Andererseits wird der im profanen Griechisch für die geweihte Stätte im allgemeinen gebräuchlichen Ausdruck τέμενος im NT nie verwendet. Vgl. *Y.-M. J. Congar,* Das Mysterium des Tempels 108; *G. Schrenk,* ThWNT III, 230–236.

[104] *Bill.,* I, 150f; *G. Schrenk,* ThWNT III, 234–236.

„ἐξουσία" Jesu selbst: „In welcher Vollmacht tust du das?" Daß Jesus Vollmacht hat und in dieser Vollmacht handelt, wird nicht einmal von den Gegnern bezweifelt: „They knew that Jesus claimed a certain kind of authority, but it seemed to them just the vague and uncertain thing that personal, as distinguished from official authority, always seems to the members of a hierarchy."[105] Was sie so sehr ärgert, ist die Ausübung, mehr noch der Anspruch, der mit dieser Vollmacht zweifellos verbunden ist. Da Jesus bekanntlich kein „ordinierter" Rabbi war,[106] fragen sie nach der Herkunft und der Legitimation seiner Vollmacht.

Der sowohl in der Profangräzität als auch im Judentum gut belegte Begriff „ἐξουσία" hat einen vielfältigen Bedeutungsumfang.[107] Im NT ist er durch den im AT noch fehlenden, im rabbinischen Schulgebrauch jedoch wichtigen hebräischen Begriff rašŭt und vor allem rᵉšŭt, aramäisch rᵉšŭta beeinflußt[108] und bedeutet sowohl „Machtbefugnis innerhalb bestimmter sozialer Gruppen; das Recht des Hausbesitzers; die an einen bestimmten Auftrag gebundene Vollmacht, etwa die des Gesandten ..." als auch „Befehlsgewalt" (Mt 8,9 parr.; Lk 19,17; 20,20); "Befehlsbereich" (Lk 23,7); „Autorität, Vollmacht". Im Plural hat das Wort den Sinn von „Amtsträger, Behörden", (Lk 12,11; Tit 3,1).

Charakteristisch für das NT ist die Tatsache, daß ἐξουσία wie auch der Parallelbegriff δύναμις „auf das Christusgeschehen und die durch dieses entstehende Neuordnung der kosmischen Machtverhältnisse und die Ermächtigung des Glaubenden bezogen ist."[109] Ἐξουσία wird

---

[105] *E. P. Gould*, Mk 217.

[106] *V. Eppstein*, The historicity, 12–58, hier 57f, meint zu V 28b: ἐν ποίᾳ ἐξουσίᾳ ...: „It would seem that the gospel tradition errs in having the chief priests question Jesus as to his spiritual authority. The question put to Jesus by the Temple hierarchy may rather have been aimed at finding out whether Jesus was acting by authority of the Sanhedrin or of the Pharisees, since it would have seemed inconceivable that he would act in this way on his own responsability and initiative." Ähnlich schon *D. Daube*, New Testament, 205–223, s. Anm. 86 oben. Das widerspricht dem gesamten synoptischen Befund. Nach den Synoptikern beruft sich Jesus auf keine Lehrautorität und schon gar nicht auf irgendeine der rivalisierenden Parteien. Wie er seine Sendung verstand und verstanden wissen wollte, darüber läßt das NT keinen Zweifel. Vgl. Mk 2,1–3,6; 7,1ff; Mt 5,21–48; Mk 3,22 parr. So auch *W. Thüsing*, Erhöhungsvorstellung 60: „Mißverständlich wird die Redeweise von der Exusia jedoch, wenn man nicht gleichzeitig sowohl die spezifische Gottesbeziehung Jesu ins Auge faßt ... als auch das Ziel dieser Sendung berücksichtigt." Auch *E. Lohmeyer*, Mk 241: „Das Synhedrium stellt also die Frage nach den religiösen Gründen seiner ἐξουσία; so ist auch das Wort in den Evangelien durchweg gebraucht"; ebenso *V. Taylor*, Mk 469. –

[107] *W. Foerster*, TWNT II, 559–571; *W. Bauer*, Wb 550f; *O. Betz*, ThBL II, 922–929; *D. Daube*, New Testament, 205–223.

[108] Vgl. *O. Betz*, ThBL II, 927 u. Belege.

[109] *O. Betz*, ThBL II, 927.

im NT mit der Verkündigung des Anbruchs der Gottesherrschaft durch Jesus verbunden.[110] Sie beinhaltet die Sendung Jesu durch Gott und den Anspruch, „daß das Bekenntnis zu ihm über das Heil entscheidet."[111] Nach E. Lohmeyer[112] und V. Taylor, ist hier „divine authority, and not legal or political right" gemeint.[113]

Jesus antwortet mit dem Hinweis auf die Sendung Joh. des Täufers (V 30): τὸ βάπτισμα τὸ Ἰωάννου . . . Es ist verwunderlich, daß Joh. der Täufer in diesem Zusammenhang erwähnt wird. Was hat seine Taufe bzw. seine Sendung mit der Frage nach der Vollmacht Jesu zu tun? Soll man sich mit der Auskunft zufriedengeben, daß es durchaus der Gattung des Streitgespräches entspricht, in der Gegenfrage eben ein unvermutetes Element zu bringen?[114] Diese Auskunft befriedigt nicht. Jesu Hinweis auf Joh. den Täufer ist vielmehr eine, wenn auch zunächst dunkle und verhüllte, dennoch präzise Antwort. Beruft sich Jesus also auf Joh. den Täufer, um seine eigene Vollmacht zu begründen?[115] Auch das widerspricht, wie wir schon bemerkten, dem synoptischen Befund.[116] Jesus beruft sich auf keine Autorität, auch auf Joh. den Täufer nicht. Mit dem Hinweis auf Johannes' Sendung deutet Jesus die wahre Natur seiner eigenen Sendung an. Es ist bekannt, daß die öffentliche Meinung sowohl wie Herodes Jesus und sein Wirken leicht mit dem des Täufers zusammenbrachten,[117] wie Mk 6,14ff und die Volksbefragung Mk 8,28 par. bezeugen. Wie Johannes der Täufer, so ist auch Jesus gekommen[118] im Auftrag Gottes, den Menschen die frohe Botschaft des Heils zu verkünden. So handelt und redet auch er nicht im eigenen, sondern in Gottes Namen. Er ist Gottes Bote. V 30 reflektiert nicht, wie die spätere Gemeinde, über Jesu Würde und Überlegenheit über Joh. den Täufer, oder über seine Messianität und Gottessohnschaft. Hervorgehoben und betont wird hier einzig die gemeinsame Sendung wie auch das Schicksal der beiden Männer (vgl. Mk 11,31 und Mk 9,11–13). Und das dürfte für

---

[110] Vgl. *W. Foerster,* ThWNT II, bes. 563ff; *A. Feuillet,* L' Ἐξουσία du Fils de l'homme d'après Mc 2,10–28 et par., 161–192; *E. G. Selwyn,* The Authority of Christ in the NT, 83–92; *J. Coutts,* The Authority of Jesus and of the Twelve in St. Mark's Gospel, 111–118.

[111] *W. Thüsing,* Erhöhungsvorstellung 61.

[112] *E. Lohmeyer,* Mk 241.

[113] *V. Taylor,* Mk 469 ausdrücklich gegen *D. Daubes* Auffassung, daß Jesus zur Rede gestellt wird, weil er kein „ordinierter" Rabbi war. Vgl. New Testament 205–223.

[114] So z. B. *W. Beilner,* Christus 181. Das Argument bleibt an der Oberfläche. Die Gegenfrage Jesu geht tiefer und hat mehr zu sagen als es Beilner wahrhaben will. Dazu gleich unten.

[115] So u. a. *R. Bultmann,* Geschichte 18 u. Anm. 4; *J. Wellhausen,* Evgl. Mci 92; *E. Haenchen,* Der Weg 395; *E. Lohmeyer,* Mk 243; *E. Schweizer,* Mk 135.

[116] Vgl. S. 23 u. Anm. 106 und S. 20, Anm. 86.

[117] Vgl. *H. Schürmann,* Jesu ureigener Tod 29–30.

[118] Vgl. Mt 11,18–19: ἦλθεν. Sendungsgedanke!

die Gemeinde der einzige Vergleichspunkt in dieser Perikope sein. Darauf kommt es ihr an. Wer sich also auf Joh. den Täufer beruft, kann Jesus eigentlich nicht ablehnen. Denn „dort, gegenüber Johannes und seiner Bußtaufe, fällt bereits die Entscheidung auch ihm, Jesus, und seiner Sendung gegenüber."[119] So haben Gestalt und Botschaft des Täufers einen gewichtigen Platz nicht nur in Jesu Predigt, sondern auch in der christlichen Gemeinde behalten. In Auseinandersetzung mit dem offiziellen Judentum will die Urkirche damit die Zusammengehörigkeit[120] und die Sendung beider Männer betonen. Man kann sie nicht gegeneinander ausspielen. An dieser Stelle wird es angebracht sein, die Beziehungen beider Männer etwas näher zu betrachten.

C. WIE STAND JESUS ZU JOHANNES DEM TÄUFER?

Nach Mk 2,18ff hat es Rivalitäten gegeben, zwar nicht zwischen Jesus und Johannes dem Täufer, sondern zwischen Jesus- und Johannes-Jüngern. Sie standen zumindest in Konkurrenz (vgl. Joh. 3,22–29; 4,1–3).[121] Daß hier Johannes der Täufer einfach neben Jesus gestellt wird, ihm gleichwertig, entspricht eben nicht, wie bereits angedeutet, dem traditionellen Täuferbild der Evangelien.[122] Der Jesus von Mk 11,27–33 scheint sich sogar auf Joh. den Täufer zu berufen, um seine Autorität zu begründen: τὸ βάπτισμα τὸ Ἰωάννου (V 30). Wenn wir auch nicht genau wissen, wie Joh. der Täufer wirklich zu Jesus gestanden hat, unsere Quellen aber lassen keinen Zweifel darüber, daß Jesus Johannes den Täufer ganz und gar anerkannt hat. Allein die Tatsache, daß er sich von Johannes taufen ließ,[123] was, nach Meinung der meisten Exegeten, historisch ganz sicher ist,[124] spricht schon dafür. Aber nicht nur dieser kurze Taufakt verbindet Jesus mit Johannes.[125] In seiner Verkündigung hat Jesus mehrfach und ausführlich sein Verhältnis zu Johannes dem Täufer erläutert. Obwohl er sich, wie im übrigen auch Johannes, als den letzten Boten Gottes vor dem Gericht betrachtete, hat er die prophetische Sendung des

---

[119] G. Bornkamm, Jesus 45; ferner C. H. Dodd, Der Mann 156; M. Albertz, Streitgespräche 20f.

[120] Vgl. F. H. Colson, Mk 11,27–33 par. S. 72; M. Goguel, Jean Baptiste 246. 251f.

[121] E. Käsemann, Johannesjünger 163; J. Becker, Joh. der Täufer 14.

[122] Vgl. aber Mt 3,2 = Mt 4,17 = Theologie des Mt.

[123] Mk 1,9 13; Mt 3,13 4,11, Lk 3,21f, 4,1 13, Joh. 1,32ff.

[124] E. Schweizer, Jesus Christus 26; J. Becker, Joh. der Täufer 12ff. 41ff; A. Vögtle, Taufe 119; G. Bornkamm, Jesus 40–47; H. Braun, Jesus 55; W. Trilling, Fragen 50f; J. Blank, Jesus 34; A. Vögtle, Jesus 9f; C. H. Kraeling, John the Baptist 135.

[125] M. Goguel, Jean-Baptiste 246. 251; J. Becker, Joh. der Täufer 12–26.

Täufers niemals in Frage gestellt.[126] Im Gegenteil, er hat sich, wie Mt
11,7−19 par. Lk 7,24−35 zeigen, unmißverständlich zu dem Täufer
bekannt. Ganz zutreffend kommentiert J. Becker diese Stelle: „Keine
andere Person seiner Zeit ist von Jesus einer derartig extensiven und
dazu noch positiven Zuordnung zu seinem Werk gewürdigt worden
. . . Er hat ihn (i.e. Joh. den Täufer) im Blick auf sein eigenes Werk zu
einem, der mehr ist als die alttestamentlichen Propheten (Mt 11,9
par.), erhoben. Er hat ihn gedeutet als größten unter den bisher
lebenden Menschen (Mt 11,11 par.)"[127]

D. DAS BILD DER GESPRÄCHSPARTNER JESU (V 31b−33)

Ein ganz anderes Bild als bei Johannes dem Täufer wird hier von
den Gesprächspartnern Jesu gezeichnet. Sie erscheinen in schlechtem
Licht. Ihre Überlegungen und ihre Antwort auf die Gegenfrage Jesu
haben sie entlarvt und ihre wahre Gesinnung an den Tag gelegt.
Welche Motive sie bei ihrem Handeln bewegen, darüber geben VV
31b−33 Auskunft.

Die Gegenfrage Jesu bringt seine Gesprächspartner in eine sehr
gefährliche Situation. Diese schätzen sie ganz richtig ein und deshalb
überlegen sie nun ihre Schlußantwort genau. Erkennen sie an, daß
das Wirken und also auch die Autorität Joh. des Täufers von Gott
waren, so verurteilen sie sich selber, da sie doch Joh. dem Täufer
keinen Glauben geschenkt hatten. Andererseits, aus Angst vor dem
Volk, das Johannes für einen echten Gesandten Gottes hielt, wagen
die Volksführer nicht, des Täufers prophetische Sendung zu bestreiten. „Wir wissen es nicht", antworten sie! Hätten die V 27b genannten
Partner Jesu eine solche Antwort ehrlicherweise geben können? ist sie
nicht zu unwahrscheinlich in ihrem Mund?[128] Damit aber wird die
böse Absicht der Fragenden kräftig unterstrichen. Denn ihre Antwort
ist nicht sachlich. Sie ist eine Ausflucht. Es geht ihnen bei ihrem
Fragen gar nicht um Gott, sondern um ihre eigene Stellung. Es liegt
ihnen nur an der eigenen Person.[129] Wie sie von Johannes dem Täufer

---

[126] E. Käsemann, Das Problem 210; M. Goguel, Jean-Baptiste 271; H. Braun, Radikalismus
II, 66 Anm. 1; C. H. Kraeling, John the Baptist 137. 159; A. Vögtle, Taufe 120; Ders.,
Jesus 9−11, bes. 10f; Ders., Der verkündigende . . . 34−36.

[127] J. Becker, Joh. der Täufer 12; ferner P. Hoffmann, Logienquelle 215−231; M. Goguel,
Jean-Baptiste 256; H. Schürmann, Lk I, 414−419; W. Grundmann, Lk 164−166; H.
Thyen, βάπτισμα 104; F. Lang, Erwägungen 472; R. Schütz, Joh. der Täufer 102; A.
Vögtle, Der verkündigende . . . 36; Ders., Jesus 10; J. Schmid, Mt 190ff; R. Bultmann,
Geschichte 177f . . .

[128] Vgl. die Kommentare, z. B. E. Schweizer, Mk 135; E. Klostermann, Mk 120; R.
Schnackenburg, Mk II, 149.

[129] Vgl. E. Haenchen, Der Weg 395; R. Schnackenburg, Mk II, 149; M.-J. Lagrange, Mc 303;
E. Lohmeyer, Mk 242; W. Grundmann, Mk 237; M. Albertz, Streitgespräche 27.

nichts wissen wollten, so lehnen sie nun auch Jesus und seine Botschaft ab. Nun ist ihr Unglaube offenbar. Darum verweigert ihnen Jesus eine klare Antwort auf ihre Frage (V 33b). Er spricht ihnen das Recht ab, ihn zu verhören.

So werden die Gesprächspartner Jesu von Anbeginn an als seine Gegner und Feinde geschildert, aber auch Jesu Überlegenheit über sie tritt bereits deutlich hervor.

V. Frage nach der Authentizität

Bevor wir nun nach der Rezeption von Mk 11,27–33 in der Urkirche und nach dem Verständnis des Redaktors fragen, stellt sich zunächst die Frage nach der historischen Beurteilung dieser Perikope.

Mit R. Bultmann stimmen wir darin überein, daß hier „ein palästinensisches Apophtegma" vorliegt.[130] Seine allzu große Skepsis aber teilen wir nicht, wenn er forfährt: „von dem nur fraglich sein kann, ob es ein geschichtlicher Bericht ist oder eine Bildung der Urgemeinde."[131] Eher sind wir geneigt mit V. Taylor[132], M. Albertz[133], D. Daube[134] G. S. Shae[135], W. Grundmann[136], E. Lohmeyer[137], W. Beilner[138] u. a. anzunehmen, daß es sich hier um eine sehr alte Jesus-Überlieferung handelt, deren Herkunft vom irdischen Jesus sich sehr wahrscheinlich machen läßt. Folgende Beobachtungen legen es nahe:

1. Die sprachliche und stilistische Gestalt der Perikope mit ihren vielen Semitismen, worauf bereits in der Textanalyse hingewiesen wurde, verrät die Herkunft und das hohe Alter des Stückes.[139]
2. Im Gegensatz zu den folgenden Perikopen der angenommenen Sammlung wird Jesus hier kein Hoheitstitel, kein Prädikat, zumindest nicht direkt beigelegt. Nichtsdestoweniger wird ihm aber eine gewisse Autorität selbst von seinen Gegnern zuerkannt.
3. Vergebens sucht man auch nach einem alttestamentlichen Zitat, das etwa die Vollmacht Jesu interpretieren oder begründen wür-

---

[130] R. Bultmann, Geschichte 19.
[131] R. Bultmann, Geschichte 19.
[132] V. Taylor, Mk 469 u. Anm. 1 gegen R. Bultmann.
[133] M. Albertz, Streitgespräche 35.
[134] D. Daube, New Testament 217.
[135] G. S. Shae, Question 14f.
[136] W. Grundmann, Mk 236.
[137] E. Lohmeyer, Mk 243.
[138] W. Beilner, Christus 181; ferner A. J. Hultgren, Jesus 72.
[139] Dieser Hinweis allein bedeutet freilich noch nicht, daß die Perikope von Jesus stammt, macht es aber wahrscheinlich, „jesuanisch" zu sein.

de, was, wie man schon beobachtet hat, ein Zeichen späterer
Bildung wäre.[140] Dies ist um so auffallender, als in den folgenden
Perikopen, außer Mk 12,13–17, mit dem AT reichlich argumen-
tiert wird.

4. Da Johannes der Täufer seine Tätigkeit nur in Palästina (Lk 1,80;
   3,21; 7,29; 1,17.77) ausgeübt hat, muß man sinnvollerweise annehmen, daß diese Tradition aus palästinensischen Kreisen stammt
   und daß den Hörern Johannes der Täufer keine unbekannte Figur
   war. Außerdem entspricht die Erwähnung Joh. d. Täufers und
   seiner Sendung der Art und Weise, wie Jesus sonst im Evangelium
   von Joh. d. Täufer spricht. Er hält ihn uneingeschränkt für einen
   Gesandten Gottes (vgl. bes. Mt 11,2–11 par; Lk 7,18–35; Mk
   9,11–13).

5. Von großer Bedeutung aber ist die Tatsache, daß hier wie in der
   uns von Q aufbewahrten Tradition (Mt 11,18f; Lk 7,33f) Jesus und
   Johannes auf die gleiche Stufe gestellt werden. Beide werden als
   Propheten angesehen, deren Autorität ἐξ οὐρανοῦ kommt (VV 30.
   31. 32), ohne daß, hier wie dort, auf ihre besondere Bedeutung
   und heilsgeschichtliche Funktion überhaupt reflektiert wird. Im
   Gegensatz zum Gottes-Sohn-Prädikat der mkn. Tradition wird
   Jesus in dieser Perikope nur als ein Prophet, und das nicht einmal
   direkt, sondern nur indirekt, betrachtet.[141] Das Argument lautet:
   Wer sich auf Johannes den Täufer beruft, weil er ihn für einen
   Gesandten Gottes hält, müßte auch Jesus anerkennen, denn auch
   er ist wie Joh. d. Täufer ein Gottes-Bote. Das aber kann schwerlich
   der Anschauung der Urgemeinde entsprechen und steht offensichtlich im Gegensatz zu der späteren Entwicklung. Marxsen hat
   denn auch überzeugend gezeigt, daß für Mk Johannes der Täufer
   „nicht in sich selbst eine Bedeutung hat."[142] Er ist nur der „Vorläufer des Messias" Jesus.[143]
   Es ist offenkundig, daß dieses mkn. Täuferbild im Widerspruch zu
   dem unserer Perikope steht. Denn hier, wie gesagt, werden
   Johannes der Täufer und Jesus einfach nebeneinander gestellt. Sie
   sind gleichwertig. Johannes erscheint weder als „Vorläufer" oder
   "Zeuge" des Messias Jesus,[144] noch als dessen „Konkurrent" oder
   „Rivale" (Joh 3,22–36; 4,1–3).[145] Markus hat hier seine Tradition

---

[140] *R. Bultmann*, Geschichte 51.
[141] Vgl. Mk 8,28; 6,14.15f; Lk 9,7–8.18–21; Mt 14,2; Mt 16,14: „Jesus als Johannes
redivivus . . ."
[142] *W. Marxsen*, Der Evangelist 19.
[143] *J. Gnilka*, Das Martyrium Johannes' 80; *A. Vögtle*, Taufe 131f; *A. Suhl*, Funktion
44.133ff.
[144] Synoptiker und Johannesprolog; Joh 3,22ff; 4,1–3; 1,19ff.
[145] *F. Hahn*, Hoheitstitel 44; ferner vgl. die Kommentare zum Joh. Evgl.

voll respektiert und hat sie weder korrigieren noch entsprechend seinem theologischen bzw. christologischen Konzept formulieren wollen. Von der späteren Christologie ist hier in der Tat keine Spur zu entdecken. Mit Recht kann also E. Lohmeyer seine Beobachtungen zusammenfassen: „. . . denn es gibt keine spätere Situation der urchristlichen Gemeinde, in der man die „Vollmacht Jesu" auf die Taufe des Johannes (oder auch nur auf die Analogie mit der Vollmacht des Täufers) hätte begründen können."[146]

6. Schließlich, daß diese Tradition nicht von den Führern des Volkes überliefert werden konnte, versteht sich von selbst. Da sie Joh. dem Täufer, dem Mann Gottes, keinen Glauben geschenkt, sondern ihn abgelehnt haben, wie es die gesamte Tradition bezeugt (Mk 9,13; Mt 21,32; Lk 7,30; Mt 11,18), würde eine solche Überlieferung gegen sie sprechen.

All diese Beobachtungen zusammengenommen dürften m. E. sehr stark und deutlich genug dafür sprechen, daß wir es hier mit einer sehr alten und authentischen Jesus-Überlieferung, und zwar aus palästinensischen Kreisen zu tun haben.[147]

VI. Die Vollmacht der Urkirche

Die Frage der Gegner (V 28) sowie die Gegenfrage Jesu (V 30) sind nicht nur in diesem Streit, sondern auch für die Frage nach der Autorität der Urkirche von großer Bedeutung. Auch sie wurde nach der Legitimation ihrer Vollmacht gefragt. Der Kontrast, der in den in einem antithetischen Parallelismus stehenden Ausdrücken ἐξ οὐρανοῦ . . . ἢ ἐξ ἀνθρώπων; (V 30) zum Vorschein kommt, wird noch deutlicher, wenn man „ἐξ οὐρανοῦ", das Umschreibung für Gott ist, durch „ἐκ Θεοῦ" ersetzt: . . . ἐκ Θεοῦ . . . ἢ ἐξ ἀνθρώπων; = . . . von Gott oder von den Menschen?

Dieser scharfe Kontrast „Gott/Mensch" begegnet oft in der Schrift, gerade auch im Zusammenhang mit der Frage nach der Gottesreichs- und Heilsbotschaft. Wie schon im AT, besonders in den Psalmen[148] und bei den Propheten,[149] so will auch im NT der Gegensatz „Gott/Mensch" zwischen Gott und Mensch, zwischen Gottes- und Menschenbereich sowie zwischen Gottes Heilswille und Macht und des Menschen Ohnmacht scharf unterscheiden, wobei Gottes All-

---

[146] E. Lohmeyer, Mk 213; ebenso V. Taylor, Mk 470.
[147] Gegen E. Schweizer, Mk 134f; richtig M. Albertz, Streitgespräche 23.
[148] Vgl. Ps 8; 39; 29; 115.
[149] Is 6,1; 31,3; Sach 8,6 LXX; Ez 28,9.2; vgl. auch Gen 18,14; 2 Chr 32,7b–8; 14,10; Job 10,13 LXX.

macht in der Verwirklichung seines Heilsplans des Menschen Ohnmacht und Unvermögen gegenüber steht und unterstrichen wird. So
lesen wir z. B. an einer Stelle bei den Synoptikern, daß Jesus selbst ein
ähnliches Wort wie Mk 11,30 bei einer Gelegenheit benutzte, um
diesen im Kontext der Botschaft vom Gottesreich gebrauchten gegensätzlichen Ausdruck – Gott/Mensch – herauszustellen. Mk 10,17ff par
Mt 19,16ff par Lk 18,18ff bringt das Gespräch Jesu mit einem reichen
Mann. Als sich nun der Reiche, von den Forderungen Jesu erschrok-
ken, von ihm entfernte, bemerkte Jesus: „Wie schwer werden die
Reichen in das Reich Gottes hineingelangen! Leichter kommt ein
Kamel durch ein Nadelöhr hindurch als ein Reicher in das Reich
Gottes hinein." (VV 23.25). Als die Jünger dann fragten, wer nun
gerettet werden könne, antwortete ihnen Jesus: „παρὰ ἀνθρώποις
ἀδύνατον, ἀλλ᾿οὐ παρὰ Θεῷ" (V 27b). Der Grund, den Jesus nun für
diesen Tatbestand angibt, unterstreicht noch stärker die Distanz
zwischen Gott und dem Menschen: πάντα γὰρ δυνατὰ παρὰ τῷ Θεῷ (V
27c). Daß es in diesem Gespräch um das Eingehen in das Reich Gottes
und um die Macht Gottes, seinen Heilsplan zu verwirklichen, geht,
braucht nicht eigens hervorgehoben zu werden. Allein das Wort
βασιλεία kommt in dem kurzen Gespräch zwischen Jesus und seinen
Jüngern 3mal vor: VV 23b. 24c. 25.[150]

Ferner wird Apg 5 berichtet, daß wegen ihrer Tätigkeit in Jerusalem die Apostel vor dem Hohen Rat erscheinen und Rechenschaft
über ihr Tun ablegen mußten. Nachdem der Hohe Rat sie verhört hat
und sie „töten wollte" (5,33), erhob sich der angesehene Gesetzeslehrer Gamaliel und gab ihm folgenden Rat: „Laßt ab von diesen Leuten
und gebt sie frei, ὅτι ἐὰν ᾖ ἐξ ἀνθρώπων ἡ βουλὴ αὕτη ἤ ... εἰ δὲ ἐκ
Θεοῦ ἐστιν, οὐ δυνήσεσθε ...᾿ (Apg 5,38–39). Auch hier begegnet, nur
in umgekehrter Reihenfolge, der gegensätzliche Ausdruck: ἐκ Θεοῦ ἤ
ἐξ ἀνθρώπων, der den Rat Gamaliels und seine Gelassenheit den
Aposteln gegenüber erklärt. Der Kontext entspricht dem von Mk
11,27–33. Grund für die Verhaftung und das Verhör der Apostel ist
ihre Christusverkündigung, die nach den Führern und religiösen
Autoritäten des Landes zu Unruhen führen könnte (vgl. Apg. 28). Zu
beachten ist das Argument des Verteidigers Gamaliel. Es ist religiöser
Art. Ausgehend von der jüngsten Vergangenheit seines Volkes zeigt
er am Beispiel der beiden zelotischen Aufrührer Theudas und Judas
von Galiläa auf, daß, wenn die Sache der Apostel „Menschenwerk" ist,
d. h. Machtgier und politisches Machtstreben ist, wie es bei Theudas
und Judas der Fall war, es von selbst zugrunde gehen wird. Ist es aber
von Gott, Gotteswerk und Auftrag, könnte es nicht zerstört werden.

---

[150] Vgl. V 26b: σωθῆναι und V 17b: ἵνα ζωὴν αἰώνιον κληρονομήσω, die der Sache nach
das gleiche meinen.

Der Mensch kann nicht gegen Gott kämpfen und seinen Heilsplan zerstören.

Wenn auch das Begriffspaar nicht im Wortlaut vorkommt, sachlich aber durchaus zutreffend ist davon die Rede, wo Gott bzw. Gottes Heilswille und Plan dem Menschen gegenübergestellt werden.[151] Das Belegmaterial zeigt eindeutig, daß diese gegensätzlichen Ausdrücke in verschiedener Form und Reihenfolge in der Schrift begegnen, und auf verschiedene Weise in Beziehung mit der Gottesreichsbotschaft gebracht werden können.

Weil es sich so verhält, mußten nicht nur Jesus (Mk 11,28b), sondern auch die Apostel und die Urkirche sich die Frage nach dem Woher ihrer ἐξουσία, nach der Legitimation ihrer Verkündigung stellen lassen. In seiner ersten Predigt am Pfingsttag erzählt Petrus dem Volke und seinen Führern, wie Gott Jesus, den sie gekreuzigt hatten, auferweckt und ihn zum Messias und Herrn gemacht hat (Apg 2,36). So verkündeten die Apostel also die Heilsbotschaft und forderten die Leute auf, sich zu bekehren und sich auf den Namen Jesu Christi taufen zu lassen zur Vergebung der Sünden (Apg 2,38). Daß dies den Führern des Volkes nicht paßte, ist verständlich. Darum versuchten sie, berichtet die Apostelgeschichte, mit allen Mitteln die Apostel daran zu hindern, das Evangelium Jesu Christi zu proklamieren (Apg 4,1f; 5,27f; 5,18 . . .). Die Apostel werden verfolgt und verhaftet, ins Gefängnis geworfen und gegeißelt. Aber sie hörten nicht auf, Tag für Tag im Tempel und in den einzelnen Häusern zu lehren und die frohe Botschaft zu verkünden, daß Jesus der Messias sei (Apg 5,42). Und durch ihre Hände geschahen viele Zeichen und Wunder unter dem Volk (vgl. Apg 5,18; 3,6ff; 4,9f . . .). Und als später Paulus in Caesarea verhaftet und verurteilt wurde, so lautete die Anklage: „Wegen eines gewissen verstorbenen Jesus, von dem Paulus behauptet, er lebe" (Apg 25,19; vgl. Apg 26). Auch die Apostel handelten und predigten nicht im eigenen Namen, sondern im Namen und in der Vollmacht Jesu, der sie gesandt und ihnen die Vollmacht verliehen hatte, das Gottesreich zu verkünden (Mk 6,7–13; Mt 10,1f; Lk 9,1–6). Den Fragenden: ἐν ποίᾳ δυνάμει . . .; können sie ruhig antworten: ὅτι ἐν τῷ ὀνόματι Ἰησοῦ Χριστοῦ τοῦ Ναζωραίου (Apg 4,7.10). Obwohl das Wort ἐξουσία hier nicht fällt, besteht aber kein Zweifel daran, daß diese ἐξουσία der Apostel den Streit auslöste. Lukas verwendet oft dafür die Begriffe δύναμις oder auch ὄνομα oder δύναμις und ἐξουσία zusammen (vgl. Lk 4,36; 9,1; 10,17; 24,47; Apg 4,7.10.17.18.30; 5,28.40; 16,18).

So war die Frage nach der ἐξουσία ihrer Verkündigung für die Urkirche nicht nur Anlaß zur Polemik gegen die ungläubigen Führer

---

[151] Vgl. Apg 4,19; Rm 11,23; 1 Kor 1,25; 2,5; Mk 2,6f; Mk 10,9 par.; Mt 19,6; Mk 12,14b par. Mt 22,21; Lk 16,15; Mt 16,23; Mk 8,33b; Mt 3,9 par. Lk 3,8; Lk 1,37.

des Volkes und die Juden[152], und nicht nur Rechtfertigung ihrer
eigenen Verkündigung, sondern auch eine Quelle der Kraft und des
Trostes in der Verfolgung gewesen (Apg 4,19f; 5,29f; 4,31; 5,40–42).

VII. Markinische Interpretation

Nachdem versucht wurde, den Sinn der ursprünglichen Traditions-
einheit herauszuarbeiten, kommt uns nun die Aufgabe zu, nach der
Interpretation derselben durch den Evangelisten zu fragen. Das soll
nun in zwei Schritten geschehen. Wir analysieren:
A) den Rahmen, in den der Evangelist die Perikope gestellt hat,
   und
B) den weiteren Kontext, den sog. Makrotext. Das heißt, wir fragen
   nach dem Verständnis und der Interpretation der Perikope im
   Ganzen des Markusevangeliums. Wie hat also Markus dieses Stück
   verstanden?

A. Der Rahmen

Die Literarkritik ergab, daß Mk diese Perikope fast unverändert
von seiner Tradition übernahm. Lediglich VV 27a.32b meinten wir
dem Redaktor zuschreiben zu sollen. Der Text lautet: Καὶ ἔρχονται
πάλιν εἰς Ἱεροσόλυμα (V 27a); – ἐφοβοῦντο τὸν ὄχλον, ἅπαντες γὰρ
εἶχον τὸν Ἰωάννην ὄντως ὅτι προφήτης ἦν. (v 32b).

1. Die Bedeutung Jerusalems (V27a)

Die Ortsangabe V 27a „Ἱεροσόλυμα" ist hier zwar notwendig, da
nach 11,19 Jesus und seine Jünger am Abend die Stadt verlassen
hatten. Für Mk aber ist Jerusalem von großer Bedeutung. Seit 10,32
wissen wir, daß Jesus sich auf dem Weg nach Jerusalem befindet. V.
33 erfahren wir, was ihm dort in Jerusalem widerfahren wird. Er sagt
seinen Jüngern, den δώδεκα, seine bald in Jerusalem erfolgende
Passion voraus: καὶ ὁ υἱός τοῦ ἀνθρώπου παραδοθήσεται τοῖς ἀρχ-

---

[152] So löst sich am einfachsten die Schwierigkeit, die V 33a empfunden wird, ob
nämlich die V 27b genannten Gegner mit ihrer Antwort an Jesus sich so einfach
geschlagen gegeben hätten. Im Johannesevangelium läuft denn auch die Diskussion
ganz anders. Dazu *R. Schnackenburg,* Mk II, 149.
Daß die Frage ursprünglich von den Johannesjüngern gestellt werden mußte, wie es
G. S. Shae, The Question 16.18 behauptet, ist nicht so eindeutig. Denn nicht nur die
Johannesjünger, sondern auch andere, besonders aber die Führer, waren über den
Anspruch Jesu wie über sein Wirken empört.

ιερεῦσιν καὶ τοῖς γραμματεῦσιν, καὶ κατακρινοῦσιν αὐτον θανάτῳ καὶ παραδώσουσιν... Mk 11,1.11.15.27 wird ausdrücklich wieder bemerkt, daß Jesus nach Jerusalem geht. Das häufige Vorkommen von Ἱεροσόλυμα in den Kapiteln 10 und 11 zeigt, daß es Mk an diesem Ort sehr liegt.

Bekanntlich kennt Markus, wie überhaupt die gesamte synoptische Überlieferung, nur einen Aufenthalt Jesu in Jerusalem, und zwar am Ende seiner öffentlichen Tätigkeit. Das dürfte aber historisch gesehen, wie es die meisten Autoren verschiedener Richtungen bemerken, nicht stimmen. Denn, ganz abgesehen vom Johannesevangelium, lassen Worte wie Mt 23,37–39; Lk 13,34–35 „sich nur dann befriedigend und natürlich verstehen, wenn Jesus längere Zeit bzw. öfters in der heiligen Stadt geweilt und sich wiederholt um sie werbend bemüht hat."[153] Im übrigen war es religiöser Brauch und Pflicht, daß jeder Israelit vom 13. Lebensjahr an wenigstens 3mal im Jahre nach Jerusalem zu den religiösen Festen zu ziehen hatte, um daran teilzunehmen.[154] Man wird W. Marxsen zuzustimmen haben, wenn er meint, daß hinter den Stellen: Mk 10,46f; 11,2f; 14,3.13ff.49 und 15,43 eine Auffassung steht, nach der „Jesus früher schon einmal in oder um Jerusalem war, weil er dort Bekannte hatte oder als mit der Örtlichkeit vertraut geschildert wird."[155] Das Interesse des Mk an Jerusalem aber ist nicht historischer, sondern vielmehr theologischer Art.[156] Jerusalem[157] ist der Ort der Passion und des Todes, aber auch der Erlösung durch Jesus. Die große Stadt und ihre Führer bedeuten für Jesus eine Gefahr. Sie sind ihm gegenüber, und zwar von Anfang

---

[153] *K. L. Schmidt*, Der Rahmen 271; vgl. ebda S. 301–302.

[154] *E. Lohse*, Umwelt 109ff; *C. Bornhamm*, Jesus 142ff; *E. Haenchen*, Johanneische Probleme, 94 schreibt: „daß Jesus ... in den Tempelbetrieb ..., den er freilich seit seiner *Knabenzeit* gekannt haben muß ..." und ebda. Anm. 3: „Vgl. Lk 2,42ff. Wir haben aber auch keinen Grund für die Annahme, Jesus habe später an den üblichen Wallfahrten nach Jerusalem nicht teilgenommen." Auch *V. Eppstein*, The Historicity 44 meint: „Yet it is unlikely that Jesus would *never before have gone to Jerusalem* to celebrate any of the annual pilgrimage festivals when great numbers of Jews visited the Sanctuary, especially to keep the Passover." (Sperrungen von mir); *H. Schürmann*, Lk I, 134 + Anm. 255–257; *Bill.* II,141f; II,145.

[155] *W. Marxsen*, Der Evangelist 34; dazu *P. Winter*, On the trial 208 Anm. 13: „The second Evangelist would make it appear that Jesus had been in Jerusalem not more that once (though Mk 11,2 and Mk 14,13 imply that he had been there before!)... Yet in all probability Jesus visited the city at various times..."; *B. Rigaux*, Mc 24.147; *C. H. Dodd*, Der Mann 147–148.

[156] *W. G. Kümmel*, Einleitung 49; *E. Lohse*, ThWNT VII,328f; *H. Schultz*, ThBL II, bes. 755f.

[157] *E. Lohmeyer*, Galiläa und Jerusalem, bes. S. 32: „Jerusalem ist also der Herd der Feindschaft gegen Jesus" und S. 34 „Jerusalem ist die Stadt der tödlichen Feindschaft Jesu, der Sünde und des Todes"; *ders.*, Mk 233; vgl. *C. H. Dodd*, Der Mann, Kap. VIII, 145–169.

an, feindlich eingestellt (Mk 3,22; 7,1)[158]. Darum bedeutet Jerusalem für Mk das Ende Jesu am Kreuz. Das ahnten vielleicht schon die Begleiter Jesu, von denen Mk sagt, daß sie sich fürchteten, während Jesus entschlossen ihnen voranging (10,32): Ἦσαν δὲ ἐν τῇ ὁδῷ ἀναβαίνοντες εἰς Ἱεροσόλυμα, καὶ ἦν προάγων αὐτοὺς ὁ Ἰησοῦς, καὶ ἐθαμβοῦντο, οἱ δὲ ἀκολουθοῦντες ἐφοβοῦντο. Hier zeichnet sich schon das Weg-Motiv ab, das später von Lk übernommen und zielstrebig ausgebaut wird. Hat Mk vielleicht das uns von Lk überlieferte Wort gekannt, nach dem οὐκ ἐνδέχεται προφήτην ἀπολέσθαι ἔξω Ἱερουσαλήμ (Lk 13,33f)?[159] Denn auch nach ihm war Jesu Ziel „Jerusalem", wo er die Erlösungstat vollbringen würde.

2. Die Bedeutung Johannes des Täufers und seiner Sendung (V 32b)

Die andere vom Evangelisten stammende Rahmenbemerkung ist V 32b. Es heißt: ἐφοβοῦντο τὸν ὄχλον· ἅπαντες γὰρ εἶχον τὸν Ἰωάννην ὄντως... Die Führer des Volkes wagten es nicht aus Angst vor dem Volk, Johannes' prophetische Sendung nicht anzuerkennen, weil sie dadurch ihre Autorität und Glaubwürdigkeit verlieren würden. Der γὰρ-Satz: ἅπαντες γὰρ... drückt es sehr deutlich aus. Das Furchtmotiv, das hier angeklungen ist, kommt sonst auch im Zusammenhang mit der Verhaftung Jesu vor und immer in redaktionellen Bemerkungen (vgl. Mk 11,18; 12,12; 14,1f). Mk 14,1b–2 wird der Grund der Angst der Führer zutreffend formuliert: „Und die Hohenpriester und Schriftgelehrten suchten, wie sie ihn mit List ergreifen und töten könnten. Sie sagten nämlich: μὴ ἐν τῇ ἑορτῇ, μήποτε ἔσται θόρυβος τοῦ λαοῦ, weil das Volk in Jesus einen wahren Mann Gottes erkannte. Das Volk in Jerusalem scheint also eine aktivere Rolle als sonst bei Mk zu spielen, da die Führer vor ihm Angst haben.

Welche Bedeutung aber hat Johannes der Täufer bei Mk? Wie hat er die Sendung des Täufers verstanden und interpretiert? Die redaktionelle Bemerkung V 32b: ἅπαντες γὰρ εἶχον τὸν Ἰωάννην ὄντως ὅτι προφήτης... kommentiert die Gegenfrage Jesu V 30: τὸ βάπτισμα τὸ Ἰωάννου ἐξ οὐρανοῦ ἦν ἢ ἐξ ἀνθρώπων; das bedeutet: es besteht überhaupt kein Zweifel darüber, daß Mk die Überzeugung der gesamten christlichen Überlieferung[160] teilte, daß nämlich Johannes

---

[158] Außer Mk 3,7–8 (Summarium) zeigen alle Erwähnungen Jerusalems und seiner Führer im ersten Teil des Markusevangeliums, daß sie Jesus gegenüber feindlich sind. Auch *S. Schulz*, Stunde 28f beschreibt die Stadt als „Todes- und Verstockungsort". *J. Delorme*, Lecture de l'Evangile selon St. Marc 14; *B. Rigaux*, Mc 147.

[159] Siehe dazu die materialreiche Untersuchung von *O. H. Steck*, Israel und das gewaltsame Geschick der Propheten, bes. 40–45.46.

[160] Das Problem bei Q stellt *P. Hoffmann*, Logienquelle 15–33. 190–233 ausführlich und gut dar; weiter *F. Lang*, Erwägungen 459–473; *E. Bammel*, The Baptist 95–128.

d. T. ein Gesandter Gottes, ein echter Prophet war. Zwar wird er hier zum „Vorläufer" des Messias Jesus gemacht, er genießt aber bei der jungen Christenheit wie schon bei Jesus selbst ein hohes Ansehen. So auch bei Mk. Nach ihm gehört Johannes d. T. in das Evangelium hinein.[161] Mit ihm beginnt die Heilszeit[162], die Proklamation einer neuen Zeit in der Geschichte Gottes mit den Menschen, und seine Taufe ist darum eine Umkehrtaufe, ein βάπτισμα μετανοίας εἰς ἄφεσιν ἁμαρτιῶν (Mk 1,4; Mt 3,2.11; Lk 3,3).[163] Mk übernimmt sogar von seiner Tradition die Taufgeschichte Jesu durch Johannes d. T., die der christlichen Gemeinde in Auseinandersetzung mit den Johannesjüngern so viele Schwierigkeiten in der Bestimmung der heilsgeschichtlichen Zuordnung der beiden Männer bereitete.[164] Erkennt Mk ausdrücklich die prophetische Sendung des Johannes an, so läßt er zugleich auch, in Übereinstimmung mit seiner Tradition, die hervorragende Stellung Jesu und seine Überlegenheit über den Täufer Johannes sichtbar werden.[165] Der Geist Gottes und die Stimme aus dem Himmel bei der Taufe zeugen für Jesus, „der dadurch als Geistträger und Gottes Sohn vorgestellt wird" (Mk 1,10.11).[166] Er ist der ἰσχυρότερος[167], der nicht „ὕδατι", sondern πνεύματι ἁγίῳ die Leute taufen wird (Mk 1,7.8). Mk 11,27—33 aber ist Johannes, wie wir schon feststellten, Jesus gleichgestellt. Über ihre Funktion und Rangordnung wird noch nicht reflektiert. Worauf es hier allein ankommt, ist, daß Johannes wie Jesus nicht in eigenem, sondern in Gottes Namen und Auftrag auftreten und daß deshalb ihre Autorität von Gott allein kommt.[168] Im Rückblick auf die Vergangenheit betont V 30 die Zusammengehörigkeit beider Propheten Gottes.[169] Das aber ist nicht mehr die mkn. Sicht, sein Verständnis von Johannes d. Täufer.

---

[161] *W. Marxsen*, Der Evangelist 25; *R. Pesch*, Anfang des Evangeliums 140; *H. Thyen*, Βάπτισμα 102.

[162] *H. Conzelmann*, Mitte 16: „In der Tradition scheidet der Täufer alten und neuen Äon. Er *verkündet* nicht nur das nahe Reich Gottes, sondern *ist* selber Zeichen des Anbruchs" (Sperrung vom Verf.).

[163] Zur Bedeutung der Johannes' Taufe; vgl. *J. Gnilka*, Tauchbäder 185—207, bes. 203—205; *Ders.*, Ursprung der christlichen Taufe 39—49, bes. 43.

[164] *A. Vögtle*, Taufe 119. 131f. 136f; vgl. aber Mt 3,13—15.

[165] *P. Hoffmann*, Logienquelle 21f; *A. Vögtle*, Taufe 111—138.

[166] *P. Hoffmann*, Logienquelle 20.

[167] *H. Thyen*, Βάπτισμα 100 Anm. 15.

[168] Die Parallelisierung zwischen Johannes d. T. und Jesus wird bei Mt am stärksten ausgeprägt. cfr. *W. Trilling*, Täufertradition, bes. 284—286.274; *E. Bammel*, The Baptist, bes. 101—104.

[169] Vgl. *P. Hoffmann*, Logienquelle 230. Daß Mk und seine Leser V 30 so verstanden haben „as pointing back to the authorization of the divine sonship and the bestowal of the spirit and power at Jesus' baptism by John", wie es *G. S. Shae*, Question 27, behauptet, scheint mir unhaltbar. Einmal handelt es sich in unserem Text nicht um die Taufe Jesu durch Johannes d. T. und zum anderen steht „βάπτισμα" hier als pars pro toto, wie wir gezeigt haben. Vgl. *A. Vögtle*, Taufe 111ff.116.

B. Makrotext oder Mk 11,27–33 im Markusevangelium

Es wurde bereits gesagt, daß die Frage nach der Vollmacht Jesu
ursprünglich mit dem Vorgehen Jesu im Tempel zusammenhängt.
Nachdem also Jesus die Verkäufer und Geldwechsler aus dem
Tempel getrieben hat, wird er von den zuständigen Autoritäten
(Tempelpolizei?) zur Rede gestellt. Der Evangelist und Redaktor Mk
jedoch trennt unsere Perikope von der Tempelreinigung. Zwischen
Mk 11,27–33 und Mk 11,15–19 stellt er den zweiten Teil der Feigen-
baumperikope. Die Tempelreinigungsperikope wird nun also von der
Perikope vom Feigenbaum umrahmt, was sicher nicht ohne Absicht
geschieht. Obwohl es nicht typisch markinischer Erzähltechnik entspricht,[170] gebraucht aber auch er woanders diese sog. Schachteltech-
nik (vgl. Mk 6,7–30; 3,20–35), und sehr wahrscheinlich auch hier.[171]
Damit stellt er den Bruch mit dem offiziellen Judentum in Sicht, wie
denn auch V 17, ein Mischzitat aus Is 56,7 und Jer 7,11, der die
ursprüngliche Bestimmung des Tempels herausstellte, es unterstreicht: Der Tempel, der ein Haus des Gebetes nicht nur für Juden,
sondern auch für alle Nationen, d. h. auch für die Heiden sein sollte,
wurde in Wirklichkeit von Israel dieser seiner wahren Bestimmung
entfremdet und mißbraucht. Er wurde zu einer „Räuberhöhle"
gemacht.[172] Darum nimmt der Redaktor unsere Perikope von ihrem
ursprünglichen Zusammenhang heraus. Damit aber ist die weitere
Frage, warum er die Vollmachtsperikope hierher stellt, noch nicht
beantwortet.

Nach Mk 3,22[173] (vgl. 7,1 par Mt 15,1) war Jesus in Jerusalem, d. h.
bei den Jerusalemer Autoritäten, kein Unbekannter: καὶ οἱ γραμματεῖς οἱ ἀπὸ Ἱεροσολύμων καταβάντες... Und bereits Mk 2,1–3,6
stellte sich die Frage nach seiner Vollmacht, nach der Herkunft bzw.
Legitimation seiner Lehre und seines Tuns. Doch die hier ausdrücklich und direkt an Jesus gerichtete Frage hat für Mk eine grundsätzliche Bedeutung. Sie durchdringt und beherrscht von Anfang bis zum
Ende seine ganze Schrift. In der Tat, der Eindruck, den Jesus seinen

---

[170] R. Pesch, Die Salbung Jesu 269 Anm. 5.

[171] So auch G. Münderlein, Verfluchung 89; J. Roloff, Kerygma 100; G. S. Shae, The
Question 21; J. Schmid – A. Wikenhauser, Einleitung 218; R. Bultmann, Geschichte
36.232f mit Ergänzungsheft (4. Aufl.) S. 29.83; H. W. Bartsch, Verfluchung 256.

[172] Zur Interpretation dieser Perikope, cfr. außer den Kommentaren, J. Roloff, Kerygma
89–110, bes. 98–100; V. Eppstein, The Historicity 42–58; F. C. Burkitt, The cleansing
386–390; R. H. Lightfoot, The Gospel Message, Kap. V; E. Haenchen, Johanneische
Probleme: jetzt in: Ders., Gott und Mensch 78–113; E. Trocmé, Expulsion 1–22; C.
Roth, The Cleansing 174–181; A. Suhl, Funktion 142f; S. Mendner, Tempelreinigung
93–112; C. Kingsley Barrett, The House of Prayer 13–20.

[173] Die Parallelstelle bei Mt 12,24 nennt als Fragesteller die „Pharisäer" ohne weitere
Bestimmung, während Lk 11,15 nur noch von „τινὲς" = „einige" spricht.

Zeitgenossen und Landsleuten, ob Jüngern, Gegnern oder dem Volk gemacht hat, war der seiner Autorität. Er handelte und redete wie einer, der Vollmacht hatte und nicht z. B. wie die Schriftgelehrten und Rabbinen seiner Zeit, die sich ständig auf eine höhere Autorität beriefen; nicht einmal wie die Propheten des Alten Bundes, die sich als Instrument Jahwes betrachteten.[174] Jesus beruft sich auf keine höhere Instanz. Nirgends begründet der synoptische Jesus seine Vollmacht. Er hat sie vielmehr und handelt aus ihr. Er kann sie auch seinen Jüngern verleihen (Mk 6,7; 3,16). J. Blank hat durchaus recht: Jesus „beruft sich für sein Handeln und Reden auf keine höhere Instanz, nicht einmal auf Gott. An keiner Stelle (bei den Synoptikern) erfolgt eine ausdrückliche Begründung oder Legitimation der Vollmacht Jesu."[175] Dieser Eindruck taucht in verschiedensten Zusammenhängen, direkt oder indirekt, immer wieder auf und steht in enger Beziehung mit der Person und Tätigkeit Jesu. Sein Auftreten hat „offensichtlich von Anfang an Bewunderung, Faszination und Begeisterung, aber auch Kopfschütteln, Ablehnung, Ärgernis und Haß ausgelöst. So etwas hatte man noch nie gesehen und gehört"[176] (Mk 1,22.27; 1,24; 3,11; 2,7; 5,7; 4,41; 6,2f; 11,28b; 14,61f; 15,2). Und seine Vollmacht ist „derart, daß sich unabdingbar mit ihr die Frage nach seiner Person stellt".[177] Die Vollmacht Jesu ist „in ihm selber, in seiner Person, zu begründen".[178] Wer ist wohl dieser?[179], fragten seine Landsleute. Und, an einer entscheidenden Stelle des Evangeliums provoziert Jesus selbst diese Frage: τίνα με λέγουσιν οἱ ἄνθρωποι εἶναι; (8,27b. vgl. 8,29). Dieses Fragen aber impliziert viel mehr als den oberflächlichen Wunsch, Jesu Herkunft zu kennen. Denn, woher Jesus stammte, welchen Beruf er hatte und um die Verhältnisse seiner Familie wußten die Leute sehr wohl, wie es z. B. Mk 6,3 deutlich zeigt: οὐχ οὗτός ἐστιν ὁ τέκτων, ὁ υἱὸς τῆς Μαρίας . . .; Aber gerade dieses Wissen löste Bewunderung und Begeisterung bei den einen, Ablehnung und Ärgernis bei den anderen aus. Jesu Landsleute ahnten dunkel, daß der Mann aus Nazareth doch ganz anders als sonst ein Mensch war. Seine Person war von einem großen Geheimnis umgeben.[180]

Die Antworten auf diese Frage nach der Identität Jesu fallen im Evangelium sehr verschieden aus (Mk 3,32; 6,3; 6,14f; 8,28). Nur die

---

[174] Vgl. die Formel: „So spricht Jahwe" oder „Wort des Herrn" . . .

[175] *J. Blank*, Paulus und Jesus 103; vgl. auch *K. Kertelge*, Die Vollmacht des Menschensohnes, bes. 210ff.212 Anm. 27.

[176] *W. Kasper*, Jesus 78; vgl. *Q. Quesnell*, The mind 142–145, bes. 157–176.

[177] *J. Blank*, Paulus und Jesus 103.

[178] *J. Blank*, Paulus und Jesus 104 (Sperrung vom Verfasser). – Ferner *C. H. Dodd*, Der Mann 156.

[179] Vgl. *W. Trilling*, Fragen, bes. 177f.

[180] Vgl. *Q. Quesnell*, The Mind 160.

bösen Geister und Dämonen „erkennen" die wahre Natur Jesu (1,24; 3,11; 5,7). Jesus aber befiehlt ihnen zu schweigen. Denn nach Mk kann nur der Glaubende die richtige Antwort geben. Glaube oder Unglaube also entscheiden darüber, ob Jesus als Gesandter Gottes anerkannt und seine Vollmacht akzeptiert wird. Das in unmittelbarer Nähe unserer Perikope stehende Stück Mk 11,20–25, das, nach Meinung vieler Forscher, wohl erst vom Redaktor Mk hierher gestellt wurde,[181] ist denn auch ein eindringlicher Aufruf zum Glauben (VV 23.24; vgl. schon 10,52b). Und Mk 11,27–33 lehnen es die Gegner ab, auf Jesu Gegenfrage V 30 zu antworten, da er sonst weiter fragen könnte: διὰ τί οὖν οὐκ ἐπιστεύσατε αὐτῷ; Damit zeigen sie doch nur ihren Unglauben . Nur der Glaubende also „erkennt" Jesus. Daß Mk darauf großen Wert legt, geht daraus hervor, daß er ein „εὐαγγέλιον", besser das „εὐαγγέλιον Ἰησοῦ Χριστοῦ" schreibt, dessen Objekt und Subjekt zugleich der Mann aus Nazareth ist (1,1), den man nur im Glauben als den letzten Boten Gottes, der die frohe Botschaft des Heils verkündet (1,14f), den Gesalbten (Χριστός :8,29b) und vor allem als den Sohn Gottes (15,39; 1,1) erkennen und bekennen kann.[182]

Daß Jesu Einzug (Mk 11,1–11)[183], seine Aktion im Tempel (Mk 11,15–16)[184] sowie sein ganzes Auftreten in Jerusalem im politisch-messianischen Sinn gedeutet werden konnten (vgl. Mk 8,32ff; 9,32.34; 10,35ff) und daß er tatsächlich auch als politischer Messiasprätendent verurteilt und hingerichtet wurde (Mk 15,2b.9.12.18.26),[185] ist nach

---

[181] Dazu G. Münderlein, Verfluchung 89: „Ebensowenig gehören 11,22–25 ursprünglich hierher; es handelt sich um isoliert umlaufende Herrenworte, die Mk redaktionell verknüpft und hier einordnet"; R. Bultmann, Geschichte 24; W. L. Knox, Sources I, 82; J. Sundwall, Zusammensetzung 71 und die meisten Kommentare, z. B. E. Haenchen, Der Weg 391; V. Taylor, Mk 465f; W. Grundmann, Mk 233; E. Lohmeyer, Mk 238f. Dagegen aber E. Schweizer, Mk 132.

[182] R. Schnackenburg, Mk II, 150; E. Schweizer, Mk 135; W. G. Kümmel, Einleitung 51f; J. Schmid, Mk 117f zu Mk 6,1–6a.

[183] Dazu u. a. C. Burger, Davidssohn 51f.64; A. Kuby, Konzeption 59.61; H. Patsch, Einzug 1–26, bes. S. 3.11.14.16ff; G. Bornkamm, Jesus 139; P. Winter, On the trial 141 . . . Vgl. auch die Kommentare zu Mk.

[184] Vgl. J. Roloff, Kerygma 96f; G. Bornkamm, Jesus 139f; R. H. Lightfoot, The Gospel Message 60: „The cleansing is according to St. Mark, the great act of the Lord as the messianic king on his arrival at his Father's House" – Ferner vgl. die Kommentare zu Mk.

[185] Vgl. F. Hahn, Hoheitstitel 178f; H. Patsch, Einzug 24; P. Vielhauer, Erwägungen 160; H. Schürmann, Jesu ureigener Tod 27ff; W. Kasper, Jesus 79.81; M. Hengel, Der Sohn 9.100; G. Theissen, Wundergeschichten 243 + Anm. 42; G. Baumbach, Die Zeloten 20; O. Cullmann, Der Staat 7.16; W. Schrage, Christen 40; A. Descamps, Fils de Dieu 551f. P. Winter, On the trial 138 schließt aus der Hinrichtung Jesu, wohl zu Unrecht, daß Jesu Tätigkeit politischen Charakter haben mußte: „The movement which he initiated doubtless possessed political implications . . . The fact that Jesus was crucified as „King of the Jews" is sufficient to demonstrate that political revolutionary tendencies were associated with „the movement" already during the lifetime of

dem Evangelisten Mk ein gründliches Mißverständnis der Intention und der Sendung Jesu (vgl. Mk 8,29b–30 mit 31; 9,31f; 10,33f.38.45). Das scheint er auch mit dem Hinweis auf die Sendung Joh. des Täufers zu unterstreichen. Jesu Auftrag, wie schon der des Johannes, ist nicht politischer, sondern rein religiöser Art.[186]

Doch dürfte die Erwähnung Johannes d. T. in diesem Zusammenhang noch ein anderer, verborgener Hinweis sein. Das Gespräch Jesu mit seinen Gegnern setzt voraus, daß Johannes d. T. und seine Tätigkeit bereits der Vergangenheit angehören[187] und daß die Adressaten Jesu um Johannes' Martyrium und Schicksal wußten (Mk 6,14–29; 11,31f.33f). Weist Jesus damit nicht auch auf sein eigenes Schicksal hin? Wir haben gesehen, daß Jesus und Johannes zusammengehören. Und die Parallelität zwischen Johannes d. T. und Jesus, die Mk hier von seiner Tradition übernimmt, führt er durch Anordnung dieser Perikope fort. Sie steht im Passionskontext und dadurch gewinnt der Hinweis auf Johannes d. T. eine ganz neue Dimension : Jesu Schicksal wird dem des Johannes d. T. gleich. M. Horstmann hat es richtig erkannt. Es „läßt sich die weitgehende Parallelisierung von Täufer und Jesus begreiflich machen, die sich darin zeigt, daß Markus das Schicksal des Täufers als eine Vorausdarstellung des Weges Jesu zeichnet".[188]

Wie Johannes d. T. von den Führern abgelehnt worden ist (11,31b und Mk 9,13 par Mt 17,12–13), so wird auch Jesus von ihnen verworfen. Der markinische Text legt es sehr nahe, und Mk hat es zweifellos so verstanden. Er läßt nämlich unmittelbar danach das Gleichnis von den bösen Winzern (Mk 12,1–9) folgen, das Mk sicher als „positive" Antwort Jesu auf Mk 11,27–33 versteht. Darin wird das Schicksal des einzigen Sohnes und sein in Kürze erfolgender Tod geschildert. Hier wird zwar indirekt, aber deutlich genug die Passion des Gottessohnes angekündigt (vgl. 11,18 und 12,13b), und die Befragung Jesu (V 27b.28) bekommt so einen offiziellen Charakter.

Indem Mk also unsere Perikope (11,27–33) aus ihrem ursprünglichen Zusammenhang mit der Tempelreinigung löste und hierher stellte, machte er die Frage der Gegner V 28b: ἐν ποίᾳ ἐξουσίᾳ .αὖτα ποιεῖς; zu einer grundsätzlichen Frage. Es handelt sich nicht nur und nicht mehr um das Vorgehen im Tempel, sondern diese „offizielle"

Jesus . . . As Jesus was crucified on the ground of a charge of tumult or sedition, his activities m u s t h a v e h a d a p o l i t i c a l a s p e c t for some people even before his death had taken place." (Sperrung von mir.)

[186] Vgl. Mk 11,32c: ἅπαντες γάρ . . .; 11,7ff mit der Anspielung auf Sach 9,9; Mk 11,17: Haus des Gebetes für alle Völker, Mk 14,61f, ferner *J. Roloff*, Kerygma 91–98; *G. Bornkamm*, Jesus 41.46; *E. Lohse*, Umwelt 21ff, bes. 31ff; *J. Blank*, Jesus 20–42, bes. 29.32.36.40f.

[187] V 30: das imperfektische ἦν und V 32b: das plusquamperfektische ἦν.

[188] *M. Horstmann*, Studien 135; ferner *J. Lambrecht*, Redaktion 42.

Befragung betrifft nun die Legitimation des Auftretens und Wirkens Jesu überhaupt.[189] Darüber hinaus lenkt der Redaktor andeutungsweise den Blick des Hörers bzw. des Lesers auf das kommende Passionsgeschehen hin. Johannnes' Schicksal, das hier erwähnt wurde (Mk 11,31.33), stellt den weiteren Weg Jesu im voraus dar. Konnte der Evangelist einen passenderen Platz für diese Perikope wählen, um dieses sein Anliegen zum Ausdruck zu bringen?

Zusammenfassend läßt sich sagen, daß Mk die Perikope von der Vollmachtsfrage und ihre Deutung im großen und ganzen von seiner Tradition übernommen hat. Seine Interpretation bestand hauptsächlich in ihrer Anordnung und Stellung in den jetzigen Kontext, wobei sie eine grundsätzliche Bedeutung für die christliche Gemeinde gewonnen hat. Es bestätigt sich so die Beobachtung W. Marxsens: „Markus wertet seine Quellen nicht so aus, daß er Reflexionen daran anschließt (wie etwa Matthäus es bei den alttestamentlichen Zitaten macht), vielmehr interpretiert er seine Quellen durch Anordnung."[190]

---

[189] Zutreffend kommentiert R. H. Lightfoot, John's Gospel 39f: „But it should particularly be noted that it is not the action itself (cleansing of the temple), but His authority or right to act thus, which is formally challenged next morning by the chief priests and scribes and elders."

[190] W. Marxsen, Der Evangelist 26.

Kapitel II

DIE STEUERFRAGE (Mk 12,13–17)

I. Literarkritische Beobachtungen

A. QUELLENLAGE

Die berühmte Zinsgroschenfrage ist in der synoptischen Tradition fest verankert. Mt bringt diese an sich ort- und zeitlose Perikope im Anschluß an das dritte Gleichnis Jesu in Jerusalem, nämlich das Gleichnis vom königlichen Hochzeitsmahl (Mt 22,1–14). Mit ihr kehrt er nun wieder „zur Folge des Markus zurück und geht mit ihr bis zum Abschluß der Wirksamkeit Jesu in Jerusalem".[1] Lk schließt sich eng an Mk an.[2] Dem Gleichnis von den bösen Winzern (Lk 20,9–19) folgt, wie bei Mk, die Frage nach der Berechtigung der Kaisersteuer (Lk 20,20–26).

Diese Geschichte wird uns ebenfalls im koptischen Thomasevangelium Logion 100 sowie in der frühchristlichen Literatur überliefert.[3] Die Thomasversion scheint, so W. Schrage, „zunächst weitgehend identisch mit der synoptischen Fassung" zu sein.[4] Interessant ist allerdings die Beobachtung, daß sowohl Origenes als auch das Thomasevangelium über die synoptische Tradition hinaus ein 3. Glied der Antwort Jesu Mk 12,17 bieten. Bei Origenes entspricht es der Dreiteilung des Menschen in σῶμα (Leib), ψυχή (Seele) und πνεῦμα (Geist).[5] Im Thomasevangelium lautet das 3. Glied: »Und das, was mein ist, gebt es mir!«[6] Das neu entdeckte Fragment von Pap. Egerton 2 (Fragm. 2r) bringt eine stark veränderte Version von der Steuerfra-

---

[1] *W. Grundmann,* Mt 471; ferner *P. Bonnard,* Mt 321.

[2] *W. Grundmann,* Lk 374.

[3] Vgl. *Origenes,* Mt Bd. I, 658,32ff; *Justin,* Apologie I,17,2: Text bei *K. Aland,* Synopsis 383; zu Justin vgl. *M. Dibelius,* Rom 179f.

[4] *W. Schrage,* Verhältnis 190.

[5] Zur Diskussion und Interpretation, vgl. *W. Schrage,* Verhältnis 191.

[6] Übersetzung von *E. Haenchen,* Evangelium Thomae copticum, Logion 100. Vgl. ferner *H. Quecke,* Das Thomasevangelium, S. 171; *A. J. Hultgren,* Jesus 41–44. Zum Ganzen, *W. Schrage,* Verhältnis 189–192.

ge. Darüber urteilt R. Pesch: „Ev. Thom. 100 und Pap. Egerton 2 sind keine von der synoptischen Tradition unabhängigen Zeugnisse der Erzählung."[7]

Da diese Zeugen offenkundig von der synoptischen Tradition abhängig sind und also als Quelle ausscheiden müssen, gilt unsere Aufmerksamkeit der mkn. Überlieferung, der Mt und Lk fast wörtlich folgen.[8]

B. Textanalyse

Nach R. Pesch folgt Mk „noch der vormarkinischen Passionsgeschichte . . . Die Vorstellung der Pharisäer und Herodianer als Boten des Synedrions . . . geht nicht auf die Redaktion des Evangelisten zurück, der seine Vorlage nicht bearbeitet zu haben scheint".[9] H. Anderson und C. E. B. Cranfield u. a. halten das ἀποστέλλουσιν für ein „impersonal plural",[10] während V. Taylor unentschlossen bleibt: „Probably the impersonal plural ἀποστέλλουσιν . . . is used instead of the pass., but it may be that Mark means that the Sanhedrists sent them."[11]

Wir möchten mit vielen Autoren V 13 dem Redaktor Markus zuschreiben,[12] und zwar aus folgenden Gründen:

1. Sicher kann das ἀποστέλλουσιν ein „impersonal plural" sein, das gewöhnlich mit »man« übersetzt wird; wir vermuten hier aber bewußte Redaktionsarbeit des Mk. Bereits Mk 11,27 und 12,12 haben

---

[7] *R. Pesch,* Mk II,225; ebenso *E. Stauffer,* Geschichte 121f; *G. Petzke,* Der historische Jesus 231 Anm. 25. Vgl. Text bei *K. Aland,* Synopsis 383; ferner *M. Dibelius,* Rom 179 + Anm. 5. u. 6.

[8] Rm 13,1–7 braucht uns hier nicht zu beschäftigen, da es eine andere, selbständige Überlieferung wiederzugeben scheint. Dazu außer den Kommentaren zum Römerbrief, z. B. *M. Dibelius,* Rom 179 Anm. 4; *W. Schrage,* Die Christen 51 + Anm. 106 und die dort angeführten Autoren. Ferner *A. J. Hultgren,* Jesus 44: „It is better to assume that at the most the Gnostic traditionists (or writers) . . . had access to an independent tradition which they fashioned for their own purposes."

[9] *R. Pesch,* Mk II,224f; Sperrung im Text.

[10] *H. Anderson,* Mk 273; *C. E. B. Cranfield,* Mk 369.

[11] *V. Taylor,* Mk 478; vgl. auch *J. Bowman,* Mk 226.

[12] Z. B. *M.-J. Lagrange,* Mc 312; *E. Klostermann,* Mk 123; *W. Grundmann,* Mk 242; *R. Schnackenburg,* Mk II,158; *E. Lohmeyer,* Mk 251; *R. Bultmann,* Geschichte 25; *T. A. Burkill,* Revelation 203; *J. Schreiber,* Theologie des Vertrauens 182; *W. Beilner,* Christus 130; *E. J. Pryke,* Redactional Style 169; *J. Lambrecht,* Die Redaktion 46, der außerdem die Wendung: τινας τῶν . . . dem Redaktor zuschreiben möchte, ebda. S. 46 Anm. 1. Nach *E. Hirsch,* Frühgeschichte I,130, ist „Pharisäer" von Mk II eingefügt worden. *P. Carrington,* Mk 260 hält nur: καὶ τῶν Ἡρῳδιανῶν für einen redaktionellen Zusatz. Ebenso *S. E. Johnson,* Mk 197; *W. Schrage,* Christen 31 + Anm. 55: „Vielleicht hat erst der Evangelist Markus beide Gruppen als Gesprächspartner eingeführt . . ."; ferner *A. J. Hultgren,* Jesus 76.

wir die mkn. Hand erkannt.[13] Wir teilen auch die Skepsis von W. Schrage nicht, wenn er meint: „Die Frage, wer als Subjekt der Sendung der Pharisäer und Herodianer in Frage kommt, ist ohnehin nicht zu beantworten . . ."[14] Für Mk dürfte das Subjekt von ἀποστέλλουσιν hier wie schon Mk 11,27 und Mk 12,12 die gleiche Personengruppe sein, die Jesus in Jerusalem nach dem Leben trachtet. Mk bereitet bewußt das Passionsdrama vor.

2. Der Gebrauch von ἀποστέλλουσιν hier geschieht, was meist nicht beachtet wird, sehr wahrscheinlich nicht zufällig. Er knüpft an Mk 12,2.3.5.6 an. Dieses Stichwortverfahren, das „schon in der israelitischen und jüdischen Literatur eine Rolle spielt"[15], ist auch für Mk kein unbekanntes Stilmittel.[16]

3. Das ἀποστέλλουσιν paßt nicht gut zu Mk 11,33. Dort ist nämlich nicht davon die Rede, daß die Gegner sich zurückziehen. Das erfahren wir erst Mk 12,12, das wir als redaktionell erkannten. Zu dieser redaktionellen Bemerkung dagegen paßt das ἀποστέλλουσιν vorzüglich. V 13 dient dem Redaktor dazu, die zeit- und ortlos überlieferte Perikope mit den vorhergehenden zu verbinden und gleichzeitig zu lokalisieren.[17]

4. Schließlich sind uns die hier auftretenden Gegner Jesu von Mk 3,6 her schon bekannt. Dort heißt es: καὶ ἐξελθόντες οἱ Φαρισαῖοι εὐθὺς μετὰ τῶν Ἡρῳδιανῶν συμβούλιον . . . Daß diese Notiz historisch gesehen verfrüht kommt, braucht nicht eigens hervorgehoben zu werden. Es ist mkn. Redaktionsarbeit. Herodes und seine Leute interessieren Mk (Mk 8,14; vgl. Mk 6,14.16ff). Spiegelt dies vielleicht die kirchliche Situation der Zeit Markus' wider? Was die Pharisäer angeht, hat R. Bultmann richtig beobachtet: „Es wirkt die Tendenz als Gegner Jesu stets die Pharisäer und die Schriftgelehrten auftreten zu lassen . . . Sie sind eben überall zur Stelle, wo die Redaktion sie braucht (. . .) als die typischen Debattenredner."[18] Wie bereits Mk 3,6 so dürfte auch hier die Erwähnung dieser Gegner Jesu auf das Konto des Redaktors Markus gehen.[19]

---

[13] Vgl. unsere 1. Studie. Daß Mk 12,12 redaktionell ist, ist nicht zu bestreiten. Gegen *R. Pesch*, Mk II,224f.

[14] *W. Schrage*, Christen 31 Anm. 56.

[15] *R. Bultmann*, Geschichte 351.

[16] Das hat z. B. *R. Schnackenburg* für den Abschnitt Mk 9,33–50, jetzt in: *Ders.*, Schriften zum NT 129–154, überzeugend dargelegt. *J. Roloff*, Kerygma 234 verweist noch auf Mk 10,35–45; 11,23–25; 13,28–37; vgl. *R. Bultmann*, Geschichte 351f. Zum Verfahren des Mk, vgl. *R. Pesch*, Mk I,17–19 im Anschluß an *G. Theissen*, Wundergeschichten 198f. Unsere Stelle wird bei beiden nicht beachtet!

[17] So auch *W. Grundmann*, Mk 242; gegen *E. Klostermann*, Mk 123.

[18] *R. Bultmann*, Geschichte 54. Text gesperrt. Vgl. ebda. S. 71.

[19] Anders *J. Sundwall*, Zusammensetzung 73; *J. Gnilka*, Mk II,151: „Die Herodianer könnten vorgegeben sein."

Das legen auch die Seitenreferenten Mt und Lk nahe. Bei Mt sind zwar auch die Herodianer genannt, die Hauptakteure aber sind die Pharisäer (Mt 22,15), die ihre „Schüler" mit den Herodianern zu Jesus schicken (Mt 22,16). Aus diesem Grund u. a. will E. Lohmeyer für „eine andere Überlieferung als bisher" plädieren und hier „eine selbständige Tradition" sehen.[20] Das scheint aber angesichts der Übereinstimmungen mit dem Mk-Text wenig überzeugend zu sein. Lk erwähnt die Herodianer nirgends. Die Boten, die er von den Schriftgelehrten und den Hohenpriestern gesandt sein läßt (Lk 20,19), werden nicht kenntlich gemacht, obwohl er, wie schon 18,9, auch hier den Begriff „Pharisäer" zu umschreiben scheint (Lk 20,20b). Mit Recht betont Grundmann: „Die Aufpasser benehmen sich wie Pharisäer... Immerhin ist das Fehlen von οἱ Φαρισαῖοι auffällig."[21]

Auch Mk 13b ist redaktionell. Nicht nur das Verbum ἀγρεύω, das ein Hapax totius novi Testamenti ist und nur hier bei Mk vorkommt, legt es nahe, sondern auch – überspitzt gesagt – weil Mk sich diese Gegner Jesu nicht in nicht böser Absicht an Jesus herantreten denken kann.[22]

Nimmt man einmal an, daß V 13 markinische Redaktion und das Subjekt von ἀποστέλλουσιν nach Mk das Synedrium ist, so darf man erwarten, daß Mk der ganzen Erzählung neue Akzente setzt, die den ursprünglichen Sinn der Frage erheblich verändern.

Das scheint in der Tat im V 15 der Fall zu sein. V 15a wird nämlich auf die versucherische und böse Absicht der Gesprächspartner zurückgegriffen: εἰδὼς αὐτῶν τὴν ὑπόκρισιν... Diese Bemerkung dürfte sekundär sein. Sie verrät die redigierende Hand des Mk.[23] Die Reaktion Jesu V 15b: τί με πειράζετε; die einzige Stelle, wo Jesus selbst von einem πειράζειν redet, dürfte Mk vorgegeben sein und ihn eben veranlaßt haben, V 15a zu formulieren. Denn Mk zeigt sonst das Versucherische einer Frage anders an (vgl. Mk 8,11; 10,2). Ob der Schluß V 17c: καὶ ἐξεθαύμαζον ἐπ' αὐτῷ von Mk stammt oder nicht, ist schwer zu entscheiden. Das Kompositum ἐκθαυμάζω ist ein Hapax totius NT und bedeutet nach W. Bauer: sich sehr wundern (im Sinne widerwilliger Bewunderung).[24] Dies würde gut zur mkn. Interpretation passen, und V 17c würde ebenfalls im Sinne des Evangelisten einen guten Abschluß bilden.[25] Noch einmal ist das Vorhaben der

---

[20] E. Lohmeyer-W. Schmauch, Mt 324.

[21] W. Grundmann, Lk 373; vgl. E. Klostermann, Lk 195.

[22] Um so interessanter ist eine Ausnahme wie Mk 12,28ff. Daß diese Perikope tatsächlich eine Ausnahme bildet, zeigt die Fortsetzung Mk 12,38–40 deutlich. Vgl. Mk 12,35ff, wo Jesus zum Gegenangriff übergeht.

[23] Mit W. Schrage, Christen 32 Anm. 57; ferner E. Lohmeyer, Mk 252; S. E. Johnson, Mk 197.

[24] W. Bauer, Wb 476; vgl. G. Bertram, ThWNT III,27–42, hier 28.

[25] Vgl. E. J. Pryke, Redactional Style 169; anders R. Bultmann, Geschichte 25; J. Sundwall, Zusammensetzung 73; R. Pesch, Mk II, 225; A. J. Hultgren, Jesus 76.

Gegner (vgl. V 13ab), Jesus zu fangen, gescheitert. Sie ziehen sich widerwillig zurück.

Als ursprüngliche Einheit nehmen wir also an: V 14: καὶ [τινες] ἐλθόντες λέγουσιν ... + V 15a: ὁ δὲ εἶπεν αὐτοῖς + V 15bc; VV 16.17ab.

II. Form- und Gattungskritik

A. Sprache des Textes

Gut markinisch hebt die Exposition an. Ein Präsens historicum ἀποστέλλουσιν und ein καὶ paratacticum am Anfang[26] eröffnen die Szene und verbinden die Perikope mit dem vorhergehenden Gleichnis von den bösen Winzern (Mk 12,1–12). Der ἵνα-Satz, der ein Hapax novi Testamenti enthält: ἀγρεύσωσιν λόγῳ, nennt das Motiv der Zusammenkunft der Pharisäer und Herodianer. Ἀγρεύσωσιν ist die 3. Pers. Plural Konjunktiv Aorist von ἀγρεύω. Wie Mk 12,2b (ἵνα ... λάβῃ) bleibt auch dieser Satz grammatikalisch unklar. Wer ist das Subjekt von ἀγρεύσωσιν: die Führer oder die Gesandten?

Mt schreibt den mkn. Vers 13 neu. Er gibt ihm eine neue Einleitung, so daß kein Mißverständnis entstehen kann (Mt 22,15.16). Lk folgt grundsätzlich Mk. Er nimmt aber die mkn. ὑπόκρισιν (V 15a) vorweg, indem er die Boten als Leute beschreibt, die ἐγκαθέτους ὑποκρινομένους ἑαυτοὺς δικαίους εἶναι (Lk 20,20). Über Mk und Mt hinaus bringt Lk eine zweite Begründung der Anfrage der Gegner an Jesus. Die Gesandten sollen nicht nur Jesus bei einem Worte fangen (Lk 20,20b: ἵνα-Satz), sondern auch ὥστε παραδοῦναι αὐτὸν τῇ ἀρχῇ ... τοῦ ἡγεμόνος (Lk 20,20c). Die böse Absicht der Gegner, die auch von Mk V 13b und Mt V 15b registriert wurde, wird bei Lk noch stärker herausgestellt. Damit will Lk „die politische Unverdächtigkeit und Ungefährlichkeit Jesu"[27] mit Nachdruck unterstreichen.

Dem ἵνα-Satz, Mk 12,13b: ἵνα αὐτὸν ἀγρεύσωσιν λόγῳ korrespondiert in der Erzählung ein ebenfalls im Konjunktiv Aorist formulierter ἵνα-Satz V 15e: ἵνα ἴδω (ὁράω), der die Reaktion Jesu auf die Frage seiner Partner wiedergibt und seine Gegenfrage V 16c und Antwort V 17b vorbereitet. Er wird von Mt (22,19) und Lk (20,24) als überflüssig empfunden und gestrichen.[28]

Mk 12,14a leitet zur direkten Rede über. Aber der Übergang von V 13 zu V 14a ist gerade nicht geschickt. Wie bei ἀγρεύσωσιν (V 13b),

---

[26] Vgl. *V. Taylor*, Mk 46f; *M.-J. Lagrange*, Mc LXIX s. Zur Parataxe, vgl. u. a. *V. Taylor*, Mk. 48f.52; *B. Rigaux*, Mc 98f.

[27] *W. Grundmann*, Lk 373.

[28] Vgl. *C. H. Giblin*, The Things, bes. 515–516.

so muß auch hier das Subjekt von λέγουσιν erst aus dem Kontext erschlossen werden.

Mt beseitigt diese Unklarheit, indem er den ἵνα-Satz wegläßt und ganz neu formuliert: καὶ ἀποστέλλουσιν αὐτῷ τοὺς μαθητὰς αὐτῶν . . . (Mt 22,16). Lk bleibt unklar wie Mk.

Die lange captatio benevolentiae V 14bcd, die die Fangfrage V 14e vorbereitet, fällt auf.[29] Jesus wird als διδάσκαλος angeredet, und diese Anrede steht betont am Anfang der Laudatio, deren Formulierung Hebraismen bzw. Semitismen aufweist. Die Sätze V 14b: οἴδαμεν ὅτι ἀληθὴς εἶ καὶ οὐ μέλει σοι περὶ οὐδενός· οὐ γὰρ βλέπεις . . . bilden nach V. Taylor im Anschluß an M. Black ein „semitic parallelism".[30] Der Ausdruck βλέπω εἰς πρόσωπον ἀνθρώπων bzw. λαμβάνω πρόσωπον (Lk 20,21) ist ein Hebraismus. Er entspricht in LXX dem hebräischen hikîr panîjm oder nasa'[31]. Zu diesem Sprachgebrauch bemerkt V. Taylor: „ὁράω and λαμβάνω (but not βλέπω) are so used in the LXX."[32] Auch die Wendung ἡ ὁδός τοῦ θεοῦ ist ein Semitismus.[33] Als Gegenbegriffe kommen vor die Ausdrücke ἡ ὁδός πονηρά (Ps 118/119,101.104.128 u. ö.); ἡ ὁδός ἀδικίας (Ps 118/119,104); ἡ ὁδός κακά (Prov 2,12; 4,27; 22,14a . . .); ἡ ὁδός σκληρά (Ri 2,19 u. a. m.).

Mit Nachdruck wird die Wahrhaftigkeit des Lehrers Jesus betont. Er ist ἀληθὴς. Das Adjektiv kommt bei den Synoptikern nur hier Mk 12,14 par Mt 22,16 vor.[35] Wenn dann gesagt wird, daß Jesus den Weg Gottes ἐπ' ἀληθείας lehrt und nicht nach der Person schaut, so dürfte diese (scheinbare) Dublette der volkstümlichen Erzählweise entsprechen. Die eben gemachte Aussage über den Lehrer wird nachträglich begründet: οὐ γὰρ βλέπεις εἰς πρόσωπον ἀνθρώπων . . .

Die Seitenreferenten sind von Mk abhängig. Mt stellt Mk V 14 etwas um. Er setzt die beiden positiven Sätze an den Anfang und läßt

---

[29] Auch den Rabbinen war die captatio benevolentiae nicht unbekannt, wie *Bill* I, 883 zeigt. Das scheint aber *E. Lohmeyer,* Mk 251 zu Unrecht zu bestreiten: „Indes ist auch dieses Lob in jüdischen Schriften nicht bezeugt; nur auf hellenistischem Boden finden sich ähnliche schmeichelnde Worte."

[30] *V. Taylor,* Mk 478; *M. Black,* Approach 117; ferner *B. Rigaux,* Mc 89, der außerdem auf Mk 11,28; 15,29; 13,4 verweist. *E. Hirsch,* Frühgeschichte I, 130 redet von einer Dublette.

[31] *E. Klostermann,* Mk 123; *C. E. B. Cranfield,* Mk 369; *V. Taylor,* Mk 478; *E. Lohmeyer,* Mk 251 Anm. 5; *M. Zerwick,* Analysis 112; *Aem. Springhetti,* Introductio 67f. Vgl. Dt 28,50; 2 Kg 3,14; Job 52,8f; Lev 19,15; Dt 10,17; Jud 16; Jak 2,9; Apg 10,34; Rm 2,11; Eph 6,9 . . .

[32] *V. Taylor,* Mk 478; vgl. 1 Kg 16,7; Ps 81 (82),2; Lev 19,15 etc.

[33] *M.-J. Lagrange,* Mc 313; *V. Taylor,* Mk 479; *E. Klostermann,* Mk 123; Vgl. ferner Gen 6,12; Ps 1,1; Jer 21,8; Apg 18,25f; 9,2; 19,23.9; 24,14.22; Did 1,1. Zum jüdischen Sprachgebrauch vgl. *Bill* II, 690.

[34] Vgl. *W. Michaelis,* ThWNT V,52f mit zahlreichen Belegen.

[35] *Moulton-Geden,* Concordance z. St. – Erst bei Johannes begegnet es häufiger, vgl. *H. Bachmann – W. A. Slaby,* Computer-Konkordanz Sp. 87.

die negativen folgen.[36] Lk kürzt stark seine Vorlage (Lk 20,21bc). Nur Mk 12,14d: ἀλλ᾽ ἐπ᾽ ἀληθείας ... übernimmt er wörtlich unverändert. Den mkn. Satz καὶ οὐ μέλει σοι περὶ οὐδενός läßt er fallen.

Nach diesem durchaus echten Kompliment kommt ganz unvermittelt die Hauptfrage, eine Doppelfrage, wie es Mk liebt, zu stehen:[37] V 14e: ἔξεστιν δοῦναι κῆνσον Καίσαρι ἢ οὔ; δῶμεν ἢ μὴ δῶμεν; Der grundsätzlichen oder theoretischen Frage nach der Legitimation der Steuerzahlung: ἔξεστιν δοῦναι κῆνσον Καίσαρι ἢ οὔ; folgt die praktische nach dem konkreten Verhalten: δῶμεν ἢ μὴ δῶμεν; Es sind „zwei Alternativfragen aneinandergereiht, zwei unterschiedliche Fragen, die aber einander ergänzen.“[38]

Diese Nuance geht leider bei den Seitenreferenten verloren. Mt 22,17c wird die praktische und Lk 20,22 die theoretische Frage gestrichen.[39] Lk ist so abrupt wie Mk. Allerdings ersetzt er das lateinische κῆνσος durch das griechische φόρος.[40] Mt verdeutlicht und schafft somit einen besseren Übergang vom Lob zur Frage, indem er die Gegner Jesus auffordern läßt, ihre Frage zu beantworten: εἰπὸν οὖν ἡμῖν, τί σοι δοκεῖ; ... (22,17).

Die Verse Mk 12,14e.15–17ab bilden den eigentlichen Dialog zwischen den Fragenden und Jesus. Die Häufung der Partikel δέ (VV 15a.16a.16d.17a),[41] der Wechsel von Frage und Gegenfrage sowie von Erzähltempus zu direkter Rede[42] vermitteln den Eindruck einer sehr lebhaften Diskussion[43] und dokumentieren ihren schnellen Ablauf. V 16c: τίνος ἡ εἰκὼν αὕτη ...; muß ein Verb ergänzt werden. Bis auf Mk 12,16b: καὶ λέγει αὐτοῖς, wo das parataktische καὶ etwas blaß wirkt, sind die Übergänge nicht so ungeschickt und abrupt wie so oft bei Markus. Das Präsens λέγει (V 16b) entspricht dem λέγουσιν (V 14a). Damit wird ein doppelter Einsatz des Wechselgespräches markiert.[44] Die verbalen Formen ἤνεγκαν (V 16a) und εἶπαν (V 16d) stehen für das klassische ἤνεγκον bzw. εἶπον, so wie das in den Evangelien regelmäßig gebrauchte οἴδαμεν für ἴσμεν steht.[45]

---

[36] *W. Grundmann*, Mt 472; *E. Klostermann*, Mt 177.

[37] Vgl. Mk 6,2f; 9,19; 11,28; 13,4.

[38] *R. Pesch*, Naherwartungen 102. Zu Mk 13,4 *R. Pesch*, Naherwartungen 102–104; ferner *W. Grundmann*, Mk 243; *E. Lohmeyer*, Mk 252; *E. Klostermann*, Mk 124.

[39] *E. Klostermann*, Mt 177: „Das juristisch präzisere, nur scheinbar überflüssige δῶμεν ἢ μὴ δῶμεν fehlt wie bei Lk“.

[40] *F. Blass-Debrunner*, Grammatik § 5,1 und § 5,1d.

[41] *M. Zerwick*, Mk-Stil 13 bezeichnet diese Perikope als „ein ausgesprochenes δέ-Stück“.

[42] Mk 12,15a.16a.16d.17ab wird der Aorist und Mk 12,15b.15c.16b das Präsens verwendet.

[43] *M. Zerwick*, Mk-Stil 16 spricht von „innerer Spannung der Gerichtsszenen“.

[44] *M. Zerwick*, Mk-Stil 57.

[45] *M. Zerwick*, Graecitas § 332/488 und 333/489: Epilogus; *Blass-Debrunner*, Grammatik § 99,2; *Aem. Springhetti*, Introductio, 129 § 95.

Mt und Lk verfügen über keine andere Vorlage als Mk. In der Sprache jedoch weichen sie stark voneinander ab. So steht Mt 22,18 πονηρίαν für „das speziellere ὑπόκρισιν" bei Mk 12,15a.[46] Er fügt aber auch ὑποκριταί hinzu (Mt 22,18b). An die Stelle des mkn. εἰδὼς (V 15a) setzt er γνοὺς und Jesus wird eigens genannt (Mt 22,18a). Auch Mk 12,15c formuliert Mt besser (22,19a). Der Ausdruck τὸ νόμισμα τοῦ κήνσου für das mkn. δηνάριον ist „logischer und feiner".[47] Die übrigen Abweichungen dürften als stilistische Verbesserungen gelten.[48] Bei Lk ist Mk 12,15–16ab stark gekürzt. Der Vorwurf τί με πειράζετε; (Mk 12,15b) fehlt. Lk streicht die Ausführung des Befehls Jesu (Mk 12,16a): οἱ δὲ ἤνεγκαν sowie den Satz: καὶ λέγει αὐτοῖς (Mk 12,16b) weg. Auch der ἵνα ἴδω-Satz Mk 12,15d fällt bei ihm wie auch bei Mt weg. Wie Mt nimmt auch Lk stilistische Verbesserungen vor. Das fehlende Verb Mk 12,16b wird ergänzt: τίνος ἔχει εἰκόνα (Lk 20,24b), während Mt Mk wörtlich übernimmt (Mt 22,20ab). Statt εἰδὼς (Mk 12,15a) schreibt Lk: κατανοήσας und ὑπόκρισιν (Mk 12,15a) ersetzt er durch πανουργίαν (Lk 20,23). Das Simplex δείξατε (Lk 20,24a) steht für das mkn. φέρετε und εἶπεν πρὸς αὐτούς (Lk 20,23) für εἶπεν αὐτοῖς (Mk 12,15a).

Mk 12,17a bringt das Schlußantwort Jesu, das endgültige Wort des Lehrers, auf das das Gespräch hingeordnet ist. Dieser Effekt der Endgültigkeit der Antwort wird dadurch erreicht, daß Jesus nun namentlich und fast feierlich genannt wird: ὁ δὲ Ἰησοῦς . . .[49]

Auch die Seitenreferenten unterstreichen auf ihre Weise die letzte Sentenz des Lehrers. Mt stellt ein τότε und das ἀποδότε (22,21bc) an den Anfang und mit dem οὖν (V 21c) bekräftigt er nochmals den endgültigen Charakter der Antwort Jesu. Noch feierlicher als bei Mt klingt das τοίνυν der Schlußfolgerung bei Lk (20,25b).[50]

Jesu Schlußwort stimmt bei allen 3 Synoptikern überein. Die zwei Sätze, miteinander verbunden mit einem parataktischen καὶ[51], bilden formell einen Parallelismus membrorum, der von M. Dibelius als „ironisch" bezeichnet worden ist.[52] Fast gleichlautend ist ebenfalls bei

---

[46] *E. Klostermann*, Mt 177.

[47] *E. Klostermann*, Mt 178.

[48] Mt gebraucht das Kompositum ἐπιδείξατέ (22,19) statt φέρετέ bei Mk (12,15e); und προσήνεγκαν (22,19b) für das Simplex ἤνεγκαν (Mk 12,16a).

[49] Bis hierher (Mk 12,17a) verwendet Mk durchweg das Pronomen: αὐτός. Der Name „Jesus" fällt in der ganzen Geschichte nur hier. Anders bei Mt und Lk. Während Mt 22,18 der Name „Jesus" bereits begegnet, aber auch nur das eine Mal, fehlt er ganz bei Lk!

[50] *E. Klostermann*, Lk 194; vgl. *Blass-Debrunner*, Grammatik § 451,3.

[51] *S. Ben-Chorin*, Bruder Jesus 124 und *M. Hengel*, War Jesus Revolutionär? 24; *Ders.*, Christus und die Macht 20 u. a. verstehen das καὶ in adversativem Sinne und übersetzen es mit: aber.

[52] *M. Dibelius*, Rom 178. Vgl. auch *G. Bornkamm*, Jesus 108 u. *H. D. Wendland*, Ethik des NT 26. Beide berufen sich auf M. Dibelius.

allen 3 die Reaktion der Fragesteller. Mk drückt sie mit dem Kompositum ἐκθαυμάζω = ἐξεθαύμαζον (Mk 12,17c) aus, das, wie wir in der Analyse feststellten, ein Hapax novi testamenti ist. Mt und Lk dagegen verwenden dafür das Simplex θαυμάζω (Mt 22,22a; Lk 20,26b).

Der ausführlichere Schluß bei Lk ist von seinem Anliegen begründet (Lk 20,20c vgl. Lk 23,2). Mt 22,22b ist von Mk 12,12d übernommen und schließt den mt. Bericht ab. Beide, Mt und Lk, verbessern den mkn. Schluß, der doch abrupt und hart bleibt. Mt fügt ein ἀκούσαντες zu ἐθαύμασαν hinzu, während Lk zuvor bemerkt, daß die Gegner οὐκ ἴσχυσαν ἐπιλαβέσθαι αὐτοῦ ῥήματος ἐναντίον τοῦ λαοῦ, ehe er von ihrem Staunen redet (Lk 20,26a.b).

Unsere Analyse bestätigt, ohne seine Schlußfolgerungen zu übernehmen, die richtige Beobachtung von E. Lohmeyer, nämlich „die Geschichte ist in ihrem dialogischen Teil sehr fest überliefert; in ihrem erzählenden weicht sie inhaltlich nur wenig, sprachlich um so mehr ab".[53]

B. Gliederung und Aufbau der Einheit

Wie Mk 11,27–33 weist unsere Perikope Mk 12,13–17 einen klaren Aufbau auf.

1. V 13a, *Exposition:* Auftreten und Vorstellung der Gesprächspartner Jesu.
2. V 14, *Frage an Jesus:* Das Problem wird vorgetragen.
3. V 16bc, *Reaktion Jesu:* Gegenfrage Jesu an die Gegner.
4. V 16de, *Antwort der Gegner an Jesus.*
5. V 17 ab, *Schlußantwort Jesu.*

Das Gespräch ist allerdings mit einigen neuen Elementen bereichert. V 13b gibt die Motivation der Fragenden an und entsprechend bringt V 15abc die Reaktion Jesu darauf sowie die Forderung, eine Steuermünze vorzuzeigen. V 16a berichtet über die Ausführung des Befehls Jesu und V 17c schließlich ist die Schlußbemerkung des Redaktors, der uns die Reaktion der Gegner Jesu mitteilt. Trotz dieser Erweiterungen entspricht die Struktur der Einheit in der Hauptsache dem bekannten Schema von Streit- und Schulgespräch, das uns Mk 11,27–33 bereits begegnet ist.[54]

---

[53] *E. Lohmeyer-W. Schmauch,* Mt 323; vgl. *W. Grundmann,* Mt 471.
[54] Vgl. Mk 11,27–33, S. 18f.

C. Bestimmung der Gattung

Das erkannte Schema erlaubt uns jetzt die Gattung der Einheit näher zu bestimmen. Nun aber hat R. Bultmann auf die Verwandtschaft von Streit- und Schulgespräch aufmerksam gemacht, die es uns erschwert, sie genauer zu unterscheiden.[55] Wesentlich jedoch für ein Streitgespräch dürfte der Konflikt, der Wille oder die Intention zu streiten sein im Gegensatz zum Schulgespräch, das von der Bereitschaft eines Fragestellers, etwas zu lernen oder zu wissen, charakterisiert ist.[56] Da eine solche Konfliktsituation in der von uns rekonstruierten Einheit u. E. nicht zu erkennen ist, wird man diese Perikope als ein Schulgespräch mit apophtegmatischem Charakter bezeichnen müssen.[57]

III. Interpretation des Traditionsstückes

Nach unserer Rekonstruktion bestand die Steuerfrage ursprünglich aus V 14: καὶ [τινες] ἐλθόντες ... + V 15: ὁ δὲ ... εἶπεν αὐτοῖς + V 15bc; V 16 und V 17a.b. Worum geht es in der so gewonnenen ursprünglichen Einheit? Was bedeutet sie? Hierüber sind sich die Exegeten nicht einig.

A. Messianische Frage?

Daß Jesu Antwort (V 16f) zumindest „indirekt auch eine Korrektur bestimmter politisch-messianischer Erwartungen"[58] impliziere, wird man nicht vorschnell als abwegig abtun wollen. Jesus mußte sich in der Tat mit der Messiashoffnung seines Volkes ständig auseinandersetzen, wie O. Cullmann mit Recht betont.[59] Trifft das aber auch für die Frage der Gegner (V 14e) zu? Manche Exegeten wollen hier die Aufforderung an Jesus erblicken, sich als Messias zu offenbaren, sich also zu seiner Messianität zu bekennen. So meint z. B. M. de Tillesse:

[55] *R. Bultmann*, Geschichte 39f.56ff.
[56] Vgl. *R. Bultmann*, Geschichte 40.56; *H. W. Kuhn*, Sammlungen 42 Anm. 187; ferner *M. Albertz*, Streitgespräche, bes. 133ff. Der Streit entsteht, wie man in den Evangelien nachlesen kann, aus verschiedenen Gründen: z. B. der Anspruch Jesu, sein bzw. der Gegner Gottesverständnis, die Gesetzesauslegung ...
[57] Vgl. *E. Lohmeyer*, Mk 250; *R. Pesch*, Mk II,225; *C. H. Giblin*, The Things 514–517; ferner *J. Gnilka*, Mk II, 151; vgl. aber *M. Dibelius*, Formgeschichte 40; *A. J. Hultgren*, Jesus 42; 75 hält die Perikope für ein Streitgespräch!
[58] *W. Schrage*, Christen 33 Anm. 61; ferner vgl. *M. Dibelius*, Rom 178 Anm. 3.
[59] Vgl. *O. Cullmann*, Der Staat 5ff. Zum Ganzen, vgl. Mk 12,35–37, S. 383ff.

„La question de l'impôt exigé par les Romains avait une portée non seulement politique, ni simplement religieuse, mais avant tout messianique." Dem entsprechend möchte M. de Tillesse die Fangfrage so übersetzen: „Faut-il (encore) payer le tribut, oui ou non?"[60] Die Juden erwarteten ja vom Messias, daß er der Fremdherrschaft ein Ende machte und natürlich auch, daß er die Zahlung der Kopfsteuer verweigerte.[61]

Aber dieser Unterton der Frage wird m. E. vom Text her nicht ersichtlich. Jesus wird hier ausdrücklich als Lehrer und nicht als Messias angesprochen oder andeutungsweise anerkannt. Die Frage nach der Berechtigung der Steuer allein ist noch kein Beweis dafür. Bekanntlich war sie, wie noch deutlicher zu zeigen sein wird, eine sehr umstrittene Frage in Palästina, auch zur Zeit Jesu. Daß also ein anerkannter Lehrer des Weges Gottes wie Jesus (V 14) nach seiner Meinung in dieser Sache gefragt wird, ohne daß dabei sein messianischer Anspruch notwendig erkannt wird, ist durchaus nicht so unwahrscheinlich. Vom ersten Zelotenführer, Judas dem Galiläer, wußte man doch, daß er im Namen Gottes zur Steuerverweigerung aufrief, ohne sich zum Messias zu proklamieren.[62] Die Annahme G. M. de Tillesses, daß die Gegner in Jesus den erwarteten Messias erkannt hätten, ist vom Text her nicht gedeckt.[63]

B. Gott und/oder der Kaiser

Welchen Sinn hat nun die Antwort Jesu: „Gebt dem Kaiser, was des Kaisers, und Gott, was Gottes ist" (V 17)? Vier Hauptgruppen von Deutungen stehen hier gegeneinander. Da sie bereits von einigen

---

[60] *G. M. de Tillesse*, Secret 153. Für ein messianisches Verständnis der Frage der Gegner plädieren u. a. *G. Delling*, Jesus 90; *J. Blinzler*, Jesusverkündigung 84f; *J. Schniewind*, Mk 121f: „Die von den Gegnern gestellte Frage nämlich ist mittelbar die messianische . . ."; *A. Loisy*, Synoptiques II,334f; *M. Albertz*, Streitgespräche 25 . . .; dagegen *W. Wrede*, Messiasgeheimnis 45.

[61] Vgl. z. B. Ps Sal 17, bes. VV 23ff; die 12. Benediktion des Achtzehngebetes: „Das Reich des Übermuts entwurzle rasch in unseren Tagen!" Gemeint ist Rom. Übersetzung nach *P. Rießler*, Schrifttum 9.

[62] *Jos.*, Bell 2,118. Vgl. *G. Baumbach*, Antirömische Aufstandsgruppen 277f. Eindeutig läßt sich ein solcher Anspruch nur für Menahem belegen; *Jos.*, Bell 2,434; 2,444. Bell 2,448 wird berichtet, daß dieser Anspruch nicht anerkannt wurde. Ferner *M. Hengel*, Zeloten und Sikarier 176; *Ders.*, Die Zeloten 333f.

[63] *G. M. de Tillesse*, Secret 154: „Toutefois, ici plus encore que dans la discussion sur l'»Autorité« de Jésus, la question posée suppose que les Pharisiens et Hérodiens ont déjà perçu, au moins abscurément, la prétention messianique de Jésus." Ähnlich, aber mit Fragezeichen, äußert sich *J. Schniewind*, Mk 122: „Haben Jesu Gegner den Eindruck gewonnen, daß Jesus der Messias sein will?"

Forschern gut dargestellt worden sind, können wir uns kurz fassen.[64]

1. *Die sog. ironische bzw. antithetische Interpretation* meint, das Problem der Steuer interessiere Jesus nicht, da die Reiche dieser Welt vergänglich sind, das Reich Gottes aber unvergänglich.[65]

2. *Die anti-zelotische Deutung* behauptet, Jesus distanziere sich zwar von den Zeloten und ihren Zielen, biete aber keine positive Lehre über den Staat.[66]

3. Die von einigen wenigen Autoren heute noch vertretene alte *Zwei-Reiche-Lehre* besagt, daß Jesus nicht nur die Steuerzahlung empfehle, sondern daß er dem Staat eine positive und allgemeine Rolle nach dem atl. Beispiel zuschreibe (vgl. Dan 2,21.37f; Prov 8,15f; Sap.Sal 6,1–11). Sie will also aus dem Wort Jesu die Trennung von zwei Bereichen, von Staat und Kirche, heraushören.[67]

4. Viele moderne Exegeten schlagen einen Mittelweg ein. Es gehe in Jesu Wort weder um Verdammung des Staates noch um seine Verherrlichung. Vielmehr müsse das Wort Jesu stärker im Horizont seiner eschatologischen βασιλεία-Botschaft verstanden werden. So formuliert es z. B. M. Hengel: „Der status confessionis liegt nicht – wie die Zeloten meinten – in der Verweigerung der Steuerzahlung, sondern im absoluten Gehorsam gegen Gottes Willen . . . Die Nähe der Gottesherrschaft relativiert auch die römische Weltmacht."[68]

Die skizzierten Deutungen, vor allem die drei ersten bleiben m. E. deswegen unbefriedigend, weil sie dem behaupteten Zusammenhang mit der eschatologischen Heilsbotschaft Jesu nicht genügend Rechnung tragen. Die antizelotische Deutung erklärt nur zum Teil die Antwort Jesu. Gerade der Nachsatz, auf dem der Akzent liegt, wie übereinstimmend und zu Recht erkannt wird, weil er auf die

---

[64] Vgl. z. B. *C. H. Giblin*, The Things, bes. 510–514; *W. Schrage*, Christen 36–37; *P. Bonnard*, Mt 322f.

[65] Vertreter dieser Deutung sind u. a. *M. Dibelius*, Rom 178; *H.-D. Wendland*, Ethik des NT 26; *Ders.*, Botschaft an die soziale Welt (1959), 72 schreibt: „Der scheinbare Parallelismus Cäsar-Gott ist in Wirklichkeit eine Antithese." So auch schon *A. Schweitzer*, Das Messianitäts- und Leidensgeheimnis 30–31; *Ders.*, Die Mystik des Apostels Paulus, 305.

[66] So z. B. *G. Bornkamm*, Jesus 106–109; *R. Schnackenburg*, Sittliche Botschaft des NT (1954), 77f unter Berufung auf *R. Völkl*, Christ und Welt 133f; *J. Jeremias*, Ntl. Theologie I, 220.

[67] Vgl. u. a. *P. Bonnard*, Mt 323; *L. Goppelt*, Christologie und Ethik 210f.214f; *E. Stauffer*, Geschichte (= Christus und die Caesaren) 143.147. Zur Kritik an L. Goppelt, vgl. *W. Schrage*, Christen 34–35 + Anm. 66

[68] *M. Hengel*, Christus und die Macht 20; *Ders.*, War Jesus Revolutionär? 24; ferner *O. Cullmann*, Der Staat 26; *W. Schrage*, Christen 37–39; *J. Gnilka*, War Jesus Revolutionär? 77; *E. Haenchen*, Der Weg 408; *J. Schmid*, Mk 224.

Gottesreichsverkündigung Jesu hinweist, kommt hier nicht zur Geltung. Es geht Jesus um mehr als darum, sich aus einer höchst gefährlichen, politisch brisanten Situation herauszuziehen. Es geht um mehr als um Polemik oder Apologetik. Am schlechtesten begründet scheinen mir die Theorien zu sein, „die in Mk 12,17 eine grundsätzliche Aussage Jesu über den Staat im allgemeinen oder über das römische Imperium sehen, sei es in einer sauberen Trennung von Kirche und Staat, sei es in einer theologischen Fundierung der staatlichen Macht."[69] Diese zweifellos wichtigen Probleme werden in unserer Perikope nicht berührt. Richtiger dagegen dürften die Autoren liegen, die die Einerseits-Andererseits- bzw. die Weder-Noch-Interpretation, also die 4. Position vertreten. Diese wird Jesu Verkündigung wie auch seiner Stellung zu den politischen und religiösen Autoritäten seiner Zeit gerechter.

5. Neuerdings hat C. H. Giblin eine neue Deutung, richtiger eine Variante der anti-zelotischen Interpretation vorgeschlagen, die er „the moral interpretation" nennt.[70] Diese soll die anti-zelotische Deutung weiterführen und theologisch wie auch exegetisch besser begründen. Denn, so Giblin: "all too often, the passage is treated as another question by Jesus' adversaries, and his answer is judged according to the mentality of his questioners rather than as teaching which goes beyond the measure of their wisdom or adequate understanding."[71] Den Schlüssel zur Interpretation sieht er in "Jesus' own question and the lesson he draws from the answer to it." Daraus folgert er: "If the first part of his (Jesus') twofold answer must be taken in reference to the identification of 'image and inscription', it seems quite likely that the second part of the same twofold answer ('the things that are God's') should look to the same key twofold elements 'image and inscription'."[72] Der Autor analysiert nun vor allem den Lk-Text und kommt zu dem Ergebnis: "'The Things of God' as contrasted with 'the Things of Caesar' can more plausibly be construed to refer to interior dispositions or qualities that entail personal service or allegiance."[73] Dies werde durch den Gebrauch der Ausdrücke: „τὰ τοῦ θεοῦ" bzw. τὰ Καίσαρος in Zusammenschau mit der Wendung: ἡ εἰκὼν . . . καὶ ἡ ἐπιγραφή in der Schrift bestätigt.[74] Unter Berufung auf R. Bultmann erinnert Giblin daran, daß in Kontroversen die

---

[69] G. Petzke, Der historische Jesus 232.
[70] C. H. Giblin, The Things 510–527, hier 525.
[71] C. H. Giblin, The Things 514, vgl. S. 513.
[72] C. H. Giblin, The Things 516.
[73] C. H. Giblin, The Things 520; vgl. S. 525.
[74] C. H. Giblin, The Things 520f.

Gegenfrage oft in einem Hinweis auf die Schrift bestehe, welche
Funktion die Wendung „ἡ εἰκὼν ... καὶ ἡ ἐπιγραφή" in Mk
12,13–17 übernehme.[75] Dieser Ausdruck komme in solchen Kontexten vor, wo von der Hingabe des Menschen an Gott als seinen
Herrn, d. h. von „moral service" oder „conduct" die Rede ist.[76] In
diesem Sinne möchte Giblin auch unsere Stelle verstehen: "The
'moral' interpretation seems to be better grounded and to offer a
needed advance over the prevailing 'political' or merely 'apologe-
tic' interpretations, not to mention that view which simply affirms
Jesus' superiority in controversy. For the interpretation of the
'Things of God' as men who are to offer themselves to the Lord or
who are to repay him with their service, inasmuch as they bear his
image and are inscribed with his name, is based on a number of
interrelated but distinct exegetical arguments."[77]
Dieser Interpretationsversuch hat den Vorzug, den „Lehrer" Jesus
(V 14) und seine „Lehre" besser ans Licht zu rücken als die übrigen
Deutungen, die unsere Perikope zwar als „Schul- und Lehrgespräch" bezeichnen, sie jedoch mehr „polemisch-apologetisch"
deuten, indem sie die Frage und Absicht der Gegner stärker als die
Lehre selbst betonen.[78] Dies mag in einer zweiten Stufe, nicht
jedoch im Munde des historischen Jesus erfolgt sein.

C. Das Problem der Steuer

Bevor wir die Position Jesu zu interpretieren versuchen, d. h. nach
seinem Verständnis dieser Perikope weiterfragen, sei noch auf das
Problem der Steuer überhaupt und auf die Gefährlichkeit der Frage
der Gegner hingewiesen.

Warum wurde die Steuer zum Problem in Israel? Nun, Steuern
sind immer und überall unpopulär, auch in Palästina. Wenn auch die
Steuerzahlung an fremde Mächte im Judentum keine Neuigkeit mehr
und kein besonderes Problem darstellte, sondern bereits traditionell
war,[79] so kehrt doch die Anklage der Aussaugung des Landes immer

---

[75] C. H. Giblin, The Things 521 + Anm. 31.

[76] C. H. Giblin, The Things 524f. Belege über das Vorkommen der Wendung bringt er
S. 522 + Anm. 33 und S. 523f. Was das Vorkommen von ἐπιγραφή in der Schrift
anbelangt, gibt Giblin zu, daß es in LXX nicht zu belegen ist. Er meint aber: „In this
matter, of course, literalism need not dictate to discernment... but the verb
epigraphein does occur in about six instances" (S. 523). Sperrung im Text.

[77] C. H. Giblin, The Things 525.

[78] In diesem Sinne dürfte G. M. de Tillesse, Secret 154 recht haben, wenn er (sie?) in
diesem Zusammenhang „die neue Ordnung" der Verkündigung Jesu unterstreicht.

[79] Vgl. M. Hengel, Die Zeloten 139f; Ders., Judentum 52ff. 16ff u. Reg. s. v. Steuern; H.-F.
Weiss: Steuer, in: B.H.H.III, 1868f mit Belegen; K. Weiß, ThWNT IX, bes. 81–82; I.
Abrahams, Studies I, 62–64; Philo, Spec Leg I, 142 vgl. mit IV, 212; Spec Leg III, 159;

wieder, und nach S. Kraus bildete gerade das Kapitel der Steuer „eigentlich immer und ewig die Sorge der Rabbinen".[80]

Hier gilt es aber zu unterscheiden. In unserer Perikope geht es nicht um jegliche Steuer, sondern um die Kopfsteuer, die Mk und Mt „κῆνσος", Lk, Philo und Josephus „φόρος" nennen und eine Textvariante richtig als ἐπικεφάλαιον bezeichnet.[81] Im Unterschied zur Grundsteuer und zu den Zöllen, war diese Personalsteuer (=Tributum capitis) eine für alle geltende Steuer und floß unmittelbar in den kaiserlichen Fiskus.[82] Warum war sie nun den Juden besonders anstößig? Den Grund gibt Tertullian an, wenn er von ihr als „notae captivitatis" spricht.[83] Sie erinnerte an die politische Abhängigkeit vom römischen Staat. In besonderer Weise ärgerlich war sie aber, weil der Denar, „die vorgeschriebene reichseinheitliche Steuermünze",[84] das kaiserliche Bild trug. Die Vorderseite der Münze zeigt „das Brustbild des Kaisers Tiberius in olympischer Nacktheit, geschmückt mit dem Lorbeerkranz, der seine göttliche Würde bezeichnet. Die Umschrift dazu lautet (. . .) Tiberius Caesar Divi Augusti Filius Augustus . . . Die Rückseite bringt den Abschluß dieser hochamtlichen Titulatur: Pontifex Maximus = Archiereus = Hoherpriester" und zeigt „die Kaisermutter Julia Augusta (Livia), auf einem Götterthron sitzend, in der Rechten das Olympische Langszepter, in der Linken den Ölzweig, der sie als irdische Inkarnation der himmlischen Pax charakterisiert."[85] Ein solcher Denar war also nicht nur ein Machtsymbol, sondern auch und zugleich ein Kultsymbol. Für den frommen Juden bedeutete das „Götzendienst", also ein Vergehen gegen das 1. Gebot, gegen das Bilderverbot. Darum war ihm diese Steuer unerträglich und unzumutbar. Darin waren sich im Prinzip alle Parteien einig.

Hatten Herodianer und Sadduzäer den Ruf, mit der Besatzungsmacht zu kollaborieren,[86] so hielten es die Pharisäer, bei grundsätzli-

---

Jos., Ant. 5,275; Bell. 2,403; Ant. 7,109; 12,142 u. ö. Beide, Philo und Josephus gebrauchen immer den Terminus „φόρος". Rabbinische Texte bei *Bill.*, I,770f.

[80] *S. Kraus*, Monumenta Talmudica V, 154, zitiert bei *W. Schrage*, Christen 32 Anm. 58 – Vgl. *Bill.*, I, 379f die Diskussionen darüber, ob und wie man sich dem Zoll entziehen dürfe.

[81] Vgl. D 565 k. Zum Sprachgebrauch bei Philo und Josephus s. Anm. 79.

[82] Vgl. *E. Schürer*, Geschichte I, 511f; *E. Schürer-G. Vermès*, The History I, 400ff; *M. Hengel*, Die Zeloten 132–145 u. Reg. s. v. census.

[83] *Tertullian*, Apologeticum 13,6: „Sed enim agri tributo onusti viliores, hominum capita stipendio censa ignobiliora (nam hae sunt notae captivitatis) dei vero, qui magis tributarii, magis sancti; immo qui magis sancti, magis tributarii . . .".

[84] *E. Stauffer*, Christus und die Caesaren 133.

[85] *E. Stauffer*, Christus und die Caesaren 135. Der Text lautet in griechischer Sprache: „Tiberios Kaisar Theou Sebastou Hyios Sebastos" – ebda. 135.

[86] Gegen eine solche Beurteilung der Sadduzäer hat neuerdings *G. Baumbach*, Die Zeloten 16f protestiert: „Die genannten Beispiele verbieten es, in der auch heute

cher Ablehnung und innerem Protest gegen die Römerherrschaft, für klug, die Steuer zu zahlen,[87] während die Zeloten, die Partei der Radikalen, sie nicht nur aus politischen, sondern auch, wie M. Hengel überzeugend dargelegt hat,[88] aus religiösen Gründen strikt ablehnten und deshalb zum bewaffneten Widerstand gegen Rom aufriefen.[89] So gilt es nach Eleazar, dem Befehlshaber von Masada „weder den Römern noch irgendeinem anderen untertan zu sein, sondern Gott allein".[90] Und Josephus berichtet weiter, wie der Begründer der zelotischen Freiheitsbewegung, Judas der Galiläer, die Juden rügte, daß sie „sich nicht nur Gott, sondern auch noch den Römern unterordnen."[91] Was die Steuerzahlung betrifft, so erklärt es derselbe Judas für einen Frevel, wenn die Juden weiterhin an die Römer Steuern zahlen und „nach Gott irgendwelche sterblichen Herrscher ertragen würden."[92] Das war also die von der Frage an Jesus vorausgesetzte geistige Situation. Er soll hierzu Stellung nehmen.

D. Die Lehre Jesu (V 17)

Nach R. Pesch antwortet Jesus hier wie schon auf die Vollmachtsfrage ohne sich festlegen zu lassen.[93] Das scheint mir zumindest mißverständlich zu sein. Im Gegenteil, Jesus nötigt seine Gesprächspartner, „ähnlich wie bei der Vollmachtsfrage, Farbe zu bekennen."[94] Wie er auf die Vollmachtsfrage eine positive, wenn auch zunächst verhüllte Antwort oder Lehre gibt, so lenkt er auch hier den Blick auf das, worauf es wirklich ankommt: Gott und seine Herrschaft. Jesus versteht es „auch bei dieser verfänglichen Frage, wieder auf das religiöse Gebiet zu lenken und sein tiefes Anliegen vorzubringen".[95] Es

---

noch leider weithin üblichen Weise die Sadduzäer einfach zu Kollaborationisten zu stempeln. Daß die Sadduzäer in einen solchen Verdacht kommen konnten, ergab sich vor allem aus ihrer politisch-rechtlichen Stellung." – Ders., Sadduzäerverständnis 37.

[87] Die Haltung der Pharisäer ist nicht einfach zu bestimmen, weil sie nicht einheitlich gewesen zu sein scheint. Vgl. R. Meyer-K. Weiß, ThWNT IX,11–51, bes. 27f; A. Stumpf, ThWNT II, 886–888; C. Thoma, Pharisäismus, bes. 267–270; G. Petzke, Der historische Jesus 228; O. Cullmann, Der Staat 25; J. Schmid, Mk 223; R. Schnackenburg,, Mk II, 159; W. Grundmann, Mk. 243.

[88] M. Hengel, Die Zeloten 243–249; Ders., Zeloten und Sikarier 178–179f.

[89] Vgl. M. Hengel, Die Zeloten, bes. 146f; Ders., Zeloten und Sikarier 175–196, bes. 178–181; ferner G. Baumbach, Die Zeloten 2–25; Ders., Aufstandsgruppen 273–283.

[90] Jos., Bell. 7,323.

[91] Jos., Bell. 2,433; vgl. Bell. 2,188; Ant. 18,23.

[92] Jos., Bell. 2,118; vgl. 7,253; Ant. 18,4.

[93] R. Pesch, Mk II,225.

[94] R. Schnackenburg, Mk II,160.

[95] R. Schnackenburg, Sittl. Botschaft des NT 77.

geht ihm um Gott und seine eschatologische Herrschaft. Darauf macht er seine Hörer immer wieder aufmerksam. Durch nichts ist angedeutet, daß „die zweite Forderung . . . für alle, die erste nur für die Kaisergeldbesitzer" gelten soll[96], oder daß die Steuerzahlung als Rückerstattung dessen zu verstehen ist, was dem Kaiser gehört, wie es E. Stauffer behauptet.[97] Davon steht nichts im Text. Das Verbum ἀποδίδωμι hat hier nicht den Sinn: zurückerstatten. Es ist vielmehr „technischer Ausdruck für jederlei Schuld- und Steuerzahlung". Man wird es also einfach mit: „erstatten, geben" zu übersetzen haben.[98] Es ist ebenfalls eine Fehlinterpretation, wenn E. Stauffer weiterhin meint, Jesu Antwort bringe Kaiserreich und Gottesreich in eine grundsätzliche Beziehung zueinander: „Das Imperium Caesaris ist der Weg, das Imperium Dei ist das Ziel der Geschichte".[99] Das hieße, die Gottes-Reich-Predigt wie auch die Haltung Jesu den Mächtigen seiner Zeit und dieser Welt gegenüber völlig verkennen. Jesus spricht in diesem Zusammenhang nicht einmal, wie Paulus, davon, daß der Kaiser, die weltliche Obrigkeit von Gott eingesetzt ist.[100]

Jesus war kein Schwärmer, aber auch kein politischer Reaktionär. Nach den Zeugnissen des NT hat er nicht nur harte Kritik an den Mächtigen dieser Welt geübt,[101] sondern sich auch von den Zeloten, den Radikalen in seinem Volk, eindeutig distanziert.[102] Wie bei

---

[96] M. Albertz, Streitgespräche 30.

[97] E. Stauffer, Botschaft 110: „Aber er (Jesus) fordert sie (Steuerzahlung) nicht von jedermann. Er fordert sie nur von den Nutznießern des Systems."

[98] F. Preisigke – E. Kießling, Wb 176f; ferner G. Bornkamm, Jesus 108; ferner W. Bauer, Wb 178f gegen E. Lohmeyer, Mk 253; W. Grundmann, Mk 244 (5. Aufl.) bzw. 327 (7. Aufl. 1977).

[99] E. Stauffer, Christus und die Caesaren 147. Die Verlegenheit und Unsicherheit des Autors zeigt sich noch darin, daß er in „Botschaft" 109 eine gegensätzliche Position vertritt. Mk 12,17 bedeute „die grundsätzliche Ächtung der politischen Autorität."!

[100] Rm 13,1–2; vgl. 1 Petr 2,13f. Dieser Gedanke ist sonst auch in anderen Religionen belegt: z. B. in der ägyptischen „Lehre des Ptahhotep" 10 und 31 (A. Erman: Die Literatur der Ägypter, 1923, 91.95). Hier wird der Pharao, die höchste politische Autorität, als inkarnierter Gott angesehen. Dazu auch M. Eliade, Geschichte I, bes. 87–89; F. Heiler, Die Religionen, bes. 158ff. Ferner Homer, Ilias IX,98f; Hesiod, Theogonie 96. In Mesopotamien, vgl. M. Eliade, Geschichte der religiösen Ideen I,79f mit Belegen; in Afrika, vgl. J. S. Mbiti, Afrikanische Religion, bes. 86.231–239; ferner G. Mensching, Die Religion 33; im Judentum, vgl. Bill., III,303f; b. Berakh 58a Bar; b.B.Q 113a (Bill I,380); Prov 8,15f; Sir 17,17; Sap. Sal. 6,3f; Aristeasbr. 224.219; Jos., Bell. 2,140; 1,390 u. ö.; Ant. 11,3. Zum Ganzen, W. Schrage, Christen 24.25–27 mit Belegen.

[101] Vgl. Lk 22,25–27; Mt 6,24; Mk 10,42–45; Lk 13,32; Mk 11,17; Joh 13,4–14.

[102] Vgl. Mt 11,12 mit Lk 16,16; Mt 26,52f; Lk 22,36–38. Zu dieser Frage, vgl. O. Cullmann, Jesus und die Revolutionäre seiner Zeit (Tüb. 1970); Ders., Der Staat, bes. 24–28, M. Hengel, War Jesus Revolutionär?; Ders., Christus und die Macht, bes. 16–21; W. Schrage, Christen 40–44.45–49. Die abenteuerlichen Thesen einiger jüdischer Forscher wie S. G. F. Brandon, The Fall of Jerusalem and the christian Church (London 1951); Ders., Jesus and the Zealots (Manchester 1967); Ders., The trial

Johannes dem Täufer enthält Jesu Botschaft keine national-theokrati-
schen Züge mehr. Sie ist universal. Zu ihm können alle kommen:
Zöllner und Dirnen, Sünder und Heiden, all die Verachteten und
Verstoßenen der Gesellschaft. Bei ihm entdecken sie die Liebe und
Barmherzigkeit des himmlischen Vaters zu allen Menschen. Jesus
bejaht die Autorität des Staates und erkennt sie an.[103] Aber der Staat
ist nicht alles und nicht die letzte Instanz, vor der sich der Mensch
verantworten muß. Jesus setzt ihm Grenzen. Der Parallelismus membrorum in V 17b täuscht, denn Kaiser und Gott stehen nicht auf
einer Ebene. Der Nachdruck der Antwort Jesu liegt, – darüber ist
man sich einig in der Forschung – auf dem zweiten Versteil, d. h. auf
der Beziehung des Menschen zu Gott. Nicht der Kaiser entscheidet
darüber, was des Kaisers oder gar was Gottes ist. Was besitzt denn
der Kaiser, was Gott nicht gehörte? Und umgekehrt: Ist das, was
Gottes ist, zugleich auch des Kaisers?

Mit seiner Antwort will Jesus aber auch keine allgemeine Lehre
über Staat und Kirche erteilen. Er trennt auch nicht säuberlich
voneinander die zwei Bereiche. Vielmehr stellt Jesus den Menschen
hier und jetzt vor die Entscheidung angesichts der nahen Gottesherrschaft. Zutreffend formuliert es F. Hahn: Jesus „gibt eine Antwort,
die gerade kein religiös-politisches Programm enthält, sondern den
Menschen zu Verantwortung und rechtem Gehorsam vor Gott und in
der vergehenden Ordnung der Welt ermahnt".[104] Über die Konse-
quenzen, die sich aus seiner Antwort ergeben, hat sich Jesus, nach

---

of Jesus of Naz. (London 1968); *R. Eisler,* Jesous Basileus ou basileusas (2 Bde,
Heidelberg 1929/30); *J. Carmichael,* Leben und Tod des Jesus von Naz. (München
1965); *J. Klausner,* Jesus von Naz. (München 1969)..., die u. a. Jesus zu einem
Mitglied der Zelotenbewegung machen, brauchen uns hier nicht weiter zu beschäf-
tigen. Sie haben keinen Anhaltspunkt im Text und wurden schon öfter widerlegt.
Vgl. die oben genannten Autoren. *O. Cullmann* nimmt allerdings an, daß viele
Jünger Jesu ehemalige Zeloten waren, Jesus selber aber nicht. Ferner *J. Gnilka,* Jesus
Christus 66 + Anm. 11; *Ders.,* War Jesus Revolutionär? 67–78 (+ Literaturangabe);
W. Kasper, Jesus der Christus 79 + Anm. 9; *O. Betz,* ThWNT VII,277–281; *G. Born-
kamm,* Jesus 36–38; ausführlich, *F. Hahn,* Hoheitstitel 161–170 + Literatur; *J. Blinzler,* Der Prozeß Jesu 79–81 (⁴1969). Eine jüdische Stimme sei hier ausdrücklich
erwähnt, die eine Ausnahme macht: *D. Flusser,* Jesus 81, urteilt zu Mk 12,17 parr.:
„Der Ausspruch ist sicher nicht römerfreundlich, aber er zeigt auch, daß Jesus kein
Anhänger des Widerstandes gegen die Römer war... Es ist schwer, denen
beizupflichten, die meinen, daß Jesus nicht ohne Grund von Pilatus als ein
politischer Aufrührer hingerichtet worden ist oder daß er sogar ein Bandenführer
im jüdischen Freiheitskrieg gegen Rom war.".

[103] Freilich nicht in dem Sinne, wie es *L. Goppelt,* Freedom 186 versteht, wenn er von
der Tatsache der Römerherrschaft auf ihre göttliche Beauftragung schließt: „The
fact which the coin proclaims, that God has given the emperor dominion over
Palestine"; *Ders.,* Christologie 210f, hier 211. – Zur Kritik, vgl. *W. Schrage,* Christen
34f + Anm. 66.

[104] *F. Hahn,* Hoheitstitel 164.

dem Zeugnis des NT, nicht geäußert.[105] Doch kann man, wie es schon die Apostel taten (Apg 4,19 . . .), in seinem Sinne folgern, daß im Konfliktsfalle Gott eher als den Menschen, d. h. dem Kaiser oder der weltlichen Obrigkeit gehorcht werden muß.[106] Fragen die Gesprächspartner, ob es erlaubt sei (ἔξεστιν), d. h. dem Gesetze bzw. dem Willen Gottes entspreche, dem Kaiser die Steuern zu entrichten, so erhalten sie eine Antwort, die weder im Sinne der Zeloten noch des politischen Desinteresses der Apokalyptiker noch der Duldung wie bei den Pharisäern, zu verstehen ist.[107] Vielmehr gibt es nach Jesus „Dinge, auf die der heidnische Caesar Anspruch erheben kann, ohne daß er damit Gottes Anspruch verkürzt oder verletzt".[108]

Was ist nun Gottes und was des Kaisers? Die Beantwortung dieser Frage ist deswegen nicht so einfach, weil das Wort Jesu sehr allgemein gehalten ist. Die Wendung τὰ τοῦ . . . begegnet im NT in verschiedenen Kontexten und kann dementsprechend verschieden übersetzt werden.[109] In unserem Zusammenhang läßt sich leichter bestimmen, was des Kaisers ist als was Gottes. Die Münze und die Inschrift zeigen deutlich, daß sie des Kaisers Eigentum sind. Nicht als ob jedes Münz- bzw. Geldstück dem Kaiser gehörte.[110] Es galt aber als ein allgemein anerkannter Grundsatz, daß Münzbereich und Herr-

---

[105] Vgl. *R. Schnackenburg*, Sittl. Botschaft des NT 78.

[106] Unverständlich ist mir die Kritik *G. Petzkes*, Der historische Jesus 232 Anm. 26 an *W. Schrage*, Christen 38 (zur Interpretation von Mt 6,24): „Dieser schöne Versuch einer Harmonisierung hat leider keinen Anhaltspunkt in den Texten. Der synoptische Jesus unterscheidet eben gerade nicht zwischen normalen Fällen und Konfliktsfällen." Darf man hier mit dem Argumentum e silentio operieren? Oder hält man den synoptischen Jesus für so naiv? Vgl. Mk 6,18. Bereits das AT und das Judentum vor Jesus haben mit dieser Möglichkeit gerechnet und darum gekämpft und gelitten. Vgl. Dan 3,1ff; 9,27; 1 Makk 2,19ff (die Makkabäerkriege); ferner *Jos.*, Bell. 2,184ff; Ant. 18,261ff; *Philo*, Leg.Gaj.188ff; 203ff; 265.306; 346; Flacc.41ff . . . Dazu, vgl. *I. Abrahams*, Studies in Pharisaism I + II, 62–65, hier 64.

[107] Vgl. *J. Gnilka*, Mk II, 154; ferner *W. Schrage*, Christen 16f.19f.21ff; *M. Albertz*, Streitgespräche 31.

[108] *E. Haenchen*, Der Weg 408; *O. Cullmann*, Der Staat 26, legt das Wort so aus: „Implizit besagt das Wort Mk 12,17: Gebt dem Kaiser nicht m e h r , als was ihm gebührt! Gebt ihm nicht, was Gottes ist." Vgl. *V. Taylor*, Mk 480; *C. G. Montefiore*, Syn. Gospels I, 277.

[109] Rm 2,14: τὰ τοῦ νόμου = die Ansprüche des Gesetzes; 1 Kor 2,11: τὰ τοῦ θεοῦ = die Gaben Gottes, die Geheimnisse Gottes, die der Geist Gottes allein kennt; 1 Kor 2,14: τὰ τοῦ πνεύματος τ. θεοῦ = das, was vom Geist Gottes stammt. Auch die Antithese Gott-Mensch bzw. Welt wird manchmal damit ausgedrückt: z. B. 1 Kor 7,32–34; Mt 16,23 par Mk 8,33, um den Bereich, d. h. die Denk- und Handlungsweise der Menschen von der von Gott zu unterscheiden. Nicht zu verwechseln mit diesem Ausdruck τὰ τοῦ . . . ist die andere Wendung, die auch im NT vorkommt, nämlich: τὰ μεγαλεῖα τοῦ θεοῦ (Apg 2,11) oder: τὰ περὶ τῆς βασιλείας τοῦ θεοῦ (Apg 1,3). Hierzu vergleiche *Blass-Debrunner*, Grammatik § 263. – Zum Ganzen *C. H. Giblin*, The Things 520–521.

[110] Vgl. *E. Haenchen*, Der Weg 407.

schaftsbereich eines Königs sich deckten.[111] Der Denar zeigt also an, daß der Kaiser der Herr im Lande ist. Ihm soll man auch die Steuern zahlen.

Die verschiedenen Auffassungen und Auslegungen von V 17b: καὶ τὰ τοῦ θεοῦ . . ., die wir oben referiert haben, machen deutlich, daß die Bestimmung dessen, was Gottes ist, nicht so einfach ist. Im Blick auf die Gottesverkündigung Jesu wird man aber sagen dürfen, daß Gott der ganze Mensch gehört, den er nach seinem Bilde geschaffen (Gen 1,26) und in dessen Herz er sein Gesetz gelegt hat (Jer 31,33 LXX; vgl. Prov 7,3; Jes 44,1–5). Der Mensch wird von Jesus aufgerufen, dies zu erkennen. Das ist der Weg Gottes, den er in Wahrheit lehrt (Mk 12,14). Die Wendung ἡ ὁδός τοῦ θεοῦ, die hier vorkommt, hat in der Schrift verschiedene Anwendungen und Bedeutungen. Im übertragenen Sinn wird ἡ ὁδός in LXX wie im NT für „das Menschenleben als Ganzes und in seinen einzelnen Abschnitten, die Lebensweise, das Verhalten, oder den Wandel" verwendet. Charakteristisch für das NT ist der Gebrauch von ὁδός für die „christliche Lehre" (Apg 9,2; 18,25f; 19,9; 24,14 . . .). Für den Sprachgebrauch der Schrift überhaupt (AT und NT) kennzeichnend ist die Wendung ἡ ὁδός oder αἱ ὁδοὶ κυρίου bzw. θεοῦ. Hier hat ἡ ὁδός die Bedeutung: Verhalten Gottes, seine Pläne oder Taten, Gottes Handeln.[112] In unserem Zusammenhang Mk 12,14 Parr hat ἡ ὁδός τοῦ θεοῦ den Sinn: der dem Menschen von Gott (oder vom Herrn) gebotene Wandel, das Leben nach Gottes Willen, die Halacha[113] der Juden.

Jesu Ruf zu Metanoia – Umkehr (Mk 1,14f) wie die Aufforderung, „Gott zu geben, was Gottes ist" (12,14), „relativiert die Bindungen dieser Welt, intendiert aber weder die Errichtung eines politisch konzipierten Gottesreiches auf Erden im Sinne des theokratischen Ideals noch eines spiritualistisch oder humanistisch gefaßten Reiches sittlich-religiöser Güter"[114], sondern den bedingungslosen Gehorsam gegen Gott und die totale Hingabe des Menschen an ihn.

IV. Authentizität der Perikope

Paßt diese Deutung der Steuerfrage zu Jesu Auftreten und Verkündigung? Anders gefragt: Wie ist die Historizität dieser Perikope zu

---

[111] *Bill.*, I,884.

[112] Vgl. Dt 32,4; Tob 3,2; Ps 144,17; Ps 94,10; Prov 8,22 . . . In diesem Sinne wird der Singular ἡ ὁδός selten gebraucht.

[113] Vgl. Jer 7,23; Dt 5,33; Ex 32,8; Ps 118,15; Hi 23,11 . . . Hierzu vgl. *W. Michaelis*, ThWNT V,42–101; *G. Ebel*, Th.B.L.III, 1358–1363; *G. Vollebregt*, B. Lex/Haag, Sp.1872; *W. Bauer*, Wb 1096–1098. Während das Judentum und die Rabbinen diesem atl. Sprachgebrauch folgen, hat er bei Philo und Josephus keine Nachwirkung. Vgl. *W. Michaelis*, ThWNT V,63 Anm.61;65.

[114] *W. Schrage*, Christen 30; ähnlich *C. H. Giblin*, The Things 526f.

beurteilen? Nach E. Schweizer handelt es sich in Mk 12,13–17 „wahrscheinlich um den Niederschlag der Diskussionen jüdischer Gruppen mit der Gemeinde . . .“[115] Einige Autoren begnügen sich mit der Feststellung, daß, wenn nicht die ganze Perikope, so doch wenigstens der Spruch V 17 sicher auf Jesus zurückgehe. Dabei berufen sie sich auf R. Bultmann, der den Grundsatz aufstellt, daß in einem Streitgespräch das entscheidende und meist abschließende Wort in der Regel echt sei.[116] Selbst G. Petzke, der den 2. Teil von V 17 (Gebt Gott . . .) als störend empfindet und im Anschluß an E. Hirsch ihn als „einen nachschleppenden Anhang“ ansieht, muß zugeben, daß es „keine literarkritischen Argumente gibt, die „eine spätere Hinzufügung dieses Versteiles stützen würden.“[117] Vielmehr sind „die Verse 13–16 . . . kaum nachträglich auf den gesamten V 17 hin komponiert worden“.[118] Seine eigene Position faßt er dahingehend zusammen, daß „eine Historizität für das Gespräch wahrscheinlicher ist als für den g e s a m t e n V 17 . . .; daß traditionsgeschichtlich das Gespräch früher anzusetzen ist als der gesamte V 17“, der, wie die Passionsgeschichte im allgemeinen, die Tendenz zeige, „apologetisch darzustellen, daß Jesus und seine Gemeinde loyale Staatsbürger sind, die ihre Steuern zahlen und darin keinen Widerspruch zu ihrem ‚Gottesdienst‘ sehen“.[119]

Demgegenüber hält R. Bultmann mit Recht an der Echtheit dieser Szene fest: „Kaum ist Jesu Wort V 17 einmal isoliert überliefert gewesen. Vielmehr liegt ein einheitlich konzipiertes und ausgezeichnet geformtes Apophthegma vor . . . An Gemeindebildung zu denken, liegt m. E. kein Grund vor“.[120] Dieses Urteil dürften folgende Beobachtungen und Überlegungen erhärten:

1. Das Alter der Überlieferung
a) Die Überlieferung in Mk 12,13–17 scheint sehr alt zu sein. Sie enthält viele Semitismen bzw. Hebraismen, wie die Literarkritik

---

[115] E. Schweizer, Mk 138 bzw. 133 (⁵1978) – Er schließt aber nicht aus, daß das eine oder andere Wort auf Jesus selbst zurückgeht. Ähnlich auch A. J. Hultgren, Jesus 75; vgl. ebda. 76.

[116] R. Bultmnann, Geschichte 40f.48ff, bes.51. Für die Echtheit von V 17 plädieren z. B. H. Anderson, Mk 274; C. E. B. Cranfield, Mk 369; W. Schrage, Christen 32 + Anm. 57; G. M. de Tillesse, Secret 153: „Un logion de Jésus“; K. Berger, Gesetzesauslegung 576. Zur Diskussion, vgl. G. Petzke, Der historische Jesus 227f – E. Käsemann, Rmbrief 336, möchte selbst die Echtheit dieses Verses 17 bestreiten. Leider begründet er diese Entscheidung nicht.

[117] G. Petzke, Der historische Jesus 231; E. Hirsch, Frühgeschichte I,131.

[118] G. Petzke, Der historische Jesus 233.

[119] G. Petzke, Der historische Jesus 232f – Sperrungen im Text

[120] R. Bultmann, Geschichte 25; ferner M. Albertz, Streitgespräche 30.35; R. Pesch, Mk II,228; V. Taylor, Mk 478; O. Cullmann, Staat 24; J. Jeremias, Ntl. Theologie I,219f; E. Stauffer, Geschichte 123ff; J. Blinzler, Prozeß Jesu 281 Anm.12 (⁴1969); W. Beilner, Christus 131 . . .

schon zeigte. Es sind keine Argumente literarkritischer Art zu
erkennen, die auf eine spätere Hinzufügung von V 17 hinweisen
oder sie unterstützen.

b) Wie Mk 11,27–33 und im Gegensatz zu den anderen in unmittel-
barem Kontext sich befindenden Perikopen (Mk 12,1–12; 18–27;
28–34; 35–37) wird hier nicht mit der Schrift argumentiert. Der
Rückgriff auf das AT berechtigt zwar nicht zu weiterreichenden
Schlüssen, kann hier jedoch als ein Indiz für das hohe Alter des
Stückes angesehen werden.[121]

2. Argumentationsweise

Ausschlaggebend für die Beurteilung der Historizität dieser Perikope dürfte die Art und Weise sein, wie in ihr argumentiert wird.

a) Im Unterschied zu den galiläischen Streitgesprächen bleibt hier das
christologische Argument aus. Die Autorität Jesu, des Menschensohnes kommt hier als solche nicht zur Geltung. Mit anderen
Worten, es geht in der Argumentation nicht um die Person Jesu als
vielmehr um die Reich-Gottes-Botschaft. Gott selber steht hier im
Vordergrund. Das entspricht Jesu Auftreten und Lehren, wie sie
die Evangelien bezeugen. Jesus verkündet nicht sich selber, zumindest nicht direkt, sondern das Reich Gottes (vgl. Mk
1,14;12,14c.17). Daß er hier διδάσκαλος genannt wird, unterscheidet ihn noch nicht von anderen διδάσκαλοι seines Volkes und
seiner Zeit und spricht nicht gegen die erwähnte Erkenntnis.

b) Wie in den Evangelien oft zu beobachten ist, läßt Jesus seine
Gesprächspartner selber eine Antwort auf ihre Frage geben, um
sie dann entweder abzulehnen, zu bestätigen, zu ergänzen oder zu
transzendieren (vgl. Mk 10,17–21; Lk 10,26b. 36–37; Mk 11,27ff).
Das heißt: Vor allem in den Diskussionen, in seinen Antworten,
aber auch durch sein Verhalten verweist Jesus seine Partner oft auf
Dinge, die sie (die Fragesteller oder die Jünger) nicht sofort sehen
und verstehen; Dinge also, die noch der Erklärung bedürfen, weil
sie nicht unmittelbar im Blickpunkt des Gespräches standen. Jesu
Lehre – ob in Gleichnissen oder in Apophthegmen – bringt eine
neue Dimension zum Vorschein, die Dimension eben seiner
eschatologischen Verkündigung, die das Verständnis der Menschen transzendiert.[122] Dieses Verhalten ist typisch jesuanisch.[123]
Das ist auch Mk 12,13–17 der Fall, wie die Interpretation der
Perikope deutlich gemacht haben dürfte.

---

[121] Vgl. *R. Bultmann,* Geschichte 51.
[122] Z. B. Mk 2,5b: τέκνον, ἀφίενταί σου αἱ ἁμαρτίαι; Mk 8,11ff; 12,31; Lk 13,1–5 ...
[123] Ähnlich argumentieren z. B. *J. Jeremias,* Ntl. Theologie I, 219f; *C. H. Giblin,* The
Things, 510–527, bes. 514; vgl. *M. Dibelius,* Formgeschichte 141; *G. Petzke,* Der
historische Jesus 231, verkennt dies völlig.

3. Aktualität der Steuerfrage zur Zeit Jesu

Mit Recht betonen die meisten Autoren die Aktualität und die Bedeutung der Steuerfrage zur Zeit Jesu. Nicht nur in der Urkirche, wie es Rm 13,1–7; 1 Pt 2,13–17 (vgl. Tit 3,1f; 1 Tim 2,2; Apk 13) zeigen, sondern bereits vor und zur Zeit Jesu wurde diese Frage heftig debattiert. Gerade die Steuerfrage ist es gewesen, die 6 n. Chr. unter dem syrischen Statthalter Quirinius und dem römischen Coponius die neue Partei, die Bewegung der Zeloten, ins Leben rief und die bereits lose und unabhängig voneinander operierenden und für die Freiheit des Landes kämpfenden Widerstandsgruppen zu einer einheitlichen Gruppierung vereinigte.[124] Daß Jesus, dem hier das für einen Lehrer in Israel höchste Lob gespendet wird, wird er doch als ein wahrer, aufrichtiger Lehrer des Weges Gottes (V 14) bezeichnet und angesprochen, zu dieser Sache nach seiner Meinung gefragt wurde, scheint doch nicht so unwahrscheinlich zu sein.[125] Diese Annahme wird indirekt durch die Tatsache bestätigt und unterstützt, daß Jesus tatsächlich von den Römern als ein politischer Rebell, nach O. Cullmann sogar als „Zelotenführer" verurteilt und hingerichtet wurde (vgl. Mk 15,2 par; 15,26 par).[126] Als Anklagepunkt gegen ihn bringt Lk u. a. gerade auch die Steuerfrage (Lk 20,20.26), wenn dies auch als eine offenkundige Lüge abgetan wird.[127] Gegen die Echtheit dieser Perikope scheint somit nichts zu sprechen.

V. Mk 12,17 in der Urkirche

Das Wort Jesu Mk 12,17 hat bereits in der Urkirche eine Interpretation erhalten, die nicht unwesentlich von Jesu Verständnis abweicht und bis in unsere Tagen nachwirkt. J. Gnilka bemerkt mit Recht:

---

[124] Vgl. *Jos.*, Bell. 2,118; Ant. 18,4; ferner *W. Schrage*, Christen 32f; *M. Hengel*, Zeloten und Sikarier 175–196; *Ders.*, Zeloten, bes. 132–145; *W. Grundmann*, Mk 243; *J. Gnilka*, War Jesus Revolutionär? 68f; *E. Lohse*, Umwelt des NT 58f; *A. Strobel*, in: B. H. H. III, 2228–2230; *G. Baumbach*, Zeloten 2–25; *Ders.*, Aufstandsgruppen 273–283; *Ders.*, Zeloten und Sikarier 727–740; *O. Cullmann*, Staat, bes. 6–16.

[125] Möglicherweise wurde Jesus von Vertretern der nationalpolitischen Hoffnungen gefragt – ohne damit notwendig die messianische Frage aufzuwerfen. Der Evangelist hätte sie dann durch die Gegner Jesu ersetzt, um eben einen Anklagepunkt gegen Jesus plausibel zu machen.

[126] Der Staat 31; vgl. ebda S. 7.14 u. ö.

[127] Wenn *G. Petzke*, Der historische Jesus 229, meint: „Die viel verhandelten Zeloten spielen in diesem Text keine Rolle. Sie sind überhaupt nicht präsent", so hat er recht darin, daß die Zeloten hier nicht mit Namen erwähnt werden. Er verkennt aber völlig oder bagatellisiert den Hintergrund und die Aktualität dieser Frage in dem damaligen Palästina. Seine Kritik an M. Hengel, ebda. 225 Anm. 11 geht m. E. an der Sache vorbei. Ähnlich wie Petzke urteilte schon *M. Dibelius*, Rom 177 Anm. 1. Dagegen nach *F. Hahn*, Hoheitstitel 164 handelt es sich hier um „ein ausgesprochen

„Selten ist im Lauf der Auslegungsgeschichte der Perikope die Nuancierung und Brisanz des Wortes Jesu gesehen und herausgestellt worden. Vielleicht erschien das zu gefährlich."[128]

Jesu Wort wurde und wird nun mehr und mehr zum Zweck der Apologie gebraucht und ausgelegt. Seit Justin wird V 17 im Sinne vorbehaltloser Pflichterfüllung gegen die staatliche oder weltliche Obrigkeit verstanden. Der Akzent hat sich erheblich verschoben und zwar von Gott auf den Staat. Hatte Jesus vor allem den Gehorsam gegen Gott betont, so unterstreicht nun die Urkirche, oft in Auseinandersetzung mit ihrer feindlichen Umwelt, die Erfüllung der Pflichten gegen den Staat.[129] Die Christen werden als loyale Bürger empfohlen. So schreibt um 153 Justin an den Kaiser in Rom: „Die Steuern (Tributa) und Abgaben aber, die ihr verordnet, beeilen wir uns allenthalben vor anderen zu zahlen ... Darum beten wir zwar Gott allein an. Euch aber leisten wir in allem anderen freudig Gehorsam, indem wir euch als Kaiser (βασιλεῖς) und Beherrscher der Menschen anerkennen und beten, daß ihr mit der kaiserlichen Macht auch einsichtige Gedanken haben möget."[130]

Diese Deutung der Antwort Jesu wird aber bereits in den übrigen ntl. Zeugnissen nahegelegt. In der Paränese im 13. Kapitel des Römerbriefes schärft Paulus den Christen ein – ohne sich allerdings auf Jesus zu berufen –, die Steuern zu zahlen (Rm 13,1–7). Bemerkenswert ist weiter, daß er „ohne jede Einschränkung von dem Gehorsam gegen die vorgesetzten Gewalten"[131] spricht. Das macht wahrscheinlich, daß Paulus hier eine andere, im Judentum wie auch in anderen Religionen allgemein bekannte Tradition übernimmt, daß nämlich jede Autorität von Gott stammt.[132] Er begründet denn auch diese Pflicht des Gehorsams und der Steuerzahlung wie folgt: „Jedermann ordne sich der obrigkeitlichen Gewalt unter; *denn* es gibt keine Gewalt, die nicht von Gott ist ... Wer sich daher der Gewalt widersetzt, widersetzt sich der Anordnung Gottes."[133] Auch die Haustafeln 1 Pt 2,13ff und Tit 3,1 gehören hierher. Wie Röm 13,1–7 ermahnen sie die Christen zum Gehorsam gegen die staatliche

---

zelotisches Problem". Zum Ganzen vergleiche *O. Cullmann*, Der Staat, bes. 12–16; ferner *M. Hengel*, Christus, bes. 13–15.

[128] *J. Gnilka*, Mk II,154.

[129] *M. Dibelius*, Rom 179f.

[130] *Justin*, Apologie I,17. Übersetzung nach *M. Dibelius*, Rom 179f. Vgl. auch *E. Stauffer*, Christus und die Caesaren 148f.

[131] *M. Dibelius*, Rom 179 Anm. 4.

[132] Vgl. S. 57 Anm. 100.

[133] Rm 13,1–2 – Übersetzung der Jerusalemer Bibel. Zur Interpretation dieser Stelle vgl. *M. Dibelius*, Rom, bes. 180ff; ferner *W. Schrage*, Christen 50ff; *M. Hengel*, Christus 32f; *H. Schlier*, Der Staat, in: *Ders.*, Besinnung, bes. 203f; *Ders.*, Beurteilung des Staates, in: *Ders.*, Zeit der Kirche, bes. 7ff und die Kommentare zum Römerbrief.

Obrigkeit. Der Hauptgedanke von Rm 13 aber, daß jede Gewalt von Gott ist, wird hier nicht ausgesprochen. Ebenso wie Rm 13 lassen auch diese Texte nichts von Jesu Wort erkennen. M. Dibelius ist beizupflichten, wenn er über die Geschichte dieses Wortes Mk 12,17 – und der Steuermünze – so urteilt: „In den ältesten Äußerungen der Christen zum Thema ‚Staat' spielt sie (diese Perikope) keine Rolle."[134] Für die Beziehungen der Christen zum Staat war Rm 13,1–7 bedeutsamer als die evangelische Erzählung.[135]

VI. Interpretation des Evangelisten

Wie hat nun aber der Redaktor und Evangelist Mk die Steuerfrage verstanden und gedeutet? Folgt er Jesus oder der Urkirche? Welche Intention leitete ihn bei der Wiedergabe dieser Erzählung? Diesen Fragen wenden wir uns jetzt in zwei Schritten zu. Wir analysieren nacheinander den Rahmen der Perikope und ihre Stellung im Makrotext.

Den Anteil des Redaktors an der Gestaltung von Mk 12,13–17 hat die Literarkritik bereits herausgearbeitet. Mk hat geringfügige Eingriffe in den Text vorgenommen, die jedoch seine Deutung der Steuerfrage deutlich erkennen lassen. Und wenn der Evangelist außerdem die, wie wir schon beobachteten, ort- und zeitlos[136] tradierte Perikope in seine Schrift aufnimmt und hierher stellt, so wird er damit etwas bezweckt haben wollen. Was aber?

A. Rahmen und sekundäre markinische Elemente

Das erste Zeichen mkn. Hand wurde im Rahmen der Erzählung erkannt. Mk 12,13 werden die alten Gegner Jesu, die Pharisäer und Herodianer, zu ihm gesandt (vgl. Mk 3,6), um ihn in seinem Wort zu

---

[134] *M. Dibelius,* Rom 179; zum Ganzen, vgl. *M. Hengel,* Christus 34f; *H. Schlier,* Beurteilung des Staates, in: *Ders.,* Zeit der Kirche, 7ff; *Ders.,* Der Staat, in: *Ders.,* Besinnung 193–211; *W. Schrage,* Christen 63–68.

[135] Vgl. *M. Dibelius,* Rom 180. Ganz anders ist die Situation der um 94–95 gegen Ende der Regierungszeit des Kaisers Domitian verfaßten *Apokalypse des Johannes.* Es ist die Zeit der Christenverfolgung. Der Konflikt zwischen Staat und Kirche hat seinen Höhepunkt erreicht. Wie die Juden zuvor, so weigern sich auch die Christen, dem Genius des Kaisers zu opfern und am Kaiserkult teilzunehmen. Diesen „Ungehorsam" müssen sie oft mit dem Leben bezahlen. Dazu vgl. *M. Dibelius,* Rom, bes. 218–225; *W. Schrage,* Christen 69–76; *M. Hengel,* Christus und die Macht 39f; *H. Schlier,* Beurteilung des Staates, in: *Ders.,* Zeit der Kirche, bes. 14–16; *Ders.,* Der Staat, in: *Ders.,* Besinnung, bes. 207.208–210f.

[136] Aus der Tatsache, daß Galiläa als autonomer Kleinstaat keine Kaisersteuer zu zahlen brauchte (*J. Jeremias,* in: *G. Saß,* Erg.-Heft S. 16 zu *E. Lohmeyer,* Mk 250), folgt nicht unbedingt, wie es *W. Beilner,* Christus 131 annimmt, daß die Szene sich auch tatsächlich „in Jerusalem, auf jeden Fall in Judäa" abgespielt haben muß. Es könnte auch außerhalb Judäas gewesen sein.

fangen. Das hier verwendete Verb ἀγρεύω wird klassisch von der Jagd eines Wildes gebraucht und bedeutet: „wie ein Wild fangen".[137] Im NT kommt es nur hier und im übertragenen Sinne vor.[138] Das λόγῳ wird man am besten mit „in seinem Wort" und nicht „mit einem Wort" zu übersetzen haben.[139] Auch Markus dürfte es so verstanden haben. Nach ihm suchen ja die Gegner in Jesu Verhalten oder Wort ein Anklagemotiv gegen ihn (Mk 11,28; 12,12). Während uns die Partei der Pharisäer ziemlich gut bekannt ist,[140] bleiben die Herodianer weiterhin im Dunkel. Mk erwähnt sie zweimal, aber ohne nähere Erläuterung, als wären sie seinen Gemeinden schon bekannt (Mk 3,6 und 12,13). Was für Leute waren sie? Eine Partei der Herodianer ist uns sonst nicht bekannt, und der jüdische Schriftsteller Fl. Josephus weiß auch nur von „Anhängern des Herodes" zu sprechen.[141] Wahrscheinlich handelt es sich hier um „Parteigänger des Herodes".[142] Bei den Verhältnissen dieser Familie ist die Frage wohl berechtigt, welcher Herodes hier gemeint sein könnte. Es kann weder um Herodes den Großen[143] noch um Herodes Antipas[144] gehen. Am wahrscheinlichsten ist Herodes Agrippa I. gemeint. Seit 37 (37–40) war er König über Teilgebiete und von 41–44 n. Chr. über ganz Judäa.[145] In seiner Regierungszeit begünstigte er, mehr aus politischer als aus religiöser Überzeugung, sehr stark den Pharisäismus und verfolgte die Jerusalemer christliche Gemeinde, wie Apg 12,1ff berichtet.[146] Markus wird darum gewußt und deshalb die Verbindung

---

[137] *V. Taylor*, Mk 478 + Belege: z. B. Euripides, Ba. 434; Herodotus II,95; Xenophon, Cyn. XII,6 und in LXX: z. B. Hi 10,16; Prov 5,22; 6,25f; Hos 5,2. – Ferner *Preisigke-Kießling*, Wb s. v.

[138] *W. Bauer*, Wb 25

[139] Mit den meisten Autoren; gegen u. a. *M.-J. Lagrange*, Mc 312; *J. Schniewind*, Mk 121; *G. Wohlenberg*, Mk 312; *E. P. Gould*, Mk 224f.

[140] Vgl. *R. Meyer-K. Weiß*, ThWNT IX,11–51; *C. Thoma*, Pharisaeismus, in: Literatur und Religion 254–272; *H. Merkel*, Jesus und die Pharisäer, 194–208; *A. Finkel*, The Pharisees (AGSU 4) 1964; *C.Roth*, The Pharisees in the Jewish Revolution of 66–73, in: J. S. St. 7 (1962) 63–80; *J. Jeremias*, Jerusalem (²1958) II B. 115–140; *B. Reicke*, Ntl. Zeitgeschichte 116–121; *E. Lohse*, Umwelt des NT (NTD Erg. 1) 53–58; *F. Mußner*, Jesus und die Pharisäer 99–112; *J. Z. Lauterbach*, The Pharisees 69–139; *Ders.*, Controversy 173–205.

[141] *Jos.*, Ant. 14,450: οἱ τὰ Ἡρῴδου φρονοῦντες.

[142] *K. Weiß*, ThWNT IX, 40; *W. Grundmann*, Mk 73 denkt an „Bedienstete des Herodes"; *W. J. Bennett jr.*, The Herodians 9–14 hält die Herodianer für eine Erfindung des Mk: „a creation of Mark himself", ebda. 13. Zur ganzen Diskussion, vgl. *H. H. Rowley*, The Herodians 14–27, der 11 verschiedene Interpretationen zitiert und bespricht.

[143] So z. B. *C. E. B. Cranfield*, Mk z. St.

[144] So u. a. *A. Schalit*, König Herodes 479–481; *H. W. Hoehner*, Herod Antipas 331–342; *E. P. Gould*, Mk 54

[145] *B. Reicke*, Ntl. Zeitgeschichte 148.

[146] *K. Weiß*, ThWNT IX,41. Zur Beurteilung von Herodes Agrippa I., vgl. *Jos.*, Ant. 19,331. Bei den Rabbinen (vgl. *Bill.*, II, 709f) wird er als ein großer Held, ein frommer Monarch . . . gefeiert.

zwischen den Pharisäern und den Herodianern aus der Zeit von Agrippa I. sekundär in die Geschichte Jesu eingetragen haben.[147] Es vereinigen sich die politisch und religiös Mächtigen gegen Jesus, um ihn zu vernichten.

Pharisäer und Herodianer sind, nach Mk. Meinung, Abgesandte des Synedriums, der höchsten jüdischen Autorität (V 13: ἀποστέλλουσιν). Nachdem es den Mitgliedern des Synedriums bei mehrmaligem Versuch nicht gelungen war, Jesus festzunehmen (Mk 11,18; 12,12), senden sie nun zu ihm ihre Leute, Aufpasser, um ihn in seinem Wort zu fangen. Diese böse Absicht der Gegner wird nicht nur V 13b klar ausgesprochen, das geht bereits aus den V 13a genannten Gesprächspartnern hervor. Solche Partner können nach dem Redaktor Markus nur Böses im Sinn haben. Damit verändert sich der Sinn der ursprünglichen Einheit nicht unerheblich. Mk gibt ihr nun einen negativen Akzent.

Das wird V 15a noch deutlicher, wo wir in dem Versteil: εἰδὼς αὐτῶν τὴν ὑπόκρισιν die Hand des Redaktors Markus erkannten. Die Wortgruppe ὑποκρίνομαι, ὑπόκρισις ... findet sich im NT hauptsächlich bei den Synoptikern, besonders aber im Mt-Evangelium.[148] Im Unterschied zum klassischen Sprachgebrauch wird sie in LXX in sensu malo verwendet.[149] Diesem Sprachgebrauch folgt auch das NT. Das Substantiv ὑπόκρισις, das Mk 12,15a begegnet, bedeutet „Verstellung, Heuchelei".[150] Der Vorwurf der ὑπόκρισις, den Jesus gegen seine Gesprächspartner erhebt, „drückt aus, daß diese Menschen – schuldhaft oder nicht – behaupten und auch wirklich der Meinung sind, den Willen Gottes bis ins Kleinste zu erfüllen, und eben dadurch den wirklichen Willen Gottes verfehlen."[151] Ihre Frage, und nicht das

---

[147] Vgl. *K. Weiß,* ThWNT IX,41. Schon *B. W. Bacon,* Pharisees and Herodians 102–112, hier 112, plädierte für einen Anachronismus bei Mk: „... we have to do with a slight anachronism on the part of the Roman evangelist". Dies würde unsere Meinung bestätigen, daß Mk 12,13 redaktionell ist.

[148] Das Verbum ὑποκρίνομαι begegnet überhaupt nur Lk 20,20; ὑπόκρισις je einmal bei den Synoptikern: Mt 23,28; Mk 12,15; Lk 12,1. Häufiger ist der Gebrauch des Nomen „ὑποκριτής": bei Mk nur einmal (7,6); Lk dreimal: 6,42; 12,56; 13,15 und Mt zehnmal; vgl. *Moulton-Geden,* Concordance s. v. S. 979.

[149] Vgl. u. a. Sir 1,28–30; Hi 36,13 u. ö. Auch *Philo,* Conf. Ling. 48; Fug 156; Quis Rer. div. Her. 43; Jos 67; Deus immut. 103; Migr. Abr. 211 sowie *Jos.,* Bell. 1,628; 4,60; 5,112; Ant. 1,162.207.211; Bell. 1,471; 1,318; 1,516; Ant. 2,160; 13,220 u. ö. kennen diesen Sprachgebrauch dieses Wortstammes. Ferner, Test Benj. 6,4f; Test Gad 5,1; Test Dan 6,8; 1,3 ... Weitere Belege bei *U. Wilckens,* ThWNT VIII, 562.564.

[150] *W. Bauer,* Wb 1671; ferner *W. Günther,* Th. B. L. II,917; *U. Wilckens,* ThWNT VIII, 564 beschreibt das Wort wie folgt: Es ist „eine Aktionsart des Frevels. Dabei geht es nirgendwo um das Erwecken frommen Anscheins, der den Frevel als das wahre Gesicht verbirgt ... Gemeint ist derjenige Trug, der den Frevel als Abfall bzw. Widerspruch gegen Gott charakterisiert."

[151] *W. Thüsing,* in: K. Rahner/W. Thüsing, Christologie 192.

Kompliment V 14,[152] ist eine Verstellung. Denn das Problem, das sie zu beschäftigen scheint, haben sie in Wirklichkeit schon gelöst, indem sie die kaiserliche Münze mit sich tragen und wohl auch benützen. Damit erkennen sie de facto die Herrschaft des Kaisers an. Und Jesus sagt es ihnen ins Gesicht. Wenn dabei das Verb πειράζω verwendet wird (V 15b), so wird diese Verstellung und die böse Absicht seiner Gegner bloßgestellt. Πειράζω hat die Bedeutung: prüfen, versuchen, auf die Probe stellen, erproben.[153] Im mkn. Kontext bekommt es „ein feindliches Moment", d. h. die Abgesandten prüfen Jesus in feindlicher Absicht; sie stellen ihn auf die Probe, „um Anklagematerial gegen ihn in die Hand zu bekommen."[154]

Mit der Bemerkung (V 17c), daß sich die Fragesteller sehr über Jesus wunderten, schließt Mk die Erzählung ab. Das hier gebrauchte Verb ἐκ-θαυμάζω, ein Kompositum von θαυμάζω gehört zu der Begriffsgruppe θαῦμα, deren Verwendung in der atl. griechischen Bibel (LXX) wie im NT sehr mannigfaltig und daher nicht einheitlich zu übersetzen ist. Es kann heißen: staunen, sich wundern, bewundern, wunderbar sein oder machen.[155] Hier wird ἐκθαυμάζω mit „sich sehr wundern" – im Sinne widerwilliger Bewunderung – wiederzugeben sein.[156] Diese Deutung paßt gut zum mkn. Verständnis der Erzählung. Wieder einmal ist Jesus der Sieger, der Überlegene. Seine Gegner müssen sich abermals für geschlagen geben, verharren jedoch in feindseliger Distanz.[157] Dies bestätigt gleichzeitig die bereits in der Literarkritik gewonnene Erkenntnis, daß hier der Redaktor Mk am Werk ist. Zumindest dürfte Mk diese Notiz so verstanden haben.

B. Makrotext

Die zum Rahmen und zu den mkn. sekundären Elementen in Mk 12,13–17 gemachten Beobachtungen dürften bereits gezeigt haben, wie der Evangelist die Steuerfrage verstanden wissen will. Daß, wie G.

---

[152] Mit *M.-J. Lagrange*, Mc 313; *F. Normann*, Christos Didaskalos 7 gegen *E. Hirsch*, Frühgeschichte I,130.

[153] *W. Bauer*, Wb 1269f. Es wird im guten wie im üblen Sinne gebraucht.

[154] *H. Seesemann*, ThWNT VI,28.

[155] *G. Bertram*, ThWNT II,29.33.36. S. 35f zu Philo und Josephus: Ihr Sprachgebrauch bringt kaum etwas Neues, „nur daß sich die profanen und die legendären Motive verstärken": *Jos.*, Ant. 9,182: Eliaswundertaten; Ant. 6,290: Rettung Sauls vor David; *Philo*, Vit Mos I,180.206: Auszug aus Ägypten und Wüstenwanderung; Opif. mundi 49.90.95.106.78.172; Vit. Mos I,213; Spec Leg III,188: Ordnung der Schöpfung; Gig 37; Agric. 129 . . . Bei *Philo* ist diese Begriffsgruppe „im Rahmen einer vernünftigen Welterklärung verwendet und (dient) nicht der Ehre Gottes, sondern der Verherrlichung der jüdischen Religion und ihrer Bekenner" (35).

[156] *W. Bauer*, Wb 476.

[157] Vgl. *J. Gnilka*, Mk II,154.

Petzke behauptet, „in Parallele zu der Vollmachtsfrage und zu der Sadduzäerfrage, Jesus nach der Absicht des Erzählers auch hier gar nicht an einer positiven Antwort interessiert ist, sondern nur daran, die Gegner bei ihrer Frage behaften und beschämen zu können",[158] trifft m. E. gar nicht das mkn. Verständnis dieser wie auch der anderen von G. Petzke erwähnten Perikopen. Erstens läßt sich ein solches Verhalten Jesu nach meiner Meinung in den Evangelien nicht belegen. Zum zweiten ist Mk an einer positiven Aussage Jesu wirklich interessiert. Er konnte diese Überlieferung in seine Schrift hineinnehmen, weil er daraus eine positive und für seine Gemeinde(n) wichtige Antwort Jesu herausgehört hatte. Diese Vermutung gewinnt mehr und mehr an Wahrscheinlichkeit, wenn man den Makrotext genau beachtet. Das soll im folgenden versucht werden.

Mk greift zunächst zu Jesu Verständnis der Steuerfrage zurück und korrigiert so gewissermaßen das der Urkirche. Gleichzeitig setzt der Redaktor den Akzent etwas anders als Jesus. Hatte dieser entschieden die βασιλεία τοῦ θεοῦ (1,14f) verkündigt und in unserer Perikope betont auf Gott, d. h. auf die Pflichten gegen ihn, die alle Priorität haben sollen, hingewiesen (12,17b), so stellt nun Mk Jesus, den Gesandten Gottes, in den Mittelpunkt der Erzählung. Deutlich tritt sein christologisches Interesse hervor. Obwohl Jesus seinen Gegnern überlegen ist und ihre Bemühungen, ihn zu kompromittieren, immer wieder zum Scheitern bringt, da sie ihn keiner Schuld zu überführen vermögen, muß er dennoch den Weg der Passion gehen. Mk stellt bewußt diese Geschichte in den Kontext des Passionsgeschehens, und zwar in Jerusalem. Damit will er sagen, daß sein Jesus nicht nur ein unübertrefflicher Lehrer ist, der sich nach niemand richtet und dessen Richtpunkt die Wahrheit allein ist, die ihm von Gott geoffenbart wird, sondern auch und vor allem, daß dieser Lehrer auch das tut, was er lehrt (vgl. Apg 1,1; 1 Pt 2,22) und was Gott von ihm verlangt. Seine Antwort Mk 12,17b gilt zuerst auch für ihn selber. Darum geht er nun den ihm von Gott gewiesenen und von ihm erkannten Weg des totalen Gehorsams und der Hingabe (Mk 10,35–45; 8,31; 14,22–24; 14,36). Bereits in der Vollmachtsfrage hatte Mk die Erwähnung J. des Täufers anders gedeutet, als er den Blick stärker auf das gemeinsame Schicksal beider Boten Gottes lenkte (Mk 11,27–33).[159] Sodann wird im Gleichnis von den bösen Winzern (Mk 12,1–12) der Weg Jesu so deutlich geschildert, daß sogar die Gegner es verstehen (V 12). Dort wie auch in der Steuerfrage stellt der Redaktor Mk einen ganz scharfen Kontrast heraus zwischen den Fragestellern, denen es im Grunde nicht um Gott geht (Mk 12,38ff)

---

[158] G. Petzke, Der historische Jesus 229.
[159] Vgl. Mk 9,13; 6,14ff und oben zu Mk 11,27–33.

und Jesus, der sich Gott ganz hingibt. Doch entfaltet der Redaktor dieses Thema nicht. Er reflektiert auch nicht darüber wie Paulus oder der Christushymnus des Philipperbriefes (2,6–11). Er deutet es nur an durch die Anordnung der Perikope in diesem Kontext. Nicht so sehr also die Überlegenheit Jesu über seine Gegner[160] als vielmehr seine Bereitschaft, die Pflichten gegen den Vater zu erfüllen, will Mk hier unterstreichen. Jesus gibt, nach seinem eigenen Wort, Gott, was Gottes ist, und bleibt ihm gehorsam bis zum Tod, ἵνα πληρωθῶσιν αἱ γραφαί (Mk 14,48f). So wird er zugleich als wahrer Lehrer und als Vorbild für die christliche Gemeinde hingestellt.

Wie Mk 12,28ff (vgl. 14,48f) noch deutlicher wird, deutet Mk hier schon an, daß Jesus zu Unrecht von seinen Feinden verfolgt und verurteilt wurde. Er aber erfüllt im Gehorsam den Willen des Vaters. So paßt die Steuerfrage vorzüglich in diesem Kontext, in welchem Mk den nahenden Leidensweg seines Herrn und den Höhepunkt seines Evangeliums vorbereitet.

---

[160] So z. B. *M. Albertz,* Streitgespräche 17f.29f.

Kapitel III

DIE FRAGE NACH DER AUFERSTEHUNG (Mk 12,18–27)

I. Literarkritische Beobachtungen

A. QUELLENLAGE

Für die von den Sadduzäern an Jesus gestellte Frage nach der Auferstehung der Toten sind wir auf die synoptische Tradition allein angewiesen. Die frühchristliche Literatur hat meistens nur Stücke von der doppelten Antwort Jesu V 25f oder nur V 26b aufbewahrt. Außerdem gibt sie sich ausdrücklich als Wort des κύριος zu erkennen. Offensichtlich ist sie von den Synoptikern abhängig. Als Quelle kommt sie also nicht in Frage.[1]

Der Steuerfrage schließt sich bei allen drei Synoptikern die ebenfalls ort- und zeitlos überlieferte Perikope von der Auferstehung der Toten an. Die drei Erzählungen stimmen grundsätzlich überein, so daß man auch hier die Priorität des Mk-Textes voraussetzen darf. Starke Abweichungen vom Mk-Text weist nur die Antwort Jesu bei Lk 20,34b–36.38b.39f auf, die sich nicht literarkritisch, eher traditionskritisch hinreichend erklären lassen dürften. Lk standen wahrscheinlich verschiedene Traditionen zur Verfügung, die er dann verarbeitete.[2] Der Zielsetzung dieser Arbeit entsprechend, befassen wir uns hier hauptsächlich nur mit dem Mk-Text. Wo sie zum besseren Verständnis der Arbeitsweise oder des Stils des Markus beitragen, werden die Seitenreferenten selbstverständlich herangezogen.

[1] Die ganze Erzählung gibt fast wörtlich wieder *Epiphanius,* Haer.14,3 (zu Mt 22,23–33 par); vgl. *Hom. Clem.,* 3,55. (zu Mt 22,31f par); *Epiphanius,* Anc. 39,2 (zu Mk 12,26f par); *Justin,* Dial 81,4 (zu Lk 20,35–36 par); *Justin Martyr* (?), De Resurr. 3. Zu Justin vgl. *K. Aland,* Synopsis 385; für die übrigen Belege, vgl. *P. Benoît / M.-E. Boismard,* Synopse I, 250f; vgl. aber *A. J. Hultgren,* Jesus 124f.

[2] Dazu *A. Ammassari,* Gesù 67–69; *T. Schramm,* Markus-Stoff 170f; *E. Hirsch,* Frühgeschichte II,233; *K. H. Rengstorf,* Lk 228; *E. Klostermann,* Lk 195; *M. Black,* Approach 226f; *W. Grundmann,* Lk 374f; *W. L. Knox,* Sources I,90; *J. A. Hultgren,* Jesus 124.

B. Textanalyse

Markus scheint in diese Perikope gar nicht eingegriffen zu haben. Er übernimmt sie ganz – ohne Abstriche und Hinzufügungen – von seiner Tradition. V 18b: οἵτινες λέγουσιν ἀνάστασιν μὴ εἶναι, der die Sadduzäer näher charakterisiert, kann gut auch traditionell sein. Mk stellt seine „Personnages", die jüdischen Parteien oder die Gegner Jesu sonst nie vor, weder die Pharisäer, noch die Schriftgelehrten noch die Herodianer. Mk 7,3f geht es allgemein um jüdische Bräuche, nicht aber um einen typischen Zug der Pharisäer.[3] Bestätigung dürfte diese Beobachtung in der Tatsache finden, daß sowohl Apg 23,8 als auch Fl. Josephus[4] die Sadduzäer so beschreiben. Ihre Leugnung der Auferstehung war also allgemein bekannt.[5] Der Begründungssatz V 23b: οἱ γὰρ ἑπτὰ ἔσχον αὐτὴν γυναῖκα., der nach der Frage V 23a kommt, ist sachlich eine Wiederholung von VV 21–23. Er faßt noch einmal das Ergebnis der Geschichte zusammen. Angesichts des volkstümlichen Charakters dieser Erzählung, wie noch deutlicher werden wird, zögern wir, V 23b dem Redaktor Mk zuzuschreiben. Außer der Partikel γὰρ scheint die Formulierung nicht markinisch zu sein. Die Wendung ἔχω + 2 Acc., schon selten im NT, kommt bei Mk nur hier vor.[6] V 23b könnte also auch traditionell sein. Indem er die Absurdität der Auferstehungshoffnung betont, gehört er zum Korpus der Geschichte. Ebenfalls umstritten ist V 23a: ἐν τῇ ἀναστάσει, ὅταν ἀναστῶσιν. Das scheint eine Doppelung darzustellen. Allerdings, ob die Wendung ἐν τῇ ἀναστάσει sekundär ist, wie es E. Hirsch will,[7] ist nicht so sicher. Textkritisch fehlt andererseits das 2. Glied ὅταν ἀναστῶσιν in den meisten Handschriften.[8] Es entspricht jedoch mkn. Stil.[9] Auch wegen des ironischen Untertons des Satzes, der recht gut zur Skepsis der Sadduzäer paßt, wird man ihn im Text stehen lassen.

Dagegen markiert V 26a deutlich einen neuen Anfang: περὶ δὲ τῶν νεκρῶν ὅτι ἐγείρονται, ... Auch der Wechsel des Verbum von ἀνίστημι (VV 23a.25a) zu ἐγείρομαι fällt auf. Die zweite Antwort Jesu (V 26) führt ein Schriftzitat an, das das grundsätzliche Problem der

---

[3] Anders *J. Gnilka*, Mk II,156; *J. Sundwall*, Zusammensetzung 74; vgl. aber *V. Taylor*, Mk 133.

[4] *Jos.*, Bell. 2,8,14 = 2,164–166; Ant. 18,1,3.4; 18,16f; vgl. Sanh. 10,1; Sanh. 90a.

[5] Vgl. *S. E. Johnson*, Mk 200; *K. Schubert*, Jesus 75.

[6] *Moulton-Geden*, Concordance 408f; Vgl. Mk 11,32!

[7] *E. Hirsch*, Frühgeschichte I,135.

[8] So z. B. A B C D k r sy.

[9] Vgl. *C. E. B. Cranfield*, Mk 374; *V. Taylor*, Mk 482; *C. H. Turner*, Western readings, 1–16, hier 15: „Mark's fondness for tautological expression suggests that the fuller text is right" in 12,23; *E. Klostermann*, Mk 125; *F. Neirynck*, Duplicate expressions 176 Anm. 116 und S. 181: „I would conclude that there is no reason why we should reject from the original text of Mark those characteristic duplicate expressions."

Auferstehung der Toten beweisen soll. Es wird Ex 3,6 (LXX) zitiert. Das legt es nahe, V 26f als einen Nachtrag zu betrachten.[10] Doch erscheint uns dies nicht zwingend. Folgendes soll man nicht außer Acht lassen. Durch V 24 ist V 26f schon vorbereitet.[11] Er antwortet auf den V 18ff angemeldeten Zweifel der Sadduzäer. Er spricht aus, was von ihnen nur angedeutet wurde. Die Sadduzäer gehen nämlich davon aus, daß es eine Totenauferstehung überhaupt nicht geben kann. Solange das *Daß* der Auferstehung nicht bewiesen ist, kann auch das *Wie* nicht recht überzeugen. Das rechtfertigt wohl den Neuansatz von V 26, der sich nicht unbedingt als sekundär erweisen läßt. Die Art des Schriftbeweises dürfte außerdem kaum für Gemeindebildung sprechen. Darauf kommen wir noch zu sprechen. Auch der Wechsel von ἀνίστημι zu ἐγείρομαι zwingt noch nicht zu der Annahme einer sekundären Bildung. Das Verbum ἐγείρω-ομαι begegnet zwar nicht selten bei Mk.[12] Aber seine Verwendung hier hat den Vorzug, diese Aussage als passivum divinum deuten zu können. Da Mk kein Protokoll der Worte oder Zitate Jesu führt und der Redaktor die Schrift nach dem seinen Heidenchristen gebräuchlichen, d. h. geläufigeren und besser bekannten Bibeltext zitieren dürfte – und das dürfte wohl die LXX-Version sein –,[13] braucht das Zitat Ex 3,6 kein Hindernis für die Einheitlichkeit des Stückes zu sein. Der LXX-Text könnte die Wiedergabe eines von Jesus, nach welchem Text auch immer, angeführten Zitates sein. Daß auch die Griechen die Auferstehung der Toten ablehnten, zeigt zur Genüge die Auseinandersetzung in der Urkirche (vgl. 1 Kor 15). Aber auch das Judentum war sich in diesem Punkt lange Zeit nicht einig. Bekanntlich bestritten die Sadduzäer noch zur Zeit Jesu, wenn auch aus anderen Gründen als die Griechen, die pharisäische Auferstehungslehre.[14] Spricht diese Tatsache nicht eher für als gegen die Ursprünglichkeit von V 26f?

---

[10] So u. a. *E. Hirsch*, Frühgeschichte I,134f; *R. Bultmann*, Geschichte 25; *J. Sundwall*, Zusammensetzung 74 unter Berufung auf R. Bultmann; ebenso *E. Klostermann*, Mk 125; *E. Schweizer*, Mk 141 bzw. [5]135f; *A. Suhl*, Funktion 70; *J. Gnilka*, Mk II,156f; *A. J. Hultgren*, Jesus 124: Die Perikope „has been composed from two smaller units" (Mk 12,18–25 und Mk 12,26–27). Sein Nachweis S. 126ff hat mich nicht überzeugt, besonders daß es Mk 12,18–25 um "the problem of remarriage in the christian community for those whose spouses have died" gehen soll (S. 130).

[11] Mit *E. Haenchen*, Der Weg 410.

[12] Vgl. *Moulton-Geden*, Concordance 246; *H. Bachmann / W. A. Slaby*, Computer-Konkordanz 473 zählen 144 Vorkommen von ἐγείρω im NT. Das Wort begegnet oft, sowohl bei den Synoptikern als auch bei Paulus und Johannes.

[13] Auf das noch ungelöste Problem der Benutzung der Schrift in den Evangelien (was den Text betrifft), macht *H. C. Kee*, Function of scriptural Quotations 165–188, bes. 171–175, aufmerksam. Nach ihm scheint Mk eine gewisse Vorliebe für den LXX-Text zu haben.

[14] Vgl. die Diskussionen im Judentum bei *Bill.*, I, 888–891; III, 473f; IV, 890.1132f; ferner *W. Bousset / H. Greßmann*, Die Religion 274–277; *P. Stuhlmacher*, Schriftausle-

Der Schlußsatz V 27b: πολὺ πλανᾶσθε wiederholt nicht einfach den bereits V 24b als Frage formulierten Vorwurf der Schriftunkenntnis.[15] Er bekräftigt ihn vielmehr. Er dürfte auch in die Erzählung hineingehören und traditionell sein.

Sind diese Erwägungen richtig, so spricht nichts gegen die Einheitlichkeit der Perikope.[16]

II. Form- und Gattungskritik

A. Sprache des Textes

Schon K. L. Schmidt hatte beobachtet: „Eine Verknüpfung dieser Szene nach rückwärts liegt nicht vor."[17] Der Evangelist Markus reiht einfach die Perikope hier ein, ohne jede Verbindung stilistischer Art mit der vorhergehenden Erzählung herzustellen. V 18 setzt, typisch für Mk, präsentisch mit Angabe des Auftretens der Fragesteller und καί ein.[18] Diesmal sind es die Sadduzäer allein. Im Mk-Evangelium tauchen sie nur hier auf.[19] Ganz gegen mkn. Art und Gewohnheit werden sie im Hinblick auf die zu stellende strittige Frage bereits als Auferstehungsleugner bezeichnet: οἵτινες λέγουσιν ἀνάστασιν μὴ εἶ-ναι. Das Relativum οἵτινες ist nach Moulton selten in der Koine[20] und „fast ganz auf den Nominativ beschränkt".[21] Im Nominativ wird es ziemlich von allen ntl. Autoren gebraucht.[22] Während Lk (Evangelium und Apg) das Substantiv ἀνάστασις öfter verwendet, kommt es bei Mk und Mt nur in dieser Erzählung vor.[23] Um welche ἀνάστασις es sich hier handelt, wird erst aus dem geschilderten Fall deutlich: Es geht um die Auferstehung der Toten (V 25a; vgl. V 23).

gung 149: „Bei der Auferstehungserwartung handelt es sich freilich zur Zeit Jesu noch um alles weniger als um eine Selbstverständlichkeit"; *P. Hoffmann*, Die Toten 79.

[15] Vgl. *A. Olrik*, Gesetze 3f; gegen *A. Suhl*, Funktion 69 Anm. 11.

[16] So mit *J. Schniewind*, Mk 159; *D. H. van Daalen*, Observations 243; *A. Ammassari*, Gesù 66f; *V. Taylor*, Mk 480; *E. P. Gould*, Mk 229; *H. Anderson*, Mk 276.279; *C. E. B. Cranfield*, Mk 373; *R. Pesch*, Mk II,230; *E. Lohmeyer*, Mk 256 + Anm. 5. Anders die oben S. 73 Anm. 10. angeführten Autoren. *E. Hirsch*, Frühgeschichte I, 134, betrachtet zudem auch das „τὰς γραφὰς μηδὲ" (V 24 b) als sekundäre Einfügung.

[17] *K. L. Schmidt*, Der Rahmen 288.

[18] Vgl. *R. Pesch*, Mk II,230.

[19] *Moulton-Geden*, Concordance 885. Bei Mt und in der Apg begegnen die Sadduzäer öfter, allerdings im Mt-Evangelium oft in sekundären Bildungen. Das Lk-Evangelium erwähnt sie auch nur einmal, und zwar hier in diesem Streitgespräch (Lk 20,27).

[20] *H. J. Moulton*, A Grammar, I, 91f; II, 179 zitiert bei *V. Taylor*, Mk 261.

[21] *Blass-Debrunner*, Grammatik § 64,3 und § 293.

[22] Nach *H. Bachmann / W. A. Slaby*, Computer-Konkordanz 1380, kommt das Pronomen ὅστις 148mal im NT vor.

[23] *Moulton-Geden*, Concordance 62f.

Mt und Lk folgen Mk. Sie bemühen sich, ihn stilistisch und sprachlich zu verbessern. So eröffnet Mt die Szene mit einer Zeitangabe: ἐν ἐκείνῃ τῇ ἡμέρᾳ ... und stellt damit einen zeitlichen Zusammenhang her, den man bei Mk vermißt. Der mkn. Relativsatz: οἵτινες ... ist durch ein Partizip ersetzt: λέγοντες, und das Präsens historicum: ἔρχονται durch einen Aorist des von ihm bevorzugten Kompositum προσέρχομαι. Konsequent formuliert er auch den zweiten Satz (V 23c): καὶ ἐπηρώτησαν ... im Erzähltempus, während Mk das Imperfekt bietet: καὶ ἐπηρώτων ... Allerdings muß das in zwei kurzen Sätzen zweimal vorkommende Partizip λέγοντες bei Mt als störend und stilistisch ungeschickt empfunden werden. Feiner zeigt sich Lk. Anstelle vom mkn. καὶ ἔρχονται gebraucht er eine partizipiale Konstruktion mit dem Kompositum προσέρχομαι: προσελθόντες δὲ τινες, die grammatikalisch vom ἐπηρώτησαν V 27c) abhängig ist, und vermeidet so die Parataxe. Aus zwei Hauptsätzen macht er einen einzigen. Mit der Partikel δὲ, die dem Partizip προσελθόντες ... folgt, verbindet er stilistisch besser als Mk die beiden Perikopen. Wieder durch eine Partizipialkonstruktion οἱ ἀντιλέγοντες ... ersetzt Lk den mkn. Relativsatz: οἵτινες λέγουσιν ... Ein besseres Sprachempfinden als Mk und Mt dürfte Lk auch bei der Verwendung der Formel: τινες τῶν Σαδδουκαίων statt des einfachen Σαδδουκαῖοι bei ihnen zeigen. Das Erzähltempus ist wie bei Mt der Aorist.

V 19 stellt die These auf: Μωϋσῆς ἔγραψεν ἡμῖν ὅτι ... Es folgt dann, ohne die einzelnen Klauseln zu erwähnen, ein freies Zitat von Dt 25,5f (und Gen 38,8), das die Frage V 23 vorbereiten soll. Die Satzkonstruktion ist auffällig': ὅτι ἐάν ... ἵνα ... Es liegt hier ein Anakoluth vor. Es handelt sich um zwei vermischte Satzkonstruktionen:

1. ἔγραψεν ὅτι· ἐάν τινος ἀδελφὸς ἀποθάνῃ ...
2. ἔγραψεν ἵνα ἐάν τινος ἀδελφὸς ἀποθάνῃ ... λάβῃ[24]

Das ὅτι-recitativum, das bei den Synoptikern am häufigsten bei Mk zu finden ist,[25] vertritt die „Rolle unseres Anführungszeichens".[26]

Bei allen drei Synoptikern wird der Jesus anerkannte Titel διδάσκαλος in der Anredeform (διδάσκαλε) neben Moses gestellt. Ebenso fällt bei allen dreien die Klausel: ἐὰν κατοικῶσιν ἀδελφοὶ ἐπὶ τὸ αὐτό ... (Dt 25,5) als für die zu stellende Frage belanglos weg. Im übrigen kürzen Mt und Lk ihre mkn. Vorlage teilweise sehr stark und formulieren den Kasus neu. Mt 22,24 „stellt sich als eine durch Verkürzung und Umstellung erreichte Verbesserung des stilistisch

---

[24] Vgl. V. Taylor, Mk 481 im Anschluß an E. Lohmeyer, Mk 255 Anm. 4; K. Beyer, Syntax 259ff, hier 267 mit zahlreichen Belegen. Er nennt diese Konstruktion „konditionale Parataxe im Nebensatz".

[25] Dazu M. Zerwick, Mk-Stil 39–48.

[26] Blass-Debrunner, Grammatik § 470.

ungeschickteren Mc dar".[27] An Stelle vom mkn. Μωϋσῆς ἔγραψεν ἡμῖν ὅτι ... steht nun einfach: Μωϋσῆς εἶπεν. Dabei geht leider die verbindliche Bedeutung des Mosewortes der mkn. Formulierung verloren. Das Personalpronomen ἡμῖν, das ὅτι-recitativum, der Satz καὶ καταλίπῃ γυναῖκα sowie die Konstruktion ὅτι ... ἵνα ... sind gestrichen und das τινος ἀδελφὸς durch τις ersetzt. Die Partizipialkonstruktion μὴ ἔχων τέκνα gibt den mkn. Satz καὶ μὴ ἀφῇ τέκνον wieder und das Simplex ἀναστήσει steht nun für das Kompositum ἐξαναστήσῃ bei Mk. An die Stelle des mkn. ἵνα-Satzes: ἵνα λάβῃ ὁ ἀδελφὸς αὐτοῦ setzt Mt ἐπιγαμβρεύσει ὁ ..., den terminus technicus aus Gen 38,8 LXX.[28] Auch Lk strafft den Mk-Text, doch nicht so stark wie Mt. Auch er verbessert ihn stilistisch. Das mkn. Anakoluth (V 19b): ὅτι ἐὰν ... ἵνα ... wird beseitigt; der Satz καὶ καταλίπῃ γυναῖκα durch eine Partizipialkonstruktion: ἔχων γυναῖκα, und καὶ μὴ ἀφῇ τέκνον durch den amtlichen Ausdruck ἄτεκνος ersetzt. So vermeidet Lk „die drei monotonen Parallelsätze bei Mc".[29]

Nachdem die Fragesteller das für alle Juden verbindliche Mosegesetz zitiert haben, legen sie Jesus nun einen bizarren Fall (VV 20–22) vor. Wie oft bei ihm zu beobachten ist, verbindet Mk V 20 mit V 19 nicht. Ein typischer Fall von Asyndese. Die Geschichte der sieben Brüder weist einen eindeutig volkstümlichen Charakter auf. Es häuft sich das parataktische καί: sieben in drei kurzen Versen! Und wie Mk 12,2–5 wird die Erzählung nach der Regel-de-Tri gestaltet: ὁ πρῶτος ... καὶ ὁ δεύτερος ... καὶ ὁ τρίτος ..., um zusammenfassend festzustellen: καὶ οἱ ἑπτὰ οὐκ ἀφῆκαν σπέρμα. Ἔσχατον πάντων καὶ ἡ γυνὴ ἀπέθανεν (V 22).

Die meisten im Zitat gebrauchten und für den Verlauf der Geschichte wichtigen Begriffe werden in diesen Versen mindestens zweimal wiederholt. Die Wendung ἔλαβεν γυναῖκα bzw. αὐτήν taucht zweimal auf (VV 20b.21a), wobei deutlich gemacht wird, daß es sich um die gleiche Frau handelt. Das Substantiv γυνή bzw. γυναῖκα begegnet ebenso zweimal (VV 20b.22b; vgl. V 23ab: 2mal!); das Verb ἀποθνήσκω dreimal (VV 20c.21b.22b). Der Ausdruck ἀφίημι σπέρμα wird zweimal verwendet (VV 20c.22a; vgl. 21b) und das Wort σπέρμα dreimal (VV 20.21b.22 a). Schließlich kommt auch die Wendung ἑπτὰ bzw. οἱ ἑπτὰ zweimal (VV 20a.22a; vgl. V 23b) vor. Die Siebenzahl spielt im übrigen in volkstümlicher Erzählweise sonst auch eine Rolle.[30] Stilistisch bemerkenswert sind auch die nicht ganz ungeschick-

---

[27] E. Klostermann, Mt 179.

[28] E. Klostermann, Mt 179; E. Lohmeyer / W. Schmauch, Mt 326 Anm. 2; W. Grundmann, Mt 474.

[29] E. Klostermann, Lk 195; Vgl. W. Grundmann, Lk 374.

[30] Vgl. Tob 3,8; 6,14; Jes 4,1 ... Zum Ganzen A. Olrik, Gesetze 1–12, hier bes. 4; R. Bultmann, Geschichte 335–346, hier 382.

ten Wendungen (V 20c): καὶ ἀποθνῄσκων οὐκ ἀφῆκεν σπέρμα und (V 21 b): καὶ ἀπέθανεν μὴ καταλιπὼν σπέρμα.

Mt gibt die mkn. Erzählung gekürzt wieder. Eigentlich wird sie mit wenigen Worten gestreift. Der Evangelist verbindet V 25 mit dem vorhergehenden V 24 besser als Mk. Somit vermeidet er die Asyndese. Mit der Hinzufügung von „παρ' ἡμῖν" bekommt der Fall konkretere Züge als bei Mk. Eine doppelte Partizipialkonstruktion V 25b.c: ὁ πρῶτος γήμας ... καὶ μὴ ἔχων σπέρμα ... formuliert Mk 12,20 b neu, wobei γήμας den Satz ἔλαβεν γυναῖκα und ἐτελεύτησεν das Partizip ἀποθνῄσκων ersetzt. Die Wendung μὴ ἔχων σπέρμα muß hier ergänzt werden, da das Verb ἀφῆκεν anders als bei Mk nicht vom σπέρμα, sondern von der γυνὴ gebraucht wird. Nachdrücklich betont Mt, daß es sich um die Frau des Bruders handelt (V 25c). Er muß deshalb zweimal hintereinander das Personalpronomen αὐτοῦ schreiben. Mit den Adverbien ὁμοίως und ἕως (V 26) kürzt Mt den Mk-Text und faßt das negative Ergebnis des Falles zusammen: den sechs anderen Brüdern ergeht es wie dem ersten. Mk 12,22a kann also als überflüssig wegfallen. Als letztes wird V 27 der Tod der Frau mitgeteilt. Gegenüber dem mkn. ἔσχατον ... wird ὕστερον bevorzugt. Wie bei Mt wird auch bei Lk das erdachte Beispiel stark verkürzt. Von Mk 12,21 bleibt nur die Wendung καὶ ὁ δεύτερος (V 30) stehen. Wie V 28b so bietet auch V 29b eine Partizipialkonstruktion. Der amtliche Ausdruck ἄτεκνος ersetzt auch hier das semitische (ἀποθνῄσκων) οὐκ ἀφῆκεν σπέρμα. Auch Lk beseitigt die Asyndese und schafft durch οὖν einen besseren Übergang zum folgenden V 29. Mit Mt bringt auch er das Adverb ὕστερον statt ἔσχατον (V 32).

Nun kann die Fangfrage gestellt werden. Mk faßt das Erzählte zusammen und legt Jesus die Frage vor (Mk 12,23), die offensichtlich Jesu – und der Pharisäer – Auferstehungshoffnung als lächerlich und absurd erweisen soll. Die Tautologie am Anfang (V 23a) sowie der Begründungssatz V 23c: οἱ γὰρ ἑπτὰ ἔσχον ... wurden bereits in der Literarkritik besprochen. Wieder fehlt jede Verbindung mit dem vorhergehenden Satz. Die Frage wird asyndetisch formuliert.

Und wieder vermeiden die Seitenreferenten diese Asyndese. Mit der Partikel οὖν verbinden beide die Frage unmittelbar mit dem konstruierten Kasus, wobei Lk 20,33 γυνή doppelt eintritt, als Subjekt und als Prädikat, und für das mkn. ἔσται nun γίνεται steht. Ebenso streichen beide das Sätzchen: ὅταν ἀναστῶσιν als überflüssig weg. Der von Mk dadurch erreichte Effekt geht auch hier verloren. Im übrigen folgen Mt und Lk ihrer mkn. Vorlage ziemlich genau.

Wie Mk 12,17 wird nun auch die Antwort des Lehrers dadurch besonders hervorgehoben, daß Jesus nur dieses einzige Mal in der Perikope und zwar bei allen drei Synoptikern namentlich genannt wird (Mk 12,24a; Mt 22,29a; Lk 20,34a). Sonst kommt nur das

Personalpronomen αὐτός vor. Erneut leitet Mk mit einer Asyndese
die Antwort Jesu ein (V 24a): ἔφη αὐτοῖς ὁ Ἰησοῦς · . . . Diese wird bei
allen drei in direkter Rede gehalten. Im Unterschied jedoch zu Mt
und Lk antwortet der mkn. Jesus zunächst mit einer rhetorischen
Frage: οὐ διὰ τοῦτο πλανᾶσθε μὴ . . .; Er macht seinen Gesprächspartnern einen doppelten Vorwurf: Sie sind im Irrtum, die sie weder die
Schrift: εἰδότες τὰς γραφὰς noch die Macht Gottes: μηδὲ τὴν δύναμιν
τοῦ θεοῦ kennen.

Hier begegnen uns zwei Begriffe, die bei Mk nur in dieser
Erzählung vorkommen. Es sind das Verb πλανᾶσθε-πλανάομαι und
der Ausdruck ἡ δύναμις τοῦ θεοῦ.[31] Umstritten ist die Frage, worauf
sich die Wendung διὰ τοῦτο bezieht. Viele Ausleger wollen sie zum
folgenden ziehen.[32] Doch wird man mit E. Klostermann das διὰ τοῦτο
besser auf das Vorhergehende zu beziehen haben, wie es sonst auch
immer im ntl. Sprachgebrauch geschieht,[33] und etwa so übersetzen:
„(Zeigt) ihr damit nicht (gerade), daß ihr irrt . . .“.

Mt 22,29a und Lk 20,34a halten sich zunächst an ihre mkn.
Vorlage. Wieder vermeiden sie die mkn. Asyndese. Mt stellt ein δὲ
und Lk ein parataktisches καὶ an den Anfang. Statt ἔφη schreibt Mt
ἀποκριθεὶς . . . εἶπεν und Lk einfach εἶπεν. Was die Antwort Jesu selbst
anbelangt, weichen sie sehr stark voneinander ab. Wir erwähnten es
oben schon. Mt 22,29b fehlt das mkn. οὐ διὰ τοῦτο. Die schwierige
Frageform des Mk-Textes wird außerdem durch eine klare und
bestimmte Aussage ersetzt. Der mt. Jesus stellt einfach den Irrtum der
Sadduzäer fest. Lk 20,34–36 scheint, wie bereits gesagt wurde, aus
einer Variante zu stammen. Der Vorwurf der Unkenntnis der Schrift
und der Macht Gottes fehlt. Die Antwort Jesu ist viel länger als

[31] In den synoptischen Evangelien taucht der Ausdruck ἡ δύναμις τοῦ θεοῦ nur in
diesem Streitgespräch Mk 12,24 par Mt 22,29 und noch Lk 22,69; Apg 8,10 auf. Vgl.
aber die Briefliteratur! Das 4. Evangelium sowie die Briefe des Johannes verwenden
weder das Substantiv δύναμις noch die Wendung ἡ δύναμις τοῦ θεοῦ. Ausnahme
macht die Apokalypse des Johannes. Vgl. *Moulton-Geden*, Concordance 231ff. Zum
Vorwurf, vgl. Joh 5,37f. Zu πλανάω – πλανάομαι, vgl. *Moulton-Geden*, Concordance
812. Die Aktivform gebrauchen Mk und Mt auch nur in der syn. Apokalypse (Mk
13,5.6 und Mt 24,4.5.11.[24]). Lk kennt nur die Passivform (21,8).
[32] So z. B. *V. Taylor*, Mk 483: „Probably διὰ τοῦτο points forward.“ Dementsprechend
übersetzt er den Satz: "Is not this the reason why you go wrong, that you know
not . . . ?" Vgl. ferner *E. Lohmeyer*, Mk 255f; *W. Grundmann*, Mk [7]331; *R. Pesch*, Mk
II,230; *E. Schweizer*, Mk [5]134; *M.-J. Lagrange*, Mc 319; *R. Schnackenburg*, Mk II,163; *E.
Haenchen*, Weg 410.
[33] *E. Klostermann*, Mk 125f; *A. Suhl*, Funktion 69 + Anm. 9; *J. Gnilka*, Mk II,159; vgl. *J.
Schmid*, Mk 225. Zum ntl. Sprachgebrauch, vgl. *W. Bauer*, Wb 356–360; zur Angabe
des Grundes, ebda. 359f. *A. Suhl*, l.c. macht darauf aufmerksam: „Folgt die
inhaltliche Füllung für das διὰ τοῦτο erst nachträglich – (wie es viele Übersetzungen
voraussetzen) –, wird sie stets mit einem ὅτι aufgenommen, aber nie mit einem
Partizip“. (Anm. 9).

Mk/Mt und ihre Formulierung zeichnet sich durch Semitismen aus. Sie wird kaum als Bearbeitung der mkn. Vorlage zu verstehen sein. Lk verfügt hier sehr wahrscheinlich über eine Variante dieser Tradition. Das soll uns hier nicht weiter beschäftigen. Es genüge, dieses festgestellt zu haben.[34]

Ohne den Gegnern die Möglichkeit zu geben zu seinem Vorwurf Stellung zu nehmen, fährt Jesus fort. Er entfaltet nun positiv seine aus zwei Teilen bestehende Antwort (Mk 12,25 und 26f). V 25 begründet zunächst das *Wie* des Auferstehungslebens (γάρ). Im Hinblick und im Unterschied zu V 26f, fällt hier auf, daß Jesus in diesem ersten Teil seiner Antwort nicht mit der Schrift argumentiert. Er antwortet direkt auf die gestellte Frage. Während das Verb γαμέω öfter Verwendung im Mk-Evangelium findet, stellt γαμίζω ein Hapax dar.[35] Dagegen ist die Formel ἐκ νεκρῶν,[36] meistens in der Gestalt ἐκ νεκρῶν und nur selten mit dem Artikel, im NT gut belegt und dem Markus nicht unbekannt (Mk 6,14; 9,9f; vgl. Mk 16,14). Sie begegnet meist in Auferstehungsaussagen mit Bildungen vom Stamm ἐγερ- oder στη –στα. Außerhalb des NT finden sich analoge Bildungen, die aber kaum als Formel zu bezeichnen sind, bereits bei Platon und Sophokles.[37] In LXX finden wir die Wendung (Sir 48,5): ὁ ἐγείρας νεκρὸν ἐκ θανάτου, häufiger aber ῥύεσθαι ἐκ θανάτου.[38] Auch der substantivische Plural νεκροί (Poetisch: νέκυες) ist in der griechischen Sprache seit Homer belegt und bezeichnet, meist ohne Artikel, „die Gesamtheit der Verstorbenen, alle in der Unterwelt Befindlichen".[39] Mit Präpositionen verbunden kann die Wendung auch den Bereich der Toten, den Hades, die Scheol, die Toten als Bewohner der Unterwelt und die Totenwelt überhaupt, sowohl in der Gräzität wie auch in LXX, bezeichnen.[40] Der Ausdruck ἐν τοῖς οὐρανοῖς wird am besten zu ἄγγελοι zu ziehen sein (vgl. Mk 13,32).[41]

Mt 22,30 bearbeitet stilistisch seine mkn. Vorlage. Er ersetzt den Temporalsatz Mk 12,25a: ὅταν γάρ . . . durch die Wendung: ἐν γὰρ τῇ

---

[34] Zu diesem Problem, vgl. die oben Anm. 2 S. 71 angeführte Literatur.

[35] *Moulton-Geden*, Concordance 155.

[36] Vgl. *W. Bauer*, Wb 1058f; *Blass-Debrunner*, Grammatik §§ 252; 254,2; *P. Hoffmann*, Die Toten 180–185; *A. Oepke*, ThWNT I, 369f; *R. Bultmann*, ThWNT IV, 896–899.

[37] *Platon*, Symposion 179c: ἔδοσαν τοῦτο γέρας οἱ θεοι, ἐξ Ἅιδου ἀνεῖναι πάλιν τὴν ψυχήν. *Sophokles*, Elektra 137–139: ἀλλ᾽ οὔτοι τὸν γ᾽ἐξ Ἅιδα παγκοίνου λίμνας πατέρ᾽ ἀναστάσεις οὔτε γόοις οὔτε . . . Vgl. *A. Oepke*, ThWNT I,369.

[38] Est 4,8; Job 5,20; Ps 32,19; 55,14; Prov 10,2; 23,14. Vgl. Os 13,14; und in der apokalyptischen Literatur, *Ps-Philo*, LAB 3,10: „erigam dormientes de terra".

[39] *W. Bauer*, Wb 1058.

[40] Vgl. *P. Hoffmann*, Die Toten 183 + Anm. 48. In LXX stehen νεκροί für das hebräische *metijm*. Vgl. Ps 87,5.11; Ps 113,25; Tob 5,9; Sap 13,10; 4,19.

[41] Mit *M.-J. Lagrange*, Mc 319; *V. Taylor*, Mk 483; *R. Pesch*, Mk II, 233; *J. Schniewind*, Mk 158; *E. Klostermann*, Mk 126; *C. E. B. Cranfield*, Mk 375. Anders *W. Grundmann*, Mk [7]333.

ἀναστάσει ... (vgl. V 28). Auffällig bei Mt ist der Singular: ἐν τῷ οὐρανῷ ..., da er sonst immer die Pluralform vorzieht.[42] Lk 20,35b stimmt mit Mk 12,25a nur zum Teil wörtlich überein. Lk 20,35a.36 verwendet der Evangelist seine Variante.

Ist das *Wie* der Auferstehung geklärt, so kann Jesus nun auf die grundsätzliche Frage, auf das *Daß* der Auferstehung der Toten eingehen. Der neue Ansatz wird eindeutig markiert (Mk 12,26): περὶ δὲ τῶν νεκρῶν ὅτι ἐγείρονται, ... Dieser Satzanfang ist grammatisch nicht gerade geschickt, wie E. Schweizer richtig beobachtet[43], obwohl sich Markus bemüht, mit der Partikel δὲ diesmal eine Asyndese zu vermeiden und eine stilistische Verbindung zwischen V 25 und V 26 herzustellen (vgl. Mk 13,32; 1 Thess 5,1). Das Verb ἐγείρονται ist ein gnomisches Präsens wie 1 Kor 15,16.29. Die Wendung ἐν τῇ βίβλῳ Μωϋσέως findet sich im NT nur an dieser Stelle bei Markus.[44] Einmalig ist auch die Zitationsweise: ἐπὶ τοῦ βάτου = bei der Stelle vom Dornbusch, die Parasche vom Dornbusch (Vgl. Rm 11,2).[45] Die Ausdrucksweise εἶπεν ... λέγων ... (V 26c) stellt einen Pleonasmus dar, der wahrscheinlich das hebräische *l'mr* wiedergibt.[46] Dem Schriftzitat am Anfang (V 19) entspricht nun am Ende des Gespräches ein anderes, ebenfalls aus der Tora entnommenes Zitat (Ex 3,6 LXX). Die uns hier begegnende Formel: ἐγὼ ὁ θεὸς Ἀβραὰμ καὶ θεὸς Ἰσαὰκ καὶ θεὸς Ἰακώβ taucht im ganzen NT außer an dieser Stelle nur noch zweimal auf (Apg 3,13 und 7,32).[47]

Mt strafft und verbessert den Mk-Text. Den umständlichen mkn. ὅτι-Satz ersetzt er durch das Substantiv ἀνάστασις: περὶ δὲ τῆς ἀναστάσεως τῶν νεκρῶν; und Mk 12,26b: ἐν τῇ βίβλῳ Μωϋσέως ... πῶς εἶπεν ... formuliert er anders: οὐκ ἀνέγνωτε τὸ ῥηθὲν ὑμῖν ὑπὸ τοῦ θεοῦ λέγοντος· ἐγὼ εἰμι ... Beim Zitat (V 32a) fügt er das Verb εἰμι nach ἐγώ und jeweils den bestimmten Artikel ὁ vor θεὸς Ἰσαὰκ und Ἰακώβ hinzu. Sie fehlen bei Mk (V 26c).

Mit dem Stichwort Auferstehung: ὅτι δὲ ἐγείρονται οἱ νεκροί kehrt Lk wieder zu Mk zurück (V 37). Er schreibt allerdings den ganzen Vers Mk 12,26 neu. Vom mkn. Satz: περὶ δὲ τῶν νεκρῶν ὅτι ἐγείρονται ... übernimmt er nur den ὅτι-Satz, den er mit einem Subjekt οἱ νεκροί versieht. Ebenso verfährt er mit Mk 12,26b: οὐκ ἀνέγνωτε ... Er schreibt einfach: καὶ Μωϋσῆς ἐμήνυσεν ἐπὶ τῆς βάτου ὡς λέγει, wobei er den Sinn des mkn. Satzes sehr schwächt. Zur Formel Gott

---

[42] *E. Klostermann*, Mt 179.

[43] *E. Schweizer*, Mk [5]136.

[44] *Moulton-Geden*, Concordance 147. Vgl. 2 Chr 35,12; 1 Esdr 5,48; 7,6.9; Tob 6,13; 7,12 LXX.

[45] *V. Taylor*, Mk 483: ἐπὶ τοῦ βάτου „is a customary method of referring to the narrative of the burning bush"; *E. Klostermann*, Mk 126. – Dazu auch Bill II,28; III,288.

[46] *V. Taylor*, Mk 63; *M.-J. Lagrange*, Mc LXXII ff; *B. Rigaux*, Mc 89f.

[47] *Moulton-Geden*, Concordance 442ff; ferner *F. Dreyfus*, L'argument scripturaire 216.

Abrahams, Gott Isaaks und Gott Jakobs tritt ein κύριον hinzu. Wie bei Mk so fehlt auch hier der Artikel zu Gott Isaaks und Gott Jakobs.

Die doppelte Frage ist beantwortet. Nun zieht Jesus den Schluß: οὐκ ἔστιν ϑεὸς νεκρῶν ἀλλὰ ζώντων (V 27a). Die drei Synoptiker stimmen in der Formulierung fast wörtlich genau überein (Mk 12,27a; Mt 22,32b; Lk 20,38a). Bei Mk liegt wieder eine Asyndese vor. Singulär ist auch bei ihm die Bezeichnung: die Lebenden – ϑεὸς ζώντων. Hier fehlt jeder Artikel. Mit dem wiederholten, nun als Aussage formulierten Vorwurf gegen die Sadduzäer endet der Mk-Bericht. Die Schlußantwort hat keinen apophthegmatischen Charakter wie Mk 12,17a, und die Reaktion der Gegner wird nicht mitgeteilt (vgl. 12,28!).

Mt übernimmt fast wortgetreu den Mk-Text mit seiner Asyndese. Er setzt einen bestimmten Artikel ὁ vor ϑεὸς und streicht den Vorwurf und das πολὺ πλανᾶσϑε weg. Konsequent vermeidet Lk bis zum Schluß die Asyndese (V 38a: δὲ). Er verdeutlicht den Mk-Text, indem er πάντες γὰρ αὐτῷ ζῶσιν (V 38b) hinzufügt. Über Mk hinaus wissen die Seitenreferenten über die von der Antwort Jesu ausgelöste Reaktion zu berichten und schließen damit die Erzählung ab. Mt gibt die Mk 11,18b berichtete Notiz vom Staunen der Massen über die Lehre Jesu wieder. Lk 20,39 sind es einige Schriftgelehrte, die Jesus beipflichten. Dabei lehnt sich die Formulierung an Mk 12,32ab an. V 40 nimmt Lk den Schluß von Mk 12,34c vorweg.

Als Ergebnis des synoptischen Vergleichs darf das Urteil E. Lohmeyers über den Mt-Text festgehalten werden. Im ganzen ist „der Mt-Bericht . . . sprachlich einfacher und stilistisch gerundeter"[48] als der markinische mit seinen Parataxen, ὅτι-recitativum,[49] seinen Asyndesen und seinen ungeschickten Satzkonstruktionen. Als Erzähltempus wird bei allen drei Synoptikern der Aorist im erzählenden Teil und das Präsens oder das Futurum im Rede-Teil konsequent verwendet.

B. Gliederung und Aufbau

Der Aufbau der Perikope bereitet keine Schwierigkeiten. Sie gliedert sich deutlich in zwei Teile. Nach der Exposition (V 18) bringt der 1. Teil das Anliegen und die Frage der Gesprächspartner Jesu zum Ausdruck (VV 19–23). Der 2. Teil befaßt sich mit der Antwort und Position Jesu zu der gestellten Frage (VV 24–27). Wiederum kann jeder der zwei Teile in zwei Unterteile geteilt werden. Die Spottfrage der Sadduzäer (V 23) wird von einem Zitat aus dem Gesetz Moses

---

[48] E. Lohmeyer / W. Schmauch, Mt 326. Das dürfte auch für Lk zutreffen.
[49] Unter die ausgesprochenen ὅτι-Stücken im Mk-Evangelium zählt M. Zerwick, Mk-Stil 41 u. a. Mk 12,1–12; 12,18–27 und 12,28–34.

Dt 25,5f [+ Gen 38,8] (V 19) und von einem erdachten Fall vorbereitet
(VV 20–22). In seiner Antwort geht Jesus zunächst auf die ihm
vorgelegte Frage, d. h. auf das Wie des Auferstehungslebens ein
(VV 24–25), sodann beantwortet er die grundsätzliche Frage, das von
den Gegnern stillschweigend geleugnete Daß der Auferstehung
(VV 26–27). Die Antwort Jesu ist vom Vorwurf des Irrtums gerahmt
(VV 24b und 27b). Dem Zitat aus Moses am Anfang (V 19) korrespon-
diert am Schluß ein ebenfalls aus Moses entnommenes Wort (V 26).
Als Personen treten nur Jesus und die Sadduzäer auf! Auf sie allein
konzentriert sich die Erzählung.

C. Bestimmung der Gattung

Die Struktur der Erzählung weist Merkmale eines uns bereits
bekannten Schemas auf:[50]

Die Erzählung ist knapp. Die Vorstellung der Protagonisten ist auf
das Minimum beschränkt. Nur das für das Verständnis der Geschich-
te Notwendige wird mitgeteilt. M. Dibelius redet mit Recht von der
„Kürze und Einfachheit der Erzählung".[51] Darauf folgt die vom Zitat
(V 19) und von dem bizarren Fall (VV 20–22) vorbereitete Frage
(V 23). Im Unterschied zu Mk 11,27ff und Mk 12,13ff werden hier
Gegenfrage und Schlußantwort Jesu (VV 24.26 und 25.27) in einem
Atemzug geboten, wobei hier ein alttestamentliches Wort an der
Spitze steht. Die Diskussion verläuft also typisch rabbinisch. Sie
„bewegt sich durchaus in den Geleisen rabbinischen Denkens".[52] Wir
haben also folgendes Schema:

1. V 18 Exposition:
Die Partner Jesu werden vorgestellt als Leute, die die Auferstehung
leugnen. Sie sind von der Partei der Sadduzäer.
2. V 19–23 Konflikt:
Die Absurdität der Auferstehungshoffnung wird anhand des Gesetzes
und der ersonnenen Geschichte demonstriert: Schriftzitat – Kasus –
Frage.
3. VV 24–27 Lösung des Konfliktes:
a) – V 24: Gegenfrage mit Vorwurf des Irrtums
b) – V 25: erste Antwort auf das Wie der Auferstehung
c) – V 26f: zweite Gegenfrage mit Schlußantwort Jesu und wiederhol-
ter Vorwurf des Irrtums

Wie bereits V 18b andeutet, vor allem aber die nach sadduzäischer
Auffassung Kollision der Bestimmungen des Gesetzes mit der Aufer-

---

[50] Vgl. 1. Studie: Mk 11,27–33.
[51] M. Dibelius, Formgeschichte 46.
[52] E. Lohmeyer, Mk 257.

stehungshoffnung zeigt deutlich, daß die Absicht der Gegner nicht Belehrung von Jesus ist, sondern ihn der Lächerlichkeit preiszugeben.[53] Damit ist die Gattung der Einheit eindeutig bestimmt. Es handelt sich hier nicht um ein Schul- bzw. Lehrgespräch,[54] sondern um ein Streitgespräch.[55]

III. Interpretation des Traditionsstückes

Es stellt sich nun die Frage nach dem Sinn dieses Streitgespräches im Munde Jesu. Um aber Jesu Antwort recht zu verstehen und den tiefen Unterschied zwischen ihm und seinen Gesprächspartnern zu sehen, muß zuvor noch eine Frage geklärt werden: Wer waren die hier als Auferstehungsleugner abgestempelten und auftretenden Sadduzäer und welche „Theologie" vertraten sie?

A. DIE SADDUZÄER UND IHRE THEOLOGIE

Von diesen Gesprächspartnern Jesu wissen wir nicht viel, da uns schriftliche Zeugnisse aus sadduzäischen Kreisen fast ganz fehlen und die Darstellung unserer Hauptquelle Flavius Josephus sowie die rabbinische Literatur nicht unbefangen, sondern eher einseitig und polemisch gegen die Sadduzäer ausgerichtet sind. Auch im NT tritt der Sadduzäismus in seiner vielfältigen Eigenart und Problematik nicht in Erscheinung. Das NT beschränkt sich hauptsächlich nur auf den Glauben an die Auferstehung (Mk 12,18–27 und Parr; Apg 4,1; 5,17; 23,6–8).[56]

---

[53] Alle Ausleger sind sich hier einig. Vgl. E. Klostermann, Mk 125.

[54] Gegen R. Pesch, Mk II,230; G. M. de Tillesse, Secret 155.

[55] Mit M. Albertz, Streitgespräche 24f; J. Gnilka, Mk II,157 und die meisten Kommentatoren. Nach M. Dibelius, Formgeschichte 40 handelt es sich hier um ein Paradigma „minder reinen Typs"; vgl. A. J. Hultgren, Jesus 131.

[56] Mt 3,7; 16,1.6.11.12 werden die Sadduzäer zusammen mit den Pharisäern genannt. Diese Stellen dürften sekundär sein. Vgl. die Kommentare zu Mt. Zum ganzen Problem und zur Josephus-Darstellung, vgl. R. Meyer, ThWNT VII,35–54 mit Literaturangabe; K. H. Müller, Jesus und die Sadduzäer 3–24; E. Lohse, Umwelt des NT 51–53; B. Reicke, Ntl. Zeitgeschichte 114–116; J. Wellhausen, Die Pharisäer und die Sadduzäer, bes. 43–56; J. Jeremias, Jerusalem II, B 53–100; W. Bousset-H. Greßmann, Die Religion 185–187; E. Schürer, Geschichte II, 449–454; E. Schürer / G. Vermès, History II, 381–388.404–414; J. Leipoldt / W. Grundmann, Umwelt des Urchristentums I, 267–269; J. Z. Lauterbach, The Pharisees 69–139; Ders., A significant controversy 173–205; G. Baumbach, Konservatismus 201–213; Ders., Sadduzäerverständnis 17–37; H. Rasp, Flavius Josephus 27–47; J. de Fraîne, Sadduzäer (B. Lex/Haag) 1502–1503; B. J. Bamberger, The Sadducees 433–435. Zur rabb. Lit. Bill., IV, 343–352, bes. 344f; IV², 1016–1168.

Die aus den Kreisen der Jerusalemer Aristokratie hervorgegangenen Sadduzäer, vorwiegend Inhaber der hohen priesterlichen Ämter und Glieder der einflußreichen Jerusalemer Geschlechter,[57] bildeten nach Flavius Josephus mit den Pharisäern und den Essenern eine der drei jüdischen Religionsparteien: „Es gibt nämlich bei den Juden drei Arten von philosophischen Schulen; die eine bilden die Pharisäer, die andere die Sadduzäer, die dritte, welche nach besonders strengen Regeln lebt, die sogenannten Essener".[58] Nach überwiegender Meinung der Forscher wird die Bezeichnung „Sadduzäer" mit dem Namen des zu Davids und Salomos Zeiten als Ober- und Hohepriester eingesetzten Zadoq in Zusammenhang zu bringen sein (2 Sam 15,24ff; 17,15; 19,12; 1 Kge 1,32; 2,35; 1,8), von dem sich die Priester in Jerusalem als ihrem Ahnherrn herleiten (Ez 40,46; 43,19; 44,15; 48,11).[59]

Was die Entstehungszeit der Partei angeht, so läßt sich nur soviel sagen, daß wir von den Sadduzäern als der Standespartei erst seit der Mitte des zweiten vorchristlichen Jahrhunderts sprechen können.[60] Mit der Zerstörung Jerusalems und des Tempels 70 n. Chr. gingen auch sie unter.

Worin unterschieden sich nun die Sadduzäer von ihren Gegnern, den Pharisäern? Theologisch und religiös[61] zeichneten sich die Sadduzäer besonders durch ihren strengen Konservatismus aus. R. Meyer

---

[57] Vgl. *J. Jeremias*, Jerusalem II,B 96f; *E. Lohse*, Umwelt 51; *O. Michel / O. Bauernfeind*, Fl. Josephus, Bell. I, 440 bezeichnen die Sadduzäer als die „Partei des priesterlichen Hochadels" (Anm. 89); *J. Leipoldt / W. Grundmann*, Umwelt des Urchristentums I, 267; *E. Schürer / G. Vermès*, History II, 404.

[58] *Fl. Jos.*, Bell. II, 119; ferner 164–166; Ant. 12,171.173; 193–198; Ant. 18,16f; 20,199; Vita 10.

[59] Das alte Priestergeschlecht der Sadokiden war also auch bei der Entstehung der Qumrangemeinschaft mitbeteiligt, wie es die Priesterbezeichnung „Söhne Sadoks" in der Qumran-Schriften beweist (1 QS 5,2.9; 1 QSa 1,2.24; 2,3; 1 QSb 3,22; 4 Q Fl 1,17; CD 4,1.3; CD 5,5). Nach den Rabbinen gehen die Sadduzäer zusammen mit den Boethosäern auf zwei Schüler des Antigonos von Soko (2. Jh. v. Chr.) mit Namen Sadok und Boethos zurück, wobei die Ablehnung der Vorstellung vom kommenden Äon und von der Auferstehung der Toten zur Sektenbildung geführt haben soll (vgl. Abot de-Rabbi Natan 5). Dazu *E. Schürer*, Geschichte II, 478 Anm. 16; *J. Wellhausen*, Die Pharisäer und die Sadduzäer 46 Anm. 2; *G. Baumbach*, Konservatismus 202f; *R. Meyer*, ThWNT VII, 41; *Bill.*, IV, 343 (Text und Übersetzung von Abot de-Rabbi Natan); *B. Reicke*, Ntl. Zeitgeschichte 114 möchte den Namen von „saddiq = Recht habend" oder „sadduq = Recht übend" als Ausdruck für „die rechtlich strenge Haltung der Sadduzäer" ableiten. Das bleibt aber problematisch. Dazu *G. Baumbach*, Konservatismus 202; vgl. ferner *E. Schürer–G. Vermès*, History II, 405–407.

[60] *R. Meyer*, ThWNT VII, 37 + Anm. 17; *J. de Fraîne*, Sadduzäer, in: B. Lex./Haag 1502f; *G. Baumbach*, Sadduzäerverständnis 36f; *Ders.*, Konservatismus 203f.

[61] Ihre politische Einstellung und Rolle soll uns hier nicht näher beschäftigen, obwohl beide Aspekte sich nicht säuberlich trennen lassen. Dazu vgl. die angeführte Literatur.

charakterisiert sie wie folgt: „Sadduzäisch oder sadokisch gesinnt sein bedeutet, von der Idee eines national-partikularen Tempelstaates getragen zu werden, der im Sinne überkommener heilseschatologischer Erwartungen die Keimzelle bildet für die Entsühnung des Heiligen Landes, für seine Befreiung von allem Heidnischen und Halbheidnischen, sowie für die Wiedererrichtung des idealisierten Reiches Israel, wie es einst David besessen hatte".[62] Vertreter der alten Frömmigkeit, hielten sie sich streng an den Wortlaut der Tora, des Gesetzes des Moses. Hier liegt nach A. Schalit ein Hauptmerkmal sadduzäischer Gesinnung vor: „Das eigentliche, wirklich charakteristische Kennzeichen der Sadduzäer... war das Wesen ihrer halachischen Methode, das in dem Prinzip bestand, auf den schriftlich fixierten Text der Tora allein zu achten und jede Deutelei an der also feststehenden Überlieferung abzulehnen: für die sadduzäische Exegese war nur der objektive Sinn des geschriebenen Wortes maßgebend".[63] Die Sadduzäer lehnten es also ab, der mündlichen Überlieferung, die die Pharisäer hochschätzten, gleichen Rang wie dem geschriebenen Gesetz, der Tora, zuzuerkennen.[64] Sie hielten die pharisäische Lehrentwicklung, die Tradition, für nicht verbindlich.

Dazu zählte nun auch die uns hier beschäftigende Lehre von der Auferstehung der Toten. Nicht etwa aus sittlichem Libertinismus oder aus hellenistischem, liberalem Geist erfolgte die Ablehnung der pharisäischen Auferstehungslehre, sondern hauptsächlich nur deswegen, weil sie nicht in der Tora bezeugt ist. Bekanntlich sprechen nur ganz späte Stellen des AT von der Auferstehung der Toten (Jes 26,19; Dan 12,1–3; Ps 73,24f). Von Flavius Josephus und von den Rabbinen werden die Sadduzäer deshalb mit den Epikuräern verglichen oder sogar gleichgesetzt. Nach Josephus leugneten die Sadduzäer die Existenz einer unvergänglichen Seele: „Die Lehre der Sadduzäer läßt die Seele mit dem Körper zugrunde gehen."[65] Im Talmud (b. Sanh 90b) ist uns ein Streitgespräch zwischen Sadduzäern und Rabban Gamaliel II (um 90 n. Chr.) überliefert, in dem der Rabbi vergebens versucht, die Sadduzäer davon zu überzeugen, daß sich ein zureichender Schriftgrund für die Totenauferstehung finden lasse.[66] Nach M. Sanh 10,1 haben diese keinen Anteil am kommenden Äon: Wer sagt, daß es keine Auferstehung der Toten gebe und daß die

---

[62] R. Meyer, ThWNT VII,44; ferner J. Z. Lauterbach, A significant controversy, bes. 194f.

[63] A. Schalit, König Herodes (1969) 520f; vgl. ferner J. Z. Lauterbach, The Pharisees, bes. 77.

[64] Vgl. W. Bousset / H. Greßmann, Die Religion 186; E. Lohse, Umwelt des NT 52; J. Jeremias, Jerusalem, II B 98f; E. Schürer / G. Vermès, History II, 407–411.

[65] Fl. Josephus, Ant 18,16f; vgl. Bell 2,165.

[66] Bill., I,893; R. Meyer, ThWNT VII,47.

Tora nicht von Gott stamme, d. h. die Epikuräer.[67] Die Leugner der Auferstehung werden Weish 1,16f „Frevler" und äth. Hen 102,6 „Sünder" genannt.

Aber nicht nur die Leugnung der Existenz einer unvergänglichen Seele im Menschen, also des individuellen Fortlebens nach dem Tod sowie des jenseitigen Gerichtes (Anthropologie) und die Leugnung der Auferstehung der Toten (Eschatologie) unterschied die Sadduzäer von den Pharisäern, sondern auch ihr Gottesbild. Im Gegensatz zu den Pharisäern leugneten die Sadduzäer auch die εἱμαρμένη in der Gestalt der göttlichen Vorsehung: „Gott greift weder in die Gesamtgeschichte ein, noch sorgt er für die Einzelmenschen. Dementsprechend haben auch Gut und Böse bzw. Glück und Unheil ihren Ursprung allein im freien menschlichen Willen."[68] Daß sie, wie Apg 23,8 berichtet, auch die Existenz der Engel und der Geister bestritten, läßt sich aus jüdischen Quellen nicht belegen, entspricht aber, meint Billerbeck, ganz ihrer Diesseitigkeitsreligion.[69]

Von diesem Hintergrund her kann man besser die Bedeutung dieses Streitgespräches Mk 12,18–27 parr. messen. Es leuchtet auch ein, daß es sich hier nicht um Belehrung seitens der Sadduzäer, sondern nur um Spott handeln kann. Die Sadduzäer wollen den Auferstehungsglauben Jesu, der in diesem Punkte mit den Pharisäern übereinstimmt, ins Lächerliche ziehen. Und um die Absurdität der Auferstehungshoffnung zu demonstrieren, berufen sie sich auf die Institution der Leviratsehe (Dt 25,5–10), die zur Zeit Jesu wahrscheinlich nicht mehr praktiziert wurde,[70] und legen Jesus einen besonders

---

[67] *Bill.*, I,637f; 805; 862; 923; *R. Meyer*, ThWNT VII, 46f. Seder Olam 23 werden die Sadduzäer neben Verrätern, Heuchlern und Epikuräern genannt.

[68] *R. Meyer*, ThWNT VII, 46; *Fl. Josephus*, Bell 2,164. Zum ganzen Fragenkomplex, vgl. *J. Z. Lauterbach*, The Pharisees 69–139; *Ders.*, A significant controversy 173–205; *K. H. Müller*, Jesus und die Sadduzäer 21–23; *G. Baumbach*, Sadduzäerverständnis, bes. 26f; *Ders.*, Konservatismus 210–213; *Bill.*, IV, 344–352, bes. 344f.

[69] *Bill.*, II, 767; vgl. *J. Wellhausen*, Die Pharisäer und die Sadduzäer 54; *E. Haenchen*, Apostelgeschichte [7]611 stellt die berechtigte Frage: „Aber wie konnten sie die Engel leugnen, die doch in der von ihnen anerkannten Tora erscheinen?" Und *B. J. Bamberger*, The Sadducees 433–435 betont: „There is, in fact, no evidence that the existence of angels as such was called into question by any Jew of the 2[d] Commonwealth or of the rabbinic period – except, of course, Acts 23,8." Bamberger ist der Meinung, daß es hier gegen einen Engel-Kult gehen könnte, denn „There are many passages in talmudic literature which seem to be aimed against the cult of angels, which stress reliance on God alone (Mekh. Pisḥa 7 on Ex 12,12), forbid prayer to angels (Jer. Berakot 13a; Tos. Hullin 2,18) . . .". Den Grund dieser feindlichen Einstellung den Engeln gegenüber sieht er darin: „Such utterances sprang from a simple religious concern: that stress on the power and importance of angels might impair the purity of the monotheistic faith." (S. 434).

[70] *R. Schnackenburg*, Mk II, 164f: „Die Vorschrift hatte in früheren gesellschaftlich-ökonomischen Verhältnissen, nämlich für die Erbfolge bei Landbesitz, ihren Grund, wurde aber schon in alttestamentlicher Zeit zurückgedrängt, vor allem mit Rücksicht

komplizierten Fall von sieben Brüdern vor, welche nacheinander eine Frau heiraten und kinderlos sterben.[71] Nach sadduzäischer Theologie meint P. Carrington, „the transmission of ‚seed' and the production of a family would seem to have been the equivalent of immortality or resurrection".[72]

Ging es ursprünglich also bei dieser Institution der Leviratsehe um den Erben (Gen 38,8; Rut 4,5.10), um den Sohn, damit der Name des Bruders „nicht aus Israel ausgelöscht" werde (Dt 25,5 ff), so wird hier vom „Kind" geredet und die Frau in den Vordergrund gerückt. Wenn es eine Auferstehung gibt, fragen nun die Sadduzäer, wem wird in diesem Fall die Frau gehören? Vorausgesetzt wird hier die Vorstellung, daß in der kommenden Welt die Ehe weitergeführt und Kinder gezeugt werden (V 25); mit anderen Worten, daß die diesseitigen Lebensverhältnisse auch im neuen Äon gelten, sogar gesteigert fortgesetzt werden. Das entspricht wohl volkstümlicher und teilweise auch pharisäischer Erwartung des zukünftigen Lebens.[73] Der Kasus soll eben deutlich machen, daß Moses, der große Gesetzgeber und Israels Lehrer par excellence[74], mit der Auferstehung der Toten nicht

---

auf Lev 18,16; 20,21 . . . Wahrscheinlich war es schon zur Zeit Jesu nur noch ein theoretischer Fall." Ferner *J. Wellhausen*, Mc 95: „Die Leviratsehe bestand freilich zur Zeit Jesu wohl nicht mehr"; *Bill.*, I, 886f.

[71] *Bill.*, I, 887 bringt eine ähnliche Geschichte aus dem palästinischen Talmud, nach der ein Mann zwölf Frauen seiner zwölf verstorbenen Brüder in Leviratsehe heiratet!

[72] *P. Carrington*, Mk 261; ferner *A. E. J. Rawlinson*, Mk 261 zitiert bei *J. Gnilka*, Mk II, 158.

[73] Die rabbinische Literatur unterscheidet die Verhältnisse in der zukünftigen Welt von denen in den Tagen des Messias und diese nochmals von den Verhältnissen in der himmlischen Welt der Seelen (Berakoth 17a). *Bill.*, I, 888 ist der Meinung, daß man es für selbstverständlich hielt, daß in der zukünftigen Welt das eheliche Leben in Geltung und Übung bleibt. Doch raumt er ein: „Ausdrückliche Zeugnisse für das eheliche Leben der Auferstandenen in der zukünftigen Welt liegen allerdings nicht vor; denn die wenigen Stellen, die von der Kindererzeugung in der Zukunft handeln, sind nicht eindeutig; sie scheinen sich mehr auf die Tage des Messias als auf die eigentliche zukünftige Welt nach der Auferstehung zu beziehen." Nach *P. Hoffmann,* Die Toten, bes. 58–80 zeigen Jes 14 und Ez 32, daß „im Totenreich die soziale Ordnung dieser Welt als weiter bestehend gedacht ist" und daß „formal betrachtet die irdischen Verhältnisse im Totenreich bestehen bleiben" (hier S. 65.69). Ferner *K. Schubert*, Auferstehungslehre, bes. 183–188; *K. H. Schelkle*, Auferstehung, hier 56f; *A. Oepke*, ThWNT II, 336; *R. Schnackenburg*, Mk II, 165; *E. Haenchen*, Der Weg 411; *I. Abrahams*, Studies I, bes. 168. Die Meinungen der Pharisäer hierzu sind nicht einheitlich. Im Anschluß an Schöttgen bringt *E. Lohmeyer*, Mk 256 Anm. 2, einen Beleg aus Sochar zu Mt 22,17. Danach entschieden die Pharisäer in Fällen wie dem uns hier vorliegenden die Frage zu Gunsten des ersten Mannes: „Mulier illa quae duobus nupsit in hoc mundo, priori restituitur." Dieser Beleg erscheint aber nicht sicher. Vgl. *J. Gnilka*, Mk II,159 Anm. 10.

[74] *R. Bloch*, Aspects 93–167, bes. 93.149.122ff.138f; *M. Seebaß*, Moses: ThBL II, 942–944, bes. 942f; *H. Cazelles*, Moses: B. Lex/Haag 1172–1178, bes. 1177f; *J. Jeremias*, ThWNT IV, 852–878, hier 857f.

gerechnet hat. Andernfalls hätte er die Leviratsehe nicht angeordnet. Wird Jesus die Autorität des Moses in Frage stellen oder gar bestreiten? Darüber hinaus zeigt dieser Fall wie auch die bereits erwähnten Diskussionen der Sadduzäer mit den Pharisäern, daß es zweifellos auch eine sadduzäische exegetische Schule und sadduzäische Schriftgelehrte gegeben hat, wenn auch nicht so einflußreich wie die Schriftgelehrten der Pharisäer.[75]

B. Jesu Antwort (VV 24b.25.26a)

Jesu Verständnis der Perikope drückt seine Antwort V 24b bereits deutlich aus, die dann VV 25.26f weiter entfaltet und ausgeführt wird. Wie bei den Fragen über die Vollmacht (Mk 11,27ff) und über die Berechtigung der Steuer an den Kaiser (Mk 12,13ff), so stellt Jesus auch hier Gott in den Mittelpunkt seiner Entgegnung: μὴ εἰδότες τὰς γραφὰς μηδὲ τὴν δύναμιν τοῦ θεοῦ (V 24b). Das ist eigentlich nicht sehr verwunderlich, denn ein charakteristischer Zug seiner Verkündigung bei Mk ist eben die Botschaft der hereinbrechenden βασιλεία τοῦ θεοῦ (1,14f). Und der hier gegen die Sadduzäer erhobene Vorwurf der Unkenntnis der Macht Gottes und der Schrift, die ein Zeugnis über Gottes Handeln und Willen gibt, trifft ganz genau den Unterschied zwischen seinem und der Sadduzäer Gottesbild. Der konstruierte Fall macht deutlich, was für ein oberflächliches, ja „primitives" Gottesbild die Sadduzäer haben. Sie verkennen völlig seine Macht und Möglichkeiten (vgl. Hos 11,9). Darum können sie nicht verstehen, daß Gott die Kraft besitzt, Neues und noch nicht Erfahrenes zu schaffen, aus dem Nichts Leben zu erwecken und Tote lebendig zu machen.

Der bei Mk/Mt nur an dieser Stelle begegnende Ausdruck „τὴν δύναμιν τοῦ θεοῦ"[76] stellt im AT eine wesentliche Eigenschaft Gottes dar, eines der Attribute Jahwes, das die alten Hebräer vielleicht am stärksten beeindruckt hat, ein Prädikat des persönlichen Gottes, das Jahwe von der neutralen Gottesidee des Griechentums und des Hellenismus, und seine Macht, „die in der Welt nicht mit einer

---

[75] J. Jeremias, Jerusalem II, B. 99; R. Bultmann, Geschichte 25 unter Berufung auf G. Hölscher, Geschichte der israelitischen und jüdischen Religion (1922) § 93, S. 218ff; vgl. Jos., Ant. 18,1,4 § 16; Apg. 23,9; Mk 2,16; Lk 5,30; Bill., I, 250: „Zu den Schriftgelehrten gehören nicht nur Pharisäer, sondern auch Sadduzäer; erst als mit dem Untergang des jüdischen Staatswesens im Jahre 70 n. Chr. die Partei der Sadduzäer aus der inneren Geschichte des Judentums verschwand, nahm auch die sadduzäische Schriftgelehrsamkeit ein Ende."

[76] Moulton-Geden, Concordance 231f. Lk gebraucht ihn auch nur einmal und zwar 22,69 (vgl. Apg 8,10); Joh nie (vgl. Apk 19,1). Anders freilich Paulus. Zum Folgenden vgl. W. Grundmann, ThWNT II, 286–318; O. Betz, ThBL II, 922–926; P. van Imschoot, B. Lex./Haag 49.

immanenten Gesetzlichkeit waltet, sondern die den Willen Gottes, von ihm bestimmt, durchsetzt",[77] von den neutralen Naturkräften unterscheidet. Israel erfuhr glanzvoll diese Macht beim Auszug aus Ägypten,[78] der zu Recht als der Beginn der Jahwereligion betrachtet wird. Daher verwundert es nicht, daß der Begriff der Kraft im AT „in engste Beziehung zu anderen Begriffen, die Gottes Wesen veranschaulichen,[79] tritt. Er zeigt nämlich, „wie sehr für den Juden Gotteswesen in seiner Kraft besteht".[80] In den rabbinischen Schriften wird deshalb auch der Begriff gᵉbūrāh einfach als Umschreibung des Gottesnamens verwendet.[81] Im nachbiblischen Judentum ist also das Wissen um die Macht Gottes lebendig geblieben,[82] obwohl nun vor allem die eschatologische Machtentfaltung Gottes in den Vordergrund gerückt wird,[83] die in der Überwindung der dämonischen Mächte, die zwischen Gott und den Menschen stehen,[84] verstanden wird. In den Qumran-Schriften, vor allem in der Kriegsrolle, ist dieser eschatologische Aspekt der Macht Gottes sehr ausgeprägt. Man sieht voraus, wie die Macht Gottes im Krieg der Kinder des Lichts gegen die Kinder der Finsternis triumphieren wird. Die Endzeit bringt gleichsam die abschließende, die ganze Welt umfassende Demonstration der Machttaten Gottes (1 QM 11,1–12,5; 12,9; 1 QH 6,30). Schon jetzt erfährt der Lehrer der Gemeinde Gottes Macht als den Heiligen Geist (1QH 4,23; 7,6f), und seine Aufgabe besteht darin, allen Lebenden diese Machttaten Gottes zu verkünden (1 QH 4,28f).[85] Bei Philo werden die δυνάμεις zu Hypostasen Gottes und gehören daher der ewigen Gotteswelt zu. Sie treten in die Mittlerrolle zwischen Gott und Mensch ein und sind weltschaffende und weltlenkende Kraft.[86]

Daß auch dem NT dieser Sprachgebrauch von δύναμις als Umschreibung des Namens Gottes nicht unbekannt ist, wird Mk 14,62 par Mt 26,64 ersichtlich (vgl. Lk 22,69!). Und Mk 10,27b par Mt 19,26; Mk 14,36; Rm 1,20 sind Belege dafür, daß auch im NT Gottes Wesen manchmal in seiner Macht gesehen wird. Für denjenigen, der

---

[77] W. Grundmann, ThWNT II, 292.

[78] Vgl. Ex 15,6.13; 32,11; Dt 9,26.29; 26,8 LXX; Dt 3,24; Ps 76,15.16; 4 Kge 17,36; Jer 34,5; 39[32],17; Job 38; Gen 1–2; Ps 133,6; Ps 19; 104 . . .

[79] W. Grundmann, ThWNT II, 295.

[80] W. Grundmann, THWNT II, 298; vgl. S. 307.

[81] Vgl. SNu 15,31 § 112 (33a); Hor 8ᵃ; Jᵉb 105b; Soṭa 37ᵃ; Schab 87ᵃ; Aboth RN 35 – Dazu Bill., I, 1006f.

[82] Vgl. b Ber 58a; Tg Jes 48,13; Mekh Ex 3,1 zu 15,2.

[83] Vgl. gr IIen 1,4; Ass Mos 10,1; Test Dan 5,13–6,4; Ps Sal 17,24.42f.51; ferner Jes 2,19; 40,10; Ez 20,33 . . .

[84] Vgl. äth. Hen 61,10; 82,8; 91,16; 4 Esr 6,6; Jub 2,2f; 10,6; Hen 40,9; b Pes 118a.

[85] Vgl. O. Betz, Th. B.L. II, bes. 923.

[86] Philo, Plant 14; vgl. Gig 6f; Spec. Leg II,45; Vit Mos I,111; Sacr AC 60; Fug 101; Cher 51; Vit Mos II,99 – Dazu W. Grundmann, ThWNT II,299f.

sie richtig liest und versteht, stellt die Schrift ein Zeugnis dieser göttlichen Macht dar. Das ist mit der Wendung τὰς γραφὰς hier gemeint, die sowohl das ganze AT als auch einzelne Schriftstellen bedeuten kann.[87]

Das Verb πλανᾶσθε gehört der im klassisch-hellenistischen Sprachgebrauch wie in LXX und im NT gut belegten, im wörtlichen wie im übertragenen Sinne vorkommenden Wortgruppe πλαν(άω) an.[88] Die ursprünglich klassische Bedeutung ist lokal. Im wörtlichen Sprachgebrauch heißt πλανάω = irreführen und πλανάομαι = irregehen, vom rechten Weg abirren, umherirren, umherschweifen. Übertragen bezeichnet die Wortgruppe πλᾶν – das Schwanken, das Verfehlen des Zieles auf dem Gebiet des Erkennens, des Redens und des Tuns. Sie trägt selten metaphysisch-religiösen Charakter.[89] πλανάω hat dann die Bedeutung: „irreführen, täuschen" durch das Verhalten oder die Rede, im Urteil oder im praktisch-ethischen Sinn; und πλανάομαι = „schwanken, sich täuschen".

Diesen vorgeprägten Sprachgebrauch übernimmt auch LXX. Nur beim übertragenen „Irreführen" und „Sich-täuschen" ist die nichttadelnde und nicht-religiöse Bedeutung selten, und die rein theoretische Ausrichtung auf das Erkennen fehlt völlig. Hier wird mit der Wortgruppe allgemein das schuldhafte Übertreten des offenbarten Willens Gottes, speziell das Verleiten zum Götzendienst bezeichnet.[90] Philo kennt und verwendet die Wortgruppe im eigentlichen wie im übertragenen Sinn. Allerdings kommen bei ihm das aktive πλανάω überhaupt nicht und das Substantiv πλάνη selten wie in LXX und nur im übertragenen Sinn vor, als Ausdruck für moralisches Irren der Menschen (Decal 104) oder der ψυχή (Det Pot Ins 24). Das übliche Wort ist bei ihm πλάνος und das Verb πλανάομαι.[91] Stehen im Judentum neben dem klassisch-hellenistischen Sprachgebrauch (Test Iss 1,13) und dem religiösen Verführen (Test Lev 10,2; Test Jud

---

[87] *W. Bauer*, Wb 329; *G. Schrenk*, ThWNT I, bes. 751–754.

[88] *H. Braun*, ThWNT VI, 230–254; *W. Günther*, Th.B.L. III, 1260–1262; *W. Bauer*, Wb 1319f; *Liddell-Scott*, Lex.II,1411; *Preisigke-Kießling*, Wb 312.

[89] Der religiös-metaphysische Sinn begegnet in einer Reihe von Gestalten der klassischen Tragödie. Die Wortgruppe wird dann zur Bezeichnung des Wahnsinns. Plato redet vom Schwanken der Seele (Phaed 79c), welches dadurch zustande kommt, daß der Mensch durch die Sinne des Leibes in das Wechselnde hineingezogen wird. Das metaphysische Vorzeichen dieses πλανᾶσθαι ist nicht das der Schuld, sondern der Tragik. Vgl. *H. Braun*, ThWNT VI,233f.

[90] Vgl. Dt 27,18; Jes 19,13f; Gen 21,14; Ex 14,3; Hi 12,25; Sir 29,18; Prov 9,12b; 2 Kge 21,9; Hos 8,6; Am 2,4 – Hierzu *H. Braun*, ThWNT VI, 235–238.

[91] Vgl. Det Pot Ins 10.17.22; Cher 21; Rer Div Her 208; Praem Poen 29; Leg Gaj 2; Plant 97; Leg All III, 180...; Spec Leg IV,158; Ebr 38; Spec Leg I,60 (Adj.). *Fl. Jos.* gebraucht diese Wortgruppe fast nie: nur Bell 2,259 (πλάνοι γὰρ ἄνθρωποι). Vgl. *H. Braun*, ThWNT VI,238ff, hier S. 242.

14,1.5.8) die Mächte und Geister als Verführer im Vordergrund[92] und wird in der Apokalyptik das Irren oder die Irrfahrt als Vorzeichen des Weltendes und des Tages des Messias angesehen,[93] so treten in Qumran sowohl die bösen Geister als auch die Menschen als Verführer der Gemeinde auf.[94]

Charakteristisch für die Verwendung dieser Wortgruppe im NT ist das „Zusammenfließen des klassisch-hellenistischen und des LXX-Sprachgebrauchs mit dem der dualistisch-apokalyptischen Texte".[95] Der Irrtum des πλανᾶσθαι in Mk 12,24.27 par Mt 22,29 ist „wie in LXX unintellektuell, religiös abwertend gefaßt".[96] In unserem Zusammenhang gewinnt der Vorwurf Jesu grundsätzliche Bedeutung. Er erklärt doch damit, daß die Sadduzäer Gott überhaupt nicht kennen und ein falsches Bild von ihm haben. Zugleich erhebt er, zumindest indirekt, den Anspruch, besser um die Sache Gottes zu wissen, der wahre Lehrer des Weges Gottes zu sein (vgl. Mk 12,14; 12,28ff).[97]

Nach dieser Klarstellung geht Jesus nun auf einzelne Fragen ein. Zunächst beantwortet er die Frage nach dem Wie des Auferstehungslebens (V 25). Er weist die Voraussetzungen und Vorstellungen der Sadduzäer hinsichtlich der zukünftigen Welt als materialistisch und falsch zurück. Denn die Lebensverhältnisse im kommenden Äon sind gar nicht mit denen dieser Welt zu vergleichen. Dort heiratet man nicht und man wird auch nicht geheiratet. Ob damit „die Aufhebung des Unterschieds von Mann und Frau in einer neuen Schöpfung"[98] gemeint ist, wie R. Pesch unter Hinweis auf Gal 3,27f; 5,6; 6,15 ausführt, kann erwogen werden. Jedenfalls scheint der Vergleich mit den Engeln darauf hinzuweisen. Äth Hen 15,6f sagt der Herr zu den Engeln: „Ihr aber seid zuvor ewig lebende Geister gewesen, die alle Geschlechter der Welt hindurch unsterblich sein sollten. Darum habe ich für euch keine Weiber geschaffen..."[99] Demnach kennen die Engel kein eheliches Leben. Sie pflanzen sich nicht fort und sterben auch nicht. Diese Meinung wird auch in der späteren rabbinischen Literatur vertreten.[100] Daß die Auferstandenen im Himmel den

---

[92] Vgl. äth. Hen 94,5; gr Hen 8,2; 19,1; Test Jud 23,1; Test Sim 2,7; Test Lev 3,3; äth. Hen 54,6; 64,2; 67,6f (Bilderreden); – Bill., I,136ff.

[93] Vgl. äth. Hen 99,4ff; 4 Esra 6,18ff; 8,63–9,6; Ap Bar 25,1–29,2; Sanh 96^b, 37; P^{e}siq 51^b; Sanh 97^a, 16 Bar; Bill., IV^2,977ff.

[94] Vgl. CD 20,11; 1 QH 2,14.19; 4,7.12.16.20; 1 QS 3,21; 3,3. 19.25...; CD 2,17; 3,4.14; 19,10. W. Günther, Th.B.L. III,1261; H. Braun, ThWNT VI, 239–242.

[95] H. Braun, ThWNT VI,243. Vgl. Eph 4,14; 1 Joh 2,26; 3,7...; Mk 13 Par; Mt 24,4; Apk des Joh 12,9; 12,17 u. ö....; 2 Tim 3,13; Hb 11,38; Hb 3,10; Mt 18,12f; Rm 1,27.

[96] H. Braun, ThWNT VI,245.

[97] S. die Studien zu Mk 12,13ff und zu Mk 12,28ff.

[98] R. Pesch, Mk II,233.

[99] G. Beer, in: E. Kautzsch, Apokryphen II,246.

[100] Vgl. Gn R 8 (6^c); P^{e}siq R 43 (179^b) – Bill., I,891.

Engeln gleichen, ist ein in der Apokalyptik verbreiteter Gedanke. Äth. Hen 104,6 z. B. heißt es: „Denn ihr sollt Genossen der himmlischen Heerscharen werden";[101] oder s.Bar 51,10: „denn in den [Himmels=] Höhen jener Welt werden wir wohnen und den Engeln gleichen und den Sternen vergleichbar sein".[102]

V 25 macht klar, daß Jesus auch den Pharisäern nicht undifferenziert zustimmt. Vielmehr distanziert er sich von ihrer materialistischen Vorstellung des zukünftigen Lebens und lehnt sie entschieden ab. Dagegen betont er die völlige Andersartigkeit der Auferstehungswirklichkeit im Vergleich zum irdischen Dasein. In diesem Punkte irren sich also auch die Pharisäer.[103] Gegen die Sadduzäer aber hält Jesus an dem Auferstehungsglauben, wie er ihn versteht, fest. Der Vergleich mit den Engeln deckt außerdem einen zweiten Irrtum der Sadduzäer auf. Jesus kann sie nicht überzeugen, da sie ja auch die Existenz der Engel leugneten (Apg 23,8). Diese Leugnung der Engel durch die Sadduzäer führt Jesus ebenfalls – zumindest im Kontext indirekt – auf ihre Unkenntnis der Schrift und der Macht Gottes zurück.

Wie bereits erwähnt, hat die Auferstehungshoffnung im AT einen langen Entwicklungsprozeß durchgemacht, bevor sie sich in späteren Schriften und im Judentum durchsetzen konnte.[104] Dabei ist in der Forschung die Frage noch sehr umstritten, ob es sich hier um eine innerjüdische Entwicklung, um die Entwicklung des Jahweglaubens, handelt[105] oder ob es außerisraelitische[106] Einflüsse waren, aus dem Parsismus etwa, die für den biblischen Glauben an die Auferstehung

---

[101] G. Beer, in: E. Kautzsch, Apokryphen II,308; vgl. äth. Hen 51,4.

[102] V. Ryssell, in: E. Kautzsch, Apokryphen II,431. Nach Bill., I,210 + Anm.2 bezieht sich das Wort Rabs (+247) b. B^erakh 17a: „In der zukünftigen Welt gibt es nicht Essen und Trinken, nicht Zeugung und Fortpflanzung, nicht Handel, noch Wandel . . .; sondern die Gerechten sitzen da mit ihren Kronen auf ihren Häuptern und laben sich an dem Glanz der Sch^ekina", auf die himmlische Welt der Seelen.

[103] Vgl. J. Blank, Paulus und Jesus 151: „Die jüdische Weise, sich den neuen Äon in Analogie zu dieser Welt, unter Beseitigung alles Bösen, zu denken, ist hier aufgehoben".

[104] Zur Frage der Entwicklung der Auferstehungshoffnung und Lehre im AT und Judentum, vgl. K. Schubert, Auferstehungslehre 177–214; P. Hoffmann, Die Toten 58–174; P. Stuhlmacher, Schriftauslegung 146–150; K. H. Schelkle, Auferstehung 54–56; E. E. Ellis, Jesus 274–279; H.J. Kraus, R G G³ I,693; Bousset-Greßmann, Religion 269–277; P. Volz, Eschatologie 229–256; J. Blank, Paulus und Jesus 149–152; M. Hengel, Judentum 357–368; J. Nelis, Auferstehung, in: B. Lex./Haag 129f; G. Fischer, Wohnungen 128–136; Bill., IV²,1166–1198.

[105] Z. B. H. Conzelmann, Auferstehung, R G G³ I,695 – vgl. aber seinen Kommentar zum 1. Korintherbrief (Meyer K. V¹²), 1981,319: „Der Gedanke der Auferstehung der Toten stammt aus der persischen Religion. Aus ihr gelangte er ins Judentum . . .“; J. Nelis, Auferstehung, in: B. Lex./Haag 127f; P. Stuhlmacher, Schriftauslegung 146.

[106] So u. a. E. Lohse, Auferstehung, RGG³ I,694; Ders., Umwelt des NT 40.56f.142ff erwähnt diese Problematik nicht mehr. Ferner A. Oepke, ThWNT I,370.

der Toten entscheidend bestimmend waren. Einstimmigkeit herrscht nur darin, daß erst die Apokalyptik über Diesseits und Jenseits zu reflektieren beginnt. Die älteste Form des Auferstehungsgedankens ist die Erwartung einer Wiederbelebung Israels als Nation, also die nationale Auferstehung (Hos 6,1f; Ez 37,1–4).[107] Aber die älteste und deutlichste Aussage über die leibliche Auferstehung des Einzelnen steht bei Dan 12,2f: „Viele von denen, die im Staub der Erde schlafen, werden aufwachen, die einen zu ewigem Leben, die anderen zur Schmach, zu ewiger Schande"[108]. Bis in die nachexilische Zeit hinein ist Israel „ohne eine ausgeführte Auferweckungsanschauung" ausgekommen.[109] Der Tod war das radikale Ende, die Zerstörung der menschlichen Existenz (Gen 3,19; Hi 7,7f; 10,20f; 14,14 . . .) und „die Unterwelt das Un-Land, das Land ohne Rückkehr".[110] Noch zur Zeit Jesu bestand keineswegs Übereinstimmung über die Auferstehungslehre unter den jüdischen religiösen Parteien, wie wir sehen. Von den Pharisäern und allgemein vom Volk bejaht, war sie eben von den Sadduzäern geleugnet. Was Qumran betrifft, so scheint es, trotz aller Unklarheiten und Meinungsverschiedenheit unter den Forschern, daß die Gemeinde sich doch der Auferstehungserwartung irgendwie angeschlossen[111] hatte. Im hellenistischen Judentum wurde die Auferstehungshoffnung unter dem Einfluß der griechischen Philosophie vergeistigt. „Weder Josephus noch Philo brauchen ἀνάστασις im Sinne der Auferstehung. Josephus deutet seine Unsterblichkeitslehre sogar in das pharisäische Dogma hinein (Bell 2,163). Philo versteht die Unsterblichkeit nicht als Fortleben, sondern mystisch als Befreiung von der Eigenheit, als neue Geburt (Quaest. in Ex 2,46). Den Aufstieg der Seele schildert er Sacr AC 5. Die Hölle ist die schon hier wirksame Verbannung von Gott (Cher 2)".[112] Ganz allgemein aber muß gesagt

---

[107] Vgl. *J. Blank,* Paulus und Jesus 149.

[108] Übersetzung der Jerusalemer Bibel; ferner vgl. Is 26,19; 4 Esr 7,32f; Test Jud 25; äth. Hen 22; 51; 91,10f; 37–71 (Bilderreden); s.Bar 51,1–3; 30,1–5; Jub 23,30f; *J. Nelis,* Auferstehung, in: B. Lex./Haag, 130; *H.J. Kraus,* R G G³ I,693 zieht das Fazit: „So zeigt sich, daß nur am äußersten Rande des AT in dieser klaren Weise von der Auferstehung der Toten die Rede ist."

[109] *P. Stuhlmacher,* Schriftauslegung 146.

[110] *K. Schubert,* Auferstehungslehre 183; vgl. *L. Coenen,* Th. B. L. I,44.

[111] Vgl. 1 QH 6,29f.34; 11,12f; 3,19–22.24; 1 QS 4,7f; 4,12–14; 1 QS 3,18; 4,18f; 4,25. Zur Diskussion, vgl. *K. Schubert,* Auferstehungslehre 202f; *P. Hoffmann,* Die Toten, 131–133; *K. H. Schelkle,* Auferstehung 35; *E. E. Ellis,* Jesus, hier 277f; *E. Lohse,* Umwelt des NT 143: „Die Lehre der Gemeinde von Qumran . . . aber von einer Auferstehung der Toten nirgendwo ausdrücklich spricht." Ähnlich *L. Coenen,* Th. B. L. I,44; *P. Stuhlmacher,* Schriftauslegung 149; *H. Braun,* Radikalismus II,46 Anm.1 Absatz 7; *Ders.,* Qumran und NT II,61; *J. Leipoldt / W. Grundmann,* Umwelt des Urchristentums I,262f; *E. Schürer / G. Vermès,* History II,582f.

[112] *A. Oepke,* ThWNT I,370f; vgl. *P. Hoffmann,* Die Toten 81–84, hier 83: „Der Zustand der Unsterblichkeit und des Lebens ist für den Weisen bereits in diesem Leben erreichbar".

werden, daß das Judentum die Auferstehungshoffnung als festen, notwendigen Bestandteil seines Glaubens vertreten hat. In einem der beiden ältesten Grundbekenntnisse Israels, dem Schᶜmone Esre (2.B.) heißt es: „Du bist ein Held, der Starke, der ewig Lebende, der die Toten auferstehen läßt, der die Lebenden versorgt und die Toten lebendig macht. Gepriesen seist du, Jahwe, der die Toten lebendig macht!".[113] Und die Doxologie, die man auf einem Friedhof spricht, lautet: „Er wird euch auferstehen lassen. Gepriesen sei, der sein Wort hält, der die Toten erweckt!".[114]

Dieses jüdische Bekenntnis greift auch das NT auf. Aber es formt es christologisch um: „Das christliche Auferweckungsbekenntnis ist eine christologische Präzisierung des in langer Traditionsarbeit ausgestalteten israelitischen Gottesbekenntnisses, und zwar im Blick auf Tod und Erscheinung Jesu".[115] Für die Auferstehung verwendet das NT zwei verschiedene Wortstämme: ἀνίστημι und ἐγείρω. Beide kommen in unserer Erzählung vor (VV 18.19.23.25.26). Ihre Verwendung im eigentlichen wie auch im übertragenen Sinn ist im Profangriechisch, in LXX wie im NT gut belegt. Beide Wortgruppen werden fast synonym gebraucht.[116] Das Verb ἀνίστημι bedeutet: hinstellen, aufrichten, aufwecken, aufstellen lassen, in ein Amt einsetzen (Apg 9,41; Hb 7,11.15); intransitiv: aufstehen, sich erheben, auftreten; und das Substantiv ἀνάστασις = das Aufstehen, die Auferstehung (Mk 9,27; 14,57; Lk 2,34; 10,25; 11,7; Apg 12,7; 5,36 . . .). Ἐγείρω heißt: aufwecken, aufheben, errichten, anfeuern, erregen (Mk 4,38; Lk 1,69; Apg 12,7); intransitiv: erwachen, sich erheben, aufstehen (Gen 41,4.7; Mt 1,24; 25,7; Mk 4,27; Lk 7,16); und das Substantiv ἔγερσις = das Aufwecken, die Errichtung, oder intransitiv: das Erwachen, das Aufstehen, die Genesung. Im NT kommt ἔγερσις nur einmal vor und zwar Mt 27,53 von der Auferstehung Jesu.[117] Da im Hellenismus die Auferstehung des Leibes als unmöglich und der Gedanke einer allgemeinen Auferstehung völlig fremd und unbekannt ist, haben die Wortgruppen ἀνίστημι und ἐγείρω nie die Bedeutung von Auferstehen bzw. Auferstehung der Toten. Dies macht den entscheidenden

---

[113] Übersetzung und Rekonstruktion nach *Bill.*, IV¹,211; vgl. *P. Rießler,* Schrifttum 7.

[114] T. Ber 7,5 zitiert bei *A. Oepke,* ThWNT I,370; vgl. *Bill.,* IV,1193.

[115] P. Stuhlmacher, Schriftauslegung 151; vgl. bes. 1 Kor 15; Apg 2,22–24 u. a. m.

[116] *A. Oepke,* ThWNT I,368–372; *Ders.,* ThWNT II,332–337; *L. Coenen,* Th. B. L. I,43–50; *W. Bauer,* Wb 119–120 (ἀνάστασις); 138–139 (ἀνίστημι); 425f (ἐγείρω); 426 (ἔγερσις).

[117] Das Verb ἀνίστημι begegnet 108mal im NT, davon 71mal allein in den lukanischen Schriften; das Substantiv 42mal, davon 17mal bei Lk und Apg und 8mal bei Paulus. Mt hat es 4mal und Mk nur 2mal. Das Verb ἐγείρω kommt 144mal vor: 36mal bei Mt; 18mal bei Lk; 12mal in der Apg und 19mal bei Mk. Vgl. *Moulton-Geden,* Concordance z. St.; vgl. ferner *H. Bachmann / W. A. Slaby,* Computer-Konkordanz, 129 (ἀνάστασις); 156 (ἀνίστημι); 473 (ἐγείρω); 476 (ἔγερσις).

Unterschied zwischen dem Sprachgebrauch der Gräzität und dem des AT wie des NT aus, wo sie eine theologische Füllung bekommen.

Wenn nun abweichend vom Hellenismus das NT ἐγείρω und ἐγείρομαι vor ἀνίστημι und ἀνίσταμαι bevorzugt, so könnte der Grund darin liegen, daß die erste Wortgruppe das Handeln Gottes besser zum Ausdruck bringt.

Hier wird mit dem Stamm ἐγείρ – besonders im Passiv, vorwiegend das Ostergeschehen selbst, die Auferweckung des gekreuzigten Herrn bezeichnet, während Worte der Gruppe ἀνίστ – sich darüber hinaus auch im Zusammenhang der Totenauferweckungen im Leben des irdischen Jesus und der endzeitlichen Totenauferstehung finden.[118] So darf man Mk 12,26: περὶ δὲ τῶν νεκρῶν ὅτι ἐγείρονται, der die Antwort auf die grundsätzliche Frage nach dem Daß der Auferstehung einleitet, als Passivum divinum, als Ausdruck des Handelns Gottes auffassen. Das liegt umso näher als Jesus V 24 auf die Macht Gottes hingewiesen hat.

Hatten die Sadduzäer mit Moses argumentiert, so verweist auch Jesus nun auf ihn, und zwar auf den von ihnen als allein verbindliche heilige Schrift betrachteten Pentateuch. Von dieser gemeinsamen Basis her zeigt ihnen Jesus ihren Irrtum und ihre Schriftunkenntnis auf, indem er Ex 3,6, die Stelle vom Dornbusch, zitiert, wo Gott sich Moses offenbart. Diese Schriftstelle soll den Beweis dafür erbringen, daß Moses wohl mit der Auferstehung der Toten gerechnet hat.

Nun, Ex 3,6a geht es, im alttestamentlichen Kontext, offensichtlich nicht um die Auferstehung der Toten, sondern lediglich darum, daß sich Gott dem Moses, dem er den Auftrag geben will, sein Volk aus Ägypten herauszuführen, als der Gott offenbart, der in Verbindung mit seinen bereits verstorbenen und in Hebron beigesetzten Vätern stand. Der Text lautet: „Ich bin der Gott deines Vaters, der Gott Abrahams, der Gott Isaaks und der Gott Jakobs".[119] Spricht das Leviratsgesetz (Dt 25,5–10; vgl. Gen 38,8) an sich nicht unbedingt gegen die Auferstehung der Toten – dies ist die irrige Schlußfolgerung der Sadduzäer, aber nicht die des Moses – so liefert auch die Antwort Jesu V 26b, in seinem Kontext verstanden, keinen Beweis dafür.[120] Der Umstand, daß Jesus hier wie die Rabbinen argumentiert, daß er also die rabbinische Exegese benutzt, bleibt oberflächlich und ist irreführend.[121] Denn nicht nur von V 24 her gewinnt die Argumen-

---

[118] Vgl. *L. Coenen,* Th. B. L. I, 45.

[119] Übersetzung nach der Jerusalemer Bibel z.St..

[120] So wird auch Ex 3,6 von den Rabbinen nie als Beweis für die Auferstehung der Toten benutzt. Sie führten, neben Schriftstellen, auch Vernunftsgründe an. Vgl. *Bill.,* I, 895–897 und I, 892–895; *K. J. Thomas,* Torah citations 93 + Anm. 5.

[121] Viele Autoren haben dies nicht gesehen oder zu wenig beachtet, so z. B. *E. Schweizer,* Mk [5]135; *H. Anderson,* Mk 279 meint: „The argument adduced here from Ex 3,6 not

tation Jesu ihre Beweiskraft und Tiefe, wie es J. Schniewind richtig erkannt hat: „Jesu Worte sind ganz anders gerichtet. Sie gehen von Gottes Wirkungsmacht (V 24), von Gottes ewigem Handeln aus. Und von da her wird V 26.27 der entscheidende Beweisgrund gewonnen".[122] Vielmehr scheint das Zitat Ex 3,6, wie es Jesus versteht, einen tieferen Sinn zu enthalten, ja einen Beweis für die Totenauferstehung zu liefern, so daß die eben zitierte Meinung von J. Schniewind doch etwas korrigiert werden muß, wenn er fortfährt: „Er (der Beweisgrund) liegt nicht in dem ‚Schriftbeweis' als solchem, der in V 26 angetreten wird".[123] Auf das Problem, das hier offensichtlich liegt, wurde schon aufmerksam gemacht. Wir fragen zunächst nach dem Verständnis der Wendung ἐγὼ ὁ θεὸς Ἀβραὰμ καὶ θεὸς Ἰσαὰκ καὶ θεὸς Ἰακώβ und von ähnlichen Formeln in der jüdischen Tradition und in ihrer Umwelt. Die Antwort auf diese Frage könnte uns helfen, Jesu Verständnis der Formel und das Neue an seiner Interpretation schärfer in den Blick zu bekommen.

C. Ex 3,6a und die Auferstehung der Toten

In einer umfangreichen Studie über den Gott der Väter hat A. Alt[124] die Formel „Gott Abrahams, Gott Isaaks und Gott Jakobs" untersucht und dabei eine Fülle von religionsgeschichtlichem Vergleichsmaterial zum Verständnis dieser wie ähnlicher Formeln in Israels Umwelt herangezogen und zusammengetragen.. Wir dürfen kurz seine Ergebnisse zusammenfassen. In der Umwelt Israels findet sich nicht selten die Bezeichnung „Gott des X" sowohl in semitischen als auch in griechischen Inschriften.[125] Es handelt sich dabei um „Götter ohne Eigennamen, die nur durch die genetivische Beifügung eines menschlichen Personennamens zu dem allgemeinen Gottheitsprädikat bezeichnet sind". Die Herkunft dieses Religionstypus wird, so Alt, „aus dem Nomadentum der Wüste" zu suchen sein.[126] Was einen einzelnen veranlaßt haben wird, den Kultus eines Gottes aufzuneh-

---

very convincing by modern standards, is a verbal one of the type common in contemporary rabbinic exegesis . . .". Richtig dagegen *M. Dibelius*, Formgeschichte 141.

[122] *J. Schniewind*, Mk 158; ähnlich schon *M. Albertz*, Streitgespräche 28.31.

[123] *Schniewind*, Mk 158; ähnlich auch *M. Albertz*, Streitgespräche 28.

[124] *A. Alt*, Der Gott der Väter, in: *Ders.*, Kleine Schriften I, 1–78.

[125] *A. Alt*, Gott der Väter 32f mit Belegen; vgl. ebda. S. 68–77.

[126] *A. Alt*, Gott der Väter, 34; vgl. S. 45: „Die herangezogenen epigraphischen Denkmäler erheben . . . die Tatsache über jeden Zweifel, daß der Religionstypus, der uns in der israelitischen Überlieferung von dem Gott der Väter vorzuliegen scheint, bei anderen semitischen Stämmen in der Wüste und noch im Kulturland jahrhundertelang kräftig gelebt hat . . .".

men, „der so völlig neu war, daß sich alsbald auch das Bedürfnis nach einer besonderen Bezeichnung für ihn einstellte", kann nur „die Offenbarung" dieses Gottes sein, „die der Betreffende erlebte und die ihn zur Verehrung zwang".[127] Der „Gott des X" ist also „der von X als dem Ersten verehrte Gott", und der Mensch, dessen Name dauernd mit der Gottesbezeichnung verbunden blieb, erscheint somit als Stifter des betreffenden Kultus.[128]

Welche Bedeutung hat nun eine solche Gottesbezeichung? Das Verhältnis zwischen dem Gott und dem Stifter und in der weiteren Entwicklung zwischen dem Gott und seinen Verehrern wird als „spezielle Fürsorge [des Gottes] für das Ergehen der letzteren in ihren irdischen Angelegenheiten" aufgefaßt. Der „Gott des X" ist sein Wohltäter und der seiner Verehrer; er ist ihr „Schutzgott".[129] Das trifft wohl auch für Israel, d. h. für den „Gott der Väter", den „Gott Abrahams, Isaaks und Jakobs" zu.

Dieses Ergebnis wird besonders in den Arbeiten von F. Dreyfus und H. Odeberg aufgenommen und weitergeführt. Während der formelhafte Ausdruck „Gott Abrahams, Isaaks und Jakobs" im NT außer Mk 12,26 par nur noch Apg 3,13 und 7,32 vorkommt, begegnet er häufig im Judentum und im rabbinischen Schrifttum. Auch hier steht er als „Bezeichnung für das besondere Gottesverhältnis, dessen sich das Judentum rühmen wollte und das es als seine Prärogative betrachtete". Abraham, Isaak und Jakob sind „die ‚drei Väter' mit denen Gott als den Repräsentanten des Judentums seinen Bund geschlossen hatte". So wird die Wendung zum „Symbol der bundestreuen Judenschaft, des ‚rechten Israel'". In den drei Vätern sah man „das göttliche Handeln mit Israel, dem Bundesvolk, prototypisch angezeigt und verbürgt".[130]

Das wird in überzeugender Weise von F. Dreyfus' Untersuchung[131] bestätigt. In Auseinandersetzung mit M.-J. Lagrange, der im Anschluß

---

[127] A. Alt, 1.c.42.

[128] A. Alt, 1.c.41.

[129] A. Alt, Gott der Väter, 11.13, vgl. S. 66.

[130] H. Odeberg, ThWNT III,191f (alle Zitate) + Belege

[131] F. Dreyfus, L'argument scripturaire 213–224. Die Arbeit von M. Rist, The God of Abraham, Isaac and Jacob: A liturgical and magical Formula, 289–303 ist für unsere Fragestellung von geringem Interesse. Mit Recht macht Rist darauf aufmerksam, daß „in extracanonical sources the formula appears in prayers and liturgy" (290 + Belege). Im übrigen möchte er aus dem häufigen Gebrauch dieser Formel in hebräischen, aramäischen, griechischen, lateinischen und koptischen Texten die Folgerung ziehen, daß in späterer Zeit dieser Ausdruck nicht nur als liturgische, sondern sogar als magische Wendung benutzt worden sei: „It is quite evident that there was a close relationship between the liturgical and magical use of the patriarchal formula, demonstrating (. . .) that the dividing line between ritual and magic is indeed quite elastic. Moreover, there apparently was a definite connection

an A. Loisy die Meinung vertrat, die Formel „Gott Abrahams, Isaaks und Jakobs" bedeute den Gott, den die Patriarchen angebetet und dem sie gedient haben,[132] analysiert Dreyfus die wichtigsten einschlägigen Stellen, wo diese Formel oder ihre Äquivalente[133] vorkommen, und versucht so dem Zitat Jesu einen tieferen Sinn abzugewinnen, und zwar „au sens strictement littéral".[134] Wir tragen zunächst einige Belegstellen zusammen. Es sind vor allem: die 1. Benediktion des Sch°mone Esrè (vgl. 17. Ben.); der Lobpsalm, den die hebräische Bibel (MT) nach Sirach 51,12 eingefügt hat; das Gebet des Manasse (V 1); die Himmelfahrt des Moses (Ass.Mos. 3,9); Jub 45,3 (vgl. Jub 24,22.23; 29,4; 31,31; 44,5); Test Rub 4,10; Test Sim 2,8; Test Jos 2,2 und 6,7; Test Gad 2,5; 3 Makk 7,16; Sap 9,1; und in Qumranschriften: 1 QM 13,7 und 1 QM 10,8; 13,1–2, 13,13; 14,4, wo der Ausdruck „Gott Israels" erscheint.[135] Dreyfus betont, daß diese Formel wohl auch manchmal den Gott meint, den die Patriarchen angebetet haben. Diese Deutung kommt aber selten vor.[136] In der Mehrzahl der Stellen „l'expression ‚Dieu des Pères' est liée à l'idée du salut, de la protection accordée par Dieu aux Pères, et qui est le gage d'une protection identique pour la génération présente".[137] Einige wenige Beispiele mögen es illustrieren. Einen schönen Beleg bietet Judits Gebet: „Vielmehr bist du ein Gott der Demütigen und Helfer der Geringen, ein Beistand der Schwachen und Beschützer der Verstoßenen, ein Retter (σωτήρ) der Verzweifelten. Fürwahr, fürwahr, Gott meines Vaters und Gott des Erbes (κληρονομία) Israels" (Jdt 9,11f).[138] Im ersten Brief an die Juden von Ägypten beten die Juden zu Jerusalem und im Lande Judäa: „Gott möge euch Wohltaten spenden und seines Bundes mit Abraham, Isaak und Jakob, seinen treuen Dienern, gedenken" (2 Makk 1,2).[139] Hier kommen die Vorstellungen, die mit

---

between the efficacy ascribed to the formula and the divine favor which the patriarchs reputedly enjoyed" (303; vgl. S. 297) – Sehr fragwürdig.

[132] M.-J. Lagrange, Mc 320. Er beruft sich auf A. Loisy, Synoptiques II,342.

[133] Es geht um Stellen, die nicht alle drei Namen, also die ganze Wendung enthalten, sondern nur einen oder zwei Namen, oder auch nur den Oberbegriff „Gott der" bzw. „unserer Väter": z. B. h. Sirach 51,12; Hb 11,16; Apg 5,20.

[134] F. Dreyfus, L'argument 215.

[135] F. Dreyfus, l.c. 216–218; vgl. auch M. Rist, The God of Abraham... 290–292.295–297 (Belege); ferner Bousset-Greßmann, Die Religion 362 + Anm. 1.

[136] F. Dreyfus, l.c. 218f: „On ne veut pas dire que l'expression ‚Dieu des Pères' ou ‚Dieu de X' ne puisse jamais signifier: ‚Dieu qui a été adoré par mes pères, par X'". Das ist der Fall z. B. Ri 2,12; hebr. Test Naphtali 8,3... Ferner S. 220, Anm. 4.

[137] Dreyfus, l.c. 218; vgl. S. 216.217.219.

[138] Übersetzung der Jerusalemer Bibel.

[139] Übersetzung der Jerusalemer Bibel. Vgl. auch E. Kautzsch, Apokryphen I,86. Der griechische Text lautet: καὶ ἀγαθοποιήσαι ὑμῖν ὁ θεὸς καὶ μνησθείη τῆς διαθήκης αὐτοῦ πρὸς Ἀβραὰμ καὶ Ἰσαὰκ καὶ Ἰακὼβ τῶν δούλων αὐτοῦ ... A. Rahlfs, Septuaginta 1 (9. Editio); ferner III Makk 7,16: εὐχαριστοῦντες τῷ θεῷ τῶν πατέρων

dieser Formel im Frühjudentum verbunden waren, klar zum Ausdruck. Der Gott der Väter ist der Wohltäter, der Beschützer nicht nur der Väter, sondern auch des ganzen Volkes; er ist der Bundes-Gott.

Auch 1 QM 13,7 steht die Wendung „Gott unserer Väter" in einem Kontext, wo es sich um die Hilfe, das Heil, den Schutz und die von Gott an den Patriarchen erwiesenen Wohltaten und Gnaden um seines Bundes willen handelt. Es heißt: „Und [Du], Gott unserer Väter, deinen Namen preisen wir auf ewig. Und wir sind das [ewige] Volk, und einen Bund hast du [ge-]schlossen mit unseren Vätern und richtetest ihn auf für ihren Samen".[140] Die ganze Formel finden wir in der Himmelfahrt Moses: „Gott Abrahams, Gott Isaaks und Gott Jakobs, gedenke an deinen Bund, den du mit ihnen geschlossen, und den Eid, den du ihnen bei dir selbst geschworen hast, daß [nämlich] ihr Same niemals weichen solle von dem Lande, das du ihnen gegeben hast" (3,9).[141] Man erinnert Gott also an seinen Bund mit den Vätern, der für Rettung und Schutz bürgt, und an seine Verheißungen für ihre Nachfahren, wobei hier betont die Initiative Gottes und nicht das Tun des Menschen herausgestellt wird. Die Güte und das Erbarmen Gottes unterstreicht auch der Lobspruch Israels, als er seinen Sohn Joseph wiedersieht (Jub 45,3): „Und jetzt auch sei gepriesen der Herr, der Gott Israels, der Gott Abrahams und der Gott Isaaks, der seinem Knechte Jakob seine Gnade und sein Erbarmen und seine Gnade nicht vorenthalten hat".[142]

Von besonderer Bedeutung ist die Tatsache zu werten, daß sich dieser formelhafte Ausdruck „Der Gott Abrahams..." in der 1. Benediktion des Sch{e}mone Esrè findet. Bekanntlich bildet das Sch{e}mone Esrè, das sogenannte 18-Bitten-Gebet, mit dem Sch{e}ma' die beiden Grundbekenntnisse des jüdischen Volkes, die wir schon in der ersten Hälfte des 1. Jahrhunderts antreffen. Aller Wahrscheinlichkeit nach war es bereits zur Zeit Jesu das offizielle Gebet der Juden, bekannter als das Sch{e}ma', „weil es nicht nur, wie das Sch{e}ma' von allen freien Männern, sondern von allen Juden, ob Mann, Frau, Kind oder Sklave, zu beten war, und zwar dreimal täglich in beliebiger Sprache als elementarste Form der Verehrung des einen Gottes im alltäglichen Leben".[143] In ihrer vermutlich ältesten Form lautet diese erste Benediktion (Aboth): „Gepriesen seist du, Jahve, Gott Abrahams, Gott

αὐτῶν αἰωνίῳ σωτῆρι τοῦ Ἰσραήλ", wo die beiden Wendungen „Gott der Väter" und „Retter" Israels parallel und synonym gebraucht werden; Sap 9,1: θεέ πατέρων καί κύριε τοῦ ἐλέους ...

[140] Übersetzung und Rekonstruktion nach *E. Lohse*, Die Texte aus Qumran 211 – (210: hebr. Text).

[141] Übersetzung von *C. Clemen*, in: E. Kautzsch, Apokryphen II, 321f.

[142] *E. Littmann*, in: E. Kautzsch, Apokryphen II, 113; vgl. *P. Rießler*, Schrifttum 656.

[143] *P. Stuhlmacher*, Schriftauslegung 150. Zum Sch{e}mone Esrè, vgl. den 10. Exkurs bei *Bill.*, IV¹, 208–249, hier 218.220; ferner *Bill.*, I,406–408.

Isaaks und Gott Jakobs, höchster Gott, Schöpfer Himmels und der
Erde, unser Schild und Schild unserer Väter! Gepriesen seist du,
Jahve, Schild Abrahams!"[144] In dieser wie in den anderen 17 Benedik-
tionen faßt der letzte Satz jeweils den Inhalt der Benediktion.
„Gepriesen seist du, Jahve, Schild Abrahams", heißt es hier. Der Sinn
ist klar. Nicht für die Treue der Patriarchen Gott gegenüber, vielmehr
für das, was Gott für sie getan hat, für seinen Schutz und Beistand,
wird Jahwe hier gedankt.

Diese Belege dürften den Sinn der Formel eindeutig herausgestellt
haben.[145] So kann man Dreyfus nur beipflichten, wenn er das
Ergebnis seiner Studie so zusammenfaßt: „Par cette appellation, dans
le cadre de sa révélation à Moïse, Jahvé se présente comme le Dieu de
l'Alliance conclue avec les Patriarches; mais ici l'accent est mis avant
tout, sinon exclusivement, sur l'action de Dieu, la protection, le salut
accordé aux Patriarches. Le sens de cette appellation dans le contexte
des chapîtres III et IV de l'Exode est le suivant: ‚comme j'ai été le
Dieu de vos Pères, c'est-à-dire leur guide, leur secours, leur soutien,
de même je serai votre sauveur dans votre affliction présente' . . . Et
ce nom de Dieu d'Abraham, d'Isaac et de Jacob se présente comme
un gage, une garantie de cette délivrance".[146] Dies haben auch
Bousset-Greßmann schon richtig gesehen: „Gott der Väter' wird zur
feststehenden Formel. Vor allem als Gott der Väter und der Vergangenheit ist Gott der Retter" (σωτήρ).[147]

Was bedeutet nun dieses Ergebnis für unsere Auferstehungsfrage?
Mit diesem Zitat erinnert Jesus seine Partner an den Bund, an die
Treue Gottes und an seine Verheißungen an die Väter. Wenn Gott
der Beschützer der Väter – der Schild Abrahams – ist, so wird er sie
selbst vom Tode, dem letzten und mächtigen Feind des Menschen,
wie sich Paulus ausdrückt (1 Kor 15,26), retten können. Zutreffend
formuliert es E. Schweizer: „Der letzte Grund der Auferstehungsge-
wißheit ist also das Wissen um Gottes Zusage an den Menschen, die
durch keinen Tod aufgehoben werden kann, so gewiß Gott größer ist
als der Tod."[148] Folgerichtig kann deshalb Jesus weiter sagen: οὐκ
ἔστιν θεὸς νεκρῶν ἀλλὰ ζώντων (V 27a). Damit übernimmt er wohl
eine alttestamentliche Grundaussage,[149] versteht und legt sie aber

---

[144] Übersetzung und Rekonstruktion nach *Bill.*, IV¹, 211.

[145] Es gibt auch Stellen, wo die Bedeutung der Formel nicht ganz klar ist, so z. B. Tob
7,15 (Vulg); Esther 13,15 und 14,18. Andere Stellen sind nur Zitate, z. B. Jub 1,7; Jer
33,26 . . .

[146] *F. Dreyfus*, L'argument 219f.

[147] *W. Bousset / H. Greßmann*, Die Religion 362 + Anm. 2.

[148] *E. Schweizer*, Mk ⁵136.

[149] Vgl. Jes 38,10.18f; Ps 6,5f; Ps 30,9b.10; 88,11; 115,17 . . . ferner *E. Haenchen*, Der
Weg 411.

ganz anders aus. Das Wort Ex 3,6 bekommt nun einen völlig neuen Sinn, eine tiefere Deutung. Denn es wäre nicht nur ein Widerspruch, sondern auch ein Unsinn, „daß Gott sich einem toten Menschen zuspricht, ohne daß dieser dadurch zum Leben erweckt wird".[150] Sehr einleuchtend auch die Ausführungen von F. Dreyfus hierzu: „L'expression: ‚Dieu des morts' implique une certaine contradiction. Si ‚Dieu de X' signifie ‚Sauveur de X', si celui dont Dieu s'est institué protecteur est mort à jamais, c'est que Dieu a échoué dans la fonction qu'il avait assumée à son égard . . . Si Abraham est mort à jamais, le secours que Dieu lui garantissait en s'intitulant ‚Dieu d'Abraham' n'a été qu'une dérision. Donc Abraham doit revivre".[151] Jesu Antwort transzendiert auch hier den Horizont seiner Partner. Er weist auf Höheres hin. Hier gewinnt er der Schrift einen tieferen Sinn ab, den das Wort Ex 3,6 in seinem atl. Kontext nicht hatte.[152]

Sagt Jesus damit, daß die Väter bereits auferstanden sind? Ist die Auferstehungshoffnung „von Jesus grundgelegt als die Erwartung der ‚Auferstehung im Tod', und nicht erst am ‚Jüngsten Tag'"?[153] Das scheint in unserer Erzählung nicht eindeutig klar und vielleicht auch nicht notwendig zu sein. Die weitere Behauptung R. Peschs, daß die Väter, Prototypen der Gerechten, im Judentum nicht nur als bei Gott lebend vorgestellt werden, sondern bereits auferstanden seien,[154] ist nicht so sicher. Der Gedanke, daß die Väter bei Gott leben, muß noch nicht unbedingt ihre bereits erfolgte Auferstehung implizieren. Eher wird man hier „ein eschatologisches Konzept im Hintergrund" vermuten dürfen, „nach dem die Seelen der verstorbenen Gerechten im Totenreich einen Vorgeschmack der endgültigen Seligkeit verkosten (vgl. Lk 16,22–31), die sie bei ihrer Auferweckung voll in Besitz nehmen sollen (vgl. Mt 8,11 par)".[155] Die Väter leben also bei Gott und

---

[150] *E. Schweizer*, Mk ⁵136.

[151] *F. Dreyfus*, L'argument 221; vgl. S. 224.

[152] F. Dreyfus, L'argument 221f redet in diesem Zusammenhang von „un cas particulièrement net de sens plénier"; ferner *J. A. Fitzmeyer*, The Use 324.

[153] So *R. Pesch*, Mk II,234.

[154] *R. Pesch*, Mk II,234. Er beruft sich auf *C. Burchard*, Neues zur Überlieferung der Test XII, in: NTS 12 (1965/66) 245–258 und verweist besonders auf Test Benj 10,6. Aber im Kontext scheint dort nicht die Rede von der bereits erfolgten, sondern eher von der zukünftigen Auferstehung der Väter zu sein. Der Text lautet: „Bewahret die Gebote Gottes, bis der Herr sein Heil allen Heiden offenbart. Dann werdet ihr Henoch, Noah und Sem und Abraham und Isaak und Jakob sehen, wie sie auferstehen zur Rechten mit Frohlocken. Dann . . .". Übersetzung nach *F. Schnapp*, in: *E. Kautzsch*, Apokryphen II,505; vgl. auch *P. Rießler*, Schrifttum 1249. Test Juda 25,1: „Dann stehen zum Leben Abraham, Isaak, Jakob auf . . ." nach *P. Rießler*, Schrifttum 1191; vgl. *F. Schnapp*, in: *E. Kautzsch*, Apokryphen II,477: „Und hierauf werden Abraham und Isaak und Jakob zum Leben auferstehen . . .". Ferner *P. Volz*, Eschatologie, bes. 236f.

[155] *J. Gnilka*, Mk II,160; vgl. *P. Volz*, Eschatologie 236: „Das Wiederkommen aus dem Tod ist dabei etwas Vereinzeltes und völlig Wunderbares; aber bedeutsam ist, daß

sind für diese eschatologische Auferstehung bestimmt. So darf man auch die Antwort Jesu verstehen.[156]

Unsere Perikope zeichnet somit ein hohes, großartiges Gottesbild Jesu. Die hier im Gegensatz zu den Pharisäern als auch zu den Sadduzäern bezeugte Gotteserfahrung und Gottesgewißheit Jesu muß für seine Gegner einen schweren Schlag bedeuten: „Gerade die, die auf ihre „Gotteserkenntnis" so stolz sind, haben von Gott keine Ahnung."[157]

IV. Historizität der Perikope

Was die Authentizität dieser Perikope betrifft, sind die Exegeten geteilter Meinung. E. Haenchen z. B. urteilt: „Wenn Paulus Mk 12,25 als Jesuswort gekannt hätte, dann hätte er es 1 Kor 15 sicherlich angeführt. Wir müssen also mit der Möglichkeit rechnen, daß auch dieser Vers (und damit die ganze Geschichte) ohne historische Grundlage im Leben Jesu ist und darin die Schriftgelehrsamkeit der Gemeinde zum Ausdruck kommt."[158] Haenchen macht sich m. E. die Aufgabe zu einfach. Ist die Tatsache, daß Paulus dieses Wort vielleicht nicht gekannt und nicht überliefert hat, schon der Beweis dafür, daß Jesus es nicht gesprochen hat? Will Haenchen damit zu verstehen geben, daß uns Paulus alle von ihm gekannten Jesusworte überliefert hat oder überliefern mußte? Aber das Schweigen Pauli mag mit der besonderen Situation seiner Gemeinde, ja überhaupt mit der Rezeption der Auferstehungsfrage in der Urkirche zusammenhängen. Das Argument e silentio Haenchens ist nicht zwingend.[159]

Obwohl er geneigt ist, vor allem V 27 Jesus nicht abzusprechen, sieht auch E. Schweizer Mk 12,18–27 als Gemeindebildung an. Den Beweis liefert ihm die durchaus jüdische, genauer rabbinische Diskussionsweise und die Anschauungen dieses Streitgespräches. „Fragen,

---

dieses Wiederkommen mit dem eschatologischen Glauben verbunden wird". Ferner *Bill.*, IV[2],1130ff.

[156] Daß die Rede von der Auferstehung der Toten die Auferweckung des ganzen Menschen mit Leib und Seele im jüdischen und atl. Milieu meint, haben *K. Schubert,* Auferstehungslehre 177–214 und *O. Cullmann,* Unsterblichkeit der Seele oder Auferstehung der Toten, wiederholt betont, und mit Recht.

[157] *J. Blank,* Paulus und Jesus 152.

[158] *E. Haenchen,* Der Weg 411.

[159] Im übrigen erscheinen mir die Stellen 1 Kor 15,34.38; 6,14 bedenkenswert. Hier argumentiert der Apostel im Zusammenhang mit der Auferstehungsfrage ungefähr wie Jesus: 1 Kor 15,34 fällt der Vorwurf der ἀγνωσίαν ... θεοῦ, was, wie V 38 zeigen dürfte, auf die Macht Gottes bezogen zu verstehen ist, und 1 Kor 6,14 ist auch von der δύναμις τοῦ θεοῦ die Rede. Durch seine Macht wird er (Gott) auch uns auferwecken: καὶ ἡμᾶς ἐξεγερεῖ διὰ τῆς δυνάμεως αὐτοῦ (vgl. Mk 12,24).

wie sie V 19–23 bieten, sind von den Pharisäern tatsächlich diskutiert und dahin beantwortet worden, daß die Frau dann eben dem ersten Mann angehören werde und „auch die Antwort von V 25 entspricht jüdischen Anschauungen apokalyptischer Kreise". Zu V 26f meint er weiter: „Diskussionen, in denen Schriftstelle gegen Schriftstelle gesetzt wurde, sind innerjüdisch wie auch zwischen jüdischen und christlichen Lehrern geübt worden."[160] Aber spricht das alles gegen die Historizität des Stückes? Wie soll denn Jesus überhaupt geredet und gelehrt haben, wenn nicht wie es in seiner jüdischen Welt üblich war? Bei aller Analogie zu den rabbinischen Geschichten und Diskussionen darf man den sachlichen Unterschied zwischen Jesus und den Rabbinen nicht übersehen. E. Schweizer bemerkt zwar an der oben angeführten Stelle, daß solche Fragen „dahin beantwortet worden" sind, „daß die Frau dann eben dem ersten Mann angehören werde".[161] Leider beachtet er die Tatsache nicht, daß Jesus eben eine ganz andere Antwort bietet als die Rabbinen (V 24f; 26f).[162]

Anders argumentiert A. Suhl. Mit E. Haenchen und E. Schweizer stimmt er darin überein, daß es sich hier um eine Gemeindebildung handle. Er sieht in dieser Perikope die Interessen oder Bedürfnisse der nachösterlichen Gemeinde, die hier „die *Auferstehung Jesu* gegen das Gesetz"[163] verteidige und das allgemeine Problem des Todes angesichts der ersten Sterbefälle in der Urgemeinde lösen wolle.[164] So faßt er das Ergebnis seiner Analyse zusammen: „Den ersten Teil bis V 25 meinten wir, als Verteidigung der *erfahrenen* Auferstehung Jesu gegen das Gesetz in die *frühe* nachösterliche Zeit datieren zu müssen. V 26f aber handelt nun ganz allgemein von der Auferstehung, und zwar in dem Sinne, daß der Glaube an ihre Tatsächlichkeit „aus der Schrift" – angeblich – begründet wird. Hier geht es nicht mehr um die tatsächlich geschehene und erfahrene Begegnung mit dem Auferstandenen in seiner Andersartigkeit, sondern um die erwartete Auferstehung der Toten ganz allgemein."[165] Daß Suhl Schwierigkeiten mit diesem Text hat und haben muß, verwundert nicht. Er versucht nämlich Mk von Paulus her zu interpretieren. Die von ihm postulierte Gesetzesproblematik kommt hier gar nicht in Frage.[166] Belastet wird außerdem seine Analyse von der von ihm von seinem Lehrer

---

[160] *E. Schweizer*, Mk [5]135 – vgl. aber *E. Lohmeyer*, Mk 257.

[161] *E. Schweizer*, Mk [5]135.

[162] Ähnlich auch *S. E. Johnson*, Mk 201. Er kann aber diese richtige Beobachtung nicht fruchtbar machen. Sein Ergebnis lautet: „Though the argument (of Jesus) is not persuasive."

[163] *A. Suhl*, Funktion 70 – Sperrung im Text.

[164] Vgl. *A. Suhl*, Funktion 71.

[165] *A. Suhl*, Funktion 71 – Hervorhebung im Text.

[166] Mit *J. Gnilka*, Mk II, 159.

Marxsen übernommenen Theorie der akuten Naherwartung der Urgemeinde. Marxens These aber hat sich als unhaltbar erwiesen und wurde bereits oft widerlegt.[167] Schon R. Bultmann, der ebenfalls in Mk 12,18–25 „nur die theologische Arbeit der Gemeinde" und in V 26f „ein Argument aus dem theologischen Material der Gemeinde"[168] sieht, zeigt eben darin seine Verlegenheit, wenn er fortfährt: „Andrerseits ist nicht wahrscheinlich, daß die Sadduzäer gerade den Auferstehungsglauben der Gemeinde als Angriffspunkt gewählt haben sollten."[169]

Viele Exegeten jedoch halten an der Historizität dieser Perikope fest. Wie E. Schweizer geht auch E. Lohmeyer von der Beobachtung aus, daß das Gespräch „rein aus jüdischen Prämissen erklärlich" wird. Er kommt aber zu einem ganz anderen Ergebnis als Schweizer.[170] Er findet in diesem Gespräch „ein ausgezeichnetes Beispiel des Rabbinentums Jesu", das es schwer macht, „zu glauben, daß in ihr theologische Diskussionen der Urgemeinde widerscheinen".[171] Ist es nicht besonders glücklich, vom „Rabbinentum Jesu" zu sprechen, was J. Gnilka mit Recht kritisiert,[172] so hat Lohmeyer doch etwas Richtiges gesehen. Das Gespräch wird von „dem Sinn des urchristlichen Auferstehungsgedankens" überhaupt nicht berührt.[173] Diese wichtige Beobachtung wird leider meist gar nicht beachtet. Das hat neuerdings auch J. Jeremias betont herausgestellt: „V 24f wird das ‚Wie' des Auferstehungszustandes durch Verweis auf die Engel beschrieben; die Urkirche verweist nicht auf die Engel, sondern auf den auferstandenen Herrn (Rm 8,29; 1 Kor 15,49; Phil 3,21); V 26f wird die Frage nach dem ‚Daß' der Auferstehung mit Ex 3,6 beantwortet; die Urkirche begründet das ‚Daß' mit der Auferstehung Jesu (1 Kor

---

[167] Vgl. u. a. *J. Rohde*, Methode, bes. 118 (mit Literaturangabe); ferner *R. Pesch*, Naherwartungen, bes. 240f + Anm. 43.46; vgl. auch S. 28ff.40ff. *W. Marxsen*, Einleitung (⁴1978), S. 144 hat seine These etwas modifiziert.

[168] *R. Bultmann*, Geschichte 25.51; ferner *A. J. Hultgren*, Jesus 129f.

[169] *R. Bultmann*, Geschichte 25. Anders als Bultmann und im Gegensatz zu ihm argumentiert *H. Anderson*, Mk 277. Sein Ergebnis: „It is unlikely that Sadducean disbelief in it (resurrection) constituted any real threat to him (Jesus) in his ministry." Gegen die Echtheit von Mk 12,18–27 treten außerdem noch ein: *E. Hirsch*, Frühgeschichte I 134; *E. Klostermann*, Mk 125; *J. Sundwall*, Zusammensetzung 74. Sehr skeptisch äußert sich dazu *H. Braun*, ThWNT VI,245 Anm. 80: „Ob der zweifellos komponierten Szene ein tradiertes Wort des irdischen Jesus zugrunde liegt ... oder ob sich hier etwas aus den Debatten der Urgemeinde mit dem Judentum spiegelt ..., läßt sich nicht sicher ausmachen."

[170] Vgl. S. 102f.

[171] *E. Lohmeyer*, Mk 257. – Vgl. *H. Anderson*, Mk 276. – Obwohl er aus anderen Gründen sich gegen die Echtheit des Stückes ausspricht, räumt er jedoch ein: „It is quite possible that on occasion Jesus adopted some of the arguments" (of Jewish groups).

[172] *J. Gnilka*, Mk II, 160 Anm. 21; vgl. *W. Grundmann*, Mk ⁷332.

[173] *E. Lohmeyer*, Mk 257.

15,12ff)."[174] Das heißt doch, daß, während die Urgemeinde meistens christo-logisch, von Ostern her argumentiert, Jesus es eher theo-logisch, von seiner βασιλεία-Verkündigung her tut (V 24f.26f). Zwar ist die Vorstellung, die hier zugrundeliegt und die Argumentation echt jüdisch-rabbinisch,[175] und darin sind sich die Autoren einig. Jesu Antwort aber unterscheidet sich grundlegend von den vergleichbaren rabbinischen Beweisen. Ganz richtig hat es M. Dibelius gesehen: „Fastenfrage und Ährenraufen vor allem aber Zinsgroschen und Sadduzäerfrage sind Perikopen, die aufs stärkste an die entsprechen-den Rabbinengeschichten erinnern. Allerdings ist der sachliche Unterschied bedeutend: bei den Rabbinen handelt es sich meistens um die richtige Erklärung und Anwendung einer Gesetzesvorschrift; Jesu Antwort greift meistens über eine halakhische Belehrung hinaus. Sie ist von der Halakha auch dadurch unterschieden, daß sie sich nicht als Interpretation einer Schriftstelle gibt, sondern als Entschei-dung eines, ,der Vollmacht hat'" (vgl. Mk 2,26; 12,18–27). Die Sadduzäer, „die im Sinne der Halakha fragen, . . . erhalten gar keine halakhische, sondern eine haggadische Antwort".[176] Wie wir Mk 12,17b gesehen haben, transzendiert sozusagen auch hier Jesu Ant-wort das Verständnis seiner Partner. Er gewinnt dem Zitat Ex 3,6 einen ganz neuen Sinn ab.[177] Somit erweist er sich als ein authentisch-er Lehrer des Weges Gottes (12,14; 1,22.27). Eine solche Interpreta-tion entspricht eher dem Anspruch des irdischen Jesus als einer Bildung der Gemeinde. Mit Recht warnt auch R. Meyer davor „nicht einfach von der Form auf den Inhalt zu schließen und in Mk 12,18-27 einfach ein Stück Gemeindetheologie zu sehen". Denn „vergegenwär-tigt man sich, daß in dem, was später als sadduzäische Ketzerei erschien, sich in älterer Zeit einfach die altjüdische Orthodoxie darstellt, so erscheint es nicht nur geschichtlich denkmöglich, sondern darüber hinaus geradezu als das Gegebene, daß sich Jesus auch mit den Vertretern der offiziellen Theologie des Tempelstaates auseinan-dersetzen mußte".[178]

---

[174] J. Jeremias, Ntl. Theologie I, 180 Anm. 28; ähnlich D. H. van Daalen, Observations 241–244, hier 243, Punkt 4.

[175] Ein Beispiel bietet b. Sanh 90b. Dazu Bill., I,893.

[176] M. Dibelius, Formgeschichte 141; ferner F. Normann, Christos Didaskalos 16: „Gemeinsam erweisen alle (Gespräche), daß Jesus als ein Lehrer ähnlich den Rabbinen seiner Zeit vorgestellt wurde, mit denen er sowohl methodisch wie auch gelegentlich inhaltlich übereinstimmt. Jedesmal gehen jedoch seine Worte wie sein Verhalten über das hinaus, was man von einem Rabbi gemeinhin erwarten konnte." So lautet das Ergebnis seiner Analyse von Mk 12,13–17.18–27.28–34.

[177] Vgl. W. Grundmann, Mk [7]332; J. Schniewind, Mk [10]159: „Der entscheidende Gedanke hier aber liegt in V 27, und dazu besitzen wir keine jüdische Parallele . . ."

[178] R. Meyer, ThWNT VII, 51f. Diesen Gesichtspunkt betont auch G. M. de Tillesse, Le Secret 155.

Auch der Streitpunkt selbst mit den Sadduzäern macht die Authentizität des Stückes wahrscheinlich. Unter den jüdischen Parteien zur
Zeit Jesu waren es bekanntlich die Sadduzäer, die die Auferstehung
der Toten leugneten. Welches Interesse nun hätte die nach 70 n. Chr.
schreibenden Evangelisten geleitet, die inzwischen untergegangenen
Sadduzäer zu erwähnen, wenn sich darin nicht eine historische
Reminiszenz widerspiegelt?[179] In späterer Zeit ist ja von ihnen in
dieser Frage auch sonst als Gesprächspartner Jesu keine Rede mehr.
Es darf noch einmal auf die semitisierende Sprache und mit R. Pesch
auf den Charakter dieser Überlieferung aufmerksam gemacht werden: „In sekundärer Traditionsbildung werden nie (außer in redaktio-
neller Bearbeitung von Traditionen bei Mt) die Sadduzäer als
Gesprächspartner Jesu eingeführt; in konstruierten Gesprächen rabbinischer Tradition fragen die Sadduzäer schlicht nach dem Beweis für
die Auferstehungserwartung, unsere Erzählung hat demgegenüber
konkret – individuelles Relief . . . Schließlich deutet auch der wiederholte Vorwurf des Irrtums (VV 24.27) auf eine konkrete Gesprächssi-
tuation hin."[180]

Zusammen genommen dürften alle diese Beobachtungen und
Überlegungen eher für als gegen die Authentizität der Perikope
sprechen.[181]

V. Mk 12,18–27 in der Urkirche

Das Streitgespräch über die Auferstehung der Toten scheint in der
Urkirche zunächst keine Spuren hinterlassen zu haben. Weder Paulus
noch irgendeiner der ntl. Autoren beruft sich auf dieses Wort Jesu,[182]
obwohl hier hart um den Auferstehungsglauben gekämpft werden
mußte und in den ntl. Schriften oft genug von der Auferstehung die
Rede ist.[183] Wie ist diese Tatsache zu beurteilen? Nun, allein der

---

[179] Vgl. *K. H. Müller,* Jesus und die Sadduzäer 3–24, bes. 7. Nach ihm, übrigens, sind die
sadduzäischen Hohenpriester an der Verurteilung Jesu maßgeblich beteiligt gewesen. So auch *G. Baumbach,* Sadduzäerverständnis 35f; *J. de Fraîne,* Sadduzäer: B.
Lex./Haag 1502f.

[180] *R. Pesch,* Mk II, 235.

[181] Mit *D. H. van Daalen,* Observations 243; *A. Ammassari,* Gesù 66f.71; *W. Grundmann,*
Mk ⁷332 in Auseinandersetzung mit R. Bultmann und E. Lohmeyer; *V. Taylor,* Mk
480; *J. Schniewind,* Mk ¹²159. *J. Gnilka,* Mk II,157 möchte VV 18–25 der judenchrist-
lich-palästinischen Gemeinde und V 26f der hellenistisch-judenchristlichen Tradition
zuweisen.

[182] Das macht *E. Haenchen,* Der Weg 411 geltend gegen die Historizität nicht nur des
Wortes, sondern auch der ganzen Perikope.

[183] Vgl. 1 Kor 15; 6,14; Rm 8,11; ferner Mk 8,31; 9,31; 10,32–34; Lk 14,14;
16,19–31 . . .

Umstand, daß die Gemeinde uns diese Tradition Mk 12,18–27 bewahrt und diese den Weg ins Evangelium-Buch gefunden hat, zeugt von dem Interesse, das das Streitgespräch dort gefunden hatte. Denn bereits die Überlieferung ist selektiv. Dieses Interesse an der Auferstehungsfrage dürfte zweitens auch in der Perikope selbst darin angedeutet sein, daß Jesus betont διδάσκαλος genannt und neben Moses, die höchste Lehrautorität in Israel, gestellt wird (V 19). Für die Urgemeinde ist Jesus zweifellos der unumstrittene, wahre und endgültige Lehrer des Weges (V 14) wie der Sache Gottes (V 24.34b), größer als die Propheten, ja sogar als Moses selbst, da er einen Anspruch erhebt, der höher ist als der des Moses (Mk 3,27; Mt 12,28).[184]

Entscheidend jedoch für die Aufbewahrung dieser Tradition in der Gemeinde und ihre Aufnahme in das Evangelium-Buch wird sicherlich die Lehre Jesu über Gott und seine Macht gewesen sein, der selbst den Tod überwinden kann. Nicht der Mensch kann sich selbst oder seine unsterbliche Seele, wie die Griechen meinten, retten, sondern allein Gott, der Lebendige, ist Herr über Leben und Tod. Dieses Bild eines allmächtigen, seinen Verheißungen immer treu bleibenden Gottes und sein fester Wille, den Menschen über den Tod hinaus am Leben zu erhalten, ist das, was die Gemeinde dazu veranlaßt haben dürfte, diese Überlieferung weiter zu tradieren. Das hat D. H. van Daalen m. E. richtig erkannt: „It is not the human soul that survives death but it is the living God who overcomes death, who gave life and can give it again. And it is the Faithfulness of God that guarantees not only that he can but that he will do this ... The christian hope is part not of the doctrine of man, but of the doctrine of God".[185]

Darüber hinaus wird auch bei dieser Frage wie schon Mk 12,13–17 in der Gemeinde der Akzent anders gesetzt. Nun tritt Jesus und sein Schicksal in den Vordergrund. Denn ihre besondere Bewährung hatte ja die Macht Gottes in der Stunde und im Geschehen des Todes Jesu erfahren (1 Kor 6,14; 2 Kor 13,4; Rm 8,11; Apg 2,24.31; 4,33 ...)[186].

Für die Urkirche war die Erfahrung des Ostergeschehens von grundlegender Bedeutung. Es lieferte ihr den Beweis für ihren Auferstehungsglauben.[187] Durch die Auferstehung Jesu wird die frühjüdische Erwartung der Totenauferstehung zur Gewißheit (1 Kor 6,14;

---

[184] Vgl. Mt 5,21–43; die ἐγὼ δὲ λέγω-Worte; Lk 11,31f; Mt 12,41f. Zu dem Anspruch Jesu, vgl. u.a. E. Käsemann, Das Problem des historischen Jesus, in: Ders., Exeget. Versuche I + II, bes. S. 206ff.

[185] D. H. van Daalen, Observations 244.245.

[186] 1 Kor 1,24 wird Christus „Kraft Gottes" genannt: Χριστὸν θεοῦ δύναμιν καὶ θεοῦ σοφίαν. Vgl. ferner W. Grundmann, ThWNT II,305.

[187] S. oben S. 105 + Anm. 174.

Rm 8,11; 2 Kor 4,14 . . .). Jesu Auferstehung verbürgt für die Auferstehung der Seinen und der Menschen überhaupt. Sie ist der Anfang
und der Grund der allgemeinen Totenauferstehung (1 Kor 15,20; Apg
17,31f; 1 Pt 1,3). Besonders Paulus hat in eindringender Reflexion die
neutestamentliche Lehre der allgemeinen Auferstehung im 1 Kor 15
dargestellt. Er bekämpft die hellenistische Skepsis und Ablehnung der
Auferstehung der Toten (1 Kor 15,12f): εἰ δὲ Χριστὸς κηρύσσεται ὅτι
ἐκ νεκρῶν ἐγήγερται, πῶς λέγουσιν ἐν ὑμῖν τινες ὅτι ἀνάστασις νεκρῶν
οὐκ ἔστιν; und der Autor des 2 Tim 2,18 die falsche Lehre, daß die
Auferstehung bereits erfolgt sei. 1 Kor 15,3–5 beruft sich Paulus
ausdrücklich auf die Tradition und gibt das von ihr empfangene
Kerygma der Kirche wieder. Als er an die Korinther schrieb, war die
Auferstehung Jesu schon zum zentralen Bekenntnis der Kirche gewor-
den.[188] Pauli Auferstehungslehre gründet „nicht in Weltanschauung
und Philosophie, sondern im Glauben an den Gott, der in der
Auferweckung Christi offenbar geworden ist (1 Kor 15,12–19.34)“.[189]
Paulus und die anderen ntl. Autoren nehmen Gedanken und Einsich-
ten der Überlieferung auf, begründen sie jedoch neu durch ihre
Christologie (vgl. 1 Kor 15,3–19; 1 Pt 3,3.21). So zeigt sich, daß in der
Gemeinde das ganze theologische Gewicht in der Auseinandersetzung mit den Gegnern, vor allem den Griechen, auf das Ostergesche-
hen gelegt wird. Sind die Motive der Auferstehungsleugnung bei den
Griechen (vgl. 1 Kor 15) anthropologischer Natur, so geschieht dies
bei den Sadduzäern in Mk 12,18–27 unter Berufung auf die Schrift.
Aber beide Traditionen sind im jeweiligen Milieu fest verankert.

VI. Interpretation des Evangelisten

Die literarkritische Analyse hat ergeben, daß der Redaktor Markus
in seine Vorlage nicht eingegriffen hat. Er überlieferte unverändert
die Perikope so, wie er sie von seiner Tradition bekommen hat.
Während eine Verknüpfung dieser Szene nach vorwärts vorliegt, wie
noch zu zeigen sein wird, fehlt eine solche nach rückwärts. „Der
Zusamenhang liegt hier in sachlichen Gründen: nach den Pharisäern
versuchen sich auch die Sadduzäer“.[190] Wie versteht aber Mk dieses
Streitgespräch?

Für das mkn. Verständnis von Mk 12,18–27 wird es nicht unwichtig sein, daran zu erinnern, daß sich für Mk die Szene in Jerusalem

---

[188] Vgl. *F. Mußner,* Praesentia Salutis 178–188; *J. Jeremias,* Abendmahlsworte 95–97; *H. von Campenhausen,* Der Ablauf . . . 8–20; *F. Hahn,* Hoheitstitel 197–211; *K. Lehmann,* Auferweckt am 3. Tag, bes. 27ff.116ff; *J. Blank,* Paulus und Jesus, 133ff..
[189] *K. H. Schelkle,* Auferstehung 58.
[190] *K. L. Schmidt,* Der Rahmen 288; ähnlich *M. Albertz,* Streitgespräche 24f.

abspielt. Welche Bedeutung Jerusalem im Mk-Evangelium zukommt, haben wir in anderem Zusammenhang herauszuarbeiten versucht.[191] Jerusalem ist für Mk nicht nur ein geographischer Ort, sondern vor allem eine theologische Chiffre. Es ist die Stadt der Feinde, der Verfolgung und des Todes, aber auch der Auferstehung und des Sieges Jesu. Wenn Mk nun diese Perikope hierher stellt, so will er den Blick seiner Leser, seiner Adressaten jetzt schon auf den Sieg Jesu über den Tod lenken. Jesu Überwindung des Todes wird für sie zum Grund der Hoffnung, daß nicht der Tod das bittere und endgültige Ende bedeutet, sondern daß das Auferstehungsleben, das mit Christus bereits Wirklichkeit geworden ist, das Ziel der Auserwählten ist.

Diese theologische Verbindung zwischen Jesu Auferstehung und der allgemeinen Auferweckung der Toten, die bei Paulus klar ausgesprochen ist, wird hier noch nicht hergestellt. Aber Mk übernimmt das Gemeindeverständnis der Perikope, wie es uns in Erscheinung getreten ist. Wichtig ist ihm das Wort Jesu, weil es eine klare Aussage über die Auferstehung der Toten überhaupt enthält, was, wie wir sahen, ein sehr umstrittenes Problem in seiner Welt und Umwelt war. Und Mk 8,31;9,9.31; 10,34 (vgl. Mk 14,28) läßt der Evangelist und Redaktor Mk Jesus seinen dem Gedanken des Leids und des Todes widerstrebenden Jüngern nicht nur seine sich in Kürze ereignende Passion, sondern zugleich auch seine Auferweckung voraussagen, um sie dann am Ende seines εὐαγγέλιον vom Engel den Frauen am Grab feierlich verkünden zu lassen: „Erschrecket nicht! Ihr sucht Jesus, den Nazarener, den Gekreuzigten. Er ist auferweckt worden, er ist nicht hier. Seht da die Stelle, wo sie ihn hingelegt hatten" (Mk 16,6).[192]

In diesem bedeutsamen Streitgespräch also betont Mk nicht nur die Überlegenheit Jesu über alle seine Gegner, seine ἐξουσία (1,22) und seine διδαχὴ καινὴ (1,27) gegenüber diesen. Sie können ihm nicht widersprechen! Indem Gott Jesus von den Toten auferweckt, beweist er außerdem nicht nur seine Allmacht, sondern er liefert zugleich Jesu Legitimation. Er bestätigt Jesu Lehre und seinen Anspruch. Der im Makrotext deutlich herauszuhörende Hinweis auf die Auferstehung Jesu dürfte den Sieg des von seinen Feinden ohne Grund verfolgten und zum Tode verurteilten, von Gott aber bestätigten Lehrers im voraus proklamieren. Leise klingt bereits das Hauptthema der urkirchlichen Botschaft, nämlich die Christusverkündigung an (Mk 16,6f; vgl. Apg 4,10; Rm 8,11; Apg 2,24.32.36; 13,32.34).

---

[191] Vgl. 1. Studie zu Mk 11,27–33, S. 32–34.
[192] Übersetzung der Jerusalemer Bibel z.St.

Kapitel IV

DIE FRAGE NACH DEM HAUPTGEBOT DER LIEBE (Mk 12,28–34)

I. Literarkritik

A. QUELLENLAGE

Wird das Liebesgebot als „Lebensgesetz der Königsherrschaft"[1] und „Herzstück der christlichen Ethik" bezeichnet,[2] so ist es nicht verwunderlich, daß Mk 12,28–34 in der urkirchlichen Paraklese stärksten Widerhall findet[3] und daß sich die christliche Theologie ständig zu einem immer tieferen Verständnis dieses Gebotes bemüht. Aber bereits die Frage nach den Quellen dieser Perikope bereitet nicht wenige Schwierigkeiten. Sie hat bis heute keine befriedigende Lösung gefunden. Tot auctores quot opiniones!

Noch komplizierter wird ihre Beantwortung, wenn es darum geht, das Verhältnis der verschiedenen Überlieferungen untereinander genau zu bestimmen. Im Gegensatz z. B. zu Mk 12, 18–27 sind wir hier nicht mehr auf die Synoptiker allein angewiesen. Es scheinen vielmehr verschiedene, z. T. von den Synoptikern unabhängige Traditionen vorzuliegen. Aber selbst das Verhältnis der Synoptiker untereinander ist nicht eindeutig, wie gleich deutlich werden wird.

Die Überlieferung über das größte Gebot der Liebe begegnet, wie gesagt, an verschiedenen Stellen in der kanonischen wie außerkanonischen Literatur. Nicht unabhängig von der synoptischen Tradition dürften sein: Justin, Dialog 93,2f und Polykarp 3,3. Spricht Polykarp 3,3 von einer dreifachen Liebe: Liebe zu Gott, zu Christus und zum Nächsten und davon, daß, wer sie hat, das Gesetz der Gerechtigkeit erfüllt: ... τῆς ἀγάπης εἰς θεὸν καὶ Χριστὸν καὶ εἰς τὸν πλησίον. ἐὰν γὰρ τις τούτων ἐντὸς ᾖ, πεπλήρωκεν ἐντολὴν δικαιοσύνης. ὁ γὰρ ἔχων ἀγάπην μακράν ἐστιν πάσης ἁμαρτίας,[4] so beruft sich Justin ausdrück-

---

[1] *J. Jeremias*, Ntl. Theologie I, 204.
[2] *R. Schnackenburg*, Mk II,170; *M.-J. Lagrange*, Mc 323 nennt es ebenfalls „la règle fondamentale du christianisme".
[3] Vgl. *R. Schnackenburg*, Mk II,170.
[4] Text zitiert bei *C. Burchard*, Liebesgebot 45f; vgl. *Funk-Bihlmeyer*, Apostolische Väter I, ([2]1956) z. St.

lich darauf: καλῶς εἰρῆσθαι ὑπο τοῦ ἡμετέρου κυρίου καὶ σωτῆρος Ἰησοῦ Χριστοῦ, ἐν . . ., wobei seine Textwiedergabe eine Harmonisierung der Synoptiker (vgl. Mt 22,40 und Lk 10,27) zu sein scheint.[5] Ebenfalls verweist Clemens Alexandrinus auf den „κύριος" und „διδάσκαλος", der das Gebot der Liebe zu Gott und zum Nächsten befohlen hat.[6]

Anders verhält es sich bei der Didachè. Während Did 1,2b keine literarische Abhängigkeit von Mt 7,12 par Lk 6,31 aufweist,[7] so scheint im ersten Anblick Did 1,2a synoptischer Einfluß vorzuliegen. Der Text lautet: Ἡ μὲν οὖν ὁδὸς τῆς ζωῆς ἐστιν αὕτη· πρῶτον, ἀγαπήσεις τὸν θεόν τὸν ποιήσαντά σε, δεύτερον, τὸν πλησίον σου ὡς σεαυτόν· πάντα δὲ ὅσα ἐὰν θελήσῃς . . .[8] Aber H. Köster und J. P. Audet haben es wahrscheinlich gemacht, daß dieser Eindruck täuscht. Did 1,2a steht in einem Zusammenhang, der auf dem jüdischen Lehrstück von den zwei Wegen fußt (Did 1–6). Hier könnte jüdisches Gut übernommen worden sein. Außerdem verarbeitet auch der Barnabasbrief (18–20), und zwar unabhängig von der Didachè, wie Audet sorgfältig und überzeugend nachgewiesen hat,[9] diese Lehre von den zwei Wegen. Dort stehen nun beide Gebote voneinander getrennt. Begegnet das Gebot der Gottesliebe Barn. 19,2 am Anfang des guten Weges, so das der Nächstenliebe erst Barn. 19,5, das übrigens eine Parallele in Did 2,7 hat. Und Barn. 19,5 ist nicht von Mk 12,31 oder seiner Vorlage abängig. „Barn. bringt nichts, was mit irgendeiner Besonderheit der synoptischen Fassung dieses Gebotes zusammenstimmte."[10] Aus diesen Beobachtungen schließt Köster, daß

---

[5] Text bei K. Aland, Synopsis Quattuor Evangeliorum 387; vgl. auch A. J. Bellinzoni, The Sayings of Jesus in the Writings of Justin Martyr, 37–43.47f. Ganz anders aber klingt Apol. I, 16,6: „μεγίστη ἐντολή ἐστι· Κύριον τὸν θεόν σου προσκυνήσεις καὶ αὐτῷ μόνῳ λατρεύσεις ἐξ ὅλης τῆς καρδίας σου καὶ ἐξ . . ." Hier geht es nicht mehr – zumindest ausdrücklich – um die Liebe zu Gott und zum Nächsten. Vielmehr wird die Einzigkeit Gottes und der Dienst an ihm stark betont.

[6] Clem. Alexandrinus, Quis div. 27,3–28: Φησὶν οὖν ὁ διδάσκαλος, τίς ἡ μεγίστη τῶν ἐντολῶν ἠρωτημένος. ἀγαπήσεις κύριον τὸν θεόν σου ἐξ ὅλης τῆς ψυχῆς σου καὶ ἐξ ὅλης τῆς δυνάμεως σου . . . Δευτέραν δὲ τάξει καὶ οὐδέν τι μικροτέραν . . . Daß Clem. Alex. die synoptische Überlieferung kennt, zeigt auch Paed. III,12,88, wo es heißt u. a.: . . . ὥς φησιν ὁ κύριος· ἀγαπήσεις τὸν θεόν σου ἐν ὅλῃ καρδίᾳ σου καὶ ἐν ὅλῃ τῇ ψυχῇ σου καὶ ἐν ὅλῃ τῇ ἰσχύι σου, καὶ τὸν πλησίον σου ὥς . . . (Vgl. Mt 22,37b und Lk 10,27b).

[7] Dieser Maschal ist in der jüdischen, hellenistischen und christlichen Literatur sehr häufig, und die Texte unterscheiden sich nicht nur im Wortlaut, sondern grundsätzlich schon darin, daß die Synoptiker den Maschal in positiver Formulierung anführen, Didachè dagegen in negativer Fassung. Vgl. H. Köster, Syn. Überlieferung 167f; ferner J. P. Audet, La Didachè 258f.169.

[8] Der griechische Text ist nach K. Aland, Synopsis 387 zitiert.

[9] Vgl. J. P. Audet, La Didachè 122–163; ferner H. Köster, Syn. Überlieferung 133f.167–172.

[10] H. Köster, Syn. Überlieferung 134.

das Gebot der Nächstenliebe in Did 1,2a erst im Laufe der Überlieferung zugewachsen ist. Am Anfang der zwei Wege war ursprünglich
nur die Liebe zu Gott, dem Schöpfer geboten. Es hat also „irgendein
christlicher Redaktor des Wegematerials" Did 1,2a erweitert.[11] Das
Ergebnis seiner Analyse faßt er so zusammen: „Literarische Abhängigkeit von einem der synoptischen Evangelien läßt sich allem
Gesagten zufolge auch hier nicht erweisen." Die Einfügung von
„πρῶτον-δεύτερον" ist von einem christlichen Redaktor erfolgt, „dem
diese Verbindung aus der christlichen Überlieferung bekannt war".[12]

Auch das koptische Thomasevangelium ist in diesem Zusammenhang kurz zu erwähnen. Hier wird das Gebot der Nächstenliebe
ausdrücklich als Jesuswort bezeichnet (I,25): „Ait Jesus quia: Dilige
fratrem tuum sicut animam (ψυχὴ) tuam; serva (τηρεῖν) eum sicut
pupillam oculi tui."[13] Von einem Doppelgebot der Liebe zu Gott und
zum Nächsten jedoch ist nirgends die Rede. So vertritt W. Schrage die
Meinung: „daß Thomas die Kenntnis des Liebesgebotes in Logion 25
der synoptischen Tradition verdanken sollte, läßt sich nicht begründen, um so weniger als dieses Gebot sich keineswegs erst und allein
bei den Synoptikern findet und der zweite Teil des Parallelismus
membrorum bei Thomas gerade an atl. Stellen erinnert: ‚hüte ihn wie
deinen Augapfel'[14] (vgtl. Dt 32,10; Ps 17,8; Prov 7,2; Sir 17,22).

---

[11] *H. Köster,* Syn. Überlieferung 170–172, Zitat S. 172.

[12] *H. Köster,* Syn. Überlieferung 172; Vgl. *J. P. Audet,* La Didachè 258–259. Zu der Frage,
ob die Didachè die synoptischen Evangelien gekannt hat, meint *Köster,* ebda.
159–241, bes. 239–241: es gibt wohl Berührungen mit den Synoptikern, „die nicht
auf die Benutzung eines Evangeliums zurückgehen können, sondern auf die
Verwandtschaft dieser Überlieferungen mit der in den Synoptikern verarbeiteten
Tradition beruhen", z. B. terminologische Übereinstimmung, Benutzung der gleichen
AT-Stellen in der Didachè und in den Synoptikern . . . etc. D. h. das synoptische Gut
der Didachè stammt – abgesehen von Did 1,3–2,1 – aus mündlicher Überlieferung.
Im Kapitel VI: Les Sources: 3. La Didachè et les Evangiles, stellt auch *J. P. Audet,* La
Didachè 166f ausdrücklich diese Frage und gibt zu bedenken: „Distinguer les
déterminations sociologiques et littéraires!" „Les communautés chrétiennes primitives n'ont pas échappé à tous les déterminismes sociaux . . . Des idées communes, des
expressions approximativement identiques ne sont pas de soi des idées et des
expressions ‚empruntées'. Certes, tout le monde conviendra que la ligne de partage
entre l'emprunt, et donc la parenté, littéraires directs, d'une part, et la simple
résultante littéraire de l'homogénéité du milieu, d'autre part, n'est pas facile à
tracer." – Zitat S. 166 –.

[13] Text nach *K. Aland,* Synopsis, Append. I,25, S. 521.

[14] *W. Schrage,* Verhältnis 70. Ebenso urteilt *J.-E. Ménard,* L'Evangile selon Thomas 117f:
„Il est difficile de prouver que le commandement d'amour évangélique (Mt 19,19b;
22,39; Mc 12,31; Lc 10,27) lui (Thomas) soit parvenu par l'intermédiaire des
Synoptiques, d'autant que ce commandement ne se trouve pas d'abord et seulement
dans les synoptiques et que le parallélisme des membres fait appel à des passages
vétérotestamentaires . . ." Vgl. ferner *R. H. Fuller,* Das Doppelgebot, 324, Anm. 16.
Weitere Literatur, vgl. *R. Bultmann,* Geschichte der synoptischen Tradition, Ergänzungsheft S. 15–16.

Befragt man nun die Synoptiker, so ist der Befund dort nicht klarer und die Beurteilung der Überlieferung vom Hauptgebot der Liebe keineswegs einheitlich. Eher gehen die Meinungen weit auseinander. E. Lohmeyer nimmt eine dreifache Überlieferung unserer Perikope an. Sie wäre ursprünglich als einzelnes Stück überliefert worden: „Das Gespräch über das Doppelgebot der Liebe ist in den drei verschiedenen Fassungen überliefert ... Schon diese dreifache Art der Überlieferung zeigt, daß das Gespräch ursprünglich als einzelnes Stück überliefert worden ist."[15] Noch deutlicher wird er in seinem Mt-Kommentar, wenn er urteilt: „Der synoptische Vergleich ist hier ebenso klar wie einfach: Keiner der drei evangelischen Berichte stimmt mit dem anderen so überein, daß man ihn aus einem von ihnen ableiten könnte; denn weder die Hauptfrage, noch Jesu Antwort, noch die beiden atl. Gebote lauten gleich. Daher folgt jeder Bericht seiner eigenen Tradition und ist von dem des anderen unabhängig ... So wird auch der literarische Zusammenhang zwischen den drei Fassungen der Evangelien erkennbar: Alle drei sind unabhängig voneinander ... Über die Priorität der einen vor der anderen läßt sich Sicheres nicht mehr sagen."[16] Von seiner Urmarkushypothese her hat G. Bornkamm keine Schwierigkeit, jedem der beiden Großevangelien eine eigene Variante des Mk-Textes zuzuschreiben, die älter ist als die uns vorliegende Mk-Version: „Wahrscheinlicher ist mir die Annahme, daß sogar jeder der beiden (Mt und Lk) eine eigene Variante unseres Mc-Textes vor sich hatte."[17]

Dagegen sind viele Forscher der Meinung, daß wir es hier mit einer irgendwie gearteten zweifachen Überlieferung zu tun haben. Während die einen Mk und Mt/Lk (Q?) als Quelle annehmen,[18] entscheiden sich die anderen für Mk/Mt und Lk (Sondertradition).[19] In beiden

---

[15] *E. Lohmeyer,* Mk 257.

[16] *E. Lohmeyer/W. Schmauch,* Mt 327 und 330.

[17] G. *Bornkamm,* Das Doppelgebot 92. Zur Kritik an Bornkamms Hypothese, vgl. *Feine-Behm-Kümmel,* Einleitung in das NT 31; ferner *C. Burchard,* Liebesgebot 41.

[18] So z. B. *R. Bultmann,* Geschichte 21; *T. W. Manson,* Sayings 259f, gefolgt von *J. Jeremias,* Gleichnisse [8]200; *K. H. Rengstorf,* Lk [16]138; *H.-W. Kuhn,* Zum Problem 301 Anm. 11; *W. L. Knox,* Sources I,86f; *C. E. B. Cranfield,* Mk 376; *E. Haenchen,* Der Weg 413; *K. Berger,* Gesetzesauslegung 203; *E. Ellis,* New directions 310 Anm. 47 unter Berufung auf *T. Schramm,* Mk-Stoff 47; *R. Pesch,* Mk II,245f; *C. Burchard,* Liebesgebot 43; *E. Hirsch,* Frühgeschichte I,135; *Ders.,* Frühgeschichte II,56–60, wobei Lk 10,25–28 mit Q identifiziert wird; *R. H. Fuller,* Doppelgebot 322.324; *G. Schrenk,* ThWNT II,546; *J. Schniewind,* Mk 159; *A. Suhl,* Funktion 89; *W. Beilner,* Christus 133f. Hat *W. Grundmann,* noch in der 5. Auflage (1971) seines Mk-Kommentars S. 250 von einer dreifachen Überlieferung gesprochen, so tritt er in der 7. Auflage S. 335 für eine zweifache Überlieferung ein. Die Lk-Version wird als „ein selbständiges Überlieferungsstück" bezeichnet, in: *Ders.,* Lk [b]222.

[19] So z. B. *H. Merklein,* Gottesherrschaft 101; *R. Banks,* Jesus 164 + Anm. 1. *E. Neuhäusler,* Anspruch 114 legt sich nicht fest. Er meint nur: „Die Annahme einer mehrfachen Überlieferung liegt nahe."

Fällen wird die Mt-Version meistens als Mischform, eine Kombination von Mk und Lk (Q?) betrachtet.[20] Wieder andere schließlich
plädieren für die Priorität der Mk-Fassung und rechnen nur mit
dieser einen Überlieferung, die dann von Mt und Lk kompositorisch
und theologisch bearbeitet wurde. Anders ausgedrückt: Auch die
Lk-Version (10,25–28), die am meisten Schwierigkeiten macht, wird
als Parallelfassung von Mk 12,28–34 bezeichnet.[21]

Welche Gründe lassen sich gegen die mkn. Priorität und damit auch
die Abhängigkeit der Seitenreferenten von Markus anführen? Diese
Frage läßt sich nur nach einer sorgfältigen Analyse der Texte, nicht aber
theoretisch, beantworten. Da die Mt-Fassung von vielen Forschern mit
Recht als sekundär betrachtet wird, dürfen wir uns im folgenden auf die
schwierige und umstrittene Lk-Version beschränken.

Neuerdings hat C. Burchard den unabhängigen Charakter der
Lk-Fassung hauptsächlich mit zwei Argumenten verteidigen wollen.
Erstens, daß Mt-Lk „einige Züge gegen Markus gemeinsam haben, auf
die nicht jeder für sich gekommen sein kann".[22] Besonders auffällig sei
dabei die Bezeichnung des Fragestellers als νομικός, während Mk
γραμματεύς hat, wie Matthäus sonst auch immer.[23] Zweitens, daß Lk

---

[20] Zum ganzen Problem, vgl. *A. J. Hultgren,* Jesus 47–49f. Er meint aber: „The major
problem of interrelationships is that of the relationship of Matthew's pericope to the
others . . ." Seine Lösung lautet: „Matthew's story (22,34–40) is based ultimately on
his own special traditions (special M.) which have been influenced at the time of
writing his gospel by the accounts in Mark (12,28–34) and Q (as given in Luke
10,25–28)." Beide Zitate S. 48.

[21] So z. B. *H. Zimmermann,* Samariter 61f; *J. Schmid,* Lk ⁴190; *Ders.,* Mk 229; *R.
Schnackenburg,* Mitmenschlichkeit 76, Anm. 13; *S. Légasse,* Scribes, bes. 481–488; *A.
Jülicher,* Gleichnisse Jesu II, ²596; *E. Jüngel,* Paulus und Jesus 169f; *K. L. Schmidt,* Der
Rahmen 281f; *E. Klostermann,* Lk 118f; *Ders.,* Mk 127; *V. Taylor,* Mk 485; *H. Anderson,*
Mk 279; *M.-J. Lagrange,* Mc 322; *E. Linnemann,* Gleichnisse 62.147 + Anm. 17; *M.
Albertz,* Streitgespräche 26.34; *J. Ernst,* Einheit 3; *C. Spicq,* Agape I,85f . . . Dagegen
befürwortet *C. G. Montefiore,* Syn. Gospels I,284 die Priorität der Lk-Fassung: „This
(Lk) Version of the story may be the more original", weil dort nicht Jesus, sondern
der νομικός das Hauptgebot der Liebe zitiert. Wieder anders urteilt *F. Gils,* Le Sabbat
506–523, bes. 519f: Die Mk-Version sei gegenüber der Mt-Fassung sekundär. Seine
Argumentation basiert nicht auf einer Analyse der Perikope, sondern auf der
Annahme der Echtheit der Begebenheit im Leben Jesu. „Les particularités de Mc
témoignent du souci d'adaptation du message évangélique en vue de sa présentation
au monde païen" (520). Doch gegen Gils sprechen sich die meisten Ausleger aus.
Auch für *R. H. Fuller,* Doppelgebot, bes. 320ff hat die Mt-Fassung gegenüber der
mkn. jedenfalls die ursprünglichere Tradition bewahrt. Diese Folgerung zieht er
aufgrund von Semitismen und der Hinweise auf ein palästinisches kulturelles Milieu,
die er in den Mt- und Lk-Abweichungen von Markus beobachtet haben will. Vgl.
seine Rekonstruktion der ursprünglichen Tradition, S. 320–322.324.

[22] *C. Burchard,* Doppelgebot 40f.

[23] Vgl. *C. Burchard,* Doppelgebot 41 + Anm. 4; ferner *R. Pesch,* Mk II,244f; *E. Haenchen,*
Der Weg 412; *W. Grundmann,* Mk ⁷335; *R. H. Fuller,* Doppelgebot 318; *J. Schmid,* Mt
und Lk 144–147.

10,25–28 in einem ganz anderen Kontext steht als bei Mk. Da Lk
sonst keine Markusperikopen vor der Passionsgeschichte umstellt, hat
er „also in 10,25–28 (–37) eine von der Markusperikope, variata oder
invariata, literarisch unabhängige Überlieferung verarbeitet und
dafür Mk 12,28–34 fallen lassen".[24] Wenn Burchard auch richtig
erkennt, daß der dritte Evangelist Mk 12,28–34 im Markuskontext
gelesen hat „in welcher Form auch immer", wie Splitter von Mk
12,28a.32a.34c, die in Lk 20,39f zu einem Abschluß für das Streitgespräch mit den Sadduzäern verkittet sind, zeigen,[25] und in Auseinandersetzung mit T. W. Manson[26] mit Recht betont, daß Lk 10,25–28
und Mk 12,28–34 „gar nicht so verschieden" sind und daß gegenüber
Mk 12,28–34, Lk 10,25–28 „sich als im wesentlichen sekundär ent-
puppt. Sekundär ist zunächst die parenetische Ausrichtung, die sich in
der Frage des Schriftgelehrten und der Antwort Jesu ausdrückt . . .
Sekundär ist dann weiter die Streitgesprächssituation, die Lk
10,25–28 kennzeichnet",[27] und urteilt: „von den frühen christlichen
Überlieferungen des doppelten Liebesgebotes scheint keine in irgendeinem wesentlichen Zug ursprünglicher zu sein als die Tradition, die
hinter Mk 12,28b–34b steckt",[28] glaubt Burchard jedoch eine literarische Abhängigkeit der Lk-Fassung von Mk bestreiten zu müssen:
„hinter Lk 10,25–28 steckt doch wohl eine Variante der in Mk
12,28–34 aufgenommenen Überlieferung".[29] Diese sei in Q bewahrt
und dürfte Mt und Lk schriftlich vorgelegen haben. Nun, um die
Unterschiede zwischen Mt und Lk ohne Widerspruch zu erklären,
postuliert er: „nur daß Matthäus' Exemplar anders ausgesehen haben
muß als Lukas' . . . Die Fassung hat jedenfalls mit Markus literarisch
nichts zu tun, auch nicht über eine gemeinsame Vorlage, sondern
fußt auf einer mündlichen Einzelüberlieferung."[30]

Was ist von diesen Argumenten zu halten? Zunächst darf man mit
G. Schille bemerken, daß „ehe man eine quellenkritische Hypothese
verfolgen darf, müßte erst bewiesen werden, daß die Beobachtungen
auf k e i n e n F a l l redaktionsgeschichtlich erklärt werden können".[31]
Ist das hier der Fall? Können die von Lk vorgenommenen Änderun-
gen nicht aus kompositorischen und redaktionskritischen Gründen

[24] *C. Burchard*, Doppelgebot 42; ähnlich argumentiert auch *K. H. Rengstorf,* Lk 138.
[25] *C. Burchard*, Doppelgebot, 42; ferner *W. Grundmann,* Lk [6]376; *R. H. Fuller*, Doppelge-
    bot 318f; *E. Klostermann,* Lk 118f; *A. Wikenhauser/J. Schmid,* Einleitung in das NT 258;
    J. Schmid, Mt und Lk 145 + Anm. 5, S. 143.
[26] *T. W. Manson,* Sayings of Jesus 259f; gefolgt z. B. von *C. E. B. Cranfield,* Mk 376.
[27] *C. Burchard,* Doppelgebot 48 und 49.
[28] *C. Burchard,* Doppelgebot 50f.
[29] *C. Burchard,* Doppelgebot 49.
[30] *C. Burchard,* Doppelgebot 43.
[31] *G. Schille,* Offen für alle Menschen 13 gegen *M. Karnetzki,* Die Galiläische Redaktion
    im Mk-Evangelium – Sperrung von mir –

plausibel gemacht werden? Daß, im Gegensatz zu Mt, Lk hier seiner
mkn. Vorlage nicht folgt, lehrt schon ein oberflächlicher Blick in die
Synopse. Lk bringt unsere Erzählung nicht in den letzten Tagen des
Jerusalemer Wirkens Jesu unter, sondern in seinem sog. „Reisebericht". Hat also Lk die Perikope dorthin versetzt oder handelt es sich
hierbei, wie es Burchard behauptet, um eine andere Überlieferung,
die Lk verarbeitet? Uns scheint hier lkn. Redaktionsarbeit vorzuliegen.

Wir sahen, daß die Erzählung ursprünglich zeit- und ortlos überliefert wurde. Wie Mk ihr einen Rahmen gab und sie in den Jerusalemer
Kontext stellte, weil sie, wie noch deutlicher werden wird, seinem
Anliegen offenbar gut diente, so wird auch Lk seine Gründe gehabt
haben, die Geschichte innerhalb des Reiseberichtes zu bringen. Nicht
unbedingt, wie K. L. Schmidt gemeint hat, weil nach Lk hier „eine
rechte Streitszene nicht vorliegt" und „eine derartige halbwegs
freundliche Rabbiszene (. . .) in diesem Aufriß nicht mehr möglich"
sei. „Daher wird die Erzählung 10,25–28 innerhalb des Reiseberichtes
untergebracht."[32] Das gilt übrigens auch für die mkn. Perikope! –
Vielmehr stellt der lkn. Reisebericht den „Rahmen für ort- und zeitlos
überlieferte Perikopen meist lehrhaften Inhaltes"[33] dar, die Jüngerun-
terweisungen, Auseinandersetzungen mit den Gegnern, Volksszenen
und auch Einzelbegegnungen enthalten.[34] Nach Joh. Schneider ist der
Reisebericht „durch eine didaktisch-paränetische Tendenz gezeichnet". Damit wolle Lukas „der Gemeinde, vor allem den Führern der
Gemeinde zeigen, wie sie nach dem Willen Jesu zu leben und zu
handeln haben".[35] Zieht K. H. Rengstorf eine ganz andere Schlußfolgerung aus der Feststellung, daß die an Jesus gerichtete Frage bei Lk
nicht wie bei Mt und Mk theologisch-theoretischer, sondern durchaus
praktischer Natur ist, so weist er doch mit Recht auf das Reisemotiv,
wenn er fortfährt: „In dieser Weise fragte man gern durchreisende
Lehrer um Rat."[36] Und dieses Reisemotiv ist, wie H. Conzelmann
nachgewiesen hat, eine literarische Konstruktion des Lukas, die im
Ganzen des Buches eine bestimmte theologische Bedeutung hat.[37]

---

[32] *K. L. Schmidt,* Der Rahmen 282.

[33] *W. Grundmann,* Lk 199; ferner *E. Klostermann,* Lk 110; *Feine-Behm-Kümmel,* Einleitung
80; vgl. S. 87. Zum ganzen Problem des sog. Reiseberichtes, vgl. *H. Conzelmann,* Mitte
53–66; *B. Rigaux,* Lc 198–205.

[34] Zu der Stoffaufzählung- und Übersicht, vgl. *K. L. Schmidt,* Der Rahmen 247–254; *A.
Wikenhauser/J. Schmid,* Einleitung 250; *Feine-Behm-Kümmel,* Einleitung 75f.

[35] *Joh. Schneider,* Zur Analyse des lukanischen Reiseberichtes, in: Synoptische Studien
(F.S. A. Wikenhauser), S. 207–229, Zitate S. 219 und 220.

[36] *K. H. Rengstorf,* Lk 138f; vgl. auch *K. Berger,* Gesetzesauslegung 234f.

[37] *H. Conzelmann,* Mitte 53–66, hier S. 54: „Das so bezeichnende Reisemotiv ist bewußte
Redaktionsarbeit" und weiter S. 55: „Die bisherigen Erwägungen legen nahe, als den

Spricht diese kurze Beschreibung des lk. Reiseberichtes nicht eher dafür, daß Lk bewußt das Doppelgebot der Liebe von seinem mkn. Kontext gelöst und hierher gestellt hat? Und paßt nicht das Stück Lk 10,25–28 (–37) vorzüglich zu dem so beschriebenen Rahmen? Schließlich ist auch das Argument, Lk stelle vor der Passionsgeschichte keine Markusperikopen um, nicht unwidersprochen geblieben. Von Feine-Behm-Kümmel z. B. wird es entschieden bestritten.[38]

Wie steht es nun mit den Übereinstimmungen von Mt/Lk gegen Mk? Die Frage ist nicht einfach zu beurteilen. C. Burchards Hauptargument ist hier die Verwendung von νομικός bei Lk und Mt.[39] Νομικός ist der hellenistische Name für den Stand und Beruf, den der Jude mit sophēr = γραμματεύς bezeichnet.[40] Während nun νομικός lk. Vorzugswort ist,[41] begegnet es bei Mt nur an dieser Stelle, eben in Übereinstimmung mit Lk (Lk 10,25 par Mt 22,35). Das ist in der Tat um so auffälliger, als Mt sonst immer, wie Mk, γραμματεύς gebraucht. So möchte Lagrange diese Tatsache damit erklären, daß νομικός von Mt aus Lk übernommen oder von einem Abschreiber aus Lk eingefügt wurde.[42] Umgekehrt nimmt J. Schmid an, daß Mt die Lk-Erzählung gekannt und daraus die angeführten Züge übernommen hat.[43] Grundmann rechnet mit Einfluß aus Q oder mit einem nachmatthäischen Zusatz,[44] während R. Pesch fragt, ob Matthäus nicht vielleicht νομικός hier im Blick auf die folgende Wendung ἐν τῷ νόμῳ (Mt 22,36) übernimmt.[45] E. Lohmeyer macht darauf aufmerksam, daß νομικός textkritisch in wichtigen Handschriften des Matthäusevangliums fehlt.[46] So ließe sich der Gebrauch von νομικός bei Mt auch anders verstehen als mit der Annahme einer den Großevangelien gemeinsamen Überlieferung.

Schöpfer des Reiseschemas den Verfasser des jetzigen Evangeliums anzusehen; . . .“ Vgl. auch *P. Vielhauer,* Urchristl. Literatur 371; *Feine-Behm-Kümmel,* Einleitung 80; *B. Rigaux,* Lc 198–267, vgl. ebda S. 90–92.93–99.

[38] *Feine-Behm-Kümmel,* Einleitung 79f: „Die Behauptung, Lk kenne keine Perikopenumstellungen gegenüber Mk außerhalb der Leidensgeschichte (. . .), läßt sich nur aufrecht erhalten, wenn man ohne ausreichenden Grund bestreitet, daß . . .“

[39] *C. Burchard,* Doppelgebot 41; vgl. auch *E. Haenchen,* Der Weg 412; *H.-W. Kuhn,* Zum Problem 301 Anm. 11.

[40] *E. Lohmeyer,* Mt 328 Anm. 2; Vgl. *R. H. Fuller,* Doppelgebot 323.

[41] Es kommt noch 6mal vor, und zwar Lk 7,30; 11,45.46.52.53; 14,3 (+ 10,25). Markus kennt das Wort nicht. – Vgl. *Moulton-Geden,* Concordance 667.

[42] *M.-J. Lagrange,* Mt 431; *Ders.,* Lk 310.

[43] *J. Schmid,* Mt und Lk 147.

[44] *W. Grundmann,* Mt 476.

[45] *R. Pesch,* Mk II,245 + Anm. 27.

[46] *E. Lohmeyer/W. Schmauch,* Mt 328 Anm. 2 „Das Wort fehlt in λ e syr sin arm, und wohl mit Recht, da es den sonstigen aramaisierenden Sprachcharakter stört . . . Es steht in allen griechischen Majuskeln und erhält in K noch ein überflüssiges und störendes τις“. Ferner *P. Bonnard,* Mt 328.

Wenden wir uns nun den anderen Gemeinsamkeiten zwischen Mt und Lk zu und fragen, ob sie sich nicht kompositorisch und redaktionskritisch erklären lassen. Die Formulierung der Frage Lk 10,25b: διδάσκαλε, τί ποιήσας ζωὴν αἰώνιον κληρονομήσω; ist nicht nur eine Neuformulierung von Mk 10,17b, sie stimmt außerdem bis auf ἀγαϑέ mit der Parallelfassung Lk 18,18 wörtlich genau überein (vgl. auch Lk 10,26a und 18,18.19a). Hier liegt offensichtlich lk. Redaktion vor. Möglicherweise wurde auch die Anrede διδάσκαλε in Lk 10,25 aus Lk 18,18ff übernommen. Sie würde also von Lk selbst stammen. Das ist um so wahrscheinlicher als Lk, wie J. Schmid zutreffend festgestellt hat, diese Anrede noch viel öfter als Mt verwendet.[47] Der Gebrauch von διδάσκαλε in Mt 22,36 entspricht der sonstigen Tendenz des Matthäus, das Wort den Gegnern Jesu in den Mund zu legen.[48] Ebenfalls kann die Wendung ἐν τῷ νόμῳ, die Mt 22,36 dem νομικός, Lk 10,26 aber Jesus in den Mund gelegt wird, auf die Hand der Evangelisten zurückgeführt werden. Dem lukanischen Gebrauch ist sie nicht unbekannt (vgl. Lk 2,23–24;24,24). Für Lukas spricht auch das Vorkommen von γράφω und ἀναγινώσκω im Zusammenhang mit ἀνίστημι-ἵσταμαι (V 25a.26b) wie auch in dem allgemein als lkn. Komposition betrachteten Abschnitt Lk 4,16–17.[49] Im übrigen, daß Lk 10,25–28 nicht von Mt 22,34–40 abhängig ist, hat J. Schmid in seiner Habilitationsschrift überzeugend nachgewiesen.[50]

Wenn Lk 10,25 statt nach dem Hauptgebot der Liebe danach fragt, was man tun solle, um das ewige Leben zu ererben, so verrät das lkn. Interpretation. Nicht mehr die Frage nach dem Gesetz interessiert Lk und seine Leser bzw. Gemeinden, sondern die Praxis des Lebens,[51] genauer die Frage nach dem Heil. Das hat E. Linnemann ganz richtig erkannt, wenn sie schreibt: „Lukas hatte dieses Gespräch an heidnische Leser zu vermitteln, für die solche schriftgelehrten Disputationen nicht mehr verständlich waren. Er hat ihnen die Frage nach dem größten Gebot als die Frage nach dem ewigen Leben verdolmetscht, die er in der Geschichte vom Reichen Jüngling fand".[52] So läßt sich auch die Auslassung von Mk 12,29b, dem Schema-Beginn, bei ihm verstehen. Rückt Mt das Doppelgebot der Liebe selbst in den

---

[47] *J. Schmid*, Mt und Lk 146.

[48] *P. Bonnard*, Mt 328: „cette apellation est très fréquente dans Mt., surtout, fait curieux, sur les lèvres des adversaires de Jésus"; ebenso *R. Banks*, Jesus 166.

[49] Vgl. *R. Banks*, Jesus 166–167; *R. H. Fuller*, Doppelgebot 320 bemerkt zu ἀνίσταμαι, daß Lk dieses Zeitwort mit besonderer Vorliebe verwendet.

[50] *J. Schmid*, Mt und Lk, bes. 143–147.

[51] Vgl. auch *K. Berger*, Gesetzesauslegung 235–238f; *R. Banks*, Jesus 169–170; *H. Zimmermann*, Samariter 62 unter Hinweis auf *A. Schlatter*, Lk 284; *N. Lohfink*, Hauptgebot 131 (= Siegeslied).

[52] *E. Linnemann*, Gleichnisse 63f; vgl. auch *R. H. Fuller*, Doppelgebot 318f.

Vordergrund, so liegt im dritten Evangelium das Gewicht auf dem typisch lkn. Thema von Heil und Barmherzigkeit.[53]

Schließlich aus der Umwandlung vom mkn. Schul- zum Streitgespräch bei Mt/Lk versteht sich auch, daß die Seitenreferenten Mk 12,32–34 nicht wiedergeben, wobei Lk 10,28 noch zu entnehmen ist, daß Lk von der Übereinstimmung Jesu mit dem νομικός gewußt haben wird (vgl. Mk 12,34: ὅτι νουνεχῶς ἀπεκρίθη mit Lk 10,28b . . . ὀρθῶς ἀπεκρίθης . . .). Diese Spannung zwischen Anfang und Ende der lkn. Erzählung: ἐκπειράζων . . . (V25a) und ὀρθῶς . . . (V 29) ist dadurch wahrscheinlich nicht anders zu verstehen als daß hier Tradition und Redaktion konkurrieren.[54] Bei Mt kann man diese Umwandlung wahrscheinlich machen, „daß man (. . .) πειράζων aus der scharfen antijüdischen, speziell antipharisäischen Tendenz des ersten Evangelisten erklärt. Jedenfalls ist es klar, daß auch die Auslassung von Mk V 32–34, wo der Fragesteller in einem allzu günstigen Lichte erscheint, mit der Einfügung von πειράζων zusammenhängt."[55]

Es dürfte also klar geworden sein, daß es sich unter literarkritischen, kompositorischen und redaktionskritischen Gesichtspunkten plausibel machen läßt, daß Lk und Mt über keine andere Vorlage als Mk verfügen. Sie bearbeiteten, jeder in seinem Sinn, die mkn. Überlieferung. Im Hinblick auf Lk 10,25–28 (37) und Mk 12,28–34 wird man J. Schmid zustimmen dürfen: „Wenn die Verschiedenheiten der beiden Stücke ihre Gleichsetzung schwierig machen, so macht andererseits die vollkommene Identität der auf die gestellte Frage gegebenen Antwort ihre Unterscheidung schwierig. Die Verschiedenheiten sind sachlich geringfügig, sobald man einmal die Möglichkeit zugibt, daß die Parabel erst durch die Überlieferung mit dem Gespräch zwischen Jesus und dem Gesetzeslehrer verbunden wurde. Die bei Lukas von dem letzteren gegebene und von Jesus gebilligte Antwort aber ist genau die nämliche, die nach Mk 12,29f Jesus selbst gibt . . . Man wird dann dem Markus-Bericht die größere Ursprünglichkeit zuerkennen, weil man leichter verstehen kann, daß eine Erzählung, in der ein pharisäischer Schriftgelehrter eine sympathische Rolle spielt und von Jesus gelobt wird, durch die Überlieferung zu einem Streitgespräch umgestaltet wurde, als das Umgekehrte . . ."[56]

---

[53] Vgl. S. *Légasse*, Scribes 484 + Anm.119; A. *Suhl*, Funktion 89; G. *Bornkamm*, Doppelgebot 92f; und die in der Anm. 51 angeführten Autoren.

[54] So auch S. *Légasse*, Scribes 486.

[55] *J. Schmid*, Mt und Lk 146 Anm. 3.

[56] *J. Schmid*, Lk [4]1960, S.190f. *Ders.*, Mt und Lk 144 urteilte negativ: „Aus diesen Gründen kann man die Mk/Mt-Erzählung und die des Lk schwerlich als Parallelversionen derselben Geschichte betrachten."

B. Textanalyse

Wie in der Quellenfrage ist man auch in der Beurteilung der Einheitlichkeit dieser Perikope und in der Bemühung, den ursprünglichen mkn. Text zu rekonstruieren, keineswegs einig. Das zeigen die verschiedenen Rekonstruktionsversuche sehr deutlich.

1. Eine recht komplizierte Entstehungsgeschichte von Mk 12,28–34 nimmt E. Hirsch an. Nach ihm hat unser Text „mannigfaltige Wandlungen erfahren". Er redet geradezu von der „Unerträglichkeit des heutigen Mk-Textes".[57] Die ursprüngliche Fassung der Geschichte sei die, in welcher allein der Schriftgelehrte das Doppelgebot spricht, d. h. die in Lk 10,25–28 enthaltene Fassung von Q. Die Version, in der Jesus allein es sagt, ist nach Hirsch sekundär. Die Leistung des Redaktors Markus sieht er eben darin, beide Fassungen zusammengelegt und V 32: ἐπ’ ἀληθείας εἶπες ὅτι ... und ὁ γραμματεύς hinzugefügt zu haben.[58] Danach resultiert der heutige Mk-Text aus:

a) Mk I,   V 28a bis συζητούντων,

            V 32 ohne ὁ γραμματεύς und ἐπ’ ἀληθείας ... ὅτι

            VV 33–34

b) Mk II, V 28b ohne ἀκούσας αὐτῶν συζητούντων

           VV 29.30.31

           V 34ab: καὶ οὐδεὶς ...

Diese Rekonstruktion begründet Hirsch mit dem Hinweis: „Im ganzen ersten Erzähler (Mk I) gibt es kein Stück, in dem Jesus so trocken lehrhaft ein festgeprägtes Stück vorträgt wie hier VV 29–31 Mk II. Das ist nicht die Art Jesu, sondern die des legendären Lehrers der göttlichen Wahrheit".[59] Den überladenen Charakter von V 28 erkennt er durchaus richtig und urteilt: „Solche Häufungen von Partizipien haben sich schon öfter als literarkritisch aufzulösen erwiesen".[60]

2. Auch nach R. H. Fuller ist der literarische Zusammenhang zwischen den drei Fassungen des Doppelgebotes wesentlich komplizierter als dies auf den ersten Blick erscheint.[61] Während E. Hirsch für seine Rekonstruktion vom Lk-Text bzw. Q ausgeht, möchte Fuller die ursprüngliche Textgestalt der Geschichte am besten in der Mt-Version bewahrt sehen. Mt enthalte die meisten Elemente der frühesten Tradition, und das heißt der nicht mkn. Quelle. Diese frühere Tradition finde sich in Q.[62] Zu diesem Ergebnis führt

---

[57] *E. Hirsch*, Frühgeschichte I,135.
[58] Vgl. *E. Hirsch*, Frühgeschichte I,135f; II,56–60.
[59] *E. Hirsch*, Frühgeschichte I,137.
[60] *E. Hirsch*, Frühgeschichte I,136.
[61] Vgl. *R. H. Fuller*, Doppelgebot 318.
[62] *R. H. Fuller*, Doppelgebot 321.323.

vor allem die Beobachtung, daß der Mt-Text im Vergleich zu Mk eine Reihe von Semitismen, bzw. von semitisierenden Zügen aufweist, die der mt. Gewohnheit, das mkn. Griechisch zu verbessern, entgegenlaufen, und einige typisch matthäische redaktionelle Züge.[63] Mk ist also nicht die früheste erreichbare Textform. Er ist sekundär gegenüber dieser nicht-mkn. Quelle. Unsere Mk-Fassung läßt sekundäre Züge und mkn. Redaktion erkennen. V 28b.c „sind offenbar mkn. Komposition . . . Das mehr oder weniger überflüssige προσελθών kommt in Verbindung mit -ἐρωτάω auch in der von Markus stammenden Einleitung einer anderen Perikope vor (10,2) und ist eine weitere redaktionelle Ergänzung . . ."[64] Ferner meint Fuller, die Formulierung der Frage nach dem „ersten und zweiten" Gebot (V 28c,29a,31a) als sekundär beurteilen zu müssen: „Sie muß mkn. Redaktion oder wenigstens einer ihm folgenden Sonderüberlieferung zugeschrieben werden." Und die Einleitung des Doppelgebotes durch das Sch‘ma wurde „offensichtlich für heidnische Leserkreise hinzugefügt". Das gilt ebenfalls für die Konstruktion mit ἐκ + Genitiv bei der Aufzählung der Kräfte, die mit der LXX übereinstimmt, und das Hinzufügen einer vierten Kraft (διάνοια). Schließlich hält der Autor, unter Berufung auf G. Bornkamm, VV 32–34 ebenfalls für „redaktionellen Zusatz von Markus".[65] Der so rekonstruierte Urtext lautct: καὶ ἐπηρώτησεν αὐτὸν εἷς ἐκ τῶν γραμματέων· διδάσκαλε, ποία ἐντολὴ μεγάλη ἐν τῷ νόμῳ; ὁ δὲ εἶπεν πρὸς αὐτόν· ἀγαπήσεις κύριον τὸν θεόν σου ἐν ὅλῃ τῇ καρδίᾳ σου, καὶ ἐν ὅλῃ τῇ ψυχῇ σου καὶ ἐν ὅλῃ τῇ ἰσχύι σου, καὶ τὸν πλησίον σου ὡς σεαυτόν.[66]

3. R. Pesch folgt fast durchweg R. H. Fuller. Auch er vertritt die Meinung, der Mt-Text spiegele „vor allem in mehreren Semitismen, noch deutlich die Vorlage aus der Spruchquelle".[67] Der Mk-Text sei sekundär im hellenistischen Judenchristentum, am ehesten der Jerusalemer „Hellenisten" um Stefanus, entstanden, und zwar „durch Überarbeitung (VV 28–31) und Erweiterung (VV 32–34) einer ursprünglicheren, wohl aus dem Leben Jesu überlieferten Tradition, wie sie aus Mt/Lk par, wo Mk- und Q-Tradition verschmolzen sind, und der Mk-Tradition zu erschließen ist".[68] Doch im Gegensatz zu Fuller läßt Pesch Überarbeitung (VV 28–31) und Erweiterung (VV 32–34) bereits in der vormkn.

---

[63] *R. H. Fuller,* Doppelgebot 320–322.
[64] *R. H. Fuller,* Doppelgebot 322f.
[65] *R. H. Fuller,* Doppelgebot, alle Zitate S. 329; *G. Bornkamm,* Doppelgebot 41 Anm. 7.
[66] *R. H. Fuller,* Doppelgebot 322 + 324.
[67] *R. Pesch,* Mk II,245.
[68] *R. Pesch,* Mk II,244 + Anm. 21 unter Hinweis auf *R. H. Fuller,* Doppelgebot.

Überlieferung erfolgen.[69] Er gewinnt folgende erschließbare Urform des Gesprächs, die mit der heutigen Mt-Fassung fast genau übereinstimmt: „Und es fragte einer von den Schriftgelehrten, ihn prüfend: Lehrer, welches ist das größte Gebot im Gesetz? Er aber sprach zu ihm: Lieben sollst du den Herrn, deinen Gott, mit deinem ganzen Herzen und mit deiner ganzen Seele und mit deinem ganzen Denken [oder: mit deiner ganzen Kraft]. Dieses ist das größte Gebot. Ein zweites ist diesem gleich: Lieben sollst du deinen Nächsten wie dich selbst. An diesen beiden Geboten hängt das ganze Gesetz und die Propheten."[70]

4. Die Meinung, der Mk-Text habe Erweiterungen, und zwar die Verse 32–34, erfahren, wird neuerdings besonders von K. Berger vertreten. Zwei sind seine Hauptargumente. Erstens, das Fehlen dieser Verse bei den Seitenreferenten. Da Mt und Lk die Antwort des Schriftgelehrten mit der Wiederholung des Hauptgebotes nicht kennen, schließt er daraus, daß Mk 12,32–34 einen nachgereichten Kommentar darstellen,[71] der im übrigen der Antwort Jesu (VV 29b–31) die Pointe raube. Denn in jedem echten Schul- oder Streitgespräch hat Jesus das Schlußwort zu sprechen.[72] Zweitens, für den sekundären Charakter dieser Verse spräche vor allem V 31, der die Diskrepanz zwischen Frage (Mk 12,28c: ποία ἐστὶν ἐντολὴ . . .) und Antwort (VV 29b–31: ὅτι πρώτη ἐστίν . . . δευτέρα . . .) klar aufzeigt. Während nämlich der γραμματεύς nach einem, und zwar dem größten Gebot fragt, antwortet ihm Jesus mit zwei Geboten: πρώτη ἐστίν . . . δευτέρα αὕτη. Dies sei ein Zeichen dafür, „daß die jetzige Abfolge in der Antwort sekundär ist"[73], und lege die Vermutung nahe, daß die Antworten Jesu (VV 29b–30+31) formgeschichtlich aus verschiedenen Bereichen stammen. Ursprünglich wäre also nur Dt 6,4f als Antwort gegeben und Lev 19,18 mit der Einleitung zu V 31 erst sekundär geschaffen worden. Das gehe auch daraus hervor, daß sich V 31b offenbar bemühe, „durch Zusammenfassung der Äußerungen von V 29–30 und V 31 das Gleichgewicht zur eingangs gestellten Frage wiederherzustellen".[74]

Bergers Analyse überzeugt keineswegs. Zunächst wird man mit H. Merklein zu bedenken geben, „ob diese zweifellos richtige Form-

---

[69] Vgl. *R. Pesch*, Mk II,236 und *R. H. Fuller*, Doppelgebot 322f.

[70] *R. Pesch*, Mk II,245f.

[71] *K. Berger*, Gesetzesauslegung 183f. Für ihn sind VV 32–33 eine midraschartige Schriftauslegung, ebda. bes. 200f; vgl. *H. Merklein*, Gottesherrschaft 101.

[72] *H. Merklein*, Gottesherrschaft 101 mit Verweis auf *E. Klostermann*, Mk 128; vgl. auch *K. Berger*, Gesetzesauslegung 184.

[73] *K. Berger*, Gesetzesauslegung, bes. 183–189; Zitat S. 189.

[74] *K. Berger*, Gesetzesauslegung 189f; Zitat S. 189.

analyse auch traditionsgeschichtlich im Sinne zweier sukzessiver Traditionsstufen (I = V 28b–30; II = 28b–30 + V 31) auswertbar ist, oder ob sie lediglich im Sinne des Zusammenwachsens zweier unterschiedlicher Formen (I = Bekenntnis zum Monotheismus; II = Kombination von εὐσέβεια und φιλανθρωπία als Zusammenfassung der Tora) in einer Traditionsstufe interpretierbar ist".[75] Mit dieser letzten Möglichkeit rechnet Merklein. Er meint: Es könnte „einerseits die sachliche Übereinstimmung von Dt 6,5 (aus Form I) und εὐσέβεια (aus Form II) die Kombination der beiden Formen wie auch die Wiedergabe der φιλανθρωπία als Zitat veranlaßt haben. Andererseits könnte der durch Dt 6,4f vorgegebene Zusammenhang von monotheistischem ‚Dogma' (Dt 6,4) und Forderung der Gottesliebe (Dt 6,5 Forderung der εὐσέβεια aus Form II) eine stärkere Integration der beiden Zitate, wie sie unter dem Gesichtspunkt des Doppelgebotes von Gottes- und Nächstenliebe als Zusammenfassung der Tora wünschenswert wäre, in diesem Stadium noch behindert haben; so kommt es zur Aufzählung eines ‚ersten' und ‚zweiten' Gebotes, obwohl bereits Mk 12,28–32 seiner Intention nach auf das Doppelgebot von Gottes- und Nächstenliebe ausgerichtet ist."[76] Zudem unterläßt es Berger zu fragen, ob diese Kurzfassung, d. h. die von ihm angenommene und aus VV 28b–30 bestehende ursprüngliche Einheit der Perikope von der christlichen Gemeinde für tradierenswert erachtet worden wäre. Zwar würde diese Kurzfassung Dt 6,4f, die den Monotheismus stark betont, in einem jüdischen Missionsmilieu eine plausible Erklärung finden, schwerlich aber im christlichen Bereich. Gerade die enge Bindung an Dt 6,4f und Lev 19,18 dürfte für die Urchristenheit nicht nur von außerordentlicher Bedeutung sein, sondern auch das Spezifische ausmachen.[77] Drittens, daß Jesus gelegentlich auf eine an ihn gerichtete Frage zwei Antworten geben kann, konnten wir bereits an anderer Stelle beobachten. Mk 12,14–17, besonders aber Mk 12,23.25 und 26 werden zwar die Antworten Jesu nicht als πρώτη und δευτέρα kenntlich gemacht. Es werden jedoch auf eine Frage zwei Antworten gegeben. In diesen Antworten bringt Jesus die neue, tiefere Dimension seiner Botschaft zum Ausdruck, die über den Horizont der Gegner oder der Fragesteller hinaus liegt und auf Höheres hinweist.[78] Noch eine letzte Beobachtung: Wie in einem reinen Streitgespräch die Reak-

---

[75] H. Merklein, Gottesherrschaft 102.
[76] H. Merklein, Gottesherrschaft 102.
[77] Mit J. Gnilka, Mk II, 163, vgl. auch E. Neuhäusler, Anspruch 116: „Entscheidend ist das Neue des Jesuswortes, die Annäherung der beiden Weisungen der Gottes- und Nächstenliebe . . ."
[78] Vgl. unsere Studien zu Mk 12,13–17 und Mk 12,18–27.

tion der Gegner oft ein verlegenes Schweigen, ein Sichzurückziehen (vgl. Mk 3,4; 3,22–30; 12,17c; 2,22.28; 10,2–11.12), oder eine Ablehnung der Antwort (vgl. Mk 11,33b) sein kann, so drückt sich in einem echten Schul- oder Lehrgespräch die Reaktion des Fragestellers oder der Zuhörer nicht selten in Zustimmung, Bewunderung oder Lob – (ganz wie in vielen Wundergeschichten) – aus. Dies legt es nahe, auch hier die Reaktion des γραμματεύς wie auch die von Jesus, also die Verse 32f und 34a.b., zur ursprünglichen Erzählung zuzurechnen, nicht aber als einen nachgereichten Kommentar anzusehen.[79]

5.   Zum Schluß sei noch die Position A. Suhls erwähnt. Suhl hält es nicht für ausgeschlossen, daß „der Redaktor selbst diese Perikope gestaltet hat". Dafür spräche, daß „sowohl Matthäus als auch Lukas an dieser Stelle von ihrer Vorlage abweichen". Gegen G. Bornkamm vermutet er, daß die Seitenreferenten eher „auf eine ihnen vertrautere Form der Einzelperikope zurückgegriffen haben" dürften.[80]

Die geschilderten, voneinander abweichenden Rekonstruktionsversuche und die unterschiedliche Beurteilung dieser Perikope zeugen von der Unsicherheit der Ausleger und machen die Beschäftigung mit diesem Text nicht leicht.[81]

6.   Von der überwiegenden Mehrheit der Exegeten wird Mk 12,28 mit Recht als mindestens zum Teil mkn. Redaktion angesehen. Die asyndetische Häufung der Partizipien in diesem Vers ist immer schon aufgefallen: προσελθών, ἀκούσας, ἰδών … Das entspricht dem Mk-Stil, wie z. B. 5,25–27;[82] 1,41; 14,67; 15,43 belegen können.[83] Für mkn. Redaktion dürfte auch das συζητούντων spre-

---

[79] R. Bultmann, Geschichte 66 schreibt mit Recht: „Vom Eindruck der Worte Jesu reden an dieser Stelle Mk 10,22; 12,17b; Lk 14,6, und zwar s t i l g e m ä ß , wie Mk 3,4b zeigt . . ." – Sperrung von mir. – Wie bereits E. Hirsch, Frühgeschichte II,56–60: Mk 12,28a.32–34 sind der Ausgangspunkt der synoptischen Textentwicklung gewesen, so beurteilt, im Gegensatz zu K. Berger, E. Neuhäusler, Anspruch 115, die VV 32–34. Sie stellen „die älteste Schicht" der Erzählung dar, ein „eigenes Traditionsstück", von dem aus sich die Geschichte entwickelte.

[80] A. Suhl, Funktion 89 – gegen G. Bornkamm, Doppelgebot 92.

[81] Mk 12,28c ist die Lesart ἰδών dem εἰδώς vorzuziehen. Sie gibt einen besseren Sinn und ist außerdem gut bezeugt. Gegen Nestle-Aland, Novum Testamentum (Graece), 25. Auflage.; K. Aland, Synopsis Quattuor Evangeliorum, 2. Aufl. (1964). Richtig nun auch Nestle-Aland, Novum Testamentum, 26. Aufl., ferner A. Merk, Novum Testamentum, graece et latine, 8. Auflage (1957); The Greek New Testament, ed. K. Aland/M. Black, u. a.; C. E. B. Cranfield, Mk 377; V. Taylor, Mk 485; E. P. Gould, Mk 231; J. Gnilka, Mk II, 164; R. Pesch, Mk II, 236+237 (Übersetzung).

[82] Mk 5,25–27 werden nicht weniger als sieben Partizipien gebraucht!

[83] So u. a. E. Hirsch, Frühgeschichte I, 136; W. Grundmann, Mk [7]336; V. Taylor, Mk 845.46 unter Berufung auf H. B. Swete, Mk[3] XLVIII; E. Lohmeyer, Mk 257; M.-J. Lagrange, Mc 321 und LXIX; E. Haenchen, Der Weg 30f; G. Wohlenberg, Mk 318; H. Anderson, Mk 279f; C. E. B. Cranfield, Mk 377; E. Klostermann, Mk 127; R. Bultmann,

chen. Das Verbum begegnet sechsmal und ist ein mkn. Vorzugswort.[84] Mag auch das Vokabular durchweg traditionell sein, wie R.
Pesch argumentiert, der Gebrauch von συζητέω zusammen mit der
asyndetischen Reihung von Partizipien verraten sehr deutlich die
Hand des Redaktors Markus.[85] Ursprünglich dürfte also V 28a so
gelautet haben: καὶ προσελθὼν εἷς τῶν γραμματέων ἐπηρώτησεν
αὐτόν᾽ . . . Offenbar wegen der Schwierigkeit, die inkorrekte Formulierung ἐντολὴ πρώτη πάντων zu erklären und der unsicheren
Lesart bzw. der Unstimmigkeit in der Textüberlieferung, möchte
R. Banks dem Redaktor Markus das πάντων zuschreiben.[86] Er hält
ebenso V 31b: μείζων τούτων ἄλλη ἐντολὴ οὐκ ἔστιν, für ein
„Mark's additional comment".[87] Aber nichts berechtigt zu dieser
Annahme. Im Korpus der Erzählung selbst findet sich kein Hinweis auf mkn. Redaktion. Das hat R. Pesch durchaus richtig
erkannt: „Literarkritische Indizien, die gegen die Einheitlichkeit
des Textes im Text selbst sprechen, sind (. . .) nicht vorhan-
den."[88]
Daß aber die Abschlußnotiz V 34c καὶ οὐδεὶς οὐκέτι . . . zu dem
durchaus freundlichen Ton des Gespräches schlecht paßt, ist den
Exegeten nicht verborgen geblieben. Sie sehen hier die Hand des
Redaktors, und mit Recht. Freilich schreibt R. Pesch Mk 12,34c der
Tradition zu, und zwar als zur vormarkinischen Passionsgeschichte
zugehörig. Mk hätte diesen Teilvers, wie er meint, nur verpflanzt:
„Wahrscheinlicher hat der Evangelist eine 11,27–12,17 abschlie-

---

Geschichte 21; *K. L. Schmidt*, Der Rahmen 282f; *J. Gnilka*, Mk II,163; *S. Légasse*, Scribes
482 Anm. 111; *H.-W. Kuhn*, Sammlungen 41 + Anm. 185; *Ders.*, zum Problem 301
Anm. 11; *A. M. Ambrozic*, Kingdom 177; *H. Merklein*, Gottesherrschaft 101; *C.
Burchard*, Liebesgebot 46.44; *R. H. Fuller*, Doppelgebot 322f; *J. Ernst*, Einheit 3; *J.
Lambrecht*, Redaktion 50f; *K. Berger*, Gesetzesauslegung 184; *B. Rigaux*, Mc 98 . . .
u. a. m.

[84] Im ganzen NT begegnet συζητέω nur noch im Lk-Evangelium (22,23; 24,15) und in
der Apostelgeschichte (6,9 und 9,29). Mt kennt es nicht.

[85] Richtig *K. L. Schmidt*, Der Rahmen 283 und die in der Anm. 83 angeführten Autoren.
Gegen *R. Pesch*, Mk II, 236, der V 28 für traditionell hält und meint, daß Mk
„12,18–27 und 12,28–34 schon als ein ‚Diptychon' in vormkn. Überlieferung
zusammengehörten, die Sadduzäer und einen der Schriftgelehrten kontrastiere . . .
Daß die Verzahnung sekundär sei, ist keineswegs deutlich erkennbar".

[86] *R. Banks*, Jesus 165. πάντων fehlt in DW 565 et al. *Eusebius* und einige Minuskeln
lesen: πάντων πρῶτον ἄκουε Ἰσραήλ . . . und T R (M* 1278): πρώτη πασῶν. Das sind
zweifellos Korrekturen des inkorrekten πάντων. Vgl. *M.-J. Lagrange*, Mc 321; *E.
Lohmeyer*, Mk 258 Anm. 1; *V. Taylor*, Mk 485 Anm. 1; *S. Légasse*, Scribes 482
Anm. 112; *Blass-Debrunner*, Grammatik § 164,1.

[87] *R. Banks*, Jesus 167. Das erwägt auch *R. Pesch*, Mk II,326, wegen der „Spannung
zwischen πρώτη in V 28d und μείζων in V 31c".

[88] *R. Pesch*, Mk II,236; ferner *C. Burchard*, Liebesgebot 46; *J. Lambrecht*, Redaktion 50f; *R.
Bultmann*, Geschichte 21; *J. Sundwall*, Zusammensetzung 74; *K. L. Schmidt*, Der
Rahmen 282f; *H.-W. Kuhn*, Zum Problem 301 Anm. 11; *J. Gnilka*, Mk II, 163f u. a.

ßende Notiz der vormkn. Passionsgeschichte verpflanzt."[89] Nicht
ganz klar äußert sich Légasse.[90] Jedenfalls möchte er diese Notiz
(Mk 12,34c) als Einleitung zur folgenden Perikope über die Davidssohnschaft des Messias verstanden wissen: „Toutefois à sa place
originelle, cette courte phrase ne se réfère pas nécessairement á ce
qui précède, mais peut tout aussi bien introduire ce qui suit, à
savoir, la discussion sur la descendance davidique du Messie." Den
Beweis dafür liefert ihm Lk 20,40–44: „Le fait que Luc l'a
conservée à cet endroit, alors qu'il déplace le dialogue sur le grand
commandement prouve qu'il la rattachait à cette dernière contro-
verse. . ."[91]. Diese Meinung, die bereits D. Daube vertreten hat, um
seine These von dem angeblich hier begegnenden rabbinischen
Schema der Passahaggada zu beweisen, löst m. E. das Problem bei
Mk nicht. Sie verschiebt es nur. Die neue Ortsangabe Mk 12,35a
wirkt nämlich dann ganz deplaziert. Gerade V 35a macht diesen
Vorschlag unwahrscheinlich. Die andere Frage, nämlich die nach
dem Sinn und der Funktion dieser Notiz V 34c bei Markus kann
erst und nur im großen Zusammenhang der mkn. Redaktion
sinnvoll gestellt werden. V 34c dürfte aber von Mk nicht nur
hierher verpflanzt worden sein, sondern von ihm selbst stammen.
Darauf scheint besonders die doppelte Negation οὐδεὶς οὐκέτι . . .
hinzuweisen, aber vielleicht auch die Verben ἐπερωτάω und τολμάω.[92]

Unsere Analyse kommt zu dem Ergebnis, daß, abgesehen von
geringfügigen Zusätzen in V 28 und V 34, Mk diese Perikope von
seiner Tradition vorgegeben war. Seine Leistung war es, ihr einen
Rahmen gegeben zu haben, wobei er sie von der vorhergehenden
sowie der folgenden Perikope abgrenzte.

---

[89] *R. Pesch,* Mk II, 236.

[90] Vgl. *S. Légasse,* Scribes 485. Es wird nicht ganz deutlich, ob er *R. Bultmann,* Geschichte
21 und *V. Taylor,* Mk 490, die er zitiert, auch zustimmt. Er bemerkt nur: „ce fragment,
que plusieurs critiques considèrent comme rédactionnel" . . .

[91] *S. Légasse,* Scribes 485.

[92] Vgl. Mk 1,44; 5,3; 16,8; 11,14; 15,5; 9,8; 7,12 = Doppelnegation. Dazu vgl. *V. Taylor,*
Mk 46; *M.-J. Lagrange,* Mc LXXIII; *B. Rigaux,* Mc 98. Das Verbum ἐπερωτάω kommt
bei Mk 25mal, bei Mt nur achtmal und in den lkn. Schriften (Evangelium) 17mal und
(Apostelgeschichte) zweimal vor. τολμάω begegnet nur noch Mk 15,43 und Mt 22,46
und Lk 20,40, par Mk 12,34c und außerdem noch Apg. 5,13 und 7,32. Vgl.
Moulton-Geden, Concordance 354 und 955; ferner *H. Bachmann/W. A. Slaby,* Computer-Konkordanz 655f (ἐπερωτάω) und 1795 (τολμάω) –.

II. Form- und Gattungskritik

A. Sprache des Textes

Im Gegensatz zu der unmittelbar vorhergehenden Perikope Mk 12,18–27 bemüht sich Mk hier offenbar darum, Mk 12,28–34 mit den anderen Stücken enger zu verbinden, und zwar zunächst einmal mit der Auferstehungsfrage, darüber hinaus auch mit dem ganzen Komplex von Gesprächen, worauf der bereits z. T. besprochene Vers 12,34c hindeutet. So bildet er eine kompositorische Einheit.

Wenn auch stilistisch nicht sehr geschickt, stellt Mk doch die Verbindung auf seine Weise her. Der überladene V 28 mit seinen partizipialen Wendungen stammt zum Teil, wie wir erkannten, von ihm und dient ihm als Bindeglied. Denn, wie Mk 12,13–17 und 12,18–27, so ist auch diese Perikope ort- und zeitlos überliefert worden. Indem Mk 12,28b ἀκούσας αὐτῶν συζητούντων, ἰδών ὅτι καλῶς ἀπεκρίθη αὐτοῖς noch nachträglich die Mk 12,18–27 vermißte Reaktion der Partner Jesu, wenngleich nur die eines einzelnen Schriftgelehrten, mitteilt, bekundet er damit ganz eindeutig seine Absicht. Dieser Satz bleibt sonst unverständlich, wenn der ganze Kontext Mk 12,13–27 nicht im Auge behalten wird. Es werden in der Tat weder Jesus noch seine früheren Gesprächspartner genannt. Aber mit dem Satz ἀκούσας αὐτῶν συζητούντων, ἰδών ὅτι καλῶς ἀπεκρίθη αὐτοῖς sind zweifellos die in Mk 12,18–27 angeführten Sadduzäer gemeint. Dabei fallen weitere stilistische Ungereimtheiten im Text auf. Ist das Subjekt von προσελθών, ἀκούσας, ἰδών ... ἐπηρώτησεν der εἷς τῶν γραμματέων, so muß das von ὅτι καλῶς ἀπεκρίθη αὐτοῖς erraten werden. Der Handelnde ist hier nicht mehr der γραμματεύς, sondern Jesus. Während V 28a ἐπηρώτησεν αὐτόν das Personalpronomen auf Jesus, und V 28b ἀπεκρίθη αὐτοῖς das αὐτοῖς offenbar auf die Gesprächspartner Jesu verweist, meint der genitivus αὐτῶν συζητούντων, der von ἀκούσας abhängt, sowohl Jesus als auch seine Partner. Das alles bildet nur einen Satz! Und dadurch, daß in V 28a.b nur ein Substantiv εἷς τῶν γραμματέων vorkommt, alles andere aber entweder mit dem Personalpronomen αὐτός oder mit Partizipialkonstruktionen ausgedrückt und das Subjekt von ἀπεκρίθη nicht namentlich erwähnt wird, bleibt der Satz grammatikalisch und stilistisch sehr unklar.

Der Ausdruck εἷς τῶν γραμματέων steht für den unbestimmten Artikel τις (= γραμματεύς τις) und begegnet z. B. auch Mk 5,22. Dazu bemerkt V. Taylor: „εἷς = τις may be a Semitism (. . .), but the well established usage of the LXX (. . .) shows that this view is not necessary unless it is otherwise supported in a given case".[93] Aber woher kommt so plötzlich dieser Schriftgelehrte? Denkt Mk dabei an Mk 11,27b zurück? Will er auf den Anfang der Gespräche hinweisen

---

[93] V. Taylor, Mk 287; ebda. S. 60. Vgl. Blass-Debrunner, Grammatik § 247,2.

wie es Mk 12,34c nahelegt? Der γραμματεύς gehört zwar zum Text
(vgl. 32a), aber für den Redaktor Mk dürfte dieser Hinweis auf den
Beginn nicht ohne weiteres auszuschließen sein. Das Vorkommen des
γραμματεύς hier im Text war ihm willkommen. Was dies für Mk
bedeutet, wird uns noch beschäftigen. Jedenfalls wird der Schriftgelehrte als Ohren- und Augenzeuge der vorherigen Disputationen Jesu
mit seinen Gegnern dargestellt. Daß Jesus ihnen καλῶς ἀπεκρίθη,
beeindruckte ihn sehr und ermutigte ihn, nun selbst auch Jesus zu
fragen. All diese Züge wollen, wie gesagt, die Brücke zwischen Mk
12,28–34 und den vorhergehenden Perikopen schlagen.

Mit dem Bericht der Seitenreferenten haben wir uns bereits z. T. in
der Quellenfrage befaßt. Nach Lk 10,25–28 (–37) spielt sich die
Geschichte zusammen mit der Beispielserzählung von dem barmherzigen Samariter auf dem Weg von Jerusalem nach Jericho ab. Sie
wird in dem Zusammenhang des sog. Reiseberichts ganz lose hinein-
gestellt. Lk folgt seiner mkn. Vorlage nicht. Unvermittelt tritt ein
νομικός auf. Das Wort ist spezifisch lukanisch. Lk vermeidet die mkn.
semitisierende Wendung: εἷς τῶν ... Er schreibt korrekter: νομικός
τις (Lk 10,25). Doch ist die Wendung καὶ ἰδού, die er verwendet,
semitisierend und entspricht dem hebräischen d^ehineh.[94] Mit seinen
zwei Partizipien und diesem Semitismus oder Septuagintismus ist der
lkn. Satz stilistisch nicht viel besser formuliert als der mkn. V 28. Hat
nach Mk der Schriftgelehrte in guter Absicht gefragt, so heißt es nun
bei Lk: ἐκπειράζων αὐτόν ...

Mt folgt Mk. Wie er, aber enger als er, knüpft Mt an der
vorhergehenden Perikope von der Auferstehung der Toten an.
Ausdrücklich werden die beiden rivalisierenden Gruppen der Pharisäer und Sadduzäer genannt: οἱ δὲ Φαρισαῖοι ἀκούσαντες ὅτι ἐφίμωσεν
τοὺς Σαδδουκαίους, συνήχθησαν ... Verdeutlicht Mt Mk 12,28b:
ἀκούσας αὐτῶν συζητούντων? Davon, daß die Pharisäer Jesus mit den
Sadduzäern diskutieren hörten, ist also bei Mt keine Rede mehr. Aus
dem mkn. εἷς τῶν γραμματέων ist wie bei Lk nun ein εἷς ἐξ αὐτῶν
νομικός[95] und ein Mitglied der Partei der Pharisäer geworden. Wurde
Mt 22,15–22 bereits gesagt, daß die Pharisäer συμβούλιον ἔλαβον,
ὅπως αὐτόν παγιδεύσωσιν ἐν λόγῳ (V 15), so heißt es jetzt einfach
συνήχθησαν ἐπὶ τὸ αὐτό ... Der Ausdruck ἐπὶ τὸ αὐτό ist „un
hébraïsme qui ne décrit ni l'unité d'intention, ni celle des sentiments,
mais celle du lieu".[96] Der einleitende Satz, beobachtet Lohmeyer

---

[94] *Aem. Springhetti,* Introductio 84: „Locutio (καὶ) ἰδού frequentissima apud LXX et in
   NT"; vgl. *Blass-Debrunner,* Grammatik § 442,7 und 4; *K. Beyer,* Syntax 57f; 67; 257.
[95] Zum Gebrauch von νομικός bei Lk und Mt, vgl. *Bill,* I, 898.
[96] *P. Bonnard,* Mt 328; ferner *E. Lohmeyer/W. Schmauch,* Mt 328 Anm. 1 „ἐπὶ τὸ αὐτό ...
   bezeichnet den Ort der Zusammenkunft, nicht die Gesinnung, aus der, oder das
   Ziel, auf das hin man zusammenkommt".

zutreffend, „scheint wie aus dem gewohnten Geleise gebracht – das Subjekt des Hauptsatzes ist vor das Partizip, das Prädikat des Nebensatzes an den Anfang gerückt –, als wolle der Erzähler ein schadenfrohes Gerücht wörtlich wiedergeben und zugleich über die Freude der Pharisäer spotten . . .".[97] Über die böse Absicht der Gegner berichtet V 35. Wie bei Lk, so soll auch bei Mt die Zusammenkunft der Pharisäer der Vorbereitung einer Falle für Jesus dienen. Ihr Sprecher fragt Jesus πειράζων αὐτόν. Dabei gebraucht Lk das Kompositum ἐκπειράζω, dagegen Mt das Simplex πειράζω. Worin aber diese Falle bestehen soll, wird nicht gesagt. Fuller macht darauf aufmerksam, daß Mt 22,35 einige Semitismen enthält, und zwar die Inversion von Verb und Subjekt am Anfang des Satzes: καὶ ἐπηρώτησεν εἷς . . ., sowie die Wendung εἷς ἐκ, die dem hebräischen Ausdruck 'ḥd mn entspricht.[98]

Weder bei Mt noch bei Lk noch bei Mk wird der Name „Jesus" ausgesprochen. Für ihn steht bei allen drei Synoptikern das Personalpronomen „αὐτός".

Sind die Gesprächspartner vorgestellt, kann nun auch das eigentliche Gespräch beginnen. Der Erzähler geht vom Erzähltempus zur direkten Rede über. Die zu debattierende Frage lautet bei Mk: ποία ἐστὶν ἐντολὴ πρώτη πάντων; (V 28c).[99] Da ἐντολὴ im Griechischen ein Femininum ist, erwartete man hier πασῶν, wie auch ganz richtig πρώτη und ποία steht. Stattdessen haben wir πάντων, ein Neutrum Plural.[100] Auf diesen inkorrekten Gebrauch wurden wir oben bereits aufmerksam. V. Taylor fragt sich, ob diese Wendung πρώτη πάντων nicht „an example of translation Greek" sei, „to represent the semitic use of the positive for the superlative more literally rendered by μεγάλη in Mt."[101] Nach Lagrange handelt es sich hier um eine „incorrection, due à la tournure d'esprit sémitique, qui se contente du masculin pour le féminin, surtout au pluriel".[102] Ob ποία hier mit τίς gleichzusetzen ist oder nicht, wird später zu erwägen sein.

Die bei Mk fehlende Titulatur wird von den Seitenreferenten hinzugefügt. Jesus wird mit διδάσκαλε angesprochen (Mt 22,36; Lk

---

[97] E. Lohmeyer/W. Schmauch, Mt 328.

[98] R. H. Fuller, Doppelgebot 320f.

[99] M. Albertz, Streitgespräche 22, meint: „Die Fragestellung ist . . . so knapp, daß sie nur aus vertrauter Kenntnis des Gesetzes formuliert sein kann."

[100] Mit K. Berger, Gesetzesauslegung 189.

[101] V. Taylor, Mk 486. In diesem Sinne äußert sich auch E. Klostermann, Mk 127: das πάντων scheint „eine erstarrte Steigerung des Superlativs zu sein". C. E. B. Cranfield, Mk 377 weist auf Thukydides, IV, 52: πόλεις . . . καὶ πάντων μάλιστα τὴν Ἄντανδρον . . . hin und meint, das πάντων „is to be explained as a stereotyped use of the neuter genitive plural to intensify the superlative".

[102] M.-J. Lagrange, Mc 321.

10,25b).[103] Bei Lk lautet die Frage nun ganz anders. Der νομικός fragt nicht mehr nach dem Gesetz (ἐντολή), sondern nach den Bedingungen, um das ewige Leben zu ererben: τί ποιήσας ζωὴν αἰώνιον κληρονομήσω; (Lk 10,25b). Wie schon bemerkt, stimmt die Frage bis auf ἀγαθέ wörtlich genau mit der des reichen Jünglings (Mk 10,17) bzw. des ἄρχων (Lk 18,18). Wieder einmal verdeutlicht Mt. An die Stelle von πρώτη πάντων setzt er, sachlich richtig: μεγάλη ἐν τῷ νόμῳ. Aber wie bei Mk dürfte auch hier der Positiv μεγάλη in Wirklichkeit einen superlativischen Sinn haben. Denn es ist, wie E. Lohmeyer erkannt hat, ein greifbarer Semitismus, wenn auch im klassischen Griechisch möglich.[104] Die Auslassung des Prädikats oder der Kopula V 36 ist ein weiterer semitisierender Zug. Mt allein führt hier den Begriff νόμος ein, womit der Pentateuch gemeint sein dürfte. Mk ist das Wort νόμος unbekannt. Er verwendet stets ἐντολή.

Die Redeeinführung Mk 12,29a: ἀπεκρίθη ὁ Ἰησοῦς ὅτι πρώτη ... ist im Mk-Evangelium singulär.[105] Hatte der Schriftgelehrte danach gefragt, ποία ἐστὶν ἐντολὴ πρώτη πάντων; (V 28), so nimmt Jesu Antwort genau darauf Bezug: πρώτη ἐστίν (V 29a). Dann folgt das erste Gebot. Das ὅτι spielt eigentlich die Rolle eines Anführungszeichens. Es ist ein sog. ὅτι-recitativum, das uns in Mk schon oft begegnet ist.[106] Es führt die direkte Rede ein: ἄκουε ... Der Übergang von V 28 zu V 29a ist abrupt. Wir haben es mit einem Asyndeton zu tun. Außerdem könnte die Inversion von Verb und Subjekt ἀπεκρίθη ὁ Ἰησοῦς ein semitischer Zug sein.[107] Jesus wird hier zum ersten Mal namentlich erwähnt.

Beides, Asyndeton und Semitismus, werden von Mt und Lk beseitigt. Bei beiden verbindet die Partikel δὲ die Antwort Jesu mit der gestellten Frage: ὁ δὲ ἔφη αὐτῷ· (Mt 22,37a) und ὁ δὲ εἶπεν πρὸς αὐτόν· (Lk 10,26a). Der Name ὁ Ἰησοῦς kommt bei den Seitenreferenten (Mt 22,34–40; Lk 10,25–28) kein einziges Mal vor.

Was nun folgt (Mk 12,29b), steht nur bei Mk. Jesus zitiert zunächst ziemlich genau den Anfang des Sch‵ma Dt 6,4: ἄκουε, Ἰσραήλ, κύριος ὁ θεὸς ἡμῶν· κύριος εἷς ἐστιν. Nach Klostermann wird das κύριος des

---

[103] D it liest bei Mk: λέγων· διδάσκαλε ... Das ist wohl Einfluß von Lk und Mt.

[104] Vgl. *E. Lohmeyer/W. Schmauch*, Mt 329 Anm. 1; ferner *Blass-Debrunner*, Grammatik § 245; *P. Bonnard*, Mt 328; *E. Klostermann*, Mt 179; *R. H. Fuller*, Doppelgebot 321; *K. Berger*, Gesetzesauslegung 206; *I. Abrahams*, Studies I,24 meint, die griechische Übersetzung bei Mt sei nicht richtig.

[105] Mit *R. Pesch*, Mk II,238.

[106] Vgl. *Blass-Debrunner*, Grammatik § 397,5; 470,1; ferner *M. Zerwick*, Mk-Stil 39–48, hier 39; *Ders.*, Graecitas Nr. 416–422: Er spricht von ὅτι-declarativum (416); *Aem. Springhetti*, Introductio 175,3.

[107] *Blass-Debrunner*, Grammatik § 472,1 bemerken: „Im sonstigen Griechisch kommt Anfangsstellung des Verbs bei Fortführung der Erzählung auch vor; sehr geläufig ist sie aber nur bei Verben des Sagens; im Semitischen dagegen ist sie bei allen Verben Regel, daher auch im NT sehr beliebt, namentlich bei Mc.“; *V. Taylor*, Mk 57.

Zitates von den Griechen als Appelativum verstanden sein, nicht aber als Eigenname (*jhwh*).[108] Und K. Berger meint, daß die LXX, indem sie bei ihrer Wiedergabe von Dt 6,4 *jhwh* durch κύριος ὁ θεός ausdrückte, weit über den hebräischen Wortlaut hinausgehe, und zwar zugunsten der gewöhnlichen und in der LXX-Fassung des Dt gebräuchlichen Formel κύριος ὁ θεός.[109] Warum lassen Mt und Lk diese Worte aus? Handelt es sich bei Mk um ein bloßes Zitat oder steht auch dieser Schᵉma-Anfang in enger Verbindung mit dem folgenden Vers Dt 6,5?

Mk 12,30 wird nun auch Dt 6,5 zitiert. Der Text scheint der LXX zu folgen.[110] Aber die Textüberlieferung macht viele Schwierigkeiten.[111] Gerhardsson bemerkt ganz richtig: „If a comparison is made between the different Jewish and early christian texts, where the Schema' is quoted in a Greek translation, a confused picture emerges; the phrases vary greatly."[112] Der hebräische Text ist dreiteilig. Er lautet:

a) *bᵉkòl-lᵉbābkā* = aus deinem ganzen Herzen,

b) *ûbᵉkòl-naphšᵉkā* = und aus deiner ganzen Seele,

c) *ûbᵉkòl-mᵉodēkā* = und aus deiner ganzen Macht, Kraft oder aus deinem ganzen Vermögen.

In Anlehnung daran übersetzt die LXX:

a) ἐξ ὅλης τῆς καρδίας – [Br = διανοίας] σου

b) καὶ ἐξ ὅλης τῆς ψυχῆς σου

c) καὶ ἐξ ὅλης τῆς δυνάμεώς σου.[113]

Mk aber bietet zwei verschiedene Fassungen. Die längere, vierglied-rige wird von Jesus (V 30), und die kürzere, dreiteilige (V 33a) vom Schriftgelehrten zitiert. Konstant bleiben in beiden Fassungen nur die Partikel ἐκ sowie die Substantiva καρδία und ἰσχύς.

Mk 12,30 heißt:

a) ἐξ ὅλης τῆς καρδίας σου καὶ

b) ἐξ ὅλης τῆς ψυχῆς σου καὶ

c) ἐξ ὅλης τῆς διανοίας σου καὶ

d) ἐξ ὅλης τῆς ἰσχύος σου

---

[108] E. Klostermann, Mk 127. Er wird gefolgt von R. Pesch, Mk II,239 und G. Bornkamm, Doppelgebot 87 Anm. 8.

[109] K. Berger, Gesetzesauslegung 67.

[110] Vgl. R. Pesch, Mk II,239; V. Taylor, Mk 486; H. Anderson, Mk 280.

[111] Vgl. die Diskussion bei K. Berger, Gesetzesauslegung 66–72 mit reicher Literatur-angabe.

[112] B. Gerhardsson, The parable of the sower 168; vgl. ferner J. Jeremias, Das tägliche Gebet, in: Abba, bes. 79f; Ders., Die Muttersprache, in: Abba, bes. 257f + Tabelle.

[113] Text nach A. Rahlfs, Septuaginta I, (9. Aufl.) z. St. Vgl. E. Lohmeyer, Mk 258 Anm. 3. Er bemerkt, daß διάνοια und καρδία in der LXX häufig wechseln, ebenso wie δύναμις und ἰσχύς. Vgl. auch K. Berger, Gesetzesauslegung 69f; G. Bornkamm, Doppelgebot 88.

Die kürzere Fassung Mk 12,33a nennt, wie der hebräische und der LXX-Text, nur drei Kräfte: καρδία; σύνεσις; und ἰσχύς. Mk 12,30 setzt der Autor also an die Stelle von δύναμις im LXX-Text zwei aus dem rationalen bzw. psychologischen Bereich stammende Begriffe: διάνοια und ἰσχύς,[114] die im ganzen Mk-Evangelium nur in dieser Erzählung vorkommen (VV 30.33). So scheint die längere Fassung das hebräische *leb* doppelt wiederzugeben, einmal mit διάνοια, sodann mit καρδία.[115] In der Tat wird *leb* in der LXX stets nur entweder durch διάνοια oder durch καρδία, nicht aber durch beide – wie bei Mk –, in der Mehrzahl der Fälle jedoch durch καρδία übersetzt.[116]

Wie ist diese vierteilige Fassung entstanden? E. Lohmeyer meint: „Die vierteilige Wendung, die auch Lk, nicht Mt bewahrt hat, ist wohl entstanden durch das sonst häufige Paar καρδία und ψυχή, dem dann ein zweites Paar διάνοια und ἰσχύς zur Seite gestellt wurde. Dem entspricht wohl auch die psychologische Anschauung: Liebe wohnt in Herz und Seele, und fließt über in Einsicht und Wille.“[117] K. Berger geht vom LXX-Gebrauch dieser Termini aus und beobachtet, „daß die einzelnen verwendeten Substantive z. T. (. . .) durcheinander ersetzbar sind. Dadurch ergibt sich bereits innerhalb der LXX eine gewisse sprachliche Variationsbreite“. Diese schon „innerhalb der LXX vorhandene Vielfalt und weitgehende Synonymität der psychologischen Termini“ wird die zahlreichen synoptischen Varianten möglich gemacht haben. Das Vorkommen von διάνοια neben καρδία bei Mk erklärt Berger als „ein Zeichen für die Schriftgebundenheit der Tradition des Mk-Textes, daß sie καρδία und ψυχή im ersten Glied hat, denn das ist typisches LXX-Griechisch“.[118] Aber daß διάνοια und auch ἰσχύς angefügt sind, ist „ein Zeichen für deren Darinstehen in der lebendigen und über die LXX hinausgehenden Sprache“. Ebenfalls läßt sich die Ergänzung von ἰσχύς „nicht allein durch 2 Kge 23,25“ erklären, „sondern aus dem Gebrauch bei Philo und in den Test.Patr. (vgl. auch Tob 11,6; 14,7), der eine zunehmende Verwendung dieses Wortes als eines psychologischen Terminus anzeigt“. Zusammenfassend meint Berger, „daß die zweigliedrige Formel am Anfang steht (mit καρδία und ψυχή), diese ist erweitert worden durch

---

[114] Vgl. *G. Bornkamm*, Doppelgebot 89; *K. Berger*, Gesetzesauslegung 179.

[115] *E. Klostermann*, Mk 127, redet von der „Dublette διανοίας und καρδίας“ bei Mk und Lk. Ferner *P. Bonnard*, Mt 329; *W. Grundmann*, Mt 477. Das bestreitet *G. Dautzenberg*, Sein Leben bewahren 119: διάνοια ist bei Mk „kaum als Doppelübersetzung von *lᵉbāb* zu erklären, da es erst hinter ψυχή steht, sondern muß entweder als Verdeutlichung von καρδία und ψυχή oder als schon selbständig gewordener Terminus der griechischen Gemeindesprache, der vielleicht aus der Katechese stammt, aufgefaßt werden.“ Nicht sehr einleuchtend.

[116] Vgl. *K. Berger*, Gesetzesauslegung 177–178; *G. Bornkamm*, Doppelgebot 88.

[117] *E. Lohmeyer*, Mk 258 Anm. 3. Nicht überzeugend.

[118] *K. Berger*, Gesetzesauslegung 179 (alle Zitate).

das καρδία interpretierende διάνοια und durch das in Anlehnung an die Dreigliedrigkeit der Formel im AT entstandene ἰσχύς. Die beiden ersten Glieder sind Wiedergabe der allgemein üblichen Hauptgebotsformel, die beiden letzten Glieder deren ‚gelehrte' Erweiterung."[119]

Für Gerhardsson stellen die vielen Varianten des Schᵉmas zunächst eine Übersetzungs- und Interpretationsfrage des hebräischen Textes Dt 6,4f dar. Er nennt dafür drei Faktoren bzw. Gründe. Erstens, die Formulierung des Textes selbst: "the text itself is so formulated as to easily give rise to variants: expressions like 'with your whole heart', 'with your whole soul' . . . invite alternative formulae . . .". Zweitens, die Unsicherheit, die Schwierigkeit der Übersetzung der hebräischen Termini ins Griechische: „There is room for doubt about which Greek words accurately reproduce the meaning of the three Hebrew ones." Und drittens, die Notwendigkeit der Interpretation, der Vergegenwärtigung des Textes: „It was not unknown to paraphrase the biblical texts occasionally in order to extract some particular homiletic significance. The Rabbis allowed themselves such re-readings and re-interpretations because they were convinced that the scriptures contained endless riches". Dabei bleibt der originale hebräische Text Dt 6,4ff die Ur-Version, der Grundtext: „The supreme version was the original hebraic text of Deut. 6,4ff . . ."[120] Die mkn. Viererreihe (V 30) möchte er als das Ergebnis schriftgelehrter Interpretation erklären: „It ist p e r s e possible that the fourfold version is the result of a scribal interpretation aided by an elaborating 'a l - t i g r e y reading of the Hebrew Text. Both διάνοια (Reason) and ἰσχύς (might, resources, mammon) could stem from the word mᵉodēkā." Daß es Mk jedoch so verstanden hat, scheint ihm unwahrscheinlich: „But there is nothing to suggest that M a r k has understood this or has attached any specific significance to the various elements in the manifold formulations of the commandment".[121] Ganz allgemein auf die mündliche Überlieferung beruft sich H. Anderson, um die mkn. Fassung zu erklären: „We may suppose that the Marcan Form goes back to oral tradition passed on by a Church that did not any longer recite the Shema'."[122]

Wie sieht es bei den Seitenreferenten aus? Nach der Frage V 36 zitiert Mt sofort das Gebot der Gottesliebe Dt 6,5 (V 37b): ἀγαπήσεις

---

[119] K. Berger, Gesetzesauslegung 179 (alle Zitate). Vgl. auch G. Dautzenberg, Sein Leben bewahren 114–116.

[120] Alle Zitate bei B. Gerhardsson, The Parable of the Sower 168.

[121] Alle Zitate vgl. B. Gerhardsson, The Parable of the Sower 170 + Anm. 1; Sperrungen im Text.

[122] H. Anderson, Mk. 280; I. Abrahams, Studies I,19 verweist auf die unterschiedliche Wiedergabe des Schᵉma' in Dt 6,5 und 2 Kge 23,25 bzw. 4 Kge 23,25 (LXX) und meint: „this fact goes far to explain the dissimilar versions of the deuteronomic text in the three synoptics". Er geht nicht auf die einzelne synoptische Version ein.

κύριον τὸν . . . Seine Version aber weicht stark von dem mkn. Text ab. Statt des griechischen ἐκ + gen., schreibt er „das völlig ungriechische ἐν"[123] + Dat., was dem hebräischen Sprachempfinden besser entspricht. Seine Aufzählung hat nicht, wie bei Mk vier, sondern nur drei Glieder, die aber in der gleichen Reihenfolge wie bei Mk vorkommen: καρδία, ψυχή und διάνοια. Das vierte mkn. Glied fehlt. Der Mt-Text scheint eher dem MT als der LXX zu folgen. Allerdings steht nun statt δύναμις bzw. ἰσχύς[124] [MT = mᶜod] das mkn. διάνοια.

Wieder anders ist der Sachverhalt bei Lk. Gattungsgemäß läßt er Jesus eine Gegenfrage stellen (V 26b). Mit dem Ausdruck ἐν τῷ νόμῳ dürfte er Mk verdeutlichen. Begegnet diese Wendung bei Mt (22,36) im Munde des νομικός, so gebraucht sie in Lk Jesus selbst (10,26b). Die Formel πῶς ἀναγινώσκεις; entspricht der rabbinischen Wendung m'j qr't, „mit welcher die Rabbinen bei Disputationen auf Vorschriften des Gesetzes zu verweisen pflegten".[125] Auf die Gegenfrage Jesu folgt Lk 10,27 die Antwort des Schriftgelehrten. Dt 6,5 wird im Gegensatz zu Mk und Mt nicht von Jesus, sondern vom νομικός zitiert (V 27b).

Die Lk-Fassung ist zweifellos die, die die meisten Schwierigkeiten bereitet. Der Text stimmt weder mit Mk noch mit Mt genau überein. Mit Mk hat Lk gemeinsam die Partikel ἐκ, und das auch nur im ersten Glied: ἐξ ὅλης τῆς καρδίας σου. In den übrigen drei Gliedern schreibt er mit Mt ἐν. Welcher Grund könnte diesen Wechsel von ἐκ zu ἐν veranlaßt haben? Dautzenberg meint: „Wahrscheinlich war also unter der Voraussetzung eines ursprünglichen Wechsels von ἐξ zu ἐν das erste Glied von den folgenden deutlich abgesetzt: vielleicht fehlte das καὶ wie in B⁷⁵ und B und das τῆς wie in B⁷⁵, B und Ξ. Dann würde ἐξ ὅλης καρδίας σου als Programm über der ganzen folgenden Reihe gestanden haben."[126] Das bedeutet, Lk wollte damit die Sonderstellung des Herzens besonders hervorheben. Die anderen Glieder mit ἐν „weisen dann auf das Wort des atl. Gebotes und zeigen, wie alle menschlichen Kräfte in die Verwirklichung der Gottesliebe hineinzuziehen sind".[127] Ferner hat Lk mit Mk V 30 die Viererreihe gemein-

---

[123] E. Lohmeyer/W. Schmauch, Mt 329 Anm. 2.

[124] Einige Texte korrigieren Mt nach der atl. Fassung in ἰσχυϊ. So C syrˢⁱⁿ, Clem. Alex., Origenes. ἰσχυϊ σου fügen syrᵖᵉˢᶜʰ vor καὶ ἐν ὅλῃ τῇ διανοίᾳ hinzu. Vgl. W. Grundmann, Mt 477 Anm. 26.

[125] C. F. Keil zitiert bei K. Berger, Gesetzesauslegung 233 Anm. 2; vgl. J. Wellhausen, Lk 305; M.-J. Lagrange, Lc 310: „m'j qr't est la formule rabbinique qui précède les citations bibliques, ou encore m'j dktjb qu'est-ce, qu'il y a d'écrit? Même qr' = lire signifiait à lui tout seul lire le Chmâ." Ferner J. Jeremias, Das Gebetsleben Jesu 129; ders., Ntl. Theologie I,182. Anders C. Burchard, Liebesgebot 47 Anm. 33.

[126] G. Dautzenberg, Sein Leben bewahren 122.

[127] G. Dautzenberg, Sein Leben bewahren 122. Entsprechend seinem Vorschlag deutet er dann auch die vier Kräfte. Im übrigen bietet er eine gute Übersicht über die Schwankungen in der Textüberlieferung in Lk 10,27, ebda. S. 120ff.

sam. Allerdings wird hier die Reihenfolge bei den letzten zwei Kräften umgestellt. Bei Lk kommt διάνοια – anders als bei Mk – an vierter und ἰσχύς an dritter Stelle. Das macht die Beschäftigung mit der Schrift erkennbar (vgl. 2 Chr 35,19; 4 Kge 23,25 LXX). Mit der Reihenfolge καρδία – ψυχή – ἰσχύς – διάνοια hat sich Lk „als einziger Evangelist der Reihenfolge der atl. Formel enger angeschlossen"[128] (Vgl. Mt 22,37b). Das Vorkommen der für das hebräische *lᵉb* doppelt stehenden Wendung καρδία und διάνοια bei den Seitenreferenten Mt und Lk weist eindeutig auf deren Abhängigkeit von Mk hin.[129]

Der Vergleich der verschiedenen Fassungen von Dt 6,5 bei den Synoptikern zeigt, daß keiner der Evangelisten sich um den Wortlaut von Dt 6,5 LXX gekümmert hat. Die Gründe für diese Variationen sind nach Berger „gewisse Reminiszenzen an dreigliedrige Formeln in der LXX, Annäherung an deren Sprachstil bei Mt und die Neigung, das Mk-Gut möglichst schriftgemäß wiederzugeben bei Lk – aber all dieses nicht in Anlehnung an Dt 6,5. Die Absicht, die jeweils geläufige Form des Hauptgebotes zu zitieren, ist immer stärker gewesen als die Nähe zu Dt 6,5."[130] Berger ist demnach der Meinung, daß sich „alle synoptischen Versionen aus der Umwandlung der ursprünglichen Mk-Formel erklären". lassen.[131]

Anders urteilt K. J. Thomas.[132] Mit K. Berger stimmt er darin überein, daß es sich hier um „liturgical legal texts" handelt.[133] Ferner ist auch für ihn der LXX-Text der Ausgangspunkt der Untersuchung, aber so, daß „instead of assuming an assimilation of the text of the citations to the LXX, our procedure assumes the opposite development in the course of tradition, i. e. from the LXX to mixed text forms".[134] Nach Thomas liegt den verschiedenen Versionen bei den Synoptikern der LXX-Text zugrunde. Von hier aus lassen sich die unterschiedlichen Textfassungen am besten erklären: „The textual deviations appear to have developed in the course of tradition from an original Septuagintal text".[135] Diese Entwicklung der Textüberliefe-

---

[128] *G. Dautzenberg,* Sein Leben bewahren 121.

[129] Vgl. *K. Berger,* Gesetzesauslegung 182.

[130] *K. Berger,* Gesetzesauslegung 182; ferner vgl. *J. Jeremias,* Das tägliche Gebet, in: Abba 80; *ders.,* Die Muttersprache, ebda. 258.

[131] *K. Berger,* Gesetzesauslegung 182.

[132] *K. J. Thomas,* Liturgical citations 205–214; vgl. auch seine spätere Arbeit „Torah citations in the Synoptics", in: NTS 24 (1978) 85–96.

[133] *K. J. Thomas,* Liturgical citations 206. *K. Berger,* Gesetzesauslegung 191 meint ebenfalls, daß es sich beim Schᵉma „primär um eine liturgische Schriftlesung handelt, die aber inhaltlich von der Betonung des einen Gottes her bestimmt ist."

[134] *K. J. Thomas,* Liturgical citations 206.

[135] *K. J. Thomas,* Torah citations 88. Das ist nichts anderes als das Ergebnis seiner Untersuchung „Liturgical citations" 213f, das er so formuliert: „The original tradition for these citations in Greek was Septuagintal . . ."

rung von der LXX zu den Synoptikern erfolgte nach Thomas in vier
Phasen, die man schematisch so darstellen könnte:

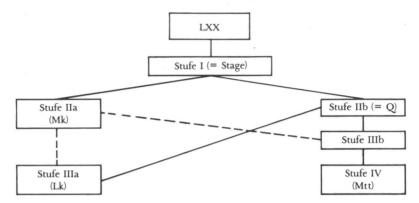

Das bedeutet: „Mark, Luke and Matthew each in turn utilized
successively later stages in textual tradition." Der Vergleich der
synoptischen Versionen von Dt 6,5 LXX untereinander ergibt: „All
the Synoptic Gospels also appear to depend on an earlier common
tradition and not primarily on each other ... Marks' form of the
Shema' citation comes directly from the earlier stage I, while Luke
and Matthew received their text through the common intermediate
Stage IIb, which may be identified with ‚Q'".[136] Die Berührungen bei
den Synoptikern zwischen den Großevangelien und Mk erklären sich,
so Thomas, mit der allgemein anerkannten Theorie der mkn. Priorität: Mt und Lk benutzen Mk als Quelle.[137]

Thomas' Konstruktion sowie die oben dargestellten Lösungsversuche zeigen deutlich die Unsicherheit der Exegeten in der Beurteilung
dieser Sachlage. Klar scheint aber nur zu sein, daß unser Text eine
lange und komplizierte Überlieferungs- und Rezeptionsgeschichte in
den Evangelien durchgemacht hat.

Zu bemerken ist auch, daß Mk 12,30 Par. und Lk 11,42 die einzigen
Stellen bei den Synoptikern sind, die von der Liebe des Menschen zu
Gott reden. Betont wird im NT sonst die Liebe Gottes zu den
Menschen.[138]

Obwohl er nur nach der ἐντολὴ πρώτη gefragt wurde, fügt Jesus
nun Mk 12,31 eine δευτέρα hinzu: δευτέρα αὕτη. Wieder fehlt jede

---

[136] *K. J. Thomas,* Liturgical citations 212f.

[137] *K. J. Thomas,* Liturgical citations 213: „The influence of the Marcan text on both the
Lucan and Matthaean texts corresponds to the generally accepted theory of the
priority of Mark used as a source by Luke and Matthew ..." Zur Kritik an K. J.
Thomas, vgl. *A. J. Hultgren,* Jesus 62 Anm. 36.

[138] Vgl. *V. Taylor,* Mk 487.

Verbindungspartikel zwischen V 30 und V 31. Außerdem ist mit dem Kodex Sinaiticus auch die Kopula ἔστιν zu ergänzen.[139] Das zweite Gebot ist ein wörtliches Zitat von Lev 19,18 LXX: ἀγαπήσεις τὸν πλησίον σου ὡς σεαυτόν. Das der christlichen Theologie geläufige substantivierte Adverb πλησίον kommt bei den Synoptikern nur in dieser Erzählung und im Zusammenhang mit dieser atl. Stelle Lev 19,18 vor (Mt 5,43; 19,19; Lk 10,29.36).[140] Zusammenfassend wird dann V 31c festgestellt: μείζων τούτων ἄλλη ἐντολὴ οὐκ ἔστιν. Zwar unterscheidet Jesus hier eine ἐντολή πρώτη und eine δευτέρα, faßt dieselben aber doch wieder zu einer Einheit zusammen.[141] Damit werden auch die beiden Gebote zu den größten der Torah überhaupt erhoben.

Mt und Lk schaffen einen stilistisch besseren Übergang zum vorigen Vers als Mk. Lk schreibt καὶ und läßt das zweite ἀγαπήσεις aus. So verbindet er die beiden Gebote enger miteinander und betont stärker als Mk die Gleichwertigkeit der Nächstenliebe mit der Gottesliebe.[142] Mt 22,38, der bei Mk ganz fehlt, ist als Bindeglied zwischen V 37 und V 39 vom Redaktor Mt gedacht. Da der νομικός nach der ἐντολὴ μεγάλη fragt (V 36), wird das Adjektiv μεγάλη in die Antwort folgerichtig aufgenommen. Wenn Mt noch ein πρώτη hinzufügt, wird das sicher nicht ohne Einfluß von Mk geschehen sein. Mt verdeutlicht. Das wird auch V 39a klar, wo gesagt wird: δευτέρα ὁμοία αὐτῇ.[143] Hier wird die Nächstenliebe ausdrücklich als ὁμοία bezeichnet. Beide Gebote sind nun stärker noch als bei Lk dadurch geeint, daß sie als gleich an Größe, und d. h. an Bedeutung betrachtet werden. „Dadurch sind die Gebote näher aneinander gerückt und das bei Mk vorhandene ‚hierarchische Gefälle‘ zwischen ihnen ist verschwunden".[144] Die Überleitung zu V 39 ist abrupt, und es fehlt wie bei Mk eine Kopula. Dann folgt Lev 19,18, wörtlich genau wie bei Mk zitiert. Mit Mt 22,40 faßt der Erzähler zusammen: ἐν ταύταις ταῖς δυσὶν ἐντολαῖς ὅλος ὁ νόμος κρέμαται καὶ οἱ προφῆται· Dieser Vers wird nur von Mt überliefert (vgl. Mt 5,17; 7,12). Sachlich entspricht er in etwa

---

[139] In einigen Handschriften wurde die Mt-Version sekundär in den Mk-Text eingetragen, z. B. Koine A (W) λ Φ lat.

[140] Vgl. *Moulton-Geden*, Concordance 817 s. v.

[141] Vgl. *G. Wohlenberg*, Mk 318f; *H. Anderson*, Mk 281: „Only Mark separates the two commandments so definitely as this".

[142] Mit *K. Berger*, Gesetzesauslegung 234; *E. Klostermann*, Lk 120 . . .

[143] Der Text wird verschieden gelesen:

1. ὁμοία αὐτῇ von Kodex Sinaiticus 33 lat. syr.
2. ὁμοία αὐτῇ von Koine.
3. ὁμοία ταύτῃ von D.
4. und schließlich ὁμοίως von B.

[144] *K. Berger*, Gesetzesauslegung 231; ferner *P. Bonnard*, Mt 329; *H. Anderson*, Mk 281; *W. Trilling*, Das wahre Israel, bes. S. 206f.

Mk 12,31c: μείζων . . ., wird aber im Gegensatz zu Mk positiv formuliert. Damit schließt die Mt-Erzählung ab.

Mk 12,32–33 berichten über die Reaktion des Schriftgelehrten auf die Antwort Jesu. Der mkn. einleitende Satz V 32a: καὶ εἶπεν αὐτῷ ὁ γραμματεύς ist in der Wortfolge καὶ + εἶπεν (Verb) + Dat. Obj. + Subjekt singulär im Mk-Evangelium.[145] Die freundliche Haltung des Schriftgelehrten war bei Mk bereits am Anfang sehr klar angedeutet worden V 28: ἰδών ὅτι καλῶς . . . Nun wird sie durch die eigenen Worte des Fragestellers kräftig bestätigt. Er stimmt Jesus zu, der nun auch als διδάσκαλος anerkannt und angesprochen wird. Dabei gebraucht er gute griechische Wendungen: καλῶς, ἐπ᾽ ἀληθείας· καλῶς, διδάσκαλε, ἐπ᾽ ἀληθείας . . . (V 32b; vgl. 12,14). Worauf sich das καλῶς und die Wendung ἐπ᾽ ἀληθείας beziehen, ist eine alte Streitfrage. G. Wohlenberg zählt nicht weniger als fünf verschiedene Auffassungen.[146] Mit Wohlenberg, Taylor u. a. wird man das καλῶς besser als Ausruf verstehen und den Ausdruck ἐπ᾽ ἀληθείας auf εἶπες bezogen sein lassen. Dies entspricht der Stellung von καλῶς.[147]

Der ὅτι-Satz (V 32c) und V 33 wiederholen die Antwort Jesu, sie paraphrasierend und bestätigend. Wenn auch die Wiederholung des von Jesus Gesagten in anderer, interpretierender Form typisch für die Schriftgelehrsamkeit ist,[148] so dürfen doch dabei die beachtlichen Unterschiede nicht übersehen werden. Es fällt zunächst auf, daß in seiner Wiedergabe der Schriftgelehrte nicht mehr vier (V 30), sondern nur drei Kräfte nennt: καρδία, σύνεσις, ἰσχύς. ψυχή und διάνοια fallen weg und an ihrer Stelle steht nun σύνεσις, ein Begriff, der wie διάνοια das Verstandesgemäße, das Rationale herausstellt.[149] Sowohl διάνοια als auch σύνεσις sind Hapaxlegomena im Mk-Evangelium. Sodann ist zu bemerken, daß sich der Schriftgelehrte nicht damit zufrieden gibt,

---

[145] Gut beobachtet von *R. Pesch*, Mk II,242.

[146] Vgl. *G. Wohlenberg*, Mk 320: Verschiedene Auffassungen von V 32b:
   1. καλῶς als Ausruf verstanden, (z. B. V. Taylor, Mk 488).
   2. καλῶς wird durch ἐπ᾽ἀληθείας näher bestimmt und übersetzt: „fürwahr, treffend hast du geredet" (z. B. Luther).
   3. Umgekehrt wird ἐπ᾽ἀληθείας εἶπες. . . von καλῶς bestimmt und man übersetzt: „treffend, o Meister, hast du in Wahrheit gesagt, daß . . . " (so B. Weis).
   4. Beide Wendungen καλῶς und ἐπ᾽ἀληθείας werden als koordiniert betrachtet: „vortrefflich, Meister (und) der Wahrheit" gemäß . . . (E. Klostermann, Mk 128).
   5. ἐπ᾽ἀληθείας in appositionellem Verhältnis zu καλῶς stehen lassen, in erklärendem Sinn: „treffend, nämlich in Wahrheit . . ." Vgl. ferner *M. Zerwick*, Analysis ²1960 S. 113.

[147] Mit *G. Wohlenberg*, Mk 320; *V. Taylor*, Mk 488; die meisten neueren Ausleger vertreten diese Auffassung (die erste): z. B. *R. Schnackenburg*, Mk II,169; *J. Gnilka*, Mk II,162 u.a.m. Dagegen z. B. *E. Lohmeyer*, Mk 259 Anm. 2.

[148] Vgl. *E. Schweizer*, Mk ⁵138; *V. Taylor*, Mk 488; *G. Bornkamm*, Doppelgebot 87: „wenn auch in sich gut jüdischer Paraphrase" . . .

[149] Statt συνέσεως lesen D it 565 δυνάμεως in Anlehnung an die LXX.

das Doppelgebot der Liebe bloß zu zitieren. Er geht nun in seinem Kommentar zu einer scharfen Kultkritik über (V 33c): ... περισσότερόν ἐστιν πάντων τῶν ὁλοκαυτωμάτων καὶ θυσιῶν. Ferner wird beim Zitieren von Dt 6,4f und Lev 19,18 noch stärker als vorher die Einzigkeit Gottes betont. Das wird dadurch erreicht, daß, wie Bornkamm zutreffend beobachtet hat, die Formulierung „Jesu Wort in zwei Sätze zerlegt, und zwar nicht, wie man erwarten sollte, den beiden Geboten Dt 6,5 und Lev 19,18 entsprechend, sondern so, daß der Eingang des Sch'ma... als erster Lehr- und Grundsatz der jüdischen Religion formuliert wird: Gott ist einer und es gibt keinen außer ihm. Ihm folgt, syntaktisch von dem ersten abgehoben, als zweiter Grundsatz: Gottes- und Nächstenliebe gelten mehr als Opfer.“[150] Damit wird auch die Gleichwertigkeit des Doppelgebotes der Gottes- und Nächstenliebe stärker zum Ausdruck gebracht (vgl. Mt). Denn von einer πρώτη und einer δευτέρα ἐντολή ist ja nicht mehr die Rede (vgl. Lk). Schließlich wird V 32b gegenüber V 29 nur ein Stück aus Dt 6,4 aufgenommen: [ὅτι] εἷς ἐστι... und durch καὶ mit einem Teil einer anderen Schriftstelle verbunden: καὶ οὐκ ἔστιν ἄλλος πλὴν αὐτοῦ (Dt 4,35 LXX A; vgl. Ex 8,6 LXX und Jes 45,21f LXX). Dabei fällt der Ausdruck κύριος ὁ θεός von Dt 6,4 weg. Berger hat freilich gemeint, das Fehlen von θεός als Subjekt zeige, „daß es sich hier nicht um eine selbständige Fassung der Hauptgebote handelt, sondern um einen von 29–30 abhängigen Kommentar“[151]. Die Auslassung von ὁ θεός dürfte sich jedoch am einfachsten als Scheu vor dem Namen Gottes erklären: „Ein Schriftgelehrter scheut sich vor der Bezeichnung Gottes.“[152] Oder, wenn Stegemann recht hat, ist die Vermeidung der Aussprache des Gottesnamens „weniger aus Scheu vor den Fremden geschehen, also ein ‚Arkanum' gewesen, sondern – als genuin innerjüdische Entwicklung – Verzicht auf die Aussprache dieses Namens wegen seiner besonderen Kraft und Heiligkeit, also ein ‚Sanktum'“.[153] Mehr ist daraus nicht zu entnehmen, wie es Berger tut. Anders als V 30f werden V 33 die beiden imperativischen Futura aus Dt 6,5 und Lev 19,18: ἀγαπήσεις in zwei substantivierte und mit dem bestimmten Artikel versehene Infinitive umformuliert καὶ τὸ ἀγαπᾶν..., welche nun als Subjekt von V 33 fungieren. Und mit ἀγαπᾶν αὐτὸν... und πλὴν αὐτοῦ wird auf V 30: κύριον τὸν θεόν σου

---

[150] G. Bornkamm, Doppelgebot 87; vgl. die Kommentare von z. B. *M.-J. Lagrange*, Mc 324; *R. Pesch*, Mk II,239; ähnlich auch *E. Lohmeyer*, Mk 259.

[151] *K. Berger*, Gesetzesauslegung 193; vgl. S. 184. Ihm folgt *R. Pesch*, Mk II,242.

[152] *E. Klostermann*, Mk 128; ferner *V. Taylor*, Mk 488, *E. Lohmeyer*, Mk 259 Anm. 3; *M.-J. Lagrange*, Mc 324: „Le scribe ne répète pas le nom de Dieu, par respect".

[153] *H. Stegemann*, Gottesbezeichnungen 196–217, Zitat S. 216. Zum ganzen Problem, vgl. *Bousset-Greßmann*, Religion, bes. 307–316.

Bezug genommen. Gut markinisch sind beide Verse 32–33 nur mit καὶ miteinander verbunden. Obwohl in der Formel die Dreizahl der Glieder in V 33 wie in der LXX und im MT wiederhergestellt wird, ist jedoch der Text des Zitates Dt 6,5 hier weit mehr verändert als in V 30.[154]

Die Seitenreferenten Mt und Lk wissen nichts von einer Stellungnahme des νομικός zu Jesu Antwort zu berichten.

Auch V 34 ist an dieser Stelle unserer Erzählung nur von Mk überliefert. Wieder ergreift Jesus das Wort. Er stimmt seinerseits auch dem γραμματεύς zu und lobt ihn. Zum zweitenmal wird Jesus ausdrücklich genannt: καὶ ὁ Ἰησοῦς, ἰδών... (V 34a). Erneut taucht ein Vernunftsbegriff auf, der außerdem nicht nur ein mkn., sondern auch ein totius NT Hapaxlegomenon ist: νουνεχῶς. Die Satzkonstruktion enthält eine Prolepsis: ἰδὼν αὐτόν ὅτι ... Wenn sich auch diese Konstruktion im Aramäisch findet, ist sie aber nicht notwendigerweise ein „Semitism"[155] (vgl. Mk 7,2; 11,32). Mit dem schwer zu deutenden Wort Jesu V 34b: οὐ μακρὰν εἶ ἀπὸ τῆς βασιλείας τοῦ θεοῦ schließt das eigentliche Gespräch ab. Diese Formulierung ist im Mk-Evangelium singulär.[156] Der Ausdruck μακράν, ein als Adverb verwendeter Akkusativ fem. des Adjektivs μακρός, kommt nur hier vor, dagegen begegnet die Wendung ἡ βασιλεία τοῦ θεοῦ sehr häufig bei Mk[157] und stellt das Hauptthema der Verkündigung Jesu bei den Synoptikern dar. Mk 12,34b οὐ μακρὰν εἶ ... versteht G. Bornkamm, dem R. Pesch, A. M. Ambrozic u. a. folgen, als Litotes.[158] C. Heupel definiert die Litotes als eine „scheinbare Verkleinerung", um etwas oder jemanden zu bezeichnen, wobei „ein superlativischer Grad lediglich durch die Negation des Gegenteils umschrieben, keinesfalls dieser gleichgesetzt wird".[159] Horaz, den Rehkopf zitiert, beschreibt die Litotes wie folgt: „λιτότης est σχῆμα, cum minus dicitur, plus intelligitur, ac si dicas ‚non indoctum hominem', quem velis intelligere ‚doctissimum'".[160] Nach Rehkopf liegt eine Litotes nicht vor u. a., „wenn es sich um die Aufhebung eines vorherigen Zustandes handelt", wie es Mk 12,34b der Fall zu sein scheint. Deshalb übersetzt er

---

[154] Vgl. K. Berger, Gesetzesauslegung 179f.

[155] V. Taylor, Mk 488 unter Berufung auf J. Wellhausen, Einleitung[2], 12; M. Black, Aram. Approach 36; vgl. auch Blass-Debrunner, Grammatik § 476,1. Einige MSS streichen αὐτόν weg, so z. B. Kodex Sinaiticus DLWΔ fam 1 565.

[156] Die Wendung οὐ μακρὰν ἀπό kommt nur noch in Apg 17,27 vor. Vgl. C. Burchard, Liebesgebot 57.

[157] Vgl. Moulton-Geden, Concordance 142: 14mal gegen 5mal in anders lautenden Kombinationen.

[158] G. Bornkamm, Doppelgebot 42; R. Pesch, Mk II,243; A. M. Ambrozic, Kingdom 180.

[159] C. Heupel, Taschenwörterbuch der Linguistik 137 (beide Zitate).

[160] Fr. Rehkopf, Grammatisches 220.

diesen Vers einfach so: „Du bist nicht (mehr) fern vom Reiche Gottes".[161]

Da Mt dieses Gespräch ganz anders versteht als Mk, bringt er den mkn. Vers 34ab nicht. Und Lk formuliert, entsprechend seinem praktischen Anliegen, das Wort Jesu V 28: ὀρϑῶς ἀπεκρίϑης· τοῦτο ποίει καὶ ζήσῃ. Wie Mk drückt er mit diesem Satz die Anerkennung Jesu dem νομικός gegenüber aus (ὀρϑῶς). Daran knüpft der Evangelist dann die Beispielerzählung vom barmherzigen Samariter an (Lk 10,29–37).

Die Analyse der Sprache von Mk 12,28–34 hat gezeigt, daß diese Perikope eine Reihe von mkn. Hapaxlegomena enthält, die zudem auch meist Vernunftbegriffe sind. Das sind wichtige Hinweise für die Beurteilung der Herkunft und des Sitzes im Leben dieser Erzählung.

B. Aufbau und Gliederung von Mk 12,28–34

Die Perikope vom Doppelgebot der Liebe läßt sich unschwer gliedern. Das Gespräch hat, abgesehen von der Exposition (V 28 z. T.) und der redaktionellen Schlußbemerkung (V 34c), vier Gänge: Frage – Antwort; Reaktion des Fragestellers – Reaktion und Schlußwort Jesu. Die Einheit ist also folgendermaßen aufgebaut:

a) **Exposition**:

Vorstellung des γραμματεύς (V 28a): Er wird als ein ernster, Belehrung suchender Partner dargestellt.

b) **Korpus**:

1. V 28b: die Frage des Schriftgelehrten an Jesus.
2. VV 29–31: die Antwort Jesu. Sie hat ebenfalls zwei Teile. Auf die Frage nach dem ersten Gebot, antwortet Jesus mit zwei Geboten: dem Gebot der Gottesliebe (VV 29–30) und dem Gebot der Nächstenliebe (V 31): πρώτη ... δευτέρα. Beide Gebote werden zu einer Einheit zusammengefaßt (V 31c).
3. VV 32–33: Reaktion des Schriftgelehrten. Sie bringt die grundsätzliche Zustimmung und Übereinstimmung des Fragestellers mit Jesus in einer Paraphrase, wobei der Akzent etwas anders gesetzt

---

[161] *Fr. Rehkopf*, Grammatisches 222. Er zitiert zustimmend *H. Preisker*, ThWNT IV,376: es „wird im NT oft mit οὐ μακράν ... gerade die Überwindung der Trennung von Gott und Menschen ausgedrückt", und kritisiert die Übersetzung von *W. Bauer*, Wb 964 s.v.: „Du bist nicht weit von dem Gottesreich entfernt, d. h. du bist nahe daran, hineinzukommen", weil sie „den Gesichtspunkt der Überwindung zu kurz kommen" läßt.

wird als bei Jesus. Wie Jesus (V 31), so geht auch der γραμματεύς von sich aus (V 33) auf eine scharfe Kultkritik über.

4. V 34ab: Zustimmung und Schlußwort Jesu. Wegen seiner verständigen Antwort wird der Schriftgelehrte von Jesus gelobt: ... ὅτι νουνεχῶς ... οὐ μακρὰν εἶ ...

c) Schluß: Bemerkung des Redaktors (V 34c: καὶ οὐδεὶς οὐκέτι ...)

Das Gespräch ist kunstvoll aufgebaut. Der zweiteiligen Antwort Jesu korrespondiert ebenfalls eine zweiteilige Stellungnahme des Schriftgelehrten. Beide Gesprächspartner fügen ungefragt jeweils ein zweites, weiterführendes Element zu dem direkt Gefragten hinzu (31a und V 33, fin). V 31b: μείζων τούτων ... entspricht V 33 fin: περισσότερόν ..., so wie V 29b: ὅτι πρώτη ἐστίν V 32: ὅτι εἷς ἐστιν, und V 32: καλῶς, διδάσκαλε V 34b: ἰδών αὐτόν ὅτι νουνεχῶς ἀπεκρίθη Dieser Vers Mk 12,34b: ἰδών ... steht ferner in Analogie zu V 28b: ἰδών ὅτι καλῶς ἀπεκρίθη αὐτοῖς; und das πρώτη πάντων (28c) erinnert an das περισσότερόν ἐστιν πάντων ... (V 33 fin). Schließlich nimmt das ὅτι πρώτη ἐστίν (V 29a) die gestellte Frage: ποία ἐστὶν ἐντολὴ πρώτη πάντων; wieder auf.

C. Bestimmung der Gattung

Daß Mk 12,28–34 eine besondere Form aufweist, dürfte bereits die Struktur deutlich gezeigt haben. Berger kann darum mit einem gewissen Recht schreiben, daß das Gespräch „in diesem Aufbau unter den Gesprächen nach Mk völlig singulär" ist. Wenn er aber „die Ursache für die Abweichung vom gewohnten mkn. Gesprächsaufbau und die Wiederholung der Antwort Jesu... in der besonderen Eigenart der Verse 32b–33"[162] sehen will, so wird man ihm darin nicht folgen können. Erstens dürfte es m. E. abwegig sein, pauschal vom „gewohnten mkn. Gesprächsaufbau" zu sprechen. Den von Berger angeführten Stellen Mk 10,1–12; 11,27–33; 12,13–17 könnte man beispielsweise Mk 7,1–7; 7,9–13; 2,23–28 entgegenstellen. In diesen Stücken kommt „der gewohnte" Gesprächsaufbau: Frage – Gegenfrage – Antwort, der die Verwandtschaft der Schul- mit den Streitgesprächen im wesentlichen ausmacht, nicht rein zum Ausdruck. Denn hier fehlt die Gegenfrage. Außerdem hat Bultmann mit Recht darauf hingewiesen – und darin ist ihm zuzustimmen – daß das Schema der Gespräche ursprünglich nur aus einer Frage und einer Antwort bestand. Demnach ist es gleichgültig, wie viele Gesprächsgänge

---

[162] *K. Berger*, Gesetzesauslegung 184 (beide Zitate).

berichtet werden.[163] Daß also manchmal die Gegenfrage fehlt, wie auch Mk 12,28–34, hat, was die Form angeht, nicht viel zu sagen. Zweitens, um die Wiederholung der Antwort Jesu und ihre Funktion richtig zu verstehen, muß der Unterschied zwischen Schul- und Streitgespräch unbedingt beachtet und genau definiert werden. Berger sieht richtig, wenn er zu V 32b–33 meint: „In der Dramatik eines Streitgespräches hätte eine solche Wiederholung keinen rechten Platz".[164] Hier wird der Unterschied zwischen Schul- und Streigespräch sichtbar. Er besteht wesentlich in der „Motivation" des Gespräches. Während das Streitgespräch von einem Gegensatz zwischen Jesus und dem Fragesteller ausgeht, wobei der letztere Jesus „eine Falle" stellen und ihn in einen „Konflikt" verwickeln will, ist in einem Schulgespräch von der „Dramatik" der Situation nichts zu spüren. Echtes Schulgespräch sucht vielmehr Belehrung. Hier wird der Meister von einem Wißbegierigen gefragt. Die Ursache für die Wiederholung der Antwort Jesu durch den Schriftgelehrten liegt hier und nicht in der Eigenart dieser Verse. Bereits V 28 deutete die freundliche Haltung des Fragenden an. Dieser fragt, weil er von den richtigen Antworten Jesu in den vergangenen Diskussionen beeindruckt war. Nun möchte auch er sich von Jesus belehren lassen. Die Anerkennung, die die Antwort Jesu (VV 29–31) bei ihm findet (VV 32–33), und das ihm von Jesus gespendete Lob (V 34a.b) zeigen es unmißverständlich.

Damit ist auch die Gattung des Stückes eindeutig bestimmt. Mk 12,28–34 wird denn auch von der überwiegenden Mehrheit der Forscher mit Recht als Schul- bzw. Lehrgespräch bezeichnet.[165]

III. Hintergrund und Voraussetzungen der Frage nach dem ersten Gebot

Will man die Frage des Schriftgelehrten nach dem ersten Gebot sowie die Eigenart und Bedeutung der Antwort Jesu richtig verstehen, so ist es notwendig, sich zunächst den Hintergrund und die Voraussetzungen derselben zu vergegenwärtigen.

---

[163] R. Bultmann, Geschichte, Ergänzungsheft 31.

[164] K. Berger, Gesetzesauslegung 184.

[165] Als Streitgespräch betrachten nur wenige Exegeten diese Perikope, so. z. B. M. Albertz, Streitgespräche 25f.32f. Albertz erkennt zwar, daß diese Frage bei Mk im Gegensatz zu Mt keine böse Absicht voraussetzt; und doch zählt er Mk 12,28–34 unter die „versucherischen" Streitgespräche. Ferner J. Lambrecht, Redaktion 50 + Anm. 1; M.-J. Lagrange, Mt 431 ist bestrebt, Mt und Mk zu harmonisieren; E. Lohmeyer, Mt 328 schreibt ausdrücklich: „bei Mt und Lk dient sie (die Frage) auch dem Zweck, Jesus „zu versuchen", was bei Mk wohl vorausgesetzt, aber nicht gesagt

A) Vielzahl der Gebote

Der jüdische Geschichtsschreiber Flavius Josephus erzählt in seinem Buch „Jüdische Altertümer", daß νόμιμά τινα παρέδωσαν τῷ δήμῳ οἱ Φαρισαῖοι ἐκ πατέρων διαδοχῆς ἅπερ οὐκ ἀναγέγραπται ἐν τοῖς Μωυσέως . . .[166] In der Tat haben die Rabbinen 613 Satzungen in der Torah gefunden und sie in 248 Gebote: Tu-Gebote und 365 Verbote: Tu-nicht-Gebote aufgeteilt. Wie alt diese Zählung ist, läßt sich nach Billerbeck nicht feststellen. Von den 365 Verboten hat zuerst R. Schimʿon b. ʿAzzai (± 110) und von der Gesamtzahl 613 R. Schimʿon b. Eleazar (± 190) gesprochen, „aber so, daß man daraus erkennt, daß diese Zahlen zu ihrer Zeit bereits allgemein bekannt gewesen sind."[167]

Diese 613 Satzungen der Torah wurden in „leichte" und „schwere" Gebote eingeteilt. „Leichte Gebote" sind solche, die an die Kraft oder den Besitz des Menschen nur geringe Anforderungen stellen";[168] und „schwere Gebote" diejenigen, die viel Geld erfordern oder wohl gar mit Lebensgefahr verknüpft waren.[169] Da man je nach den geringeren oder höheren Anforderungen, die ein Gebot an einen Menschen stellte, den Wert und die Bedeutung dieses Gebotes einschätzen konnte, verstand man nun auch unter „einem leichten Gebot" ein „geringes oder kleines" Gebot; und unter „einem schweren Gebot" ein „wichtiges oder großes" Gebot.[170] Leichte oder geringe Gebote sind alle diejenigen Gebote, „deren Übertretung die Buße für sich allein" sühnt und schwere und wichtige Gebote „alle diejenigen, auf deren Übertretung die Ausrottung oder die gerichtliche Todesstrafe gesetzt" ist.[171] Doch, ob schwer/wichtig/groß oder klein/leicht/gering, sind alle

---

ist". *Ders.*, Mk 257.249. Lohmeyer ist in seinem Mk-Kommentar insofern nicht konsequent, als er einerseits Mk 12,13–34 unter die Überschrift: „Drei Streitfragen" stellt, andererseits aber davon redet, daß in diesen drei Perikopen Jesus „eine Lehrfrage" vorgelegt wird (S. 249) und daß Mk 12,34c „die Dreiheit der Lehrgespräche" abschließt (S. 257). Seine Meinung bleibt dunkel.

[166] *Fl. Jos.*, Ant. XIII,106 § 297.

[167] *Bill.*, I, 900; vgl. SDt 12,23 § 76 (90ᵇ); Mᵉkh. Ex 20,2 (74ᵃ); vgl. auch *C. Burchard,* Liebesgebot 52f.

[168] SDt 12,23 § 76 (90ᵇ) = Verbot des Blutgenusses; Lev. 23,42 = Laubhüttengebot; Dt 22,7 = Gebot der Freilassung der Vogelmutter; Chullin 12,5; vgl. p Qid 1,61b,58; Gen 2,17 = Essen der verbotenen Frucht . . ..

[169] Ex 20,12 = (Vater und Mutter ehren) = p. Qid 1,61b,58; DtR 6 (203ᵃ); Gen 17,10 = (Beschneidungsgebot): Nᵉd 32ᵃ (Ex 34,27) . . . Zum Ganzen *Bill. I* 901–905; ferner *I. Abrahams,* Studies I, 25–27; *W. Grundmann,* ThWNT IV, 54f.

[170] Jᵉb 47aBar; Taʿan 11ᵃ; SDt 12,28 § 79 (91a); DtR 6 (203a); Ab. RN 2 – Dazu *Bill. I,* 901.

[171] *Bill. I,* 902; Joma 8,8; Schᵉbu 39ᵃ; T. Jom 5,5 (190); S. Lev 4,2 (69ᵃ); Aboth, 2,1. *Leichtes oder geringes Gebot* = z. B. die Verknotung der Schuhriemen: Sanh 74a; *schwere oder wichtige Gebote* = z. B. Götzendienst (p. Ned 3,38ᵇ, 12; Hor 8ᵃ); Unzucht; Blutvergie-

Gebote, da sie Äußerung des Willens Gottes sind,[172] zu halten, wie ausdrücklich eingeschärft wird: „Rabbi sagte: halt gewissenhaft das leichte wie das schwere Gebot! Du weißt nicht, welche Vergeltung der Erfüllung der Gebote zukommt."[173] Bereits 4 Makk 5,20f begründete der greise Eleazar seine Bereitschaft, eher den Tod als Märtyrer für das Gebot Gottes zu sterben als es zu übertreten mit den Worten: „Denn kleine und große Gesetzesübertretungen sind gleich ernst; wird doch in beiden Fällen mit gleichem Übermut gegen das Gesetz gefrevelt."[174]

Dieses Gesetzesverständnis wird neuerdings von A. Nissen scharf herausgestellt. Die Gleichwertigkeit der Gebote sieht er in der „Unantastbarkeit jedes Einzelgebotes als eines unauslöschlichen Gliedes der vollkommenen Ganzheit der Tora" gegeben. Alle Gebote sind „prinzipiell gleichwertig ebenso deshalb, weil sie als offenbarte gleicherweise göttlich sind, wie deshalb, weil sie als ineinandergreifende Glieder einer erst in der Gesamtheit aller Gebote vollkommenen Ordnung gleicherweise an deren Vollkommenheit beteiligt sind, ungeachtet der verschiedenen Weite, die ihnen eignet, und der verschiedenen Bedeutung, die ihnen zugemessen wird".[175] Anders ausgedrückt: „Die Redeweise von „leichten" und „schweren" Geboten bzw. Verboten der Tora unterscheidet diese nicht nach ihrer Wertigkeit und Wichtigkeit und stellt nicht zentrale Vorschriften peripheren – vielleicht gar sittliche den rituellen – gegenüber, sondern kennzeichnet entweder – bei Geboten – die Leichtigkeit bzw. Schwierigkeit ihrer Ausführung, den mit ihnen verbundenen Aufwand an Mühe und Kosten oder – bei Verboten – die verschiedenen Grade der rituellen Verbotenheit."[176] Auch von den sogenannten *Hauptgegenständen der Torah* gilt: „Ein Vorrang irgendwelcher Vorschriften vor anderen nach ihrer Wichtigkeit und Verbindlichkeit ist damit ebensowenig angedeutet wie der Gedanke eines Kerns der Tora oder eines Corpus von entscheidenden Zentrallehren."[177] Denn diese Wendung

---

ßen (SDt 19,11 § 187 [108^b]); Entheiligung des göttlichen Namens (p Ned 3,38^b,13); Sabbatheiligung (p Ned 3,38^b,4; p Berakh 1,3^c,14; p N^ed 3,38^b,8; Aboth RN 38); Verleumdung des Nächsten (ε Arakhin 15^b Bar; T Pea 1,2 (18); Lv R 37 [133c]); Torastudium (Pea 1,1); Auslösung der Gefangenen (BB 8^a) . . ..

[172] A. *Nissen*, Gott, bes. 330–336f.

[173] Aboth 2,1; Übersetzung nach P. *Rießler*, Schrifttum 1060; ferner vgl. Aboth 4,2; Aboth RN 2; p Qid 1,16^b,58; SDt 12,28 § 79 (91a); S. Lev 19,33f (91a); S. Num 15,31 § 112 – Hierzu A. *Nissen*, Gott, bes. 335–338; *Bill.*, I, 249; I,355; I. *Abrahams*, Studies I, 24–27; H. *Braun*, Radikalismus I, 2–14.

[174] Übersetzung nach A. *Deißmann*, in: E. *Kautzsch*, Apokryphen II,159; vgl. Chag 5a Bar.

[175] A. *Nissen*, Gott, bes. 337–342, Zitat S. 337.

[176] A. *Nissen*, Gott 338.

[177] A. *Nissen*, Gott 339.

„besagt nur, daß die betreffenden Lehrgegenstände schon in der Tora explizit behandelt werden und als solche die breite oder auch winzige Grundlage für die aus ihnen abgeleiteten Halakot abgeben".[178] Werden Gebote nach Größe und Gewicht unterschieden, dann „nicht, um das Gesetz zu systematisieren, sondern aus praktischen, didaktischen oder auch seelsorgerlichen Gründen".[179] Dabei kannn es durchaus ein größtes oder schwerstes Gebot geben.[180] Aber diese Unterscheidung betrifft keineswegs den Gehalt der Gebote.

B) Innere Ordnung der Gebote

Das Gesagte führt uns zu den rabbinischen Zusammenfassungen oder Summen der Gebote, d. h. zu der Frage nach einem Kern bzw. Hauptgebot der ganzen Torah. N. Lohfink hat gezeigt, daß der Begriff des „Hauptgebotes" nicht nur in der Umwelt des AT beheimatet war, sondern auch, daß das AT ihn von seiner Umwelt übernommen hatte. Israel hat „die Überzeugung von einer inneren Ordnung der Gebote und damit von der Existenz eines Hauptgebotes im Zusammenhang eines umfassenderen Vorstellungs- und Aussagekomplexes von woanders her übernommen und auf den religiösen Sachverhalt übertragen. Es handelt sich um die Konzeption, die in der Institution und Theologie des Gottesbundes Israels tragend geworden ist."[181] Übernommen wurde diese Institution aus dem Staatsrecht, den sogenannten Vasallenverträgen, die im internationalen Recht der zweiten Hälfte des zweiten Jahrtausends v. Chr. im vorderen Orient, vor allem im hethitischen Bereich eine große Rolle gespielt haben.[182] Israel war also der Überzeugung, daß es eine Hierarchie, eine Ordnung unter den Geboten, eine Einheit des Gotteswillens gibt, daß die Vielheit der Forderungen Gottes sich in einer einzigen Grundforderung gründet.[183]

Das Rabbinentum konnte auf Grund seines oben geschilderten Gesetzesverständnisses mit einer solchen Konzeption von Hauptgeboten oder Zusammenfassungen der Torah freilich nicht viel anfangen. „Ja, es ist in jüdischer Theologie gegen solche Zusammenfassungen

[178] A. Nissen, Gott 339; vgl. ferner I. Abrahams, Studies I,26: „This difference (between ‚essential‘ corpora legis and ‚less essential‘) perhaps concerned rather the question as to the ease or difficulty of arriving at the scriptural basis."

[179] C. Burchard, Liebesgebot 53; vgl. G. Bornkamm, Doppelgebot 86; zustimmend auch A. Nissen, Gott 339.

[180] B. Hor. 8a (Götzendienst); vgl. Bill., I,904f.

[181] N. Lohfink, Das Siegeslied, bes. 129–150, hier 132. Vgl. auch Ders., Das Hauptgebot. Eine Untersuchung literarischer Einleitungsfragen zu Dt. 5–11 (Rome 1963).

[182] Vgl. N. Lohfink, Das Siegeslied 134.

[183] Vgl. N. Lohfink, Das Siegeslied 148; 130.

der Vorwurf erhoben worden, daß sie nur dazu dienten, einen Teil der Tora zu betonen, um einen anderen zu vernachlässigen."[184] Obschon die Rabbinen zwischen schweren und leichten Geboten unterscheiden, von einem *ersten* Gebot jedoch scheinen sie überhaupt nicht zu reden.[185] Diese Beobachtung formulierte E. Lohmeyer sachlich richtig so: „Auf jüdischem Boden sind ‚erste Gebote' nur möglich, so weit sie dem Wißbegierigen eine knappe Formulierung der Grundsätze jüdischen Glaubens vermitteln; sie sind aber unmöglich, wenn sie als die Grundnormen betrachtet werden, mit deren Erfüllung auch alle übrigen erfüllt seien."[186]

Es ist deshalb kein Zufall, daß sich Zusammenfassungen oder Summen des Gesetzes bei den Rabbinen nicht häufig finden. Berühmt ist die dem Rabbi Hillel zugeschriebene, wohl aber nicht von ihm stammende, sondern bereits in seiner Umwelt verbreitete sogenannte „Goldene Regel".[187] Sie ist nicht vom Judentum gebildet, sondern in der hellenistischen Epoche aus dem griechischen Raum übernommen, und breitete sich in der griechisch-römischen Popularphilosophie als einer ihrer Kernsätze aus.[188] Der Ausspruch ist sowohl positiv als auch negativ überliefert. Bemerkenswert ist, daß die altjüdische, palästinische Literatur nur die negative Fassung zu kennen scheint. Sie lautet bei Hillel: „Was dir unliebsam ist, tue keinem

---

[184] *E. Lohmeyer*, Mk 260 unter Hinweis auf *I. Abrahams*, Studies I,18ff, hier 24: „Hence in Jewish theology an objection was raised to such summaries just because they would tend to throw stress on part of the Torah to the relative detriment of the rest"; vgl. ferner *G. Bornkamm*, Doppelgebot 86; *C. Burchard*, Liebesgebot 52–53; *A. Nissen*, Gott 389–415.

[185] *C. Burchard*, Liebesgebot 54.

[186] *E. Lohmeyer*, Mk 260; ähnlich schon *I. Abrahams*, Studies I,19 und 28; ferner *G. Winter*, Liebe 241: „Von einem Prinzip des Gesetzes oder der Sittlichkeit kann man überhaupt im AT nicht reden."

[187] Sie begegnet vorher schon im Tobitbuch 4,15: ὃ μισεῖς, μηδενὶ ποιήσῃς; in der Achikargeschichte (Achikar Arm. B 53): „Was immer du willst, daß Dir es die Menschen tun, das tue du allen"; im Aristeasbrief (Ep. Ar 207); im hebräischen T. Naphtali (1,6); sowie etwa zu seiner Zeit bei Philo [Hypothetica, bei Eus., P. E. (= Praeparatio Evangelica) VIII 7,6 (M-ras I, S. 430): ἃ τις παθεῖν ἐχθαίρει, μὴ ποιεῖν αὐτόν; in den Sprüchen Ps-Menanders (Ps-Men 39f) und in den Aboth des R. Nathan (ARN [B] 26 [27a oben]). Hierzu vgl. *Bill.*, I, 459f; *I. Abrahams*, Studies I, 21–22, hier 21: „The mere formulation of the ‚Golden Rule' in the negative version is far older than Hillel"; *K. Hruby*, L'amour du prochain 493 redet von „un ancien dicton populaire"; *H. Köster*, Syn. Überlieferung 167f; *J. P. Audet*, Didachè, bes. 259f; *K. Berger*, Gesetzesauslegung 133f; *H. Schürmann*, Lk 349–350 (Literatur); *A. Nissen*, Gott 395 + Anm. 249; S. 390f (Literatur!). Zum ganzen Problem vgl. *A. Dihle*, Die Goldene Regel + Literatur (Göttingen 1962).

[188] Vgl. *A. Nissen*, Gott 391f. Schon im Konfuzianismus sowie in der indischen Gedankenwelt begegnet die Goldene Regel. Dazu vgl. die bei *A. Nissen*, Gott 392 in den Anmerkungen 238.239 angeführte Literatur; ferner *I. Abrahams*, Studies I,21; *Bill.*, I,459f.

anderen; das ist die ganze Tora und das andere (übrige) ist Erklärung; geh und lerne."[189] Die Geschichte ist bekannt: „Ein andermal kam ein Heide (*gwj* = Nichtisraelit) vor Schammai (± 30 v. Chr.) und sprach zu ihm: Mache mich zu einem Proselyten unter der Bedingung, daß du mich die ganze Tora lehrst, während ich auf einem Fuß stehe. Er jagte ihn mit einem Meßstock fort, den er in seiner Hand hatte. Darauf trat er vor Hillel (± 20 v. Chr.), der ihn als Proselyten annahm. Hillel sprach zu ihm: ‚Was dir unliebsam ist, das tu auch deinem Nächsten (*lhbrk* = einem anderen) nicht. Dies ist die ganze Tora, das andere ist ihre Auslegung; geh hin und lerne das'."[190]

Die Aussprüche R. Akibas und Ben Azzais zu Lev 19,18: „Du sollst deinen Nächsten lieben wie dich selbst" – Rabbi Akiba (± 135) sagte: „Das ist ein großer, allgemeiner Grundsatz in der Tora"; Ben Azzai sagte: „Dies ist das Buch der Geschlechter des Menschen. Am Tage, da Gott den Menschen schuf, machte er ihn im Bilde Gottes: Das ist eine größere Hauptregel als jene",[191] werden auf Grund einer falschen Übersetzung oft zu solchen Zusammenfassungen der Torah gerechnet. Es heißt jedoch nicht *hkll hgdwl*, sondern ohne Artikel *kll gdwl*. Akiba und Hillel nennen die Goldene Regel bzw. das Liebesgebot *eine* große, nicht aber *die* größte Hauptregel.[192] In der Mischna werden die Rechtssachen, die Kultangelegenheiten, die Bestimmungen über Rein und Unrein zu den Hauptsachen des Gesetzes gezählt (Chag 1,8).[193]

Bezeichnend ist dabei, daß diese Hauptregeln oder Zusammenfassungen der Torah nicht „Gebot": ἐντολή – *miṣwah*, sondern *kᶜlal* heißen. Schon I. Abrahams machte auf die falsche Wiedergabe dieses Ausdrucks bei den Synoptikern aufmerksam: „The Tannaitic Hebrew *kll gdwl* does not correspond to the Synoptic Greek (μεγάλη ἐντολή) ... The Greek obscures the exact sense both of question and answer."[194] Das Wort *kᶜlal* meint zunächst „das Allgemeine, das

---

[189] Schab 31a: Übersetzung von *Bill.,* I,460; vgl. auch Tg. Jerus I zu Lev 19,18 – *A. Nissen,* Gott 395 Anm. 251.

[190] *Bill.,* I,357; vgl. ARN (B) 26 (27a oben).

[191] S. Lev 19,18 (89b) par. j. Ned. 10,41c,37; vgl. Gen R 24,7 zu 5,1 (237).

[192] Vgl. *Bill.,* I,357f; *A. Nissen,* Gott 289; ferner die Rezension von *P. Schäfer,* in: Theol. Literaturzeitung 102 (1977) Nr. 6 Sp. 432–437, hier 436. Bei aller Kritik an Nissens Deutung dieses Wortes Akibas, stimmt er ihm in diesem Punkt zu: „Zwar wird mit Recht festgestellt, daß hier von einer großen und nicht der größten Hauptregel die Rede ist, .. "; ferner richtig *C. Burchard,* Liebesgebot 52. Falsch *I. Abrahams,* Studies I,24, der von „the greatest fundamental Law" redet; die Übersetzungen von *E. Lohmeyer,* Mk 260; *V. Taylor,* Mk 486; *K. Hruby,* L'amour du prochain 493. Zudem übersetzt Hruby den Ausspruch nicht vollständig.

[193] *Bill.,* I,907f. Hier werden auch Aussprüche anderer Rabbinen z. B. Bar Qappara (± 220); R. Simlai (± 250); R. Eleazar von Modiim, zitiert; ferner *I. Abrahams,* Studies I,20–23. Zum ganzen Problem, vgl. *A. Nissen,* Gott, bes. 389–415.

[194] *I. Abrahams,* Studies I,24; vgl. *C. Burchard,* Liebesgebot 53.

Generelle" im Unterschied zum „Speziellen" (= *prt*).[195] Im übertragenen Gebrauch, oft mit dem Zusatz „groß", bezeichnet *kll* „eine
allgemeine Regel, eine Hauptregel" im Verhältnis zu den in ihr
zusammengefaßten „Einzelgesetzen eines bestimmten Bereichs",[196]
wobei „groß" nicht heißt „bedeutender, zentraler oder ähnliches".
Ebensowenig läßt dieser Zusatz „einen Kelal in das Gebiet anderer
Hauptregeln übergreifen" oder „die Funktion eines Kelal darin bestehen, mehrere, viele oder gar alle biblischen Gebote . . . zusammenzu-
fassen, so daß alle anderen Gebote aus ihm abzuleiten wären oder
wenigstens dieses in allen jenen wirksam zu sein hätte . . ." Vielmehr
heißt der Zusatz „groß" mehr oder weniger umfassend in bezug auf
die Zahl der im Kelal eingeschlossenen Spezialfälle, falls nicht überhaupt „Hauptregel" und „große Hauptregel" gleichsinnig gebraucht
werden."[197] In Gesetzesdiskussionen ist *kll* terminus technicus für
einen Allgemeinbegriff (z. B. „Vieh") im Unterschied zu dem in ihm
zusammengeschlossenen Speziellen (z. B. Schaf, Ziege oder
Rind . . .)[198]. Das bedeutet: Hillel, R. Akiba, Ben Azzai sowie die
anderen Lehrer stellen zwar eine große Hauptregel, „einen wichtigen
Gedanken *in* der Tora" heraus, nicht aber „eine Regel *für* die Tora",
ein Prinzip, „das die Tora ersetzt, umgestaltet oder auch nur zu einen
beansprucht".[199]

Was in den palästinischen[200] Quellen vergebens gesucht wird,
scheint im hellenistischen Judentum der Diaspora belegt zu sein. Hier
wird die Ausdrucksweise in einer Reihe von Stellen bezeugt, die mehr
oder weniger ausdrücklich das Attribut „erster – πρῶτος" mit dem
Satz von einem Gott, von Gott als Schöpfer oder ähnliches verbinden.
Es ist jedoch zu beachten, daß, im Unterschied zu den Synoptikern, in

---

[195] Zum Ganzen *W. Bacher*, Terminologie I,79–82; II,83–85 mit zahlreichen Belegen;
ferner *J. Levy*, WB II.339f; *S. Bialoblocki*, Art. Hermeneutik, in: Ency. Jud. 7 (1931), Sp.
1190f; *M. Jastrow*, A Dictionnary of the Targumim I,643f; *B. Krupnik* + *A. M.
Silbermann*, Handwörterbuch zu Talmud . . I,416f; *A. Nissen*, Gott, bes. 400f.

[196] Scheb 7,1; 7,2; Maas 1,1; Chul 3,1; TBM 11,9 Ende (395,22); Sota 37b.Bar.;
S. Lev 25,1 (105a). Vgl. *A. Nissen*, Gott 400f.

[197] *A. Nissen*, Gott 401; ferner vgl. *M. Kadushim*, Worship and Ethics. A Study in Rabbinic
Judaism (1964), S. 31: „Kelal gadol . . . does not mean that a principle so designated
is the most important or the most inclusive or the most comprehensive; it
apparently means, rather, that a rule so designated is *more* inclusive than another
rule." *I. Abrahams*, Studies I,24 ist irreführend: „. . . such a general or basic command
from which all the other . . .".

[198] Vgl. *J. Levy*, Wb II,339f; *S. Bialoblocki*, in: E. J. 7, Sp. 1190f; *W. Bacher*, Terminologie
I,81: „Die Ausdrücke *k*e*lal* und *p*e*rat* dienen auch dazu, um die Unterscheidung
zwischen allgemeinen, umfassenden Geboten der heiligen Schrift und den speziellen
Geboten, in welche sich jene sondern, zu bezeichnen."; ferner *A. Nissen*, Gott 400.

[199] Vgl. *A. Nissen*, Gott 400. Sperrungen im Text.

[200] Begegnet uns in Qumran „das Judentum strengster Observanz", wo die Bedeutung
der Tora noch betonter ist als im rabbinischen Judentum, so kann hier von
Zusammenfassungen oder Summen des Gesetzes überhaupt keine Rede sein.

diesen Stellen nicht von einem zweiten Gebot die Rede ist. Vielmehr wird darin die Einzigkeit des Gottes Israels unterstrichen. So heißt der „erste" Satz bei Josephus c. Ap. II,190 auch „Gebot": τίνες οὖν εἰσιν αἱ προρρήσεις καὶ ἀπαγορεύσεις (des jüdischen Gesetzes); ἁπλαῖ τε καὶ γνώριμοι. πρώτη δ'ἡγεῖται ἡ περὶ θεοῦ λέγουσα ὅτι θεὸς ἔχει τὰ σύμπαντα. Im Zusammenhang führt Josephus c. Ap. II,151–189 aus, daß das jüdische Volk bessere Gesetze als die anderen Völker besitzt, und daß es sie besser als die anderen hält. Wenn dann c. Ap. II,193f gesagt wird, daß der eine Gott einen Tempel hat, in dem der Hohepriester mit den Priestern opfert und über das Gesetz wacht,[201] so will Josephus gegenüber den heidnischen Völkern, die viele Gottheiten haben und verehren, den reinen israelitischen Monotheismus hervorheben. Israel hat nur einen einzigen Gott, der in dem einen Kultort zu Jerusalem angebetet wird. Ebenso betont auch Ant. III,5,5 in der Wiedergabe des Dekaloghauptgebotes den Glauben Israels an den einen Gott: διδάσκει μὲν οὖν ἡμᾶς ὁ πρῶτος λόγος ὅτι θεός ἐστιν εἷς καὶ τοῦτον δεῖ σέβεσθαι μόνον. Nicht anders verhält es sich bei Philo. De Decal 65 heißt es: πρῶτον μὲν οὖν παράγγελμα καὶ παραγγελμάτων ἱερώτατον στηλιτεύσωμεν ἐν ἑαυτοῖς, ἕνα τὸν ἀνωτάτω νομίζειν τε καὶ τιμᾶν θεόν. Das erste Gebot ist auch hier die Anerkennung der Einzigkeit Gottes.[202] Als Kernstück christlicher Katechese vor Heiden lebt dieser Gedanke der Einzigkeit Gottes in Herm. mand. I,1 fort, wenn es heißt: πρῶτον πάντων πίστευσον, ὅτι εἷς ἐστιν ὁ θεός.[203]

C) SUMME DER SITTLICHKEIT

Daß die oberste Zusammenfassung und Verallgemeinerung aller menschlichen Pflichten, und das heißt: die Summe der Sittlichkeit in den Pflichten gegen Gott einerseits und in den Pflichten gegen die Menschen andererseits besteht, ist ein bereits in der griechisch-hellenistischen Welt wohl bekannter und verbreiteter Tópos.[204] Dabei werden durchgängig die Begriffe ὅσιον bzw. εὐσέβες und δικαίον

---

[201] Εἷς ναὸς ἑνὸς θεοῦ, … θύομεν τὰς θυσίας οὐκ εἰς μέθην ἑαυτοῖς, ἀβούλητον γὰρ θεῷ τόδε, ἀλλ' εἰς σωφροσύνην …

[202] Vgl. *Philo*, De Decal 52; ferner *Ep. Arist*, 132.134: προϋπέδειξε γὰρ πάντων πρῶτον ὅτι μόνος ὁ θεός ἐστιν … ποιησάμενος οὖν τὴν καταρχὴν ταύτην … ; *Ps-Phokyl*. 8: πρῶτα θεὸν τιμᾶν, μετέπειτα δὲ σεῖο γονῆας.

[203] *C. Burchard*, Liebesgebot 54f verwendet den Befund bei Josephus c. Ap. II,151–195f und Philo, De Decal 65, um die Abhängigkeit von Mk 12,28–31 von und die Herkunft aus dem Diasporajudentum zu beweisen: „V 28–31 sind jedenfalls nicht weniger in hellenistisch-jüdischem Geist geformt als sie" (S. 55).

[204] Vgl. bes. *K. Berger*, Gesetzesauslegung 143–151 mit zahlreichen Belegen; ferner *W. Foerster*, ThWNT VII,175–180; *G. Schrenk*, ThWNT II,180–182.184ff.

verwendet. Folgende Kombinationen kommen vor: θεοσεβής – δίκαιος; εὐσέβεια – δικαιοσύνη; ὁσιότης – δικαιοσύνη; εὐσέβεια – φιλανθρωπία; τὸ εὐσεβές – τὸ δίκαιον u. a. m. Bezeichnet die Wortgruppe εὐσεβής oder θεοσεβής das Verhalten gegenüber Gott, so meint der Stamm δίκαιος in dieser Zusammenstellung hauptsächlich das Verhalten gegenüber dem Mitmenschen. Er umfaßt „das ganze Verhältnis des Einzelnen zur Gesellschaft. Wie der Mann sich zu seinem Nächsten stellt, das entscheidet über seinen moralischen Wert. Von da aus ist leicht begreiflich, daß die Frage nach der nun nicht mehr subjektiv, sondern objektiv gefaßten Gerechtigkeit zur Frage nach der richtigen Gesellschaftsordnung werden mußte".[205] Und die Entwicklung geht dahin, „daß εὐσέβεια als das rechte Verhalten zu den Göttern von der δικαιοσύνη als dem rechten Verhalten zu dem Nächsten und der σωφροσύνη bzw. ἐγκράτεια als dem zu sich selbst unterschieden wird".[206] Einige wenige Stellen mögen dies belegen.[207] Unter den ἀρεταί zählt Diodor v. S. an erster Stelle εὐσέβεια und δικαιοσύνη auf: τὴν δ᾽ἐκ παιδὸς ἀγωγὴν καὶ παιδείαν διελθόντες, πάλιν ἀνδρὸς γεγονότες τὴν εὐσέβειαν καὶ δικαιοσύνην ἔτι δὲ τὴν ἐγκράτειαν καὶ τὰς ἄλλας ἀρετὰς αὐτοῦ διεξέρχονται καὶ ... (1,92,5). Redet Aristophanes vom θεοσεβής καὶ δίκαιος ἀνήρ: ἐγὼ θεοσεβὴς καὶ δίκαιος ὢν ἀνὴρ κακῶς ἔπραττον καὶ πένης ἦν ... (Plutos 28), so Demosthenes vom εὐσεβές καὶ δίκαιον: τὸ δ᾽εὐσεβὲς καὶ τὸ δίκαιον, ἃ τ᾽ἐπὶ μικροῦ τις ἄν τ᾽ἐπὶ μείζονος παραβαίνη ... (Oratio 9,16). Den Bereich des Sittlichen faßt Polybius unter den Titeln zusammen: τὰ πρὸς ἀνθρώπους δίκαια καὶ τὰ πρὸς τοὺς θεοὺς ὅσια (22,10,8); und bei Isocrates begegnen die Wendungen: τοὺς θεοὺς εὐσεβεῖν καὶ τὴν δικαιοσύνην ἀσκεῖν καὶ τὰς ἄλλας ἀρετὰς ἐπιτηδεύειν ... (3,2). Auch die Zusammenstellung von δικαιοσύνη mit φιλανθρωπία kommt vor, besonders bei Demosthenes. Orationes 20,165 heißt es: ἐν τῇ ὑμῶν γνώμῃ φιλανθρωπία πρὸς φθόνον καὶ δικαιοσύνη πρὸς κακίαν ἀντιτάττεται; und 44,8: ἐὰν ἐκ μὲν τῶν νόμων μὴ ὑπάρχῃ, δίκαια δὲ καὶ φιλάνθρωπα φαίνωνται λέγοντες, καὶ ... Ferner meint er 6,1: ἀεὶ τοὺς ὑπὲρ ὑμῶν λόγους καὶ δικαίους καὶ φιλανθρώπους ὁρῶ φαινομένους ...[208] Wegen ihrer inhaltlichen Nähe werden beide Begriffe bei

---

[205] U. v. *Wilamowitz-Moellendorff*, Platon (Sein Leben und seine Werke) S. 43f. Vgl. *G. Schrenk*, ThWNT II,181f: „Auch in der Ethik des Aristoteles, der der δικαιοσύνη ein ganzes Buch (Eth Nic V) widmet, hat die δικαιοσύνη noch den Ehrenplatz unter allen Tugenden inne ...; sie ist ihm die Anwendung *aller* Tugenden gegenüber der menschlichen Gesellschaft."

[206] *W. Foerster*, ThWNT VII,176; vgl. *G. Schrenk*, ThWNT II,184 (20ff).

[207] Quellenmaterial bei K. Berger, Gesetzesauslegung 144–150.

[208] Weiter *Demosthenes*, Orationes 7,31; 18,112; vgl. auch *Lukian von Samos*, Demosth. enc. 18 (Tugenden des Demosthenes); *K. Berger*, Gesetzesauslegung 147 (Literaturangabe!)

Diodor v. S. zusammen der εὐσέβεια gegenübergestellt: εὐσεβῆ καὶ δίκαιον, ἔτι δὲ καὶ πρὸς τοὺς ξένους φιλάνθρωπον . . . (5,7).

Die Kombination von εὐσέβεια – δικαιοσύνη bzw. φιλανθρωπία hat eine gewisse Entwicklung in der Philosophie, besonders bei Aristoteles und Plato durchgemacht. Von Platos Eutyphron ab geht die Tendenz dahin, „die Frömmigkeit als einen *Teil* der Gerechtigkeit anzusehen".[209] So heißt es Eutyphron 12d–e: τὸ μέρος τοῦ δικαίου εἶναι εὐσεβές τε καὶ ὅσιον, τὸ περὶ τὴν τῶν θεῶν θεραπείαν, τὸ δὲ περὶ τὴν τῶν ἀνθρώπων . . . τοῦ δικαίου μέρος. Stellt Plato in den anderen Dialogen „Gerecht und fromm" noch nebeneinander, so spielt in seiner Tugendlehre die Frömmigkeit keine Rolle mehr neben der Gerechtigkeit.[210] Aber in den pseudo-platonischen Definitionen wird εὐσέβεια wieder als δικαιοσύνη περὶ θεούς bezeichnet: εὐσέβεια δικαιοσύνη περὶ θεούς· δύναμις θεραπευτικὴ θεῶν ἑκούσιος . . .[211] Bei Aristoteles bezeichnet δικαιοσύνη nun nicht mehr allein das Verhalten gegenüber den Mitmenschen, sondern auch zu den Göttern. So wird εὐσέβεια der δικαιοσύνη deutlich untergeordnet und von der ὁσιότης geschieden, und die εὐσέβεια kann „im griechischen Bereich eine ἀρετή sein, und zwar eine Tugend neben anderen, wie etwa die σωφροσύνη". Aber nicht, „daß die Frömmigkeit in grundsätzlicher Besinnung als die Quelle aller Tugenden bewertet worden wäre. Sie gehört mit allen anderen Tugenden zusammen, weil die einzelnen ἀρεταί nicht unverbunden und beziehungslos neben- oder gar gegeneinander stehen können".[212] Doch diese philosophische Sprachverwendung konnte sich nicht durchsetzen. Das hellenistische Judentum, dem diese Distinktionen unannehmbar waren, folgt denn auch dem einfacheren und ursprünglichen Gebrauch von der Kombination εὐσέβεια-δικαιοσύνη.[213] Ep. Ar. 131 wird die allgemeine These aufgestellt, daß das Werk des Gesetzgebers (νομοθέτης) in Pflichten der Frömmigkeit und der Gerechtigkeit eingeteilt ist: τὰ τῆς εὐσεβείας καὶ δικαιοσύνης. Dann wird Ar. 132ff diese These entfaltet. Zunächst wird ausgeführt, daß τὰ τῆς εὐσεβείας die Pflichten gegen Gott meinen, wobei der monotheistische Glaube hervorgehoben wird: „Zu allererst zeigte er, daß Gott einzig ist . . ." Daß τὰ τῆς δικαιοσύνης das Verhalten gegenüber dem Mitmenschen bedeutet, wird z. B. Ar. 168f deutlich, wenn gesagt wird: „Unser Gesetz aber verbietet, jemanden

---

[209] *K. Berger,* Gesetzesauslegung 150, (Sperrung im Text); ferner *G. Schrenk,* ThWNT II, 194; *W. Foerster,* ThWNT VII,176f.

[210] *Plat.,* Politeia I,331a; Gorgias 507b. Vgl. *K. Berger,* Gesetzesauslegung 150.

[211] *Ps. Platon,* Def. 412e. Vgl. *W. Foerster,* ThWNT VII,176 (34).

[212] *W. Foerster,* ThWNT VII,177–178, hier 178; vgl. *K. Berger,* Gesetzesauslegung 150f.

[213] Vgl. *K. Berger,* Gesetzesauslegung 151–165; vgl. S. 168–174; *W. Foerster,* ThWNT VII, 178–180; *G. Schrenk,* ThWNT II,195f; *C. Burchard,* Liebesgebot 55f; *A. Nissen,* Gott 498–502.

durch Wort oder Tat zu schädigen. Auch hierin ward dir nun in aller Kürze gezeigt, daß alle Gesetze zur Gerechtigkeit gegeben sind . . ." Ja, sogar die Speisegesetze und die Vorschriften über die unreinen Tiere seien auf Gerechtigkeit und auf gerechtes Zusammenleben mit den Menschen ausgerichtet, wie Ar. 169 zu lesen ist. Ar. 144 war schon davon die Rede, daß „diese heiligen Gebote nur zum Zweck der Gerechtigkeit erlassen" wurden, „um fromme Gedanken zu wecken und den Charakter zu bilden".[214] Die Frage nach dem Wesen der Frömmigkeit wird ausdrücklich Ar. 210 gestellt und so beantwortet: „Im Glauben, daß Gott alles in allem wirkt und alles kennt und daß kein Mensch, der unrecht oder übel handelt, ihm verborgen bleibt. Denn wie Gott der ganzen Welt Gutes tut, so kannst auch du fehlerlos bleiben, wenn du ihm nachahmst." Der heidnische König kann darum von sich sagen, er erstrebe in allem τὸ καλῶς ἔχον πρός τε τὸ δίκαιον καὶ τὴν κατὰ πάντων εὐσέβειαν (Ar. 24).[215] Ar. 18 stehen δικαιοσύνη und ὁσιότης zusammen: ὁ γὰρ πρὸς δικαιοσύνην καὶ καλῶν ἔργων ἐπιμέλειαν ἐν ὁσιότητι νομίζουσιν ἄνθρωποι ποιεῖν . . . Bemerkenswert ist die Formulierung Ar. 229: τί καλλονῆς ἄξιόν ἐστιν; . . . εὐσέβεια· καὶ γὰρ αὕτη καλλονή τίς ἐστι πρωτεύουσα. τὸ δὲ δυνατὸν αὐτῆς ἐστι ἀγάπη. Hier wird εὐσέβεια sogar mit ἀγάπη in Zusammenhang gebracht, so, wie ἀγάπη mit φιλανθρωπία, diese wiederum mit φιλία, δικαιοσύνη und ἔλεος auch sonst im Aristeasbrief eng verwandt zu sein scheint.[216] Aber Ar. ist, wie Foerster feststellt, in seinem Sprachgebrauch „am unbestimmtesten, da er von einem Heiden an einen Heiden geschrieben sein will".[217]

Josephus schließt sich der griechischen Tradition an. Die Zusammenstellung von εὐσέβεια – δικαιοσύνη ist bei ihm sehr häufig. Von König Ozias sagt Josephus, daß ihm keine ἀρετή gefehlt habe, er sei vielmehr εὐσεβὴς μὲν τὰ πρὸς τὸν θεόν, δίκαιος δὲ τὰ πρὸς ἀνθρώπους gewesen.[218] Dagegen sei König Joakim von Natur ungerecht gewesen (τὴν φύσιν ἄδικος) und weder heilig vor Gott noch rechtschaffen zu den Menschen.[219] Das jüdische Gesetz lehre nicht ἀσέβεια, sondern εὐσέβεια; nicht μισανθρωπία, sondern κοινωνία und δικαιοσύνη.[220] Mit

---

[214] Übersetzung nach P. Rießler, Schrifttum a. l.

[215] Griechischer Text zitiert bei *W. Foerster,* ThWNT VII,178 (35ff). Doch hier scheint εὐσέβεια das Verhalten zu den Menschen zu meinen.

[216] Vgl. Ar. 168 mit Ar. 228; Ar. 225. Ar 265 und 290 ist von φιλανθρωπία und ἀγάπησις bzw. von ἐπιείκεια und φιλανθρωπία als Tugenden des Königs die Rede. Vgl. ferner Test Levi 16,2; Test Gad 4,2; Test Iss 5,2; Test Dan 5,3; Test Benj 3,3.

[217] *W. Foerster,* ThWNT VII,178 (35).

[218] *Jos.,* Ant 9,236; vgl. Ant 8,280.300.

[219] *Jos.,* Ant 10,83; vgl. Ant 10,50; 7,130; 7,384.

[220] Vgl. c. Ap 2,191; c. Ap 2,148: ἀθέους καὶ μισανθρώπους; ferner Ant 13,2.4; 15,374f; 12,284; 18,117; Bell 7,260. *K. Berger,* Gesetzesauslegung 152–154; *E. Kamlah,* Frömmigkeit und Tugend 220–232.

dieser Kombination von εὐσέβεια – δικαιοσύνη meint Josephus die oberste Zusammenfassung des Gesetzes. Dabei ist δικαιοσύνη besonders auf das Verhältnis zu den Menschen bezogen. Sie ist „immer ἀρετή, und zwar ist sie vorwiegend gemeint als bürgerliche Tugend im Gemeinwesen" (Ant 18,117).[221] Das Wort wird jedoch auch synonym gebraucht zur Erfüllung der Gebote.[222] Ant 10,215 stehen δίκαιος und θεοφιλής nebeneinander.

Die Wortgruppe εὐσέβ- aber gebraucht Josephus nicht einheitlich. Er kann damit auch das Verhalten zu den Menschen bezeichnen. So meint Mephiboseth mit εὐσέβεια πρὸς σὲ seine loyale Gesinnung gegenüber David.[223] Geht es deshalb um die Frömmigkeit gegen Gott, so wird der Zusatz „gegen Gott" notwendig.

Der Sprachgebrauch bei Josephus zeigt, daß er an der religiösen Bestimmung des Gesetzes festhält. Er faßt ja die Tugenden, unter ihnen an erster Stelle die δικαιοσύνη, als Teile der εὐσέβεια auf (vgl. c. Ap. 2,170f; 291f). Mit dem Griechentum stimmt Josephus darin überein, daß er wie dieses die Frömmigkeit als eine Tugend, nämlich als die Kardinaltugend ansieht (Ant 1,6; vgl. Ant 20,48). Doch grenzt er sich davon ab, daß für ihn das Gesetz die Tugenden zu einem Teil der Frömmigkeit macht. Die εὐσέβεια ist nicht μέρος ἀρετῆς, sondern alle anderen ἀρεταί wie z. B. Gerechtigkeit usw. sind ihr untergeordnet.[224] Man wird Fiedler zuzustimmen haben, wenn er sagt: „Das Nebeneinander von εὐσέβεια und δικαιοσύνη ist bei Josephus, so gewiß es griechischen Vorbildern entlehnt ist, etwas Eigenes geworden: eine hellenistisch-jüdische Formel, die die Gesamtforderung des Gottes Israels ausdrückt".[225]

Bei Philo, wie Vit Mos 2,216 u. ö. zeigt, hat δικαιοσύνη engste Beziehung zu εὐσέβεια, ὁσιότης und θεοσέβεια.[226] Die Kombination εὐσέβεια – δικαιοσύνη bzw. φιλανθρωπία begegnet Abr. 208: „Soviel sei über die Frömmigkeit des Mannes gesagt... Aber wir müssen auch sein freundliches Benehmen den Menschen gegenüber untersuchen. Denn es gehört zu derselben Naturanlage, fromm und menschenfreundlich zu sein; bei demselben Menschen findet man gewöhnlich beides, Frömmigkeit gegen Gott und Gerechtigkeit gegen die Menschen". Der klassische Beleg für diesen Sachverhalt ist Spec

---

[221] G. Schrenk, ThWNT II,196. Auf Gott bezogen begegnet das Wort bei Josephus nur Ant 11,268.

[222] Jos., Ant 8,21.120; 12,291; vgl. Ant 1,75.99; 18,117; 11,169.

[223] Jos., Ant 7,269; vgl. Ant 16,92; ferner Ant 11,120; c. Ap 1,162; 2,130.

[224] c. Ap 2,170f; vgl. c. Ap 2,16; Ant 12,290–291. Vgl. W. Foerster, ThWNT VII,179; K. Berger, Gesetzesauslegung 154; E. Kamlah, Frömmigkeit und Tugend 231f.

[225] M. J. Fiedler, Der Begriff Δικαιοσύνη 62f.

[226] Vgl. Prob Lib 83; Exsecr. 160. K. Berger, Gesetzesauslegung 156–160; W. Foerster, ThWNT VII,179f; G. Schrenk, ThWNT II,196; C. Burchard, Liebesgebot 56; A. Nissen, Gott 498–502.

Leg II,63, wo Philo von den δύο τὰ ἀνωτάτω κεφάλαια des Gesetzes redet. Der Text lautet: … τῶν κατὰ μέρος ἀμυθήτων λόγων καὶ δογμάτων δύο τὰ ἀνωτάτω κεφάλαια, καὶ τὸ πρὸς τὸν θεὸν δι'εὐσεβείας καὶ ὁσιότητος, τό τε πρὸς ἀνθρώπους διὰ φιλανθρωπίας καὶ δικαιοσύνης. Die Unterordnung der λόγοι καὶ δόγματα unter die ἀνωτάτω κεφάλαια vermittelt der Dekalog, das von Gott gegebene Grundgesetz, auf das sich die Einzelgesetze, die von Mose stammen, zurückführen lassen (Decal 18f). Wie Abr. 208 gebraucht Philo auch hier die vier Begriffe εὐσέβεια, ὁσιότης und φιλανθρωπία, δικαιοσύνη, wobei die zwei ersten sich auf Gott und die zwei letzten auf die Menschen beziehen, und jeweils einander erklären.

An einigen Stellen folgt Philo dem klassischen griechischen Sprachgebrauch oder übernimmt ihn in direkten Zitaten.[227] In Spec Leg IV, 135 wird δικαιοσύνη „Schwester und Verwandte" (ἀδελφὴν καὶ συγγενεστάτην) von εὐσέβεια und ὁσιότης genannt, während in der inhaltlichen Parallelstelle Virt 51 die φιλανθρωπία als „Schwester und Zwilling" (ἀδελφὴν καὶ δίδυμον) der εὐσέβεια bezeichnet wird. In allen Aufzählungen von Tugenden fehlt δικαιοσύνη nie. Sie steht vielmehr neben εὐσέβεια wie ἀσέβεια neben ἀδικία.[228] Ist δικαιοσύνη nach Abr 27 die ἡγεμονίς der Kardinaltugenden, welche die καλοκαγαθία (Congr 31; Abr 56) ausmachen: φρόνησις, σωφροσύνη, ἀνδρεία, δικαιοσύνη (Leg All I,63 u. ö.), so heißt Spec Leg IV, 147 die εὐσέβεια die βασιλίς der Tugenden.[229]

Die inhaltliche Nähe des Begriffes δικαιοσύνη zu φιλανθρωπία und φιλία, die im Aristeasbrief, aber auch schon im Profangriechisch beobachtet wurde, zeigt sich bei Philo darin, daß er φιλανθρωπία und δικαιοσύνη einfach synonym gebraucht (Abr 208), und δικαιοσύνη an der überwiegenden Mehrzahl der Stellen durch φιλανθρωπία ersetzt.[230]

Der Wortstamm εὐσεβ – kommt etwa 200mal und ἀσεβ – etwa 150mal bei Philo vor.[231] Im Unterschied zu Josephus überwiegt bei ihm der religiöse Inhalt der Wortgruppe. Ist jedoch das Objekt nicht Gott, sondern der römische Kaiser,[232] oder die Eltern (Decal 120), oder verlangt der Zusammenhang eine nähere Präzisierung (Mut Nom 226), so bringt er nähere Erläuterungen mit πρός, εἰς usw. … Sonst

---

[227] Z. B. Fug. Inv. 63; Deus Imm. 163f; Spec Leg IV,147.

[228] Cher 96; Vit Mos II, 216; Dct. Pot. Ins. 73; Sacr. A. C. 22. Vgl. *G. Schrenk*, ThWNT II, 196; *K. Berger*, Gesetzesauslegung 156.

[229] Vgl. Spec Leg IV, 135; Decal 52; Abr 60 u. ö.; Virt 95. Wie bei Josephus taucht δικαιοσύνη auf Gott bezogen bei Philo nur einmal auf, und zwar Deus Imm. 79.

[230] Vgl. Vit Mos II,163; Virt 76; 94f; Decal 110f; Jos 240; Spec Leg IV, 97; Virt 182; Prob. Lib. 83 u. a. m. Ferner *K Berger*, Gesetzesauslegung 156; *A. Nissen*, Gott 492 + Anm. 435.

[231] Zu den statistischen Angaben vgl. *W. Foerster*, ThWNT VII,179.

[232] Leg Gaj 279f; 335; Flac 103.

bezeichnet εὐσέβεια durchweg das Verhalten gegen Gott im Unterschied zu dem gegen sich selbst und gegen den Nächsten. Die ἀσέβεια
ist τὸ μέγιστον κακόν (Congr 160), die εὐσέβεια dagegen die ἡγεμονίς
τῶν ἀρετῶν (Spec Leg IV,135). So wie das Denken ist auch das Tun
entweder εὐσεβές oder ἀσεβές.[233] Wie Josephus lehrt auch Philo, daß
die Gebote des Gesetzes zur εὐσέβεια führen (Deus Imm. 69). Die
Beschränkung auf das Religiöse ist das alttestamentliche Erbe bei
Philo.[234]

IV. Psychologisches und Anthropologisches

Die in Mk 12,28–34 begegnenden psychologischen und anthropo-
logischen Begriffe, die offensichtlich die Qualität der abverlangten
Liebe beschreiben sollen, bedürfen ebenso der Klärung. Auch für die
Herkunft der Perikope ist es aufschlußreich, sich über Bedeutung und
Aufzählung dieser Termini Klarheit zu verschaffen.

A. καρδία UND διάνοια[235]

Das mit καρδία übersetzte hebräische Wort *leb* oder *lebab* kommt
ca. 853mal im AT vor. Es bezeichnet im eigentlichen Sinne zuerst das
Körperorgan,[236] die Brust, wofür im Hebräischen ein besonderes Wort
fehlt (Dan 2,32); die Vorderseite (Ex 28,29f). Im übertragenen Sinne
bedeutet es nicht nur „Herz",[237] sondern auch „Mitte".[237] Dem menschlichen *leb* werden „Funktionen für das leibliche, seelische und geistige
Wesen des Menschen zugeschrieben".[238] Es meint die Lebenskraft
(Gen 18,5; Ri 19,5.8) und wird zur Bezeichnung des Organs der
sexuellen Kraft und Begierde gebraucht.[239] Der seelische Aspekt zeigt
sich in den verschiedenen Gefühlen, die das Wort ausdrücken kann,
so z. B. Schmerz;[240] Freude;[241] Mitleid Jahwes (Hos 11,8); Angst;[242]

---

[233] Leg All III,209; Deus Imm. 69.

[234] *W. Foerster,* ThWNT VII,180.

[235] Da διάνοια in der Aufzählung keine hebräische Entsprechung hat und zudem in
  LXX vorwiegend das hebräische *leb* wiedergibt, empfiehlt es sich, beide Begriffe
  zusammenzunehmen bzw. nacheinander zu behandeln.

[236] 1 Sam 25,37; Ps 38,11; 2 Sam 18,14; Ps 37,15 u. ö.

[237] Ex 15,8; Spr 23,34; Ez 27,4.25–27; 28,2.8; Ps 46,3; Dt 4,11.

[238] *F. Stolz,* THAT I,862; ferner *J. de Fraîne,* B. Lex./Haag 727f; *W. Eichrodt,* Theologie
  2/3,93ff; *Gesenius/Buhl,* Wb 375f; *Th. Sorg,* ThBL II,680–683, hier 681; *Fr. Baumgärtel,*
  ThWNT III,609–611; *E. Jacob,* ThWNT IX,623–625; *G. Lisowsky,* Konkordanz, s. v.
  708ff; *H. W. Wolff,* Anthropologie 68–95.

[239] Hos 4,11; Hi 31,9; Spr 6,25; Ez 16,30.

[240] 1 Sam 1,8; Jes 1,5; Jer 4,18; Ps 13,3 . . .

[241] Ex 4,14; Ri 16,25; Jes 24,7 . . .

[242] Dt 20,3.8; Jos 2,11; Jes 7,2 . . .

Verzweiflung (Pred 2,20); Mut (Ps 40,13); auch die gefühlsbetont-vertrauliche Zuwendung zu einem Menschen durch einen Mitmenschen bedient sich gern des Wortes *leb*.[243] Zu der geistigen Dimension von *leb* gehört zunächst die Erkenntnis (Ex 7,23); das Wiedererkennen, die Erinnerung;[244] die Einsicht;[245] die Fähigkeit, eine Sache kritisch zu beurteilen;[246] juristisches Abwägen.[247] Es ist das Organ der *ḥokmā*.[248] *leb* umfaßt sämtliche Dimensionen menschlicher Existenz. Von ihm können Aussagen gemacht werden, die den ganzen Menschen betreffen.[249] Es bezeichnet daher auch die Person in ganz abgeblaßtem Sinne und wird als Ersatz für ein Personalpronomen verwendet (Ps 22,15; 27,3).

Aber *leb* dient auch dazu, das Verhältnis zwischen Gott und Mensch zu beschreiben.[250] So kann es das reine Gewissen des Betenden[251] oder die Reue des Beters (Ps 34,19; 51,19) bezeichnen, vor allem jedoch den Gehorsam Jahwe gegenüber. Das Hören und Handeln des Menschen sollen ganz auf Jahwe gerichtet sein und aus ganzem Herzen geschehen.[252] Doch kann Jahwe auch das Herz des Menschen verstocken.[253]

Diesem atl. Sprachgebrauch schließt sich das palästinensische Judentum an.[254] Doch wächst hier das anthropologische und psychologische Interesse in der Verwendung von *leb* noch stärker. In Qumranschriften z. B., wo das Wort mehr als 120mal vorkommt,[255] spielt der Ausdruck „šᵉ rīrūt lēb" = die Herzensverhärtung eine wesentliche Rolle. Er qualifiziert die nicht zur Sekte Gehörigen (1 QS 1,6; 2,14.26; 3,3 u. ö.). Neu dem atl. Sprachgebrauch gegenüber ist, daß „widergöttliche Kräfte der Welt jetzt ins Herz introjiziert" werden. Es ist von den „Götzen des Herzens" (1 QS 2,11) die Rede, oder

---

[243] Gen 34,3; vgl. Jes 40,2 u. ö.

[244] Dt 4,9; Jes 33,18; Jer 3,16.

[245] Dt 8,5; Hi 17,4 . . .

[246] Jos 14,7; Ri 5,15f . . .

[247] 1 Kge 3,9; 2 Chr 19,9.

[248] Spr 2,10; 14,33; Pred 1,16; Spr 16,23; Ps 90,12. – Sogar das handwerkliche Können kann mit lēb ausgedrückt werden (Ex 28,3; 31,6; 35,10 u. ö.).

[249] Vgl. *W. Eichrodt,* Theologie 2/3, S. 94; *F. Stolz,* THAT I,863; *E. Jacob,* ThWNT IX,623–624; *H. W. Wolff,* Anthropologie 84.90.

[250] Vgl. *F. Stolz,* THAT I,864–867; *H. W. Wolff,* Anthropologie, bes. 84ff.

[251] Ps 7,11; 11,2 u. ö.; Ps 24,4.

[252] Dt 4,29; 4,9.39; 6,5; 8,5; 10,12.16; 11,13; 30,6; Jer 3,10; 4,4; 29,13 u. ö.; 3,17; 7,24; Ez 2,4; 3,7; 36,26ff . . .

[253] Ex 8,11.28; 9,34; 10,1; Jes 6,9f; 1 Kge 22,21.

[254] Vgl. Bᵉrakh 2,1; SDt 33 zu 6,6; SDt 24 zu 1,27; Midr. Qoh zu 1,16: Herz als Lebenszentrum; Ab 2,9. *Bill.,* I,721; II,14; ferner *J. Behm,* ThWNT III,614; *Th. Sorg,* ThDL II,681. Zu den rabbinischen Spekulationen über den „guten" und den „bösen" Trieb, die beide im lēb wohnen und sich gegenseitig bekämpfen, vgl. *Bill.,* IV,466ff.

[255] Vgl. *F. Stolz,* THAT I,867.

von der Vorstellung, daß die Geister von Wahrheit und Finsternis ihren Kampf im Lēb führen (1 QS 4,23). Der Fromme soll „Belial" aus dem Lēb vertreiben (1 QS 10,21), während das Gesetz in seinem Lēb drin ist (1 QH 4,10).[256]

Die LXX übersetzt das hebräische Wort überwiegend mit καρδία, seltener mit διάνοια und ψυχή. Dabei wird καρδία vorwiegend in umfassender Bedeutung, auf den ganzen Menschen angewandt, verstanden.[257] Wie im AT meint es vor allem auch das Prinzip und Organ des menschlichen Personlebens, den inneren Konzentrationspunkt des Wesens und Wirkens des Menschen als geistiger Persönlichkeit.[258] Vielfach wechselt καρδία mit ψυχή, διάνοια, πνεῦμα, νοῦς ... Aber es behält auch diesen Synonymen gegenüber „die Beziehung auf das Ganze und die Einheit des inneren Lebens, das sich in der Mannigfaltigkeit der seelisch-geistigen Funktionen darstellt und auswirkt".[259]

Bereits im Profangriechisch begegnet καρδία sowohl im eigentlichen als auch im übertragenen Sinn; es bezeichnet zunächst jedoch nur das Herz als Organ des Körpers und Mitte des physischen Lebens,[260] an zweiter Stelle, besonders bei den Dichtern, den Sitz der psychischen Regungen, die Quelle des seelisch-geistigen Lebens: Sitz der Gefühle und Leidenschaften,[261] des Denkvermögens,[262] des Wollens und der Entschlüsse.[263] Auf die Natur übertragen meint καρδία „das Innere; das Mark der Pflanze, den Kern des Baumes". Überall also bedeutet das Wort die Mitte, das Innerste bei Menschen wie bei Tieren oder Pflanzen.[264]

Wo das hellenistische Judentum der atl. Gedankenwelt folgt, entspricht sein Sprachgebrauch dem der LXX.[265] So spricht Philo im

---

[256] *F. Stolz*, THAT I,867.

[257] Vgl. *Th. Sorg*, Th. B. L. II,681; *J. de Fraine*, B. Lex./Haag 727.

[258] *J. Behm*, ThWNT III,612f; vgl. Prov 4,23; Ps 21,27; Jer 39,40; 1 Kge 12,20.24.

[259] *J. Behm*, ThWNT III,613.

[260] Besonders bei *Aristoteles*, z. B. de Somno et Vigilia 3p–456b; Mot. An. 10 p 703a; ferner *Hom.*, Il.10,94; 13,442; *Plat.*, Symp. 215d. – Hierzu *J. Behm*, ThWNT III,611f; *Th. Sorg*, ThBL II,680f.

[261] Vor allem bei *Homer*: Zorn: *Hom.*, Il.9,646; Mut oder Furcht: Il.21,547; Freude oder Traurigkeit: Od 4,548; *Epict.*, Diss I,27,21.

[262] *Hom.*, Il.21,441; Corp. Herm. VII,1.2; *Pind.*, Olymp. 13,16ff.

[263] *Hom.*, Il.10,244; *Soph.*, Ant. 1105: καρδίας δ'ἐξίσταμαι τὸ δρᾶν. Alle Belege bei *J. Behm*, ThWNT III,611. Die *Stoa* macht die καρδία gewissermaßen zum Zentralorgan des geistigen Lebens, zum Sitz der Vernunft, von dem Fühlen, Wollen und Denken ausgehen. Belege bei *J. Behm*, ThWNT III,612.

[264] Vgl. *J. Behm*, ThWNT III,612; *Th. Sorg*, ThBL II,680.

[265] So z. B. Test Lev 13,1; Test Jos 10,5; Test Si 5,2; ep. Ar. 17; 4 Esra 3,1; Test Ga 6,7: ἄφες αὐτῷ ἀπὸ καρδίας; Test Jos 15,3: ἡ καρδία μου ἐτάκη ... Zahlreiche Belege bei *J. Behm*, ThWNT III,613f.

Anschluß an das AT von ἀπερίτμητοι τὴν καρδίαν (Spec Leg I.304), oder er fordert mit dem Gesetz: τὰ δίκαια ... ἐντιθέναι ... τῇ καρδίᾳ (Spec Leg IV,137).[266] Aber der biblische Gedanke, daß καρδία der Sitz des inneren Lebens ist, ist ihm fremd; er sieht es als ein bloßes Symbol für διάνοια oder βουλαί bzw. βουλεύματα an. Im übrigen verwendet er das Wort nur im physiologischen Sinn, also als Körperorgan.[267] Auch Josephus redet von καρδία ausschließlich als dem Organ des menschlichen oder tierischen Körpers.[268] Der übertragene Sinn, der im AT vorherrscht, tritt vor allem bei ihm ganz zurück. Wo das AT Herz sagt, bemerkt J. Behm, sagt Josephus διάνοια oder ψυχή.[269]

Im NT erscheint das Wort καρδία an 148 Stellen, davon 47mal bei den Synoptikern.[270] Kommt καρδία in der Bedeutung „zentrales Organ des Körpers und Sitz der physischen Lebenskraft" außer Lk 21,34, „nur noch in den poetisch gewählten Wendungen von Apg 14,17 und Jak 5,5" vor,[271] so konzentriert sich der ntl. Sprachgebrauch noch stärker als die LXX auf das Herz als Mitte, als Hauptorgan des seelisch-geistigen Lebens, damit auch als die Stelle im Menschen, wo ihm Gott begegnet.[272] Das Herz ist der Sitz der Empfindungen und Affekte, der Begierde und Leidenschaften,[273] der Sitz des Verstandes, der Quellort der Gedanken und Erwägungen.[274] Im Herzen faßt sich das ganze innere Wesen des Menschen zusammen im Gegensatz zur Außenseite, zu dem πρόσωπον (1 Thess 2,17; 2 Kor 5,12), oder zu Mund und Lippen (Mk 7,6 par; Mt 15,18). „Herz" steht für das „Ich" der Person; ja, es ist die Person selbst.[275]

---

[266] Vgl. ferner Post. C. 85; Virt 183; Mut. Nom 237f; Somn II,180; Omn. Prob Lib 68; Praem Poen 79f (zu Dt 30,14).

[267] So steht Philo auch hier unter dem Einfluß griechischen Denkens: Leg All I,68; Op. Mund 118; Leg All I,12; Spec Leg I,216.218; Leg All II,6 ... Vgl. *J. Behm*, ThWNT III,613f; ferner *K. Berger*, Gesetzesauslegung 177f kommt zum gleichen Ergebnis: „So bleibt καρδία bei Philo im übertragenen Sinn nur erhalten in den Zitaten (wo es nachträglich interpretiert wird) und noch in zwei Anspielungen an LXX-Texte (Spec Leg I,304; IV,137") (178).

[268] Ant 5,193; 7,241; 9,118.

[269] *J. Behm*, ThWNT III,614; vgl. *Th. Sorg*, Th. B. L. II,681.

[270] Das Wort begegnet 52mal bei Paulus, 17mal in der Apostelgeschichte; 13mal in den sog. katholischen Briefen; 10mal im Hebr.; 6mal im Joh und 3mal in Apokalypse. Vgl. *Th. Sorg*, Th. B. L. II,682.

[271] *J. Behm*, ThWNT III,614; ferner *Th. Sorg*, Th. B. L. II,682.

[272] Mt 6,4.6.18.21 par; Mk 7,6; vgl. Rm 10,6ff; Apg. 2,26 ... *Th. Sorg*, Th. B. L. II,682f; *J. Behm*, ThWNT III,615.

[273] Lk 4,18; 24,32; Mt 5,28; Mk 7,21 par; Rm 1,24.

[274] Mk 11,23; Mt 9,4; 13,15b; Lk 1,51; 21,14; 24,38; 2 Kor 9,7.

[275] Kol 2,2; 1 Joh 3,19f; 1 Pt 3,4. In diesem Gebrauch von καρδία wird auch die sachliche Nähe zum Begriff νοῦς greifbar. Auch νοῦς kann die Bedeutung „Person, Ich der Person, des Menschen" haben. Vgl. 2 Kor 3,14f; Phil 4,7, wo καρδία und

Eine weitere Kraft in dieser Aufzählung ist διάνοια. Dieses Glied hat
keine Entsprechung im hebräischen Text. Es verrät eher griechische
als hebräische Denkweise. Im Griechentum ist διάνοια ein sehr
häufiges Wort, das praktisch als ein Wechselbegriff für νοῦς gilt.[276]
Sein Grundsinn ist: Denken, Durchdenken, Reflektieren. Sodann
bezeichnet es besonders „das Nachdenken" als Funktion, die „Denktätigkeit".[277] In der Sprache der Philosophen bedeutet das Wort „Denkkraft, Verstand, Erkenntnisvermögen, denkendes, auch sittlich reflek-
tierendes Bewußtsein".[278] Es steht ferner für „Denkart, Gesinnung";[279]
und als Ergebnis der Denktätigkeit für „Gedanke, Vorstellung, Meinung, Urteil".[280] Es meint auch „Vorsatz, Entschluß, Absicht",[281] sowie
„Sinn, Inhalt, Bedeutung" eines Wortes, eines Satzes oder einer
Schrift.[282]

Mit διάνοια wird in der LXX vorwiegend das hebräische *leb* oder
lebab wiedergegeben. Hier wird διάνοια fast zum hellenistischen
Äquivalent von καρδία, wie Behm feststellt: „Aufs Große gesehen,
deckt διάνοια *leb* und *lebab* der Massora in demselben Sinne und
demselben Umfang wie καρδία; davon zeugt auch das Schwanken der
Textüberlieferung zwischen den beiden griechischen Wörtern."[283]
Während καρδία eher als Sitz, Ort und Raum, Organ und Instrument
des Denkens erscheint, hat διάνοια hier die Bedeutung: „Denktätigkeit, Denkvermögen".[284] Doch auch dort, wo es um „Gefühlsregun-
gen" (Lev 19,17; Jes 35,4) oder um „Willensakte" geht (Ex 35,22.26; Dt

---

νοήματα parallel bzw. synonym verwendet werden. Nach *R. Bultmann*, Theologie
⁵1965, S. 222 besteht der Unterschied darin, „daß in καρδία das Moment des
Wissens, das in νοῦς enthalten ist und hervortreten kann, nicht betont ist, sondern
daß das Moment des Strebens und Wollens wie der Bewegtheit durch Gefühle
(Schmerz und Liebe) beherrschend ist". Vgl. ferner *Th. Sorg*, Th. B. L. II, 682.

[276] *J. Behm*, ThWNT IV,947–976; *G. Harder*, Th. B. L. III,1289f; *W. Bauer*, Wb 371 mit
vielen Belegen.

[277] *Plat.*, Soph 263e: ὁ μὲν ἐντὸς τῆς ψυχῆς πρὸς αὐτὴν διάλογος ... ἐπωνομάσθη, διάνοια.
Resp.VI,511d: ὡς μεταξύ τι δόξης τε καὶ νοῦ τὴν διάνοιαν οὖσαν; *Aristot.*, Metaph V,1
p 1025 b 25: πᾶσα διάνοια ἢ πρακτικὴ ἢ ποιητικὴ ἢ θεωρητική. Vgl. *J. Behm*, ThWNT
IV,961; *G. Harder*, Th. B. L. III,1289.

[278] Z. B. *Plat.*, Phaedr. 279a: φύσει ... ἔνεστί τις φιλοσοφία τῇ τοῦ ἀνδρὸς διανοίᾳ; ebd.
256c; *Aristot.*, Metaph. III,7 p 1012 a 2; *Epict.*, Diss. 3,22,20. Andere Belege bei *J.
Behm*, ThWNT IV,961f.

[279] Z. B. *Plat.*, Tim 71c; Phaedr 234b.

[280] So *Hdt.*, 2,169,2; *Plat.*, Phaedr 63c; *Aristot.*, Meteor II,3 p 356b 31 ... Vgl. *J. Behm*,
ThWNT IV,962.

[281] Z. B. *Hdt.*, 1,90,3; 8,97,3; *Thuc.*, 5,9b; *Plat.*, Tim 38c; *Plat.*, Apol. 41d – vgl. *J. Behm*,
ThWNT IV,962.

[282] *Plat.*, Critias 113a; Crat. 418a; Phaedr 228d ...

[283] *J. Behm*, ThWNT IV,962. Vgl. Dt 28,47; Jos 14,8; Prov. 4,4; Prov. 27,19; Ps 12,3 Σ
LXX.

[284] Hi 1,5; Gen 17,17; Jes 57,11; Ex 28,3 ...

29,17 u.ö.) oder wo „das Ganze des geistigen Wesens des Menschen" gemeint ist,[285] kann διάνοια stehen.[286]

In der atl. apokryphen Literatur hat διάνοια vorwiegend die Bedeutung „Verstand, Geist, Sinn";[287] vereinzelt auch „Gedanke" (Bar 1,22; Sir 3,24) und „Einsicht" (Sir 22,17). Besonders häufig kommt das Wort im Aristeasbrief und in den Testamenten der XII Patriarchen vor.[288] Der Sprachgebrauch steht dem der LXX nahe. Hier hat διάνοια den Sinn „Bewußtsein, Geist, Sinn";[289] auch „Gedanke"[290] und „Gesinnung".[291] Josephus verwendet διάνοια in allen üblichen Bedeutungen, besonders aber im Sinne von „Bewußtsein" und „Geist".[292] Bei Philo werden die Termini διάνοια, νοῦς . . . fast gleichgesetzt. Für ihn ist διάνοια ähnlich wie νοῦς das, was den Menschen vom Tier unterscheidet und ihm das Ebenbild Gottes übermittelt;[293] das Organ der Gotteserkenntnis.[294] Wie νοῦς kann διάνοια die geistige Seite des menschlichen Wesens im Unterschied vom Körper bezeichnen: Seele, Geist, das, was den Menschen unsterblich macht.[295] Und im Wechsel mit νοῦς hat διάνοια den Sinn von „Geist" im Gegensatz zur Sinnlichkeit (αἴσθησις).[296] Das Wort bedeutet auch einfach „Denkart, Gesinnung" (Spec Leg III,121).

Zusammenfassend läßt sich feststellen, daß die Wortgruppe νοῦς, νοέω, διάνοια im Judentum „mit Vorliebe nach der sittlichen Seite hin verwendet wird". Deutlicher als im Griechentum ist „ein religiöser Einschlag" zu erkennen.[297]

---

[285] Gen 8,21; Dt 4,39; Jos 22,5 . . .

[286] Vgl. *J. Behm*, ThWNT IV,962; ferner *G. Harder*, Th. B. L. III,1290f. Dieser macht auf den sparsamen Gebrauch der Wortgruppe νοῦς, νοέω, διάνοια . . . in der LXX aufmerksam und erklärt: „Dieses spärliche Vorkommen der Wortgruppe in LXX hängt damit zusammen, daß das Hebräische kein dem griechischen νοῦς entsprechendes Äquivalent besitzt . . . Der Verstand gehört im AT mit dem Willen zusammen und zielt nicht so sehr auf theoretische Schau als vielmehr auf rechtes Handeln. Die Sphäre des Intellektuellen ist also stärker in der leibseelischen Gesamtperson verankert als im Griechentum." (S.1290).

[287] Sir 29,16; Bar 4,28; Sap 4,14; 1 Esdr 3,18ff; Jdt 8,14; 4 Makk 11,14.

[288] *J. Behm*, ThWNT IV,963; *G. Harder*, Th. B. L. III,1291; vgl. *K. Berger*, Gesetzesauslegung 178.

[289] ep. Ar. 238; vgl. 227; 247; 287; Test B 3,2; Test Jos 10,5; Test Jud 11,1; Test Da 2,4.

[290] Test Jos 10,4.

[291] ep. Ar. 292; Test B 5,1; 6,5; 8,2 ß; Test G 6,1; Test R 6,2 u. ö. Während ep.Ar. den Begriff καρδία vermeidet zugunsten von διάνοια, ist der letzte Wechselbegriff zu καρδία.

[292] Z. B. Ant 9,57; 6,21; 7,269 u. ö.

[293] Plant 40.42; Det. Pot. Ins 29.

[294] Virt 57; spec Leg I,20; Gig 53 . . .

[295] Op Mund 135: θνητὸν μὲν κατὰ τὸ σῶμα, κατὰ δὲ τὴν διάνοιαν ἀθάνατον.

[296] Rer. Div. Her 257. Vgl. *J. Behm*, ThWNT IV,962 und *G. Harder*, Th. B. L. III,1291 mit Belegen.

[297] *G. Harder*, Th. B. L. III,1291 (beide Zitate).

Auch im NT tritt, mit Ausnahme des sog. Corpus paulinum, die Wortgruppe νοῦς, νοέω ..., διάνοια stark zurück.[298] Die Verwendung von διάνοια[299] läßt jede Beziehung zu der griechischen Philosophie bzw. zu der griechischen philosophischen Sprache vermissen, wie die Stellen zeigen, in denen διάνοια im Parallelismus membrorum neben καρδία steht.[300] Der ntl. Sprachgebrauch steht dem der LXX nahe, und das Wort wird fast zum Synonym von νοῦς. Es bedeutet „Denkkraft, Befähigung zur Erkenntnis, Verstand" als Organ des νοεῖν; dann „Sinn" und vor allem „Gesinnung", im guten (2 Pt 3,1) wie im schlechten Sinne (Kol 1,21; Eph 2,3). Es kann ferner „Gedanke, Urteil, Ratschluß" (Rm 1,28; 14,5; Lk 24,45) meinen. Harder stellt heraus, daß die Wortgruppe νοῦς ... im NT „eine eigene Prägung" erfährt: „Der Gegensatz von Verstehen und Mangel an Verstehen wird schärfer. Die ganze Wortgruppe wird stärker in voluntaristi- schem Sinne profiliert, und das Verstehen ist wesentlich ein Verste- hen Gottes und seines Heilswillens, ein Verstehen des Wortes in der Schrift und in der Predigt. Das Verstehen selbst wird zu einer Gesinnung, ... zu einer Glaubenshaltung."[301]

B. ψυχή

Ein anderer in unserem Text vorkommender Terminus ist ψυχή. Mit diesem Begriff gibt die LXX meist, wenn auch nicht ausschließ- lich, das hebräische Wort *nepheš* wieder.[302] Das Substantiv *nphš*, das der Wurzel = aufatmen, hauchen, entstammt, begegnet im hebrä- ischen AT an 754 Stellen und weist viele verschiedene Bedeutungsnu- ancen auf.[303] Die konkrete, sinnliche Grundbedeutung ist: Hals, Kehle, Gurgel.[304] Übertragen auf das, was aus der Kehle hervorgeht, bezeich-

---

[298] Von den 24 νοῦς-Stellen gehören 21 den Paulus-Briefen und nur eine Stelle den Synoptikern, und zwar Lk 24,45, an. Διάνοια kommt 12mal vor, davon 4mal bei den Synoptikern. Vgl. *H. Bachmann/W. A. Slaby*, Computer-Konkordanz, S. 387 (διάνοια) und S. 1305 (νοῦς); *Moulton-Geden*, Concordance, 205 (διάνοια) und 670 (νοῦς).

[299] Vgl. *G. Harder*, Th. B. L. III,1292; *J. Behm*, ThWNT IV,963f; *W. Bauer*, Wb 371.

[300] Vgl. Hebr 8,10; 10,16; Lk 1,51; 1 Pt 1,13.

[301] *G. Harder*, Th. B. L. III,1292.

[302] *A. Dihle*, ThWNT IX,630; *C. Westermann*, THAT II,95f; *G. Harder*, Th. B. L. III,1114; *N. P. Bratsiotis*, ψυχή, bes. 58–60.

[303] Hierzu vgl. bes. *C. Westermann*, THAT II,71–96 mit Tabellen; *W. Eichrodt*, Theologie 2/3, S.87–92; *E. Jacob*, ThWNT IX,614ff; *G. Harder*, Th. B. L. III,1112ff; ferner *P. van Imschoot*, B. Lex./Haag 1564–1568; *Gesenius-Buhl*, Wb 514f; *G. Lisowsky*, Konkordanz s. v. 943–949 (Literaturangabe); *H. W. Wolff*, Anthropologie 25–48; grundlegend *N. P. Bratsiotis*, ψυχή 58–89.

[304] Is 5,14; Spr 28,25; Gen 37,21; Ez 33,6; Ps 69,2 ... Nach *N. P. Bratsiotis*, ψυχή 63, ist die ursprüngliche und grundlegende Bedeutung von *nphš* = „Atem" und nicht „Gurgel".

net *nphš* sodann „Atem" oder „Lebenshauch".[305] Da der Atem als
Lebenszeichen gilt, kann *nphš* einfach auch „Leben" meinen, nicht
abstrakt, sondern im Sinne von „Lebensstoff",[306] und im „Unterschied
von rûah d a s a n e i n e n K ö r p e r g e b u n d e n e L e b e n":[307]
also das individuelle Leben. Daher auch die Bedeutung „Lebewesen",
lebendes Individuum selber, Tier oder Mensch.[308] Es ist der übliche
Begriff, der die gesamte menschliche Natur bezeichnet, nicht etwas,
was der Mensch besitzt, sondern was er ist. E. Jacob meint deshalb:
„Das sichert diesem Ausdruck den ersten Platz in der anthropologi-
schen Sprache; denn ähnliches kann weder vom Geist noch vom
Herzen oder vom Fleisch behauptet werden."[309] Mit J. Pedersen
charakterisiert er dementsprechend das Verhältnis von *lb* und *nphš* :
nphš ist „die Seele in der Summe ihrer Gesamtheit . . ., so wie sie in
Erscheinung tritt, während das Herz die Seele in ihrem inneren Wert
ist".[310] Aber wie *lb* wird auch *nphš* an Stelle des personalen oder
reflexiven Pronomens gebraucht. Damit wird das Moment der Individualisierung von *nphš* am schärfsten ausgeprägt, das Individuellste im
menschlichen Wesen, nämlich sein Ich bezeichnet.[311]

Doch nicht nur das physische Leben, sondern auch alle physiologischen, psychischen und psychologischen Vorgänge im Lebewesen
werden der *nphš* zugeschrieben. So umfaßt sie jegliche Art von
Wunsch, Begehren und Lebenstrieb.[312] Sie ist der Sitz von Trauer und

---

[305] 2 Sam 1,9; 1 Kge 17,22 . . .

[306] 2 Sam 19,6; 1 Sam 19,11; Ez 14,14.20; Jes 44,20; Jes 47,14; Jer 20,13; Ps 22,21; 33,19
u. a. m.

[307] *W. Eichrodt*, Theologie 2/3, S.88, Sperrung im Text; vgl. *H. W. Wolff*, Anthropologie
37–40.

[308] Z. B. 1. zur Bezeichnung des K o l l e k t i v u m s in kasuistischen Gesetzen, d. h. als
abstrakter, juristischer Begriff, meint *nphš* dann „Mensch, Person, jemand", und auch
„Leute" (plur): Lev 2,1; 4,2; 5,1.2 u. ö. Num 19,18; 35,30b . . .
2. Bei V o l k s z ä h l u n g e n : Gen 46,15.18.22.25–27; Ex 1,5; Dt 10,22; Num
31,33.40; Jer 52,29.30; Jes 52,29 . . . usw. mit der Bedeutung „alle" oder „jeder".
3. S k l a v e n werden häufig als *nphš* bezeichnet. Nach *W. Eichrodt*, Theologie 2/3,
S.89 ist das „im Hebräischen gebräuchlich": Gen 12,5; 36,6; Ez 27,13; Lev 22,11. Vgl.
auch *C. Westermann*, THAT II,88–89; *P. van Imschoot*, B. Lex./Haag 1565f; *E. Jacob*,
ThWNT IX,617 (4f).

[309] *E. Jacob*, ThWNT IX, 616; *H. W. Wolff*, Anthropologie 41–44.47.

[310] *E. Jacob*, ThWNT IX, 623–624, Zitat S. 623; vgl. *J. Pedersen*, Israel, its Life and Culture
I–II (1926) S. 104.

[311] Gen 27,25; Jer 3,11; Jes 58,3; Hi 16,4; Jer 26,19; Ps 25,13; 35,13; Lev 11,43.44;
16,29.31. Vgl. *E. Jacob*, ThWNT IX,617 (–10); *H. W. Wolff*, Anthropologie 44–46; *W.
Eichrodt*, Theologie 2/3, S. 90 betont, daß damit *nphš* nicht einfach zum farblosen
Pronomen wird. Vielmehr drücke es eine gewisse Feierlichkeit oder einen starken
Nachdruck aus. Vor allem sei es in den poetischen Büchern der Fall.

[312] Dt 12,15.20f; 1 Sam 2,16; Mi 7,1; Spr 10,3; 12,10; Ps 107,9 (Speise und Trank); Jer
2,24 (Gattungstrieb); Spr 23,2; Jes 56,11 (der Gierige); Ps 25,1; Ps 86,4; 143,8; 33,20;
130,5f (Verlangen nach Gott).

Schmerz,[313] Freude und Ruhe,[314] Sehnsucht und Liebe,[315] Haß und Verachtung.[316] Als Subjekt seelischer Empfindungen nähert sich *nphš* unserem Begriff „Seele".[317]

Der atl. Sprachgebrauch liegt auch in den Qumrantexten vor.[318] So heißt es CD 11,16: *w^{c}kol nepheš 'adam* = und jeder lebendige Mensch; oder CD 12,12f: *kol nepheš hahaja* = jedes Lebewesen. Der Mensch als *nphš* kann Leiden und Verfolgung von den Feinden erfahren.[319] Doch Gott rettet die *nphš* der Frommen, er schützt sie und hilft ihnen.[320] Der Beter gelobt Gott mit ganzer *nphš* zu lieben und ihm ganz zu gehören (1 QH 15,10).[321]

Das Rabbinentum führt nur zum Teil die Verwendung von *nphš* im atl. Sinne fort. So, wenn die *nphš* den lebendigen Menschen als denkenden, entscheidenden und handelnden bezeichnet (vgl. j. Taan 3,1 (66b, 60f), die Lebenskraft meint (Gn r 14,9 zu 2,7), oder wenn b. Ber 44b Bar *kl nphš* von allem Lebenden gesagt wird.[322] Im übrigen macht sich der Einfluß hellenistischer Anthropologie mit ihrer Unterscheidung bzw. Gegenüberstellung von Leib und Seele bei den Rabbinen deutlich spürbar.[323] Dies kommt z. B. in der Aussage R. Simais (± 210) klar zum Ausdruck: „Alle Geschöpfe, die vom Himmel her geschaffen sind, ihre Seele (*nepheš*) und ihr Leib stammen vom Himmel, und alle Geschöpfe, die von der Erde her geschaffen sind, ihre Seele und ihr Leib stammen von der Erde. Davon ausge-

---

[313] 1 Sam 1,10; 30,6; Ez 27,31; Hi 27,2.

[314] Ps 86,4; 94,19; Jer 6,16.

[315] Ps 63,2; Gen 34,3; 1 Sam 20,17; Hld 1,7; 3,1ff.

[316] Jes 1,14; Ps 11,5; Jer 15,1; Ez 25,15; 36,5.

[317] *W. Eichrodt,* Theologie 2/3, S. 90f; ferner *P. van Imschoot,* B. Lex./Haag 1565f; *C. Westermann,* THAT II, bes 75–88; *G. Harder,* Th. B. L. III,1114. Zu erwähnen ist auch die Bedeutung von „Leichnam" oder von „ein Toter, eine Leiche" (vgl. Num 6,6; 19,13; Lev 19,28; 21,11; 22,4; Hag 2,13). Die Herleitung dieser Bedeutung ist schwer zu erklären. *C. Westermann,* THAT II,90f meint: „Am wahrscheinlichsten ist die Herleitung aus der allgemeinen Bedeutung „Person"; man kann in dieser Bezeichnung eine euphemistische Umschreibung sehen, mit der man eine direkte Nennung der Leiche vermeiden wollte." Und *E. Jacob,* ThWNT IX,617 (–15ff) bemerkt, daß sich in der Bibel der Ausdruck *nphš* nur auf den Leichnam vor seinem endgültigen Zerfall bezieht, solange er noch die ihn von anderen Wesen unterscheidenden Züge trägt. Wenn in der späteren Zeit außerhalb der biblischen Periode *nphš* für *Grabmal* verwendet wurde, besagt das, daß das Individuum in irgendeiner Weise nach seinem Tod noch gegenwärtig ist.

[318] *E. Lohse,* ThWNT IX, 633–634 mit Belegen; ferner *C. Westermann,* THAT II, Sp. 95.

[319] 1 QH 5,12; 5,34.39; 1 Q p Hab 9,11; CD 1,20; 1 QH 2,21.24.29. u. ö.

[320] 1 QH 2,7; 1 QH 2,20.23.32.34f; 5,13.18; 7,23; 9,33 u. ö.

[321] *nphš* als personales oder reflexives Pronomen, vgl. 1 QH 2,7.20.23.28; 3,19; 1 QS 11,13 u. ö.; 1 QH 8,32; 9,7.8; 11,7. Neu gegenüber dem AT ist die Formel *qūm (hi) 'al-naphšo* = „sich zu etwas verpflichten" (CD 16,4.1.7.9; 1 QS 5,10; 1 QH 14,17).

[322] Sanh 4,5; b. Sanh 2a – Dazu *Bill.,* I,749f; *E. Lohse,* ThWNT IX, 634f; *G. Harder,* Th. B. L. III,1115f.

[323] Hierzu vgl. auch *E. Sjöberg,* ThWNT VI, bes. 374 (38ff).

nommen ist der Mensch; denn seine Seele (*nepheš*) stammt vom
Himmel und sein Leib von der Erde."[324] Nach Hillel weilt die Seele auf
Erden als ein Gast im Körper. Auf die Frage seiner Schüler: „Rabbi,
wohin gehst du?" antwortete Hillel: „Um ein Liebeswerk an einem
Gast im Hause zu vollbringen." Sie sprachen: Hast du täglich einen
Gast? Er antwortete: „Ist denn nicht diese arme Seele ein Gast im
Körper? Heute ist sie hier, morgen ist sie nicht mehr hier."[325] Auch die
griechischen Vorstellungen von der Unsterblichkeit der Seelen werden von den Rabbinen übernommen. Der Seele wird nicht nur
himmlische Herkunft, sondern auch Präexistenz zugeschrieben.[326] So
sagt R. Levi, daß die Seelen schon bei Gott weilten, ehe er die Welt
schuf. Mit ihnen beriet er sich, und dann erst vollführte er sein
Schöpfungswerk.[327] Mit dem Präexistenzgedanken der Seelen bei den
Rabbinen ist noch keine negative Abwertung des Leibes verbunden
oder ausgesprochen. Der Mensch wird nach gut atl. Auffassung
weiterhin als Einheit angesehen. Verläßt die Seele den Körper im
Augenblick des Todes, so werden beide, Körper und Seele, bei der
Auferstehung wieder miteinander verbunden (4 Esr 7,78).[328] Und bei-
de, Leib und Seele, sind vor Gott verantwortlich für das Endschicksal
des Menschen. Es kann also nicht die Seele als Ort der Ideen, der
Gedanken, der sittlichen Überzeugung gegen den Leib als Sitz der
Leidenschaften ausgespielt werden.[329]

Die Verwendung von *nphš* bzw. ψυχή in den Schriften mit hebräischer Vorlage der LXX führt uns zum atl. Sprachgebrauch zurück.
Von den 754 Stellen in der hebräischen Bibel sind in der LXX etwa
680 mit ψυχή wiedergegeben, häufiger im Plural.[330] An 62 Stellen
jedoch wird ψυχή gebraucht, wo im hebräischen Text eine andere
Vokabel als *nphš* steht.[331] Gerade an diesen Stellen, meint Wester-

---

[324] SDt § 306 zu 32,2. Textwiedergabe nach *E. Sjöberg,* ThWNT VI,376 (6ff); vgl. *E. Lohse,*
ThWNT IX,634 (27ff); *Bill.,* II,430.

[325] Lv r 34,3 zu 25,25; vgl. *Bill.,* I,654f; ferner *E. Lohse,* ThWNT IX, 634 Anm. 112; *E.
Sjöberg,* ThWNT VI,378 (25ff).

[326] Allerdings ist nach Billerbeck diese Vorstellung erst seit der Mitte des 3. nachchristlichen Jahrhunderts in der rabbinischen Literatur zu finden. Als ihre Vertreter
erscheinen in Palästina R. Schᶜmuël b. Nachman (± 260), R. Asi (± 300), R. Levi
(± 300) und R. Jiċchaq (± 300). Vgl. *Bill.,* II,341f.

[327] Gn r 8 zu 1,26; vgl. *Bill.,* II,342; *E. Lohse,* ThWNT IX,635; *E. Sjöberg,* ThWNT VI, 378
(4ff) + Anm. 245; *G. Harder,* Th. B. L. III,1115f (P! 4).

[328] Hierzu vgl. *P. Volz,* Eschatologie 118f; 266–272.

[329] Das veranschaulicht Rabbi in dem berühmten Gleichnis vom Blinden und Lahmen
(b. Sanh 91a.b). Text bei *Bill.,* I,581.

[330] *A. Dihle,* ThWNT IX,630–633; *G. Harder,* Th. B. L. III, 1114f; *C. Westermann,* THAT
II, Sp. 95f. Dort auch die statistischen Angaben und Literatur. Nach Westermann
zeigt der Gebrauch des Plurals – ψυχαι – „die Tendenz zur Individualisierung, die in
ihr (der LXX) auch sonst zu beobachten ist" (S. 95).

[331] Z. B. für *lb*: 25mal; 2mal für *ruah* (Gen 41,8 und Ex 35,21); 5mal für *hjāh*; 1mal für *ʾš*
(Lev 17,4). Vgl. *G. Harder,* ThBL II,1114; *E. Jacob,* ThWNT IX,614 (10–20).

mann, wird deutlich, „daß für die LXX-Übersetzer ψυχή eine mehr alttestamentliche als spezifisch griechische Bedeutung hatte. Die Übersetzung ψυχή wird jeweils um ihres hebräischen Sinnes willen gewählt".[332] Doch auch der griechische Begriff ψυχή bedeutet ursprünglich, d. h. im vorplatonischen Sprachgebrauch, wie der hebräische nphš = „Atem, Leben".[333] Wie nphš kann auch ψυχή den Sitz des Begehrens, der Gefühle ebenso wie das Zentrum der religiösen Äußerungen bezeichnen, und für „Mensch" oder an der Stelle eines Pronomens stehen. Auch ψυχή ist die Zusammenfassung der ganzen Persönlichkeit, des ganzen Selbst eines Menschen und kann soviel wie „Ich selbst . . ." bedeuten (1 Sam 18,1 u. ö.). Alles, was lebt, alles Lebendige, meist kollektiv verstanden, kann als ψυχή bezeichnet werden.[334] Die Seele ist der Sitz der Affekte, der Liebe (Hld 1,7), der Sehnsucht (Ps 63,2), der Freude (Ps 86,4), der Traurigkeit (Hi 30,16; Ps 119,28; vgl. Hi 6,11). In der ψυχή wohnt das Begehren nach Speisen (Dt 12,20.21), nach Fleischeslust (Jer 2,24), nach Mord und Rache (Ps 27,12). Aber auch Wissen und Erkennen (Ps 139,14), Denken (1 Sam 20,4) und Sich-Erinnern (Klgl 3,20) haben hier ihren Sitz . . .[335]

Anders verhält es sich in den griechisch abgefaßten Schriften der LXX, wie die Sapientia oder das 4. Makkabäerbuch. Hier ist der Gegensatz Leib/Seele im Sinne griech. Anthropologie vollzogen und beherrscht die religiös-moralische Reflexion. So heißt es z. B. Sap 9,15, daß der Leib eine Last für die Seele oder für ihren edelsten Teil, den νοῦς oder λογισμός ist. Daß die Seele nach dem Tod des Menschen weiterlebt und Lohn oder Strafe bekommt, ist hier selbstverständlich (Sap 3,1). Denn mit dem physischen Tod ist nicht alles aus (Sap 2,1ff) . . .[336]

Die Frage nach der Bedeutung von ψυχή bei den Griechen wurde eben berührt. Etymologisch gehört das Nomen ψυχή zu ψύχω (= blasen) und ψῦχος (= Kälte).[337] Bei Homer und im ältesten griechischen Sprachgebrauch meint ψυχή die den Gliedern innewohnende Lebenskraft, deren Vorhandensein sich vornehmlich im Atem dokumentiert, den Lebenshauch, den Atem, das Leben selbst.[338] Im

---

[332] *C. Westermann,* THAT II, Sp. 96.

[333] Diese Entsprechung zwischen dem hebräischen und dem griechischen Wort hat jetzt *N. P. Bratsiotis,* ψυχή 58–89 überzeugend nachgewiesen.

[334] Lev 11,10; 4,2; 5,1.2.15 u. ö.; Ex 1,5; Dt 10,22.

[335] *N. P. Bratsiotis,* ψυχή, bes. 64ff; vgl. auch *G. Harder,* Th. B. L. III,1114.

[336] Vgl. 4 Makk 1,20ff; 3,2ff; 14,6; 15,25 . . .; *A. Dihle,* ThWNT IX,631f.

[337] *A. Dihle,* ThWNT IX,605ff; *G. Harder,* Th. B. L. III,1112–1114; *W. Bauer,* Wb 1765–1768; vgl. *W. Eichrodt,* Theologie 2/3, S. 88 Anm. 85 zur Wortbedeutung bei Homer.

[338] *A. Dihle,* ThWNT IX,606f; vgl. *Hom.,* Il 9,322; Od 14,426; 22,444; 22,245; 3,74; ferner *Soph.,* Oed. Col. 1326; *Hdt,* I,24,2; II,134,4; *Eur.,* Or. 1172. *A. Dihle,* ThWNT IX,607 Anm. 6 bemerkt, daß nach Homer beim Tod eines Tieres nicht die ψυχή sich von

Augenblick des Todes verläßt die ψυχή den Menschen (Il 9,408f;
14,518f) und begibt sich in die Unterwelt (Il 5,654). Dort führt sie eine
Schattenexistenz (Il 1,3ff) oder wird zu den Göttern entrückt (Od
11,601ff). Noch hat ψυχή weder als Lebendigkeit noch als Totenseele
etwas mit den seelisch-geistigen Funktionen des Menschen zu tun.
Und einen Oberbegriff „Seele" gibt es erst im 6. Jh., als sich der
Glaube an die Vergeltung des menschlichen Tuns nach dem Tod und
die Seelenwanderungslehre der pythagoreischen Ethik ausbreite-
ten.[339]

Während in den Vulgärvorstellungen der nachklassischen Zeit
ψυχή den Wesenskern des Menschen, den Träger seines Denkens,
Wollens und Fühlens sowie den Inbegriff seiner Persönlichkeit und
Lebendigkeit bedeutet,[340] meint in der philosophischen Sprache der
hellenistisch-römischen Zeit ψυχή zwar noch die Gesamtheit der
geistig-seelischen Funktionen, es tritt jedoch besonders „durch die
Abgrenzung des νοῦς gegenüber der ψυχή, eine gewisse Abwertung
des Wortes" ein, „insofern es die reine Spiritualität nicht mehr zu
bezeichnen vermag".[341]

Daß die beiden bedeutendsten Vertreter des hellenistischen Judentums, Philo und Josephus, in dieser Tradition stehen, ist nur zu
verständlich.[342] Josephus ist auch hier von seiner hellenistischen
Erziehung und Bildung stark geprägt. Für ihn ist die ψυχή zunächst
der Sitz des äußerlichen irdischen Lebens,[343] der innere Mensch, der

---

den Gliedern trennt, sondern nur der θυμός (Il 23,880 u. ö.). Die ψυχή ist bei ihm
etwas spezifisch Menschliches.

[339] Plato baut in seiner Philosophie eine ganze Lehre der Seele (Psychologie) auf. Für
ihn ist der Leib für die Seele ein Kleid, eine Art von Gefängnis. Sittliches Bemühen
muß darum eine Flucht aus der Sinnenwelt und eine Angleichung an das intelligible
Sein, an Gott, bedeuten (Theaet 176b). Erst nach der Trennung vom Körper kann
die Seele ganz zu sich selbst kommen (Phaidon 66E–67A). Die Einzelseele oder ihr
wertvollster Teil ist an die Endlichkeit der Sinnenwelt nicht gebunden; sie ist
präexistent und unsterblich, da sie ja dem transzendenten Sein zugehört (Resp.
608D; Phaidon 70c; Phaedr. 245C–E).
In der frühesten Schicht orphischer und pythagoreischer Spekulation wird der
Körper als „Grab der Seele" = σῶμα/σῆμα angesehen. Vgl. *A. Dihle,* ThWNT IX,
607f; *G. Harder,* Th. B. L. III, 1113f. Zur Psychologie der platon. und nachplaton.
Philosophie, vgl. *A. Dihle,* ThWNT IX, 609ff.

[340] Zahlreiche Belege bei *A. Dihle,* ThWNT IX,613; ferner *G. Harder,* Th. B. L.
III,1112.

[341] *A. Dihle,* ThWNT IX,612; vgl. 611 (12ff); ferner *G. Harder,* Th. B. L. III, bes. 1289f
(νοῦς); *J. Behm,* ThWNT IV, bes. 952–953f.

[342] Vgl. übrigens u. a. Vit. Ad. 27; Ps-Phoc 105ff.228; Test Jud 18,4; 19,2; ferner Apk Esr
7,3; 6,4f; Test Ass 6,5f; s. Bar 21,23; Test Abr 8,13ff u. a. m.

[343] Ant 9,240: die Seelen retten gegenüber den Gütern; Bell 1,493: „Gefahr der Seele"
bedeutet „Lebensgefahr"; Bell 6,183, „die Seelen entlassen" heißt „das Leben
hingeben". Vgl. *G. Harder,* Th. B. L. III,1114f; *A. Dihle,* ThWNT IX,632; *E. Schweizer,*
ThWNT VII,1053 (18ff).

mit den verschiedenen Kräften dem Leibe gegenübersteht.[344] Sie ist
der Ort des Willens und der Tugenden.[345] In ihr wohnen die Affekte,
wie Erschütterung (Ant 20,83) und Haß (Ant 16,93), und die Eigenschaften, wie Schlechtigkeit (Ant 16,301). Den Leibern stellt Josephus
die unsterblichen Seelen gegenüber (Bell 2,154; vgl. Ant 18,18). Und
in der Rede des Anführers der Aufständischen, Eleazar (Bell 7,341ff),
bewegt sich „Josephus in hellenistischen Gedankengängen über die
Unsterblichkeit der Seele und ihr wahres Leben, getrennt vom Leib in
ewiger Gottesgemeinschaft".[346] Der Leib wird nur als das Gehäuse der
Seele, die allein das wahre Ich des Menschen ist (Bell 1,84; C. Ap 203),
angesehen.[347]

Philos Verwendung von ψυχή ist nicht einheitlich. Das erklärt sich
nach Dihle „aus der zwar inkohärenten, aber auf großer Belesenheit
beruhenden Verwendung der Terminologie diverser Philosophen-
schulen".[348] Er kennt sowohl die platonische Dreiteilung der Seele
(Spec Leg IV,92) wie die stoische Achtteilung (Agric. 30f), und auch
deren einfache Gliederung in einen übergeordneten rationalen und
einen dienenden irrationalen Teil (Leg All I,24; Fug 69). Wird der
letzte nach den medizinischen Theorien der Zeit mit dem Blut
identifiziert (Det Pot Ins 79–85), so der erstere mit dem νοῦς, der ψυχή
τις ψυχῆς genannt und mit dem Auge des Körpers verglichen wird
(Op mund 66), dessen Kraft sich im Denken, im Wollen, in der
Zeugungskraft und in der Wahrnehmung entfaltet. Die οὐσία der
Seele bzw. ihres νοῦς oder λογισμός ist das göttliche πνεῦμα (Rer. div.
Her 55), das Philo in spiritualistischer wie in theologischer Umdeutung versteht. Es bezeichnet das immaterielle (Deus Imm. 46), feurige
(Fug 133) ἀπόσπασμα θεῖον, das aus αἰθήρ besteht (Leg All III,161f);
den göttlichen Geist selbst, der in der ψυχή als λογικόν wohnt (Virt
218) und sie von den Affekten heilen kann (Somn I,12). Das eigentliche Ziel des Menschen, die Verbindung mit Gott, ist nur durch den
höchsten Teil der Seele möglich (Post. C. 27). Nur in der göttlichen
Welt (vgl. Virt 217) ist die Seele wirklich zu Hause. Im Leib befindet
sie sich an einem ihr fremden Ort (Somn I,181).[349]

---

[344] Bell 1,429f ist von „seelischen und leiblichen" Vorzügen die Rede.

[345] Ant 2,9 unterscheidet leibliche Wohlgeborenheit und seelische Tugend.

[346] *G. Harder,* Th. B. L. III,1115; vgl. *E. Schweizer,* ThWNT VII,1054 (6–15).

[347] Bell 3,362ff und 6,34ff erwähnt Josephus die merkwürdige Lehre von der Seelen-
wanderung. Hier wird sie nicht als verhängnisvolle Bindung der Seele an sterbliche
Leiber beschrieben, sondern als Auszeichnung, insofern Seelen von Tapferen erst
zum Himmel aufsteigen und dann in den Leib vortrefflicher Männer eingehen. Die
schlechte Seele wird ewige Strafe leiden (Bell 2,163).

[348] *A. Dihle,* ThWNT IX,632f, näherhin 632; ferner *E. Schweizer,* ThWNT VII,1049
(20ff)–1051; *G. Harder,* Th. B. L. III,1115.

[349] Dem Leib kann Philo auch eine relativ positive Bedeutung zumessen, z. B. wenn
gesagt wird, daß erst Leib und Seele zusammen den Menschen zum Menschen

Seinem atl.-jüdischen Glauben entprechend, betont Philo aber auch, daß alle Bestandteile der Seele am Zustandekommen der Sünde beteiligt sind (Conf Ling 22). Deshalb kann er die philosophische und gnostische Auffassung der Verwandtschaft der Seele mit Gott nicht voll akzeptieren. Denn die Sünde zeige den unüberbrückbaren Abstand zwischen Gott und der Seele. Leg. All. I,82ff bezeichnet er darum auch die ekstatische Vereinigung mit dem Höchsten nicht als ἔργον τῆς ψυχῆς, sondern als ein Gnadengeschenk.[350]

Im NT tritt der Begriff ψυχή stark zurück.[351] Der Sprachgebrauch folgt dem des AT und der LXX. ψυχή wird als Sitz des Lebens oder als Leben angesehen.[352] Sie hat die Bedeutung: „das innermenschliche Leben, die Person, die Persönlichkeit mit den verschiedenen Kräften der Seele, das individuelle Ich".[353] Ferner steht das Wort auch für Einsicht, Wille, Gesinnung, die sittlichen Kräfte des Menschen[354] oder für die ganze Existenz des Menschen,[355] das ganze Lebensverlangen. Über das griechische Denken hinaus bezeichnet ψυχή den Sitz des religiösen Lebens, der Bezogenheit auf Gott.[356]

C. ἰσχύς

Die Forderung, Gott zu lieben ἐξ ὅλης τῆς ἰσχύος σου gibt die in der hebräischen Bibel begegnende Wendung *ūbᵉkol mᵉodekā* wieder. Wie Dautzenberg zutreffend bemerkt, bereitet die genaue Deutung des Begriffes *mᵉod* große Schwierigkeiten, da das Wort im AT außer Dt 6,5 nur noch 2 Kge 23,25 substantivisch verwendet wird.[357] Es meint

machen (Leg All III,62; Cher 128; Agric 46.152..., oder daß der Leib Bruder der Seele sei (Ebr. 70) u. a. m. Und doch ist selbst die animalische Seele wichtiger als der Leib. Sie bewahrt ihn vor Zerfall wie das Salz (Spec Leg I,289; vgl. Op mund 66; Fug 146). Vgl. auch *E. Schweizer*, ThWNT VII,1049–1051.

[350] Vgl. *A. Dihle*, ThWNT IX,633. Philo teilt auch die gemeinsame Auffassung von Juden und Griechen seiner Zeit, daß Engel und Dämonen ψυχαί seien (Gig 16); daß es also leiblose Seelen gibt (Sacr. A. C. 5; Somn I,135).

[351] ψυχή kommt im NT insgesamt 103mal vor – gegen 680mal in der LXX – 38 Stellen entfallen auf die Synoptiker. Vgl. *H. Bachmann/W. A. Slaby*, Computer-Konkordanz, Sp. 1938; ferner *Moulton-Geden*, Concordance 1022f; *G. Harder*, Th. B. L. III,1116ff; *E. Schweizer*, ThWNT IX,635ff; *W. Bauer*, Wb 1765ff; *G. Dautzenberg*, Sein Leben bewahren 114–123.

[352] Mk 8,35 par; Mt 10,39; Lk 17,33; Mk 10,45 par; Lk 14,36.

[353] Mt 26,28 par; 12,18; vgl. Joh 10,24; 2 Kor 1,23.

[354] Mk 14,34; Mt 22,37 par; Lk 12,19.

[355] Lk 9,56; vgl. Lk 19,10; Mk 3,4.

[356] Lk 1,46; 2,35; Mt 10,28 par. Nach *N. P. Bratsiotis*, ψυχή 76f wird ψυχή im älteren griechischen Schrifttum ebenso verstanden als „Sitz des religiössittlichen Verhaltens und als Zentrum der religiösen Äußerungen" des Menschen.

[357] *G. Dautzenberg*, Sein Leben bewahren 115; *Gesenius/Buhl*, Wb 392; *A. S. van der Woude*, Th-AT I,824 – Als Adverb und oft verdoppelt begegnet *mᵉod* recht häufig. Es hat die Bedeutung: „Sehr".

„Wucht, Kraft, Macht". Wie soll man es aber hier verstehen? Im Sinne „einer dem Menschen eigenen physischen oder psychischen Kraft" oder „der Intensität seiner Anstrengung?" Geht es hier vielleicht um die Macht des Menschen im Sinne „seiner gesellschaftlichen Stellung und Wirkmöglichkeit etwa als patriarchalischer Familienvater oder als König (Josias!)?" Wird $m^\varepsilon od$ „von der Sphäre seines (des Menschen) ‚Vermögens‘, seines Besitzes . . ."[358] gebraucht?

Das hier für $m^\varepsilon od$ stehende griechische Wort ἰσχύς „tritt in LXX für insgesamt 30 hebräische Äquivalente ein, vor allem jedoch für $koah$",[359] das den weiten Bereich von der körperlichen über die geistige Kraft bis zum materiellen (finanziellen) Vermögen"[360] deckt. Es hat zunächst den Sinn „vitale Kraft". Daraus ergeben sich alle anderen Bedeutungen: Zeugungskraft des Menschen (Gen 49,3); Ertragskraft des Ackerlandes (Gen 4,12; Hi 31,39); Ernährungskraft der Speisen (1 Sam 28,22; 1 Kge 19,8). Ferner kann $koah$ die physische Kraft eines Tieres (Hi 39,11; Spr 14,4) oder eines Menschen (Ri 16,6ff; 1 Sam 28,20; 30,4; Jes 44,12 u. ö.); die Geisteskraft (Gen 31,6; Jes 40,31; Ps 31,11) sowie die Allmacht Gottes (Hi 9,19; 36,22; Ex 15,6; Ps 111,6; 147,5) meinen. Da sich die Kraft eines Menschen konkret in seinem materiellen Vermögen manifestiert, steht $koah$ ebenso für „Vermögen, Besitz" (Hi 6,22; Spr 5,10; Esr 2,69). Diese Verwendung von $koah$ berührt sich mit der von $hajil$ (Kraft, Vermögen), das sich von $koah$ nur dadurch unterscheidet, daß es nicht wie $koah$ von der Macht Gottes gebraucht wird.

In den Qumranschriften wird $koah$ ebenfalls in dem oben erörterten Sinne verwendet.[361] Doch ist hier auch der Begriff in der Bedeutung „Vermögen, Besitz" belegt (1 QS 1,11–12; CD 9,10f; vgl. CD 12,10 . . .). Ebenso haben die Rabbinen das Wort $m^\varepsilon od$ verstanden, wie ihre Auslegung von Dt 6,5 deutlich zeigt. So heißt es z. B. Berakh 61 b Bar: R. Eliezer (um 90) sagte: Wenn es Dt 6,5 heißt: „mit deiner ganzen Seele, warum heißt es dann noch: „mit all deinem Vermögen"? Und wenn es heißt: „mit all deinem Vermögen", warum heißt es dann noch „mit deiner ganzen Seele"? Aber da manchem Menschen sein Leib (und Leben) lieber ist, als sein Geld ($mmwnw$), deshalb heißt es: „mit deiner ganzen Seele" . . .; und da manchem Menschen sein Geld lieber ist, als sein Leib (und Leben), deshalb heißt es: „mit all deinem Vermögen" ($m^\varepsilon od$).[362]

---

[358] *G. Dautzenberg*, Sein Leben bewahren: alle Zitate S. 115; Sperrung im Text.

[359] *G. Braumann*, Th. B. L. II,811f; 811. Weitere hebräische Äquivalente sind u.a. 'oz (28mal); $ma'oz$ (16mal); $t^\varepsilon bünäh$ (13mal); $m^\varepsilon od$ (2 Kge 23,25) . . . Vgl. *W. Grundmann*, ThWNT III, 400–405, hier 400 (17–25); *A. S. van der Woude*, THAT I,823–825; *Gesenius/Buhl*, Wb 340.

[360] *G. Dautzenberg*, Sein Leben bewahren 115 Anm. 10.

[361] Vgl. *K. G. Kuhn*, Konkordanz 99.

[362] Vgl. ferner Targ. Onk. Dt 6,5; Targ. Jerusch I; Berakh 9,5; SDt 6,5 § 32. Dazu *Bill.*, I, 905–907.

In der LXX ist das griechische Wort ἰσχύς, das hier das hebräische m°od wiedergibt, der meistgebrauchte Kraftbegriff. Es kommt in dieser Bedeutung 98mal vor.[363] Die Vokabeln des Stammes ἰσχυ – decken sich mit denen der Gruppe δύναμ – durchweg in ihren Bedeutungen, so daß LXX Dt 6,5 m°od mit δύναμις übersetzen kann.[364] Das in der alten Gräzität häufig begegnende, in späterer Zeit, besonders im Hellenismus jedoch selten gewordene und kaum gebrauchte Substantiv ἰσχύς bedeutet „Kraft, Stärke, Vermögen", wie auch „Heeresmacht".[365]

Nach K. Berger meint ἰσχύς bei Philo, „wenn es mit διάνοια und ψυχή zusammen genannt wird, nicht eine einzelne Fähigkeit der Seele, sondern die innere, bereits „vorhandene" und nur „einzusetzen-de" Kraft der ψυχή oder der διάνοια im Ganzen".[366] Das Wort wird so zu einem psychologischen Terminus, der die Gesamtkraft der Seele bezeichnet.[367]

Während δύναμις relativ oft im NT begegnet, kommt ἰσχύς nur 10mal vor.[368] Es hat die übliche Bedeutung von „Kraft, Stärke, Macht, Vermögen" wie in LXX.

D. σύνεσις

Der letzte in diesem Zusammenhang zu behandelnde Begriff ist σύνεσις. Mk 12,33 steht er anstelle von ψυχή und διάνοια (Mk 12,30). Διάνοια und σύνεσις gehören beide mehr in den engeren intellektuel-len Bereich des diskursiven Verstehens, nur daß bei σύνεσις das Moment fruchtbarer und scharfer Intelligenz in stärkerem Maße als bei διάνοια in den Vordergrund tritt.[369]

---

[363] *W. Grundmann*, ThWNT III,400.

[364] Doch erscheint δύναμις in LXX nicht sehr oft; bevorzugt wird das Wort ἰσχύς. Zu δύναμις-Begriff und Vorstellung, vgl. *W. Grundmann*, ThWNT II,286–318; *O. Betz*, Th. B. L. II,922–926. Im Gegensatz zum Griechentum und Hellenismus, betonen das AT und das Judentum sowie die Schriften des NT die Kraft und Macht des persönlichen Gottes in der Geschichte, die sich vor allem im Auszug aus Ägypten und in der Rettung des Volkes am Roten Meer, wie auch im Heilsgeschehen in Jesus-Christus zeigen. Hier gewinnt der Kraft- bzw. Machtbegriff große theologische Bedeutung.

[365] Z. B. Ri 16,5; Ez 30,21: physische Kraft; Ri 3,8: geistige Kraft; Num 14,13: göttliche Kraft; Ex 14,28: Heeresmacht . . . Vgl. *W. Grundmann*, ThWNT III,400; und ThWNT II,292 Anm. 33 präzisiert er, daß ἰσχύς besonders die Kraftentfaltung ausdrückt. Vgl. den Wortgebrauch bei Philo.

[366] *K. Berger*, Gesetzesauslegung 177. Vgl. Abr. 201; Conf. Ling. 19; Leg. All III,136.

[367] Vgl. *K. Berger*, Gesetzesauslegung 179; *G. Bornkamm*, Das Doppelgebot 89.

[368] *H. Bachmann/W. A. Slaby*, Computer-Konkordanz 442f zählen 119 Vorkommen von δύναμις, und Sp. 942 nur 10 von ἰσχύς; ferner *Moulton/Geden*, Concordance z. St. Bei den Synoptikern findet sich ἰσχύς nur in dieser Perikope, und zwar auch nur bei Mk und Lk. Mt verwendet das Wort nie.

[369] *G. Wohlenberg*, Mk 321.

Das Wort σύνεσις ist seit Homer auch der klassischen Literatur geläufig.[370] Im eigentlichen Sinne bedeutet es „Vereinigung", z. B. von Flüssen (vgl. Hom., Od 10,515); im übertragenen: „Auffassungsgabe, Begreifen, Urteilskraft bzw. Einsicht, Verständnis".

In LXX kommt σύνεσις sehr häufig vor. Charakteristisch für den Inhalt der Wortgruppe ist, daß sie sehr oft in der Weisheitsliteratur begegnet.[371] Das bedeutet, daß hier, anders als bei den Griechen, Einsicht nicht als eine Fähigkeit verstanden wird, die jedem Menschen offensteht. Vielmehr ist sie Gottes Geschenk, das er auf die Bitte des Menschen hin gewährt (1 Kge 3,9; Dan 2,21; Ps 118(119),34.73.125), aber auch entziehen kann (Jes 29,14). Organ des Einsehens ist nach Jes 6,9f das Herz, sein Gegenstand die Werke Jahwes (Ps 28,5; Hi 36,29), das Ganze seines Handelns und Wollens (Ps 110,10; vgl. Prov 2,1ff). Wichtigste hebräische Äquivalente in derselben Bedeutung sind: *bijnāh* bzw. *t'bŭnāh*.

Einsicht und Verstand spielen eine große Rolle in der Qumrangemeinde.[372] Nach 1 QS 11,6 sind Einsicht, Wissen und Klugheit verborgen. Sie gehören ganz auf die Seite Gottes und der Kinder des Lichtes. So rühmt der dualistische Traktat 1 QS 3,13–4,26 die Geheimnisse der Einsicht und der Weisheit Gottes, die dem Bestehen des Frevels zur festgesetzten Zeit ein Ende bereiten werden (1 QS 4,18).

Verglichen mit dem offiziellen Judentum gilt der Mensch hier als noch stärker der Weisung und Führung bedürftig. Die Einsicht zählt zu den Gaben des Geistes der Wahrheit (1 QS 4,3; 1 QS 11,1) und alle Einsicht kommt von dem Gott der Erkenntnisse (1 QS 3,15f; 1 QS 4,22; 1 QH 1,8ff; 10,1ff). Gibt Gott dem Menschen nicht den Verstand und belehrt er ihn nicht, so kann der Mensch das Heilswissen nicht haben (1 QS 4,15), noch die eschatologischen Geschehnisse verstehen (1 QS 4,18ff; 9,13.18; 11,2ff; 1 QH 1,21; 10,4f). Deshalb ist die Einsicht bereits die Voraussetzung für die Aufnahme in die Gemeinde der Auserwählten (CD 13,11; 1 QS 5,21ff; 6,18), die allein das Gesetz Gottes vollkommen beobachten (1 QS 1,12ff; vgl. 1 QS 3,1; 8,9). Ihnen allein werden diese verborgenen Geheimnisse der Einsicht mitgeteilt (1 QS 4,22; 3,13; 1 QS 6,15). 1 QS 2,3 wird der aaronitische Segen Num 6,24–26 in bezeichnender Weise abgewandelt: „. . . er erleuchte dein Herz mit Einsicht des Lebens und sei dir gnädig mit ewigem Wissen." Erkenntnis und Wissen sind nun Inhalt des göttlichen

---

[370] Zum Folgenden vgl. *H. Conzelmann*, ThWNT VII,886ff; *J. Goetzmann*, Th. B. L. III,1294–1296; *W. Bauer*, Wb 1560f;*Gesenius/Buhl*, Wb 869.95; *H. H. Schmid*, THAT I,306; *W. Schottroff*, THAT I,696.699f.

[371] Hi 12,13; Sir 1,19f; Prov 1,7; 2,1ff; 9,10; Ps 110,10; vgl. Jes 11,2; 29,14 . . .

[372] *H. Braun*, Radikalismus I,16–24; ferner *M. Saebø*, THAT II,824ff; bes. 827f; *H. Conzelmann*, ThWNT VII,889f.

Segens. Und die Hodajot preisen Gott, der den Seinen Einsicht zur Erkenntnis seiner Wunder und Taten verliehen hat (1 QH 11,28; 12,13f; 13,13).[373]

Das rabbinische Schrifttum bringt nichts Neues. Begriff und Bedeutung von σύνεσις werden einfach übernommen, und man stellt immer noch Synonyma zusammen (Ab. 3,17; Chag 2,1).

Demgegenüber ist der Wortgebrauch im hellenistischen Judentum im Hinblick auf Mk 12,33 interessanter. Philo steht auch hier sowohl in seiner jüdischen, als auch in der griechischen Tradition. Bei ihm bekommt σύνεσις, anders als in LXX, aber durchaus in Übereinstimmung mit dem Griechentum, eine Bedeutung im Sinne von einer Anlage und Fähigkeit. Das Wort wird ausdrücklich als δύναμις bezeichnet und neben κατάληψις und φρόνησις gestellt. Es meint nun die Fähigkeit zum Verstehen (Congr. 98; Sobr 3). „σύνεσις ist so nicht nur die Gabe der Einsicht, sondern das Verstehenkönnen des Menschen, seine Vernunft" (vgl. Sir 1,4.19).[374]

Im NT findet sich σύνεσις nur 7mal, davon einmal in einem Zitat (1 Kor 1,19=Is 29,14).[375] Die atl. Vorstellung, daß Einsicht ein Geschenk Gottes und an seine Offenbarung gebunden ist, wird auch im Wortgebrauch des NT deutlich, wie vor allem die Zitate, aber auch die Anspielungen auf das AT zeigen.[376] Im Gegensatz zu den Qumranschriften hat die Wortgruppe hier keine besondere theologische Bedeutung. In den johanneischen Schriften fehlt sie ganz.

V. Interpretation des Traditionsstückes

Dem Evangelisten war die Perikope vom Hauptgebot der Liebe in ihrer vorliegenden Gestalt vorgegeben. Seine Hand ließ sich lediglich in dem Einleitungsvers (V 28) und in der Schlußbemerkung (V 34c) erkennen. Anders gesagt: nur der Rahmen der Perikope stammt vom Redaktor. Nun gilt es, die so herausgeschälte ursprüngliche Einheit nach ihrem Sinn zu befragen.

---

[373] Vgl. *H. W. Kuhn*, Enderwartung 96–102 zu 1 QH 11,27ff. Zum ganzen Problem, bes. S. 139–175; *J. Licht*, Die Lehre des Hymnenbuches, in: Qumran, S. 276–311, bes. 305ff.

[374] *K. Berger*, Gesetzesauslegung 180. Text gesperrt. Vgl. *Jos.*, c. Ap. 2,125; Test Jud 14,7; Test Rub 6,4; Test Levi 18,7; ferner Test Napht 2,8 (neben φρόνησις); *Jos.*, Ant 8,24 (neben σοφία) . . .

[375] *H. Bachmann/W. A. Slaby*, Computer-Konkordanz 1750f; *Moulton/Geden*, Concordance 921.

[376] Jes 6,9 zitiert in Mk 4,12 und Parr; Dt 6,5 in Mk 12,33; Ps 14,2 in Rm 3,11 usw.

A. Die Frage des Schriftgelehrten (V 28c)

Die von dem Schriftgelehrten gestellte Frage lautet: ποία ἐστὶν ἐντολὴ πρώτη πάντων; Welches ist das erste Gebot von allem? Der mkn. γραμματεύς fragt nicht wie der mt. νομικός nach dem ersten Gebot „im Gesetz", sondern „von allem" (vgl. Mk 12,28 mit Mt 22, 36).[377] Er möchte wissen, „ob sich die Quintessenz dessen, was den Willen Gottes ausmacht, aussagen läßt".[378] Wir sahen bereits, daß eine solche Frage nach einem Prinzip, nach einem Kernbestand der Torah, und d. h. nach einem alle Einzelgebote umgreifenden Hauptgebot in der Torah im Judentum nicht möglich und denkbar war, und zwar auf Grund seines Gesetzesverständnisses. Die Frage des Schriftgelehrten konnte hier nur als *kll* aufgefaßt werden. Diese Feststellung ist für die historische Beurteilung der Einheit nicht unwichtig.

Obwohl ποίος mit τίς wiedergegeben werden kann, ist es hier am besten mit „welches, welcherart Gebot, wie beschaffen ist das Gebot . . ." zu übersetzen.[379] Das Attribut πρῶτος bezeichnet nicht nur die Reihenfolge, sondern auch die Rangfolge, den Wert eines Gegenstandes. In diesem Sinne bedeutet es „das vornehmste, das wichtigste, das größte" Gebot.[380]

Den Begriff νόμος kennt Markus nicht. Statt dessen verwendet er stets ἐντολή.[381] Im Griechentum wie im Hellenismus bedeutet ἐντολή: Anordnung, Auftrag, Befehl, Gebot, Gesetz . . ., wobei Verb und Substantiv vorwiegend die konkrete einzelne Dienstanweisung eines sozial höher Stehenden an einen Untergebenen bezeichnen. In dieser Bedeutung wird ἐντολή oft im Plural gebraucht.[382] Obwohl der

---

[377] Falsch ist die Übersetzung von z. B. *E. Haenchen,* Der Weg 412: „welches ist das erste von allen Geboten"; *W. Grundmann,* Mk[7] 334: „welcherart . . . das erste von allen"? u. a. m. Richtig u. a. *E. Schweizer,* Mk[5] 136.137; *J. Gnilka,* Mk II,162; *R. Pesch,* Mk II,238 . . .

[378] *J. Gnilka,* Mk II,164; *K. Berger,* Gesetzesauslegung 189.

[379] So z. B. *E. P. Gould,* Mk 231: ποία „asks about the quality of command"; *G. Wohlenberg,* Mk 318: ποία „nicht ohne weiteres gleich τίς zu nehmen"; *K. Berger,* Gesetzesauslegung 188; *R. Pesch,* Mk II,238; *E. Lohmeyer,* Mk 258 Anm. 1: „Mk Mt schreiben ποία nicht τίς; sie lassen also nicht nach einem der vielen Gebote fragen, sondern nach einer bestimmten Art von Geboten"; *J. Coppens,* La doctrine 29lf Anm. 128; anders z. B. *V. Taylor,* Mk 485; *C. E. B. Cranfield,* Mk 377; *R. Banks,* Jesus 165; *W. Bauer,* Wb 1358; *Blass/Debrunner,* Grammatik § 298,2.

[380] Vgl. *W. Bauer,* WB 1438f unter 1); *Aeschylos,* Ag 314; *Philo,* Abr. 272; Post Caini 120: ἡ πρώτη καὶ ἀρίστη; Cong. Erud. Grat. 98; *Hom,* Od 6,60; *Thuc,* 6,28; ferner *K. Berger,* Gesetzesauslegung 188 unter Berufung auf *Passow,* Handwörterbuch II,1,1243,1,3; *W. Michaelis,* ThWNT VI,866–869 (Literaturangabe).

[381] Das Wort ἐντολή kommt bei Markus 6mal vor, während das Verb ἐντέλλομαι nur 2mal begegnet. Im übrigen NT begegnet das Substantiv ± 68mal und das Verb ca. 15mal. Vgl. *Moulton/Geden,* Concordance 338.339; ferner *H. H. Eßer,* Th. B. L. I, 436f; *H. Bachmann/W. A. Slaby,* Computer-Konkordanz Sp. 625 und 626f.

[382] Z. B. *Hdt,* I,22 (des Königs); *Hdt* III,147 (des Darius an einen Feldherrn); 2 Chr 29,25; 35,10.16; Jer 42,16.18; Dan 3,12 LXX; *Josephus,* Ant 8,365; 11,229 u.ö.; *Xenoph,*

profane Gebrauch der Wortgruppe vorherrscht, wird sie schon früh zur Bezeichnung der „Befehle Gottes" gelegentlich verwendet.[383]

Aber „seinen feierlichen religiösen Charakter . . . erhält der Begriff ἐντολαί (seltener: ἐντολή) erst eigentlich in LXX, wo es 50mal für *miṣwah* steht; . . . in den Psalmen 18mal für *piqǔdijm*, sonst noch vereinzelt für *ḥūqāh, dābār, ḥoq, torāh*",[384] die als Äquivalente von ἐντολαί fungieren. Dabei können ἐντολαί bezeichnen: Einzelgebote des atl. Gesetzes;[385] das von Gott Gebotene;[386] ein Einzelgebot der Tora;[387] die Summe aller Gebote.[388]

Das hellenistische Judentum verwendet kaum ἐντολή im spezifischen LXX-Gebrauch. Bei Josephus und Philo kommt dieser Begriff ganz selten im Sinne von „Gesetz" vor.[389] Beide bevorzugen νόμος, νόμοι, τὸ νόμιμον, τὰ νόμιμα, τὰ ἔθη, θεοῦ δόγματα oder λόγια, χρησμοί, θεσμός. Im übrigen beschäftigt Philo „weniger der realistische Inhalt als der ethische Gehalt der Gesetze, ihr Übereinkommen mit dem Naturgesetz, ihr Abbilden des Weltgesetzes." Der ἐντολή-Begriff ist ihm „zu amtlich, geschichtlich, zu wenig spekulativ" und wird von ihm im Sinne der stoischen Ethik „verknüpft mit der primitiven Sittlichkeit". In diesem Zusammenhang redet G. Schrenk von der „Verkümmerung des ἐντολή-Gebrauchs", ja von der „stoischen Verkürzung des ἐντολή-Begriffes" bei Philo.[390] Für ihn steht die freiwillige Tat höher als die gebotene.[391]

Cyrop II,4.30 . . .; besonders oft in den Papyri für „königliche Anordnung": z. B. P. Tebt I,6,10 (2. Jh. v. Chr.); für „kaiserliche Verordnung": z. B. P. Giess 7,22 (2. Jh. n. Chr.); 62,11 (2. Jh. n. Chr.) . . . Vgl. dazu *G. Schrenk*, ThWNT II,542; *H. H. Eßer*, Th. B. L. I,435; ferner *W. Bauer*, Wb 533.

[383] Z.B. *Aesch*, Prom 12: ἐντολὴ Διός; *Josephus*, Ant. 2,274; 6,101 u.ö. Vgl. *G. Schrenk*, ThWNT II,542.

[384] *G. Schrenk*, ThWNT II,542; Das Verb ἐντέλλομαι findet sich 400mal in LXX, davon 39mal ohne hebr. Äquivalent. Das Substantiv kommt 24al vor, davon 46mal ohne hebr. Äquivalent. Das Substantiv *piqudijm* ist nach *Eßer* „terminus technicus" für die Anweisungen, Befehle Gottes: z. B. Ps 103 (LXX 102),18; Ps 111 (LXX 110),7 . . . Zum ganzen Wortgebrauch und zu den Äquivalenten vgl. *H. H. Eßer*, Th. B. L. I, 435f. Zu *miṣwah*, *Monsengwo Pasinya L.*, Nomos, bes. 89–93, hier 92; *M. Delcor*, Contribution 539–545; *S. H. Blank*, LXX Renderings 259–283.

[385] 2 Esr 7,11; Ex 15,26; Dt 4,10 . . .

[386] Dt 30,8; Ri 3,4; 1 Kge 13,13b.

[387] Ex 16,18; 24,12; Jos 22,5; Sir 35,24; 45,5 . . . im Nebeneinander von νόμος und ἐντολαί.

[388] *G. Schrenk*, ThWNT II,542f; vgl. auch *L. Monsengwo Pasinya*, Nomos 144.147.

[389] *Josephus* hat 9mal: von Gottes Geboten: z. B. Ant 7,342; 8,337; Ant 1,43 . . .; von Moses Vorschriften: 5mal: z.B. Ant 7,338; 8,94.12; *Philo* außer Praem. Poen 2 nur 5mal, immer in zitierten Torastellen, die ἐντολαί enthalten: z.B. Spec Leg I,300; Rer. Div. Her. 8; Praem. Poen. 79.101; Somn. II,175.

[390] *G. Schrenk*, ThWNT II,543 (alle Zitate).

[391] Leg. All. III,144; ferner vgl. Leg. All.III, 90–95, wo Philo das ἐνετείλατο im Paradiesgebot kommentiert.

In den Qumranschriften nehmen die hebr. Wortgruppen *sawah,*
miswah, pāqad, piqŭdijm, torah, dābār, ḥoq, ḥŭpāh eine beherrschende
Stellung ein. Sie kommen rund 235mal als Bedeutungsäquivalent zu
G e b o t , g e b i e t e n , usw., vor.[392] Die Wortgruppe *pqd,* „die in ihrer
Bedeutungsbreite einen ganzen Geschichtszusammenhang umgreift",
wird nach Eßer mit Vorliebe verwendet zu bezeichnen „die der Sekte
zugehörigen gemusterten Männer; das Achten der Gebote (1 QS
5,22); die Gebote selbst (CD 20,2) wie auch das zur-Verantwortung-
Ziehen von seiten Gottes . . . für die auf das Gebot im Lebensvollzug
gegebene Antwort" (CD 8,3 u. ö.)[393]. Verstehen sich die Gemeinderegeln als konsequente Interpretation des mosaischen Gesetzes, so
verwundert es nicht, wenn hin und wieder der Begriff *ḥoq* = Gebot,
auch zur Bezeichnung dieser Regeln gebraucht wird.[394] Allein der
sprachliche Befund zeigt, daß es der Qumrangemeinschaft um die
schriftgemäß wörtliche Befolgung der Gebote des Pentateuchs und
der Propheten geht (1 QS 1,3), und zwar in Abgrenzung gegen die
laxe Gesetzespraxis des Jerusalemer Priestertums.[395] Das Gesetz spielt
eine sehr große Rolle im Leben dieser Gemeinschaft (1 QS
8,14f.16.26; 6,6.7f). Die Gemeinde kann deshalb auch einfach *„jḥd* der
Torah" heißen (1 QS 5,2), und die „Einhaltung dieser Lebensnorm ist
ausschlaggebend für die Zugehörigkeit zu den Kindern des Lichts und
dann endgültig für das Bestehen im bevorstehenden letzten Gericht
Gottes".[396]

[392] Ṣāwah begegnet 26mal; miṣwāh 25mal; pāqad 33mal; pequddāh, 14mal; piqqudīm
einmal; 5mal das Verb dābar; 12mal das Substantiv dābār; 50mal ḥoq, davon 16mal
im Singular, häufig absolut gebraucht; 2mal das Verb ḥāqāq; 3mal ḥuqqāh; 63mal
Torah, in der Bedeutung: Zusammenfassung, Summe der Gebote Gottes, das ganze,
für das Ethos Israels maßstäbliche Gesetz Gottes, meist absolut gebraucht, sonst als
„Gesetz des Mose" – Vgl. *H. H. Eßer,* Th. B. L. I,436; ferner *M. Limbeck,* Ordnung des
Heils 41–50.

[393] *H. H. Eßer,* Th. B. L. I,436. Vgl. 1 QM 2,4; 12,8 u. ö.; CD 10,2 u. ö. Im Sinne von „das
von Gott Gebotene" begegnet der Terminus häufig in den Testamenten der XII
Patriarchen: z. B. Test. Lev 14,2.6; Test Jud 14,6; 16,3f; Test Iss 4,6 u. ö.; vgl. auch
Ass Mos 12,10; 4 Esr 7,21ff.

[394] Z.B. 1 QS 9,12ff; 1 QSa 1,5; CD 12,20.

[395] Vgl. die stereotypen Formeln: „Wie er (Gott) befohlen hat": 1 QS 1,3 und 17;
5,1.8.22 u.ö.; „die ich dir befohlen habe": 1 Q 22,1,3; 4,6.9 u. ö.; ferner 1 QH 15,11.
18–19 – *H. H. Eßer,* Th. B. L. I,436; *H. Braun,* Radikalismus I,15; *J. Becker,* Das Heil
Gottes 60f.

[396] *H. H. Eßer,* Th. B. L. I,436; vgl. 1 QM insgesamt. Zum Gesetzesverständnis in
Qumran, vgl. u. a. *M. Delcor,* Contribution, in: RB 61 (1954) 533–553; 62 (1955)
60–75; *K. G. Kuhn,* Die in Palästina gefundenen hebr. Texte, in: Z Th K 47 (1950)
192–211; *H. Braun,* Radikalismus I,15f; *Ders.,* Qumran und das NT II,85–88;
229–235; *H. Bardtke,* Handschriftenfunde II, bes. 202ff; *S. T. Kimbrough jr.,* The Ethic
of the Qumran Community, in: Rev. d. Q. 6 (1967/68) 483–498; jetzt vor allem *M.*
Limbeck, Die Ordnung des Heils mit reicher Literaturangabe. Limbeck bemüht sich,
die positive Dimension der Gesetzesfrömmigkeit in Qumran hervorzuheben (vgl.
bes. S. 119–189). Seiner Meinung nach hat Qumran das Gesetz nicht als „dunkle

Das NT kennt keine andere Bedeutung von ἐντολή als die von der LXX. Hier, vor allem bei den Synoptikern, bestimmt die Auseinandersetzung mit dem Pharisäismus den Wortgebrauch. Der Begriff ἐντολή wird nicht nur für den Dekalog, sondern auch für andere mosaische Verordnungen verwendet.[397]

B. Die Antwort Jesu (V 29–31)

1. Du sollst den Herrn deinen Gott lieben (V 29–30)

In seiner Antwort zitiert Jesus zunächst den ersten Teil des Schᶜmas mit dem Gebot der Liebe: ἄκουε, Ἰσραήλ, κύριος ὁ θεὸς ἡμῶν ... καὶ ἀγαπήσεις κύριον τὸν θεόν σου ... (V 29–30). Das ist das erste Gebot.

Das aus drei Pentateuchabschnitten bestehende,[398] nach dem Anfangswort des ersten Abschnittes genannte und aus „grauer Vorzeit" stammende Schᶜma ist das Grundbekenntnis Israels zum Monotheismus, zu dem einen Gott und seinen Geboten. Jeder männliche Israelit zur Zeit Jesu – nicht aber Frauen, Sklaven und Kinder[399] – war verpflichtet, es täglich zweimal, nämlich morgens und abends, und zwar in beliebiger Sprache zu vollziehen.[400] Erwähnt Josephus Ant IV, 212 die Verpflichtung jedes Juden, zweimal am Tage, am Morgen und am Abend sein Gebet zu sprechen, so meint er sehr wahrscheinlich damit das Schᶜma.[401] Das bedeutet, „daß auch schon für ihn das Schma' das tägliche Gebet war".[402]

Welche Bedeutung dieses Bekenntnis im Judentum hatte, wird auch dadurch sichtbar, daß die Rabbinen gelegentlich die Meinung

---

Last" empfunden. Vielmehr sei die Gemeinde von der „Heilsfunktion" des Gesetzes überzeugt gewesen (S. 129 + Anm. 47). Und „die Bejahung des Gesetzes" sei „als Bejahung der eigenen Geschöpflichkeit" angesehen worden (S. 190–195, hier 190).

[397] Mk 10,5; Mt 19,7; ferner Joh 8,5; Barn 7,3; 9,5. Vgl. *G. Schrenk*, ThWNT II, bes. 543–546.546ff; *H. H. Eßer*, Th. B. L. I,436–438ff.

[398] Dt 6,4–9; Dt 11,13–21 und Num 15,37–41. Zum folgenden vor allem *Bill.*, IV¹, 189–207; *E. Schürer*, Geschichte II, (³1898) 459–460 (= Anhang: Das Schma' und das Schmonè-Esrè) 459.452; *Bousset/Greßmann*, Religion 176ff.190ff; ferner vgl. *B. Gerhardsson*, Parable of the Sower 167ff; *K. Berger*, Gesetzesauslegung 190f; *G. Bornkamm*, Doppelgebot 87; *E. Schürer/G. Vermès*, History II,454–455.

[399] Bᶜrakh 3,3; weitere Befreiungen vom Rezitieren des Schᶜmas, vgl. Bᶜrakh 2,5; Bᶜrakh 2,8; Bᶜrakh 3,1; 18ª u. ö. Dazu *Bill.*, IV¹, 196; vgl. *E. Schürer*, Geschichte II,459f; *Bousset/Greßmann*, Religion 191; *E. Schürer/G. Vermès*, History II,454f.

[400] *Bill.*, IV,196f. Man trug den Text aufgeschrieben in den Kapseln der Gebetsriemen (die Tephillin) und schrieb ihn auf die Türpfosten seines Hauses (Dt 6,7–9).

[401] Μαρτυρεῖν τῷ θεῷ τὰς δωρεάς, ἃς ἀπαλλαγεῖσιν αὐτοῖς ἐκ τῆς Αἰγυπτίων γῆς παρέσχε ...

[402] *Bousset/Greßmann*, Religion 176.

vertreten, daß „die Sch^ema-Rezitation ein Ersatz für das Torastudium (M^en 99^b; Midr Ps 1 § 17 (18^b); und für den Opferdienst (Jalqut Schim 1 § 835 . . .); oder eine tägliche Erinnerung an die zehn Gebote (p. B^erakh 1,3c,9; B^erakh 12^a . . .) sein solle";[403] und dadurch, daß diese Rezitation auch Übernahme der Gottesherrschaft genannt wurde.[404] Beim Rezitieren des Sch^emas gedachte man dankbar der Erwählung des Volkes durch Jahwe und seiner Befreiung aus Ägypten. B. Gerhardsson bezeichnet es mit Recht als „the covenant in miniature, a passage which summarized all that God had promised to his people and all that he demanded from them".[405]

Die Aufforderung: ἄκουε . . . wird in rabbinischen Kreisen syntaktisch auf verschiedene Weise interpretiert: Einmal, daß Jahwe der Gott Israels ein Jahwe ist, wobei der Nachdruck darauf liegt, daß Jahwe *ein* Jahwe ist.[406] Im Gegensatz zu den vielen Götzen der Heiden wird also behauptet, daß Israel nur einen Gott hat. Eine zweite Konstruktion ist: Jahwe ist unser Gott, Jahwe der Eine oder Jahwe ist Einer.[407] Der Gegensatz betrifft nun die Vielheit auseinanderstrebender Jahwekultorte und -traditionen.[408] Dieser Gedanke der Einzigkeit Gottes, der Monotheismus, wird so als Fundament des Judentums herausgestellt.[409] Damit nimmt Jesus auf die Frage nach der inneren Ordnung der Gebote eindeutig Bezug. Gleichzeitig aber verbindet er diesen monotheistischen Gedanken mit dem Gebot der Liebe zu Gott. So steht es auch im atl. Kontext. E. Lohmeyer kommentiert: „Liebe ist des Volkes Antwort auf Gottes erwählende und offenbarende Tat, und ist damit dieses Einen Volkes Grundgesetz." Und J. Schmid: „Die Verbindung dieser Einleitungsworte mit dem nachfolgenden Liebesgebot ist nicht zufällig, sondern grundlegend wichtig; denn das Gebot der Gottesliebe ergibt sich gerade daraus, daß Gott der eine Herr ist und daß er Israel und dieses allein zu seinem Volk erwählt hat. Die Liebe ist die Antwort Israels auf seine Erwählung durch Gott."[410]

---

[403] *Bill.*, IV¹, 190.

[404] *Bousset/Greßmann*, Religion 190 + Anm. 1.

[405] *B. Gerhardsson*, The Parable of the Sower 168.

[406] Vgl. bereits Mk 12,29 LXX; Chag 3^a; Tg Jerusch. I zu Dt 26,17; B^erakh 6^a; Dt R 2 (199^b); Dt R 2 (199^c).

[407] p. B^erakh 1,3^c,9; Dt R 2 (199^c); Tanch B *djtj* § 9 (109^a); Dt R 2 (199^b).

[408] Vgl. *G. Winter*, Liebe 229 + Anm. 1. Andere Interpretationsmöglichkeiten bei *G. Quell*, ThWNT III,1079–1080; *G. von Rad*, Deuteronomium (ATD 8) 1964, S. 45f; *W. Eichrodt*, Theologie I, 141–146; hier 145; *K. Berger*, Gesetzesauslegung 57f; *A. Deissler*, Grundbotschaft 25–30; *Bill.*, II,28–30.

[409] Vgl. auch *Philo*, Virt 34; Gig 64; *Josephus*, Ant 3,91. Dazu auch *Bill.*, IV¹, 190f; *Bousset/Greßmann*, Religion 302ff; *G. Bornkamm*, Doppelgebot 88 Anm. 14; *K. Berger*, Gesetzesauslegung 190.

[410] *E. Lohmeyer*, Mk 258; *J. Schmid*, Mk⁵ 230; vgl. *V. Taylor*, Mk 486: „The connexion of these Words with those that follow is vital; for the command to love God is not

Daß Jesus statt eine eigene Antwort zu formulieren, die Schrift zitiert, wird kaum beachtet. Und doch ist dies gerade für unsere Frage von Bedeutung. Damit macht er seinem Partner deutlich, daß das Hauptgebot, nach dem er fragt, nicht irgendwo zu suchen, sondern bereits in der von ihm als Gottes Wort, als Gottes Offenbarungswort an Israel, betrachteten Schrift enthalten ist. Der Akzent wird nicht einseitig auf die Einzigkeit Gottes gelegt, sondern ebenso stark darauf, daß Israel seine Existenz als Volk Gottes allein der zuvorkommenden Liebe Gottes zu ihm verdankt.[411]

Das hier für „lieben" verwendete Verb ἀγαπάω ist im AT die Wiedergabe ins Griechische der hebräischen Wurzel ʾhb und ihrer Derivaten.[412] Der Begriff ʾhb wird sowohl mit Beziehung auf Personen wie auch auf Dinge und Handlungen gebraucht, im profanen wie im religiösen Sinn. In diesem letzten Sprachgebrauch wird es allerdings mit starker Zurückhaltung verwendet. ʾhb meint die sexuelle[413] wie die eheliche Liebe;[414] die Mutter- bzw. Vaterliebe,[415] die Freundschaft,[416] die Nächstenliebe (Lev 19,18.34) . . .

Die LXX übersetzt das hebräische Wort ʾhb[417] fast durchweg mit ἀγαπάω und seinen Derivaten, „selten und nur in profaner Aussage mit φιλεῖν, φιλία, ἐρᾶσθαι und φιλιάζειν".[418] Für den Griechen aber ist

simply a duty; it is an obligation arising out of the fact that He is One, in comparison with whom the gods of the heathen are idols, and that He has chosen Israel in covenant-Love."; ferner *B. Gerhardsson*, Parable of the Sower 169f; *W. Zimmerli*, Atl. Theologie, 126; *W. Eichrodt*, Theologie 2/3, bes. 203f; *W. Grundmann*, Doppelgebot 453; *K. Berger*, Gesetzesauslegung, bes. 56–63.

[411] Gegen *J. Jeremias*, Ntl. Theologie I,182 und *C. Burchard*, Liebesgebot 50. Beide verkennen die Bedeutung der Verbindung von Dt 6,4 und Dt 6,5, und betonen deshalb einseitig das Liebesgebot: „Daß Jesus . . . nicht bloß mit dem Gebot der Gottesliebe antwortet (Dt 6,5), sondern zusätzlich und überschießend den vorausgehenden Vers mitzitiert . . ." (J. Jeremias); oder den Gedanken der Einzigkeit Gottes: „Aber das erste Gebot ist hier nicht das der Gottesliebe, sondern der Satz von einem Gott, auch wenn in ihm vorkommt, daß man Gott lieben soll." (C. Burchard). Vgl. *W. Zimmerli*, Atl. Theologie 125f; *W. Eichrodt*, Theologie 2/3, S. 204–206; *N. Lohfink*, Herrschaft, in: *ders.*, Wörter 54, interpretiert Dt 6,4f wie folgt: „Jahwe ist einzig' – das ist Liebessprache, und nicht Rechtssprache" (vgl. Hld 6,8f).

[412] Vgl. *G. Quell/E. Stauffer*, ThWNT I,20–55; *W. Günther/H. G. Link*, Th. B. L.II, 895–903; *P. van Imschoot*, B. Lex./Haag 1050–1056; *E. Jenni*, ThAT I,60–73; *W. Bauer*, Wb 8–12; 606; 1699; *A. Nissen*, Gott, bes. 192ff; *G. Winter*, Liebe 211–246; *W. Eichrodt*, Theologie I,162–168 (Liebe Gottes); 2/3, S. 200–207, bes. 203ff (Liebe zu Gott); *M. Paeslack*, Bedeutungsgeschichte 51–142; *J. E. Steinmueller*, ἐρᾶν . . . 404–423.

[413] Ez 16,33.36f; Hos 3,1.

[414] 1 Sam 1,5.8; Hos 2,19f.23; 11,1ff; Hld 8,6.

[415] Gen 25,28; 44,20.

[416] 1 Sam 16,21; 18,1.3; 20,17.

[417] Andere im AT gebrauchte Wurzeln für „lieben" bei *G. Quell*, ThWNT I, 21 + Anm. 2; *G. Winter*, Liebe 211ff; *K. Berger*, Gesetzesauslegung 108 + Anm. 1.

[418] *G. Quell*, ThWNT I, 21; ferner *E. Stauffer*, ThWNT I,39; *W. Günther/H. G. Link*, Th. B. L. II,896; *K. Berger*, Gesetzesauslegung 106–109; *M. Paeslack*, Bedeutungsge-

ἀγαπάω „ein oft farblos gebrauchtes Wort, das mit ἐράω und φιλέω häufig im Wechsel und als Synonym auftritt".[419] Es kann bedeuten: gerne haben, in Ehren behandeln, sich zufrieden geben, freundlich begegnen, empfangen, begrüßen, nach etwas streben, auswählen, vorziehen, mehr lieben als, bevorzugen, jemanden oder etwas gerne mögen.[420] Während durch φιλεῖν die Freundschaft zwischen Gleichen bezeichnet werden kann, wird ἀγαπᾶν in einem ungleichen Verhältnis von beiden Partnern ausgesagt: Es gilt von der frei entschiedenen, aus „Uninteressiertheit" gebenden und schenkenden Liebe des überlegenen Partners wie auch von der dankbar verehrenden Liebe des Empfängers.[421]

Anders im Judentum und im AT. Das hebräische 'hb „umspannt den ganzen Reichtum der drei griechischen Begriffe" mit Ausnahme der religiösen Erotik. Damit unterscheidet sich „die atl. Religion von den Fruchtbarkeitskulten ihrer Umwelt ebenso scharf wie von griechischem Wesen. Die Liebe Gottes zu Israel (Dt 7,13) ist nicht Trieb, sondern Wille; die Liebe zu Gott und dem Nächsten (Dt 6,5; Lev 19,18), die dem Israeliten geboten wird, ist nicht Rausch, sondern Tat."[422] Aber das eigentliche Charakteristikum der israelitischen 'hbh sieht Stauffer in ihrer Tendenz zur Exklusivität: „Der griechische Eros ist von Haus aus Allerweltsliebe, wahllos, treulos, weitherzig. Die Liebe, die im AT gepriesen wird, ist die eifersüchtige Liebe, die den einen sich erwählt unter Tausenden, ihn festhält mit aller Kraft der Leidenschaft und des Willens und keine Lockerung des Treuverhältnisses erträgt."[423]

---

schichte 66. Das Nomen ἀγάπη ist eine spätgriechische Bildung und war so gut wie ungebräuchlich. In LXX kommt es etwa 20mal neben ἀγάπησις (ca. 10mal) vor und wechselt in Handschriften mehrmals mit ihm. Außer Hab 3,4 LXX stehen beide immer für 'hbh. Vgl. M. Paeslack, Bedeutungsgeschichte 64–66.

[419] W. Günther/H. G. Link, Th. B. L. II,896; vgl. E. Stauffer, ThWNT I,36. Zum Unterschied zwischen ἐρᾶν, φιλεῖν . . . etc. und ἀγαπᾶν und Derivaten, vgl. E. Stauffer, ThWNT I,34–38; W. Günther/H. G. Link, Th. B. L. II, 895f; C. Spicq, Le verbe ἀγαπάω 372ff; bes. M. Paeslack, Bedeutungsgeschichte 52–58.67ff.

[420] W. Bauer, Wb 8–12; E. Stauffer, ThWNT I,36; W. Günther/H. G. Link, Th. B. L. II,896; K. Berger, Gesetzesauslegung 107 + Belege; M. Paeslack, Bedeutungsgeschichte 52ff.

[421] Vgl. Aristoteles, N. E. 9,7 = 1167 B 32–35; Ps-Demosthenes, Erot. 61,30; Isokrates, De pace 8,45; Plato, Politeia X 600 c; K. Berger, Gesetzesauslegung 107; M. Paeslack, Bedeutungsgeschichte 53–64.

[422] E. Stauffer, ThWNT I,38; vgl. W. Günther/H. G. Link, Th. B. L. II,897.

[423] Hld 8,6; Gen 29; 37,3; Hos 1ff; vgl. E. Stauffer, ThWNT I,38. A. Nissen, Gott 194 Anm. 451: „'hb, 'hbh beschreibt im AT überall dort, wo es nicht abgeflacht gesetzt wird (. . .) die Vorbehalt- und Restlosigkeit der Hingabe, die bis zur triebhaften Leidenschaft und Hemmungslosigkeit gehen kann und jede gleichzeitige andere Ausrichtung, Hingabe und Begierde ausschließt. Diese exklusiv-unbedingte Uneingeschränktheit, nicht das dabei meist beteiligte und oft heftige Empfinden, ist für 'hb charakteristisch und konstitutiv."

Mk 12,30 zitiert Dt 6,5, die Stelle, die die Liebe zu Gott fordert. Daß das AT das Wort „Liebe" für die wechselseitige Beziehung zwischen Gott und Mensch mit großer Zurückhaltung verwendet,[424] wurde schon erwähnt. Außerhalb des Dt wird das Liebesgebot im AT nicht ausdrücklich ausgesprochen.[425] Doch fehlt der Gedanke der Liebe zu Gott nicht ganz.[426] Die Gesinnung der Liebe durchzieht die prophetischen Bücher und die Psalmen.[427] Die Liebe zu Gott ist die Antwort auf die Liebe Gottes zu seinem Volk (Dt 4,37; 7,8; 10,15).[428] Im Hinblick auf das Deuteronomium meint G. Winter: „Das Dt motiviert die Liebe zu Jahwe mit der Liebe und Gnade, welche Jahwe allezeit dem Volk erwiesen hat; diese Liebe soll Israel mit herzlicher Gegenliebe erwidern . . ."[429] Es ist jedoch befremdend, daß erst eine Gesetzessammlung wie das Deuteronomium ausdrücklich und ausführlich von der Liebe zu Gott redet und sie fordert.[430] Dabei begegnet das Verb 'hb allein oder zusammen mit anderen Ausdrükken, die es präzisieren, wie anhangen,[431] dienen,[432] in seinen Wegen wandeln,[433] auf seine Stimme bzw. seine Gebote hören[434], das ganze Gesetz tun,[435] seine Gebote und Satzungen und Gesetze usw. beobachten.[436] Dt 6,5, chronologisch der erste Text, der die Liebe zu Gott fordert,[437] steht „mit Nachdruck an der Spitze der allgemeinen Ermahnungsreden des Moses (c. 6–11) und diese münden schließlich wieder in dasselbe ein (11,1.13.22)."[438] Die geforderte Liebe verwirk-

---

[424] Vgl. *G. Winter*, Liebe 211–246; *B. J. Bamberger*, Fear and Love 39–53; *G. Quell*, ThWNT I,20–34; *W. L. Moran*, Background 77–87; *J. Coppens*, La doctrine 254–285; *A. Nissen*, Gott 192–217; *W. Eichrodt*, Theologie I,162.

[425] *A. Nissen*, Gott 193 Anm. 446 weist darauf hin, daß mit Ausnahme von Ps 31,24 nur im Dt und in den dtr. Stellen Jos. 22,5; 23,11, die Liebe zu Gott gefordert wird. Alle anderen Aussagen des AT über die Liebe zu Gott sind indikativisch. Ähnlich auch *J. Coppens*, La doctrine 254.

[426] Vgl. Ex 20,6; Ri 5,31; Jes 41,8; Jer 2,2; Ps 31,24; 97,10; Ps 145,20; 2 Chr 20,7 . . . Zum Dt siehe unten. Andere Belege bei *G. Winter*, Liebe 211.

[427] Vgl. bes. Hosea und Jeremia; die obige Anmerkung. Dazu *G. Winter*, Liebe 235f. 243f; *J. Coppens*, La doctrine 257–260. 275f; *W. Eichrodt*, Theologie 2/3, bes. 200–203.

[428] Vgl. *A. Nissen*, Gott 193f; *W. Grundmann*, Mk[7] 337; *N. Lohfink*, Herrschaft, in: *ders.*, Wörter, bes. 53–55.

[429] *G. Winter*, Liebe 233; vgl. ebda. 228f.

[430] Außer Dt 6,5, vgl. Dt 5,10; 7,9; 10,12; 11,1.13.22; 13,4; 19,9; 30,6.16.20; Jos 22,5; 23,11.

[431] Dt 11,22; 30,20.

[432] Dt 10,12; 11,13.

[433] Dt 10,12; 11,22; Jos 23,5.

[434] Dt 11,13; 30,20.

[435] Dt 11,22; 19,9.

[436] Dt 7,9; 10,13; 11,1.22; 19,9; 30,16.

[437] Vgl. die Rekonstruktion von *N. Lohfink*, Hauptgebot 289–291.

[438] *G. Winter*, Liebe 225; ferner *J. Coppens*, La doctrine 262–265; *A. Nissen*, Gott 193; C.

licht sich im Gehorsam gegenüber seinem Bundeswillen, im Halten
der Gebote (Ex 20,6; Dt 10,12f) wie in der Hinwendung zum Nächsten
(Lev 19,18).[439] Kaum wird man mit G. Winter folgern können, daß die
Liebe im Dt eine rein kultische Angelegenheit sei und in der treuen
Anhänglichkeit an Jahwe im kultischen Dienst bestehe,[440] oder W. L.
Moran zustimmen, der die Liebe zu Gott im Dt im Sinne der
altorientalischen Vasallenverträge und nicht als persönliche Hingabe
des Menschen, des einzelnen Mitgliedes des Volkes an Gott verstehen
will.[441] Ist das Gebot der Liebe zu Gott Dt 6,5 zunächst an das Volk als
Ganzes gerichtet, so verpflichtet es jedoch jeden Einzelnen im Volk,
und zwar durch seine Zugehörigkeit zu Israel.[442]

Die Texte in der nachexilischen Zeit reden selten von der Liebe zu
Gott, mehr und mehr aber von der Liebe zu seinem Namen;[443] zu
seiner Torah bzw. seinen Geboten;[444] zu seinem Wort (Ps 119,140); zur
Weisheit;[445] zum Tempel (Ps 26,8); zu Jerusalem;[446] zu Wahrheit und
Frieden (Sach 8,19); zur Gerechtigkeit (Sap 1,1).[447] Und doch sind die
Liebe zu Gott, die Liebe Gottes und die Liebe zum Nächsten im
Judentum oft erörterte Themen. Ἀγάπη wird „zum zentralen Begriff
für die Beschreibung des Gottesverhältnisses".[448]

Josephus, der die Substantiva ἀγάπη und ἀγάπησις nie gebraucht,
liebt, so Stauffer, die metaphysisch klingenden Umschreibungen und
spricht sehr vielsagend von der διάνοια ... τὸ θεῖον ἀγαπῶσα (Ant
7,269).[449] Philo redet im Ton des Mystikers von der ἀγάπη, der

Spicq, Agapè S. 89 nennt das Buch Deuteronomium „le document biblique par
excellence de l'agapān"; *W. Zimmerli*, Atl. Theologie 126.
[439] Vgl. *W. Günther/H. G. Link*, Th. B. L. II,897; *W. L. Moran*, Background 78; *A. Nissen*,
Gott 195f.
[440] *G. Winter*, Liebe 233 unter Pt. 2 – Dagegen mit Recht *J. Coppens*, La doctrine
262–265, bes. 262.
[441] *W. L. Moran*, Background, 77–87. Der Autor redet von „a covenantal love" (S. 78);
ähnlich auch *A. Nissen*, Gott 194f. Zur Auseinandersetzung mit W. L. Moran, vgl. *J.
Coppens*, La doctrine 265–270, bes. 269f; ferner *K. Berger*, Gesetzesauslegung 62
Anm. 1: „Denn wie der ständige Verweis auf das ‚Herz' der Angeredeten ... zeigt,
ist der dt. Paränese an einer besonderen Verinnerlichung des Verhältnisses zu
Jahwe sehr stark gelegen ... Am deutlichsten wird der eindringliche Appell an die
Innerlichkeit in den späteren Stücken 2,9; 4,9; 30,6".
[442] Vgl. *G. Winter*, Liebe 230; ferner *E. Lohmeyer*, Mk 258; *J. Coppens*, La doctrine 270; *A.
Nissen*, Gott 193; *W. Grundmann*, Mk⁷,337.
[443] Jes 56,6; Ps 5,12; 69,37; 119,132.
[444] Ps 119,47.97.113 u. ö.
[445] Prov 4,6; 8,17.21; 29,3; Sap 6,12.18; 7,10; 8,17.
[446] Ps 122,6; Jes 66,10; Tob 13,14 B.A.
[447] *J. Coppens*, La doctrine 282f; *A. Nissen*, Gott 194 Anm. 452.
[448] *W. Günther/H. G. Link*, Th. B. L. II,897; ferner *P. van Imschoot*, in: B. lex./Haag 1052f;
E. Stauffer, ThWNT I,39–44. Allerdings tritt das Wort im hellenistischen Judentum
stark zurück, wie gleich deutlich wird.
[449] *E. Stauffer*, ThWNT I,40; vgl. *Jos.*, c. Ap. 2,296: ἀλήθειαν ἀγαπᾶν; ferner *A. Nissen*,
Gott 202 Anm. 492.

Hinwendung zum wahrhaft Seienden, in der der Mensch alle Furcht
überwindet und das wahre Leben gewinnt (Deus imm. 69).[450] Nissen
dazu: „Denn ‚Gott und die Seele, die Seele und ihr Gott' ist unter dem
Einfluß Platos tatsächlich das eine große Thema . . . Philos."[451] Anders
ausgedrückt: die philonische Gottesliebe gewinnt ihre entscheidenden
Züge aus dem Hellenismus und wird nur am Rande von biblischen
Gedanken beeinflußt und begrenzt, wie schon seine Terminologie
zeigt. Philo verwendet ἀγαπᾶν nur zwölfmal, meist im Rahmen von
Bibelzitaten, die entweder unkommentiert bleiben[452] oder im Sinne
des Eros-Gedankens umgedeutet werden[453] oder innerhalb des über-
kommenen, aber uminterpretierten Begriffspaares „fürchten – lieben"
erscheinen.[454] Das Adjektiv ἀγαπητός ist nie auf Gott bezogen, und nie
wird der Stamm ἀγαπ – gebraucht, um den Gedanken der Liebe
Gottes zu Menschen oder der Liebe von Menschen untereinander
auszudrücken, außer eben in Bibelzitaten. Dagegen spricht er von
ἐρᾶν 32mal, von ἔρως 91mal und ständig von ἐραστής, „und dies
durchweg betonter, spezifischer und breiter ausgeführt als das meist
unbetonte und unausgeführte ἀγαπᾶν oder die völlig zurücktretende
ἀγάπη".[455]

Hier handelt es sich nicht nur um terminologische Anpassung,
meint Nissen, sondern um eine bewußte Aufnahme des Inhalts dieses
Wortes: „des Gedankens vom Eros als der Kraft, die zum Liebenswer-
ten drängt, um an ihm Anteil zu gewinnen, die das Verwandte zum
Verwandten zieht, um in ihm geläutert und überhöht zu werden, die
im Gefundenen den Suchenden Erfüllung, ja sich selber finden und
vollenden läßt, und die die Seligkeit des Strebens wie des Findens
ist".[456] Eros steht höher als ἀγάπη und die Liebe zu Gott wird als Eros,
das höchste Ziel aller Bestrebungen des Menschen, verstanden und
ausgelegt.[457] Den Grund- und den Leitgedanken der philonischen
Gottesliebe sieht Nissen in dem Satz ausgedrückt: „Gott als der Vater,
und die menschliche Seele so geadelt, daß sie sich mit ihm zusam-
menschließen kann und zusammenschließt."[458] Die Seele muß sich von
der Fessel des Irdischen lösen, d. h. alles Weltliche vermeiden, die
Welt und sich selbst verlassen und in die erlösende Region des

---

[450] Vgl. E. Stauffer, ThWNT I,40; ferner Philo, Migr. Abr. 169: ἀνάβηθι, ὦ ψυχή, πρὸς τὴν
τοῦ ὄντος θέαν, ἀφόβως . . .; ferner Q. Ex. 2,21; Cher 73: τὸν νοῦν ἠγαπηκέναι.

[451] A. Nissen, Gott 429–465, Zitat S. 429.

[452] Z. B. post. C. 69; spec. Leg 1,300.

[453] post. C. 12f; fug. 58.

[454] spec. Leg 1,300; migr 21; Q. Ex 2,21.

[455] A. Nissen, Gott 430–431.

[456] A. Nissen, Gott 431; vgl. bes. Post. C. 157; Congr. 166.

[457] Fug 58; Abr 66; Ebr 136; Praem 84; Abr 170; Plant 39; Virt 55 . . . Fug 97; vgl. Plant
25; Migr 13; Rer. Div. Her. 70.

[458] A. Nissen, Gott 429f.

göttlichen Seinsgrundes emporsteigen bis hin zur Schau und Vereinigung mit der Gottheit selber.[459] Denn „nachdem die Seele sich vom Sterblichen abgekehrt hat, begnadet Gott sie, wie gesagt, mit Erkenntnis und der Betrachtung des Unsterblichen" (migr. 53). Doch versteht Philo die Liebe zu Gott nicht nur als Gottes- und Erkenntniseros. Er greift auch das ihm in der Schrift vorgegebene und durch die jüdische Tradition vermittelte Begriffspaar „fürchten – lieben" auf, „wenn dieses auch bei ihm sogleich in der Verbindung mit dem spekulativen Gottes- und Aufstiegsgedanken zum Theoretischen hin umgeformt und schließlich dem Erosbild anverwandelt wird".[460] Furcht und Liebe bezeichnen nicht wie im palästinischen Judentum das ganze Verhältnis zu Gott, sondern sie stellen nun zwei Kräfte, zwei Seiten Gottes dar. Damit versucht Philo die Anwendung von Anthropomorphismen auf den transzendenten Gott zu erklären.[461]

Ebenfalls verwendet Philo auch den Begriff „φιλόθεος", um das Verhältnis der Liebe zu Gott auszudrücken. Der φιλόθεος ist einer, „der sich in zunächst jüdisch geprägter oder erscheinender Weise um die Erkenntnis und gehorsame Erfüllung des Gotteswillens müht, zugleich immer auch einer, der darin gleichzeitig oder sogar gerade vom himmlischen E r o s geleitet wird und immer zusammen mit dem Erkennen und Tun der Tugenden zu höherer Erkenntnis strebt, zur Lösung von allem Begrenzten, von der Welt und dem tätigen Selbst um des Eindringens in das entgrenzte Transzendente und der Erfahrung der Kräfte des Jenseitig-Göttlichen willen".[462] Die vom φιλόθεος beobachteten Befehle und Gebote und Gesetze Gottes aber sind nicht, wie bei den Rabbinen, die durch Gottes Offenbarung erkannten Toragebote, sondern die durch wissenschaftliche und philosophische Erkenntnis zu erschließenden Ordnungen.[463] So mischen sich „in dem philonischen φιλόθεος meist kaum trennbar jüdische und griechische Töne ... Das jüdische Element schlägt am kräftigsten dort durch ..., wo φιλόθεος ethisch interpretiert ... wird".[464] Das griechische kommt vor allem in dem Tugendgedanken zum Ausdruck.[465]

---

[459] Leg. all. 2,55; spec. Leg 2,147; cher 41; Leg. all. 3,71; Q. Gen. 4,139; fug 91f – Zum Gedanken der Welt- und Selbstflucht und der mystischen Gotteserkenntnis vgl. H. Jonas, Gnosis II, (²1966) 99–111; zur Gotteserkenntnis, Schau und Vollendung, ebda. 70–121. – Vgl. A. Nissen, Gott 434f. 452 + Belege.

[460] A. Nissen, Gott 446ff, hier 446; vgl. Q. Ex 2,21; Spec Leg I,299f.

[461] Deus imm. 53–69, bes. 67–69; plant 85–92.

[462] A. Nissen, Gott 459–463, Zitat 459; Text gesperrt. Vgl. Abr. 196; ferner Rer. div. Her. 8; 69f; Cher 7; Abr. 275f.

[463] Vgl. Mos. 2,66f; spec. Leg 1,41; post. C. 12f. 15 ...

[464] A. Nissen, Gott 454; vgl. spec. Leg 3,126f; 1,79; sacr. A.C. 129; Leg. All. 2,51; fug. 90–92.

[465] Vgl. A. Nissen, Gott 456f.

Über die philonische Liebe zu Gott im ganzen urteilt A. Nissen wie folgt: „Griechisch im Ansatz, Streben und Ziel, konnte Philo, der Jude war und bleiben wollte, von Jüdischem nicht lassen . . ." Aber „weder Jude noch Grieche, entfaltet Philo die Gottesliebe weder als reinen Eros noch mehr als ansatzweise als Agape, macht aber diese jenem in derselben Stufung und Richtung untertan, wie er das Partikulare dem Universalen, den geschichtlich sich mitteilenden Gott dem als Logos weltfügenden Gott und die Tora dem Naturgesetz untertan macht . . ."[466]

Bei den Rabbinen begegnen die Aussagen über die Liebe zu Gott meistens bei der Auslegung und Kommentierung von Dt 6,5.[467] Auch sie fordern eine vorbehaltlose, unbedingte und uneingeschränkte Ausrichtung des ganzen Lebens auf Gott und die Bereitschaft, sich und alles Eigene von Gott her zu empfangen, zu verstehen und zu gestalten, und selbst sein Leben für Gott hinzugeben.[468] Die Liebe zu Gott drückt sich vor allem in der Beobachtung der Torah aus.[469] Sie ist Liebe der Torah und ihrer Gesetze. Dabei muß alle Selbstliebe ausgeschieden sein, (Ned 62a Bar), wie auch jeder Lohngedanke: „Seid nicht wie Knechte, die dem Herrn dienen in der Absicht, Lohn zu empfangen, sondern wie Knechte, die dem Herrn dienen, ohne die Absicht, Lohn zu empfangen."[470] Allerdings verwerfen die Rabbinen die Erfüllung der Torah aus Furcht nicht, wenn dies auch eine sehr unvollkommene und vorläufige Frömmigkeitsform ist, weil die Motive statt in Gott in der Sorge um das eigene Schicksal liegen.[471] Ja, sie stellen die Furcht als ein Element der Frömmigkeit neben die Liebe hin. So heißt es Bᵉrakh 16b, Rab (bA1): „Möge es dein Wille sein, . . . daß du uns ein langes Leben gibst . . ., ein Leben, in dem die Liebe zur Tora und die Gottesfurcht in uns sei . . ."; und Ṣota 31aBar: „Wie bei Abraham die Gottesfurcht aus Liebe war, so war sie auch bei

---

[466] *A. Nissen*, Gott 465; vgl. *E. Stauffer*, ThWNT I,40; ferner *J. Coppens*, La doctrine 285.

[467] Tg Onk. Dt 6,5; Tg Jersuch I; Bᵉrakh 61ᵇBar; Pᵉs 25ᵃ; SDt 6,5 § 32 (73a); TBᵉrakh 7,7 (15); Dt R 2,37 zu 6,5 (104d); Ab 5,3; Midr. Ps 9,20 § 17 (46a) . . . Vgl. *Bill.*, I,905–907; ferner *A. Nissen*, Gott 205–217.

[468] Bᵉrakh 61ᵇ (das Martyrium R. Aquibas); Bᵉrakh 9,5:" Jedermann ist verpflichtet, für das Böse Gott ebenso zu danken, wie man für das Gute dankt. Denn es heißt: Du sollst . . . Bei jedem Geschick, das dir Gott zuschickt, schicke dich zu höchstem Lobe an"; Ab 5,3 (die Prüfungen Abrahams) . . .

[469] Lev R 28,1 zu 23,10 (40d); Ned 62 a Bar; SDt 11,23 § 48 (84b).

[470] Ab 1,3 (Antigonos v. Soko) – Vgl. *P. Rießler*, Schrifttum 1058.

[471] Naz. 23b par Pes 50b; Sanh 105b: „Stets befasse man sich mit der Torah und den Geboterfüllungen, auch wenn es nicht um ihrer selbst willen geschieht, denn dadurch kommt man dazu, sie um ihrer selbst willen zu tun"; ferner *Bᵉrakh* 16b–17a; Midrasch Tadsche 12. Zu den letzten Belegen, vgl. *A. Nissen*, Gott 211–213.

Hiob aus Liebe".[472] Aber „bedeutender ist der, der aus Liebe handelt,
als der, der aus Furcht handelt".[473]

In Qumran betrachtete man sich als die Gemeinde der Gott
Liebenden.[474] Wie im AT und im übrigen Judentum gründet die Liebe
zu Gott in der Liebe Gottes zu seinen Auserwählten, hier zu den
Gemeindemitgliedern. Die Gemeinde weiß sich von Gottes Liebe
erwählt, die allein den Kindern des Lichts gilt. Gottes Liebe
beschränkt sich nur auf die Mitglieder der Sekte und ihre Antwort auf
die Liebe Gottes ist eben die Liebe zu ihm, die als Angleichung an die
Liebe Gottes[475] und Gehorsam bzw. Bejahung der persönlichen
Gottzugehörigkeit verstanden wird.[476]

Wird bei der Aufzählung der drei bzw. vier Kräfte bei der
Forderung der Liebe zu Gott in den rabbinischen Zeugnissen jedem
Begriff eine eigene Bedeutung zugeschrieben,[477] so dürfte es Mk
12,30.33a nicht einfach darum gehen, „to distinguish sharply these
aspects of human personality..., but to insist on a complete
reponse".[478] Betont wird vielmehr also, daß der ganze Mensch mit all
seinen Kräften und Fähigkeiten angesprochen und zur Liebe gefordert wird. Die Ganzheit und Unbedingtheit der Hingabe an Gott wird
vom Menschen abverlangt und soll damit ausgedrückt sein. So
bestätigt die angestellte Begriffsbestimmung die Erkenntnis K. Bergers, daß nämlich die verschiedenen hier vorkommenden Termini,
obwohl sie nicht dasselbe aussagen, synonym gebraucht werden
können.[479] Werden sie hier dennoch alle aufgezählt, so um dem
Gesagten besonderes Gewicht zu verleihen: Es geht um eine ungeteil-
te, bedingungslose und totale Liebe des Menschen zu Gott.

2. Du sollst deinen Nächsten lieben wie dich selbst (V 31 a. b)

Damit wäre die Frage des Schriftgelehrten eigentlich ausreichend
beantwortet. Jesus aber fügt nun ungefragt ein zweites Gebot hinzu:
δευτέρα αὕτη· ἀγαπήσεις τὸν πλησίον σου ὡς σεαυτόν (V 31a). Wieder
zitiert er, diesmal wortgetreu, eine alttestamentliche Stelle, nämlich

---

[472] Beide Zitate bei *A. Nissen*, Gott 212 Anm. 538 – Vgl. Midr. Tann. Dt. 6,5 (25) par. j.
Sota 5,20c, 39; ARN (A) 41 (67a).
[473] Sota 31a Bar, zitiert bei *A. Nissen*, Gott 214 Anm. 546.
[474] CD 19,2; 20,21 zu Dt 7,9; 1 QH 15,9f; 16,13; 1 QH 14,26.
[475] 1 QS II,5–18; V,15.17; VIII,14 . . ..
[476] Vgl. 1 QH IV,18.21.24; VI,7.21; – Zu dem Gedanken, daß Gott nur die Gemeindemitglieder von Qumran liebt und die anderen Menschen, die Sünder sind, haßt, vgl.
bes. *M. Limbeck*, Die Ordnung des Heils, bes. 120–131 mit Belegen.
[477] Vgl. *Bill.*, I,905–907; so auch *Thomas von Aquin*, Summa II,2ᵃᵉ Q. 44 Art. 5.
[478] *V. Taylor*, Mk 486.
[479] *K. Berger*, Gesetzesauslegung 179.

Lev 19,18a LXX. Der hebräische Text lautet: *wᵉ'āhabtā lᵉreʿakā kāmokā*
Daß man nicht nur Gott, sondern auch den Nächsten lieben soll, ist
Gottes Gebot. Und weder im AT noch im Judentum (noch im
Christentum) wird es jemals in Zweifel gezogen.[480] Ja, Gott selbst wird
als Vorbild der Liebe zum Nächsten dargestellt.[481] Die zu klärende
Frage ist lediglich, wer wohl dieser Nächste sei, wie groß oder eng der
Personenkreis derer sein soll, die unter den Begriff „Nächster" fallen.
Obwohl diese Frage allein bei Lk 10,29–37, nicht aber bei Mk/Mt
ausdrücklich gestellt wird, ist es jedoch nicht ohne Interesse, an dieser
Stelle darauf kurz einzugehen.[482]

Das Nomen *reʿa* wird vom Verb *rāʿāh*, das allerdings im AT selten
belegt ist,[483] abgeleitet. Der Anwendungsbereich des Wortes ist so
weit, daß man die einzelnen Stellen, in denen es vorkommt, genau
analysieren muß, um den Sinngehalt zu erschließen. Dabei gilt es,
zwischen den Gesetzestexten und den Stellen außerhalb der Gesetzestexte zu unterscheiden.[484]

Außerhalb der Gesetzestexte begegnet *reʿa* in der Bedeutung:
Gefährte;[485] Freund;[486] Geliebter;[487] Freund des Königs;[488] Genosse des
Jahwebundes oder Glied des Gottesvolkes.[489] Der *reʿa* kann hier auch
allgemein bezeichnen: den Menschen der näheren Umgebung, mit
dem man durch das tägliche Leben, durch Nachbarschaft, gemeinsa-

---

[480] Zu der Nächstenliebe bei den Rabbinen, vgl. z. B. Midr. Ruth 1,8 (127ᵇ); Schab 127ᵃ;
Qid 40ᵃ,13; vgl. Ab 1,2; ferner SDt 41 zu 11,13; SLev 19,17 (352ᵃ); SDt 19,11 § 186f
(108b); Ab 2,11 (Gegen den Haß). Dazu *Bill.*, I,364f; IV,559–610; *A. Nissen*, Gott
217–219; 293–304; 311 Anm. 973.

[481] Vgl. b. Soṭa 14a; b. Schab 151b; b. Ber 5b; Gen R 8 (6d); Ab R N 4; *Bill.*, I,503h;
IV,561; ferner Ep. Ar. 207; T. Gad 5,2; 4,7 . . .

[482] Hierzu vgl. u. a. *H. Greeven/J. Fichtner*, ThWNT VI,309–316; *J. Fichtner*, Gottesweis-
heit 88–114; *R. Bultmann*, Nächstenliebe 229–244; *Ders.*, Jesus 77–84; *J. Coppens*, La
doctrine 252–299; *A. Nissen*, Gott, bes. 278ff; *K. Berger*, Gesetzesauslegung, bes.
80–136; *W. Grundmann*, Doppelgebot 449–455; *R. Schnackenburg*, Mitmenschlichkeit
70–92; *F. Mußner*, Der Begriff des „Nächsten", 125–132; *H. Montefiore*, Thou shalt
love 157–170; *I. Abrahams*, Studies I,18–29; *K. Hruby*, L'amour du prochain 493–516;
E. Fuchs, . . . „Du sollst deinen Nächsten lieben", 1–20; *G. Quell/E. Stauffer*, ThWNT I,
bes. 24–26.40–44; *W. Schrage*, Theologie, bes. 146–147; *J. Jeremias*, Ntl. Theologie,
I,204ff; *D. Flusser*, Jesus 64–72; *H. Braun*, Jesus 83–95; *Ders.*, Radikalismus II,83–99;
59–61; 10f; *C.A. Keller*, B. H. H. II,1274f; *E. Jenni*, ThAT I, bes. 67f; *J. Kühlewein*,
ThAT II,786–791 und die Kommentare zu Lev 19,18. Weitere Literatur bei *G.
Friedrich*, ThWNT X,2, (Literaturnachträge) S. 948–951 (ἀγαπάω).

[483] Vgl. Prov 13,20; 28,7; 29,39; Ri 14,20.

[484] Zum folgenden vgl. besonders die oben angeführten Arbeiten von J. Fichtner. Das
Nomen *reʿa* begegnet etwa 190mal im AT.

[485] Hi 30,29; Ps 88,19; Spr 17,17; 19,6 . . .

[486] 2 Sam 13,3; Mi 7,5; Ps 35,14; Hi 17,5; 16,21 . . .

[487] Jer 3,1; Hos 3,1; Jer 3,20 . . .

[488] 1 Chr 27,33; 2 Sam 15,37; 16,16; 1 Kge 4,2–6.

[489] Ps 122,9; Ex 32,27 (3).

me Arbeit oder zufällige Begegnung in Berührung kommt;[490] den
Nachbar, den Mitmenschen, den Nächsten, den anderen.[491] „Alle
diese Wendungen umschreiben ein Miteinander der Menschen, das
meist nicht expressis verbis auf das besondere Verbundensein im
Jahwebund bezogen ist, faktisch aber im atl. Schrifttum Menschen
betrifft, die Glieder des Bundes sind, in der Verehrung des einen
Gottes und unter seinem Gebot stehen.“[492]

    Dies gilt vor allem auch für die Gesetzestexte, da sich das Gesetz an
das Volk richtet und dieses bzw. seine Glieder anredet.[493] Hier
erscheint re‘a weder als Subjekt noch jemals im Status absolutus, wohl
aber bezeichnet der Begriff vornehmlich das Handlungsobjekt,[494]
dessen Bedeutung „ganz wesentlich von der Eigenart ganz verschiedener, sich in differierenden Aussageformen spiegelnder Traditionen
abhängig“[495] ist. Im Heiligkeits- (Lev 19,16–18) und im Deuteronomi-
schen Gesetz (Dt 12–26) meint re‘a ausschließlich den Volksgenossen:
„Der Wechsel von rea, ’ah und ’amît zur Bezeichnung dessen, an dem
das Gesetz erfüllt werden soll, neben den Wendungen „i n d e i n e m
V o l k“ und „d e n G l i e d e r n d e i n e s V o l k e s“ läßt keinen
Zweifel darüber aufkommen, daß hier mit dem re‘a im engeren Sinne
der Genosse des Bundes, das Glied des Gottesvolkes bezeichnet
werden soll“,[496] und nicht ohne weiteres der Mensch als Mensch. Das
Gebot der Nächstenliebe Lev 19,18 hat seine Gültigkeit zunächst
eindeutig nur gegenüber dem Genossen des Jahwebundes, dem Glied
der Gemeinde Israel. Diese enge Fassung des Begriffes re‘a an unserer
Stelle wird dadurch bestätigt, daß Lev 19,34 der ger = der Fremde,
der im Lande wohnt, ausdrücklich in das Liebesgebot einbezogen
wird, und zwar mit den gleichen Worten wie Lev 19,18 im Blick auf
die Israeliten. Nicht mit eingeschlossen, weder hier noch woanders
im AT bleibt der nākrij der Ausländer, der gelegentlich durch das

---

[490] Spr 6,1.3; Spr 17,18; 18,17 u. ö.

[491] 1 Sam 28,17; Jer 9,19; Est 1,9.

[492] J. Fichtner, ThWNT VI,311; Ders., Gottes Weisheit 98f.

[493] Befremdend ist, daß re‘a hier nicht so oft begegnet. Es findet sich nur an 33 Stellen,
    davon je 4mal in den beiden Fassungen des Dekalogs (Ex 20,16; Dt 5,20: das Verbot
    des Lügenzeugnisses und Ex 20,17; Dt 5,21: das Verbot des Begehrens); 10mal im
    Bundesbuch Ex 21,1–22,16 (meist in kasuistischen Rechtssätzen); 15mal im deutero-
    nomischen Gesetz (Dt 12–26) und schließlich 4mal im Heiligkeitsgesetz (Lev 17–26).
    Im P. fehlt das Wort völlig. Hierzu J. Fichtner, Gottes Weisheit 99; Ders., ThWNT
    VI,311.

[494] Vgl. J. Fichtner, Gottes Weisheit 90.

[495] K. Berger, Gesetzesauslegung 82–99, hier 82; vgl. J. Fichtner, Gottes Weisheit
    100–102; Ders., ThWNT VI,311f.

[496] J. Fichtner, Gottes Weisheit 102 (Text gesperrt); Ders., ThWNT VI,312; ferner K.
    Berger, Gesetzesauslegung 90f; A. Nissen, Gott 285; N. Lohfink, Liebe, in: ders., Wörter
    233f.

Land ziehende Fremde. Ihm gegenüber gilt das Recht und die Pflicht der Gastfreundschaft, die in Israel sehr hoch geschätzt wurde.[497]

In den Qumranschriften findet sich der Begriff re'a ca. 20mal, und zwar in der Gemeinderegel (1 QS).[498] Wird z. B. 1 QS V,23; VIII,20 das Wort im allgemeinen Sinn von „einander" wie auch im AT verwendet, so ist an anderen Stellen vielleicht schon die Bedeutung „Gefährte, Genosse" zu erwägen. Wer jedenfalls gemeint ist, ist klar: Der re'a ist hier ausschließlich das Mitglied der Gemeinde (1 QS VI,10; VII,9.12). Bestätigt wird dies durch den gelegentlichen Wechsel von re'a mit 'ah[499] und die bemerkenswerte Zitierung und Auslegung von Weisungen aus Lev 19,16–18, die systematisch auf die Genossen des Bundes eingeengt werden.[500] So beschränkt sich das Gebot der Nächstenliebe auch nur auf die Gemeindemitglieder.[501] Ja, es wird sogar als Pflicht der Frommen angesehen, die Sünder, d. h. die Nichtmitglieder des jachad, die sog. Söhne der Finsternis, die Abtrünnigen (Juden) und die Ketzer (Minim) zu hassen und zu bekämpfen.[502]

Die Rabbinen folgen dem atl Sprachgebrauch. Das geht aus ihrer Auslegung und Verwendung von Lev 19,18.34 deutlich hervor. „Die Synagoge zur Zeit Jesu hat den Begriff „Nächster", re'a, ebenso eng gefaßt wie das AT: nur der Israelit gilt als re'a, die „anderen", d. h. die Nichtisraeliten, fallen unter diesen Begriff nicht."[503] Ja, sogar der Terminus ger wird gegenüber dem AT jetzt eingeengt. Die älteste nachchristliche Synagoge betrachtet als ger ausschließlich denjenigen Nichtisraeliten, der durch Übernahme der Proselytentaufe und der

---

[497] Vgl. *N. Lohfink*, Liebe, in: *ders.*, Wörter 234; *E. Jenni*, ThAT I,68; *J. Fichtner*, Gottes Weisheit 102f; *Ders.*, ThWNT VI,313.

[498] 1 QS V,21.23 (bis).25; VI,1.2.7.10.26 (bis); VII,4.5.6.8.9.12.15.17 und 1 QS II,25; VIII,20. Zählung nach *J. Fichtner*, Gottes Weisheit 105; *H. Hübner*, Das Gesetz zählt 22 Vorkommen von re'a in 1 QS. Vgl. *K.G. Kuhn*, Konkordanz s.v.

[499] Vgl. 1 QS V,24f; CD 6,20; 7,2; 1 QS VI,22.

[500] Vgl. 1 QS V,25f mit Lev 19,17; 1 QS VII,8.9.15 mit Lev 19,16.18. Ferner *J. Fichtner*, Gottes Weisheit 106; *K. Berger*, Gesetzesauslegung 118–120; *C.A. Keller*, B. H. H. II,1275; *J. Scharbert*, B. Lex./Haag 1211.

[501] Vgl. *J. Fichtner*, Gottes Weisheit 106; *A. Nissen*, Gott 326ff; *D. Flusser*, Jesus 76ff; *H. Hübner*, Das Gesetz 81.97–106; *M. Limbeck*, Ordnung des Heils, bes. 120–131; *H. Braun*, Radikalismus I,34–39; 59–61; 80–83 und 127–130; II,10–11; 59–61; 83–99.

[502] 1 QS 1,3f.9f; ferner 1 QS 9,21f.24; CD 2,14f; 6,14–16; 1 QS 5,7.10f; 1 QS 2,4–10; 1 QH 14,10f.13ff.18b–21a; 1 QH 17,24; vgl. besonders aber die sog. Kriegsrolle (1 QM), wo dieser Kampf thematisiert wird: 1 QM 9,5; 12,13; ferner 1 QM 3,6; 4,12; 13,1f.16 . . . *H. Hübner*, Das Gesetz 102–103 charakterisiert diese Schrift wie folgt: „1 QM ist durch seine von Emotionen getragenen Äußerungen geprägt. Es sind Emotionen des Hasses". Sperrung im Text.

[503] *Bill.*, I,353f; vgl. Mᵉkh Ex 21,11 (86ᵇ); zu Ex 22,8 (98ᵃ), 3Lev 20,10; 5Dt 15,2 § 112 (97ᵇ); SDt § 181 (108ᵃ) zu Dt 19,4f; SDt § 266 (121ᵇ) zu Dt 23,25f. Ferner vgl. *Bill.*, IV,536ff und 559ff; *K.G. Kuhn*, ThWNT VI, bes. 727–742 (προσήλυτος); *F. Mußner*, Der Begriff des „Nächsten", bes. 126f; *J. Fichtner*, Gottes Weisheit 107f.

Beschneidung völlig zum Judentum übergetreten war. Man nannte
ihn einen *ger ṣēdēq* einen wirklichen, vollen Proselyten.[504] Dagegen der
Nichtisraelit, der unter dem jüdischen Volke wohnt und sich nicht
innerhalb der ersten zwölf Monate dem Judentum anschließt, der
sog. *ger tošāb* gilt nun als *goj* = Heide; als einer, der außerhalb der
jüdischen Volksgemeinschaft steht, obwohl er nach den Bestimmungen von Lev 19,34 und Dt 10,19 als „Fremdling" = *ger* zu bezeichnen
wäre. Er fällt nicht mehr unter den Begriff „Nächster".[505]

Die LXX übersetzt den hebräischen Terminus *re'a* mit dem sub-
stantivierten ὁ πλησίον. Das Adverb πλησίον ist im Griechischen seit
Homer im Gebrauch und bedeutet: „nahe, nahebei, benachbart". Als
Nomen erscheint ὁ πλησίον seit Theognis im Sinne von „der Naheste-
hende, der Nebenmann, der Mitmensch, der Nächste", und ganz blaß
„der andere". Seit Homer begegnet das Wort auch als uneigentliche
Präposition mit dem Genitiv in der Bedeutung: „nahe bei etwas, in
der Nähe von etwas".[506] Aber die LXX gibt nicht nur Lev
19,11.13.15.16–18 *re'a* mit ὁ πλησίον wieder, sondern auch sämtliche
Stellen, wo der hebräische Terminus im atl. Gesetz vorkommt. Hier
ist ὁ πλησίον geradezu das Hauptäquivalent von *re'a* geworden.[507]

---

[504] S Lev 19,33f. Von der Liebe zu den Vollproselyten handeln z. B. M^ckh Ex 22,20
(101^a); BM 59^b; Nu R 8 (148^d) und Nu R 8 (148^c). Vgl. *Bill.*, I,354–356; *J. Fichtner*,
ThWNT VI,313; *J. Scharbert*, B. Lex./Haag 1211; *C. A. Keller*, B. H. H. II,1275 – Über
den *ger ṣēdēq* vgl. *Bill.*, I,102ff.

[505] S Dt 15,2 § 112: 19,4f § 181; M^ckh Ex 21,35 (94^b); Vgl. *Bill.*, I,356c; ferner *K. Berger*,
Gesetzesauslegung 132f. Dieser Befund widerspricht der Meinung jener moderner
jüdischer Forscher, die, vor allem unter Hinweis auf den Spruch Hillels (Schab 31^a),
Aqibas und Ben Azzais in Lev 19,18, behaupten, daß die alte Synagoge schon in der
ntl. Zeit das Gebot der Nächstenliebe von der allgemeinen Menschenliebe verstan-
den habe. *Bill.*, I,354 d. e. setzt sich damit auseinander. Vgl. ferner *H. Hübner*, Das
Gesetz 104; *A. Nissen*, Gott 285 und die in der Anm. 855 angeführten Autoren; ebda.
S. 287ff + Anm. 861. Auch *M. Buber*, Glaubensweisen 701f tritt für die universalisti-
sche Deutung des *re'a* ein.
Auch die Behauptung, für das Judentum habe sich eine Universalität der Nächsten-
liebe aus der Universalität des Schöpfergottes und der Gottesebenbildlichkeit aller
Menschen ergeben, ist ohne jeden Anhalt am Text: vgl. Sohar I,26a; Mekh. Schir
9,120f zu Ex 15,16; Nu R 16,24; B. Baba M. 114b; B. Ker 6b; Ex R 40,1; b. Jeb. 22a;
Cant. R.1,3; Gen R 39,4. Dazu *J. Jervell*, Imago Dei 81–82.119; ferner vgl. *K. H.
Rengstorf*, ThWNT I,664f; *A. Nissen*, Gott 402–407.

[506] Vgl. *H. Greeven/J. Fichtner*, ThWNT VI,309f.310–313f; *U. Falkenroth*, Th. B. L. I,149;
W. Bauer, Wb 1334; *K. Berger*, Gesetzesauslegung 100ff mit vielen Belegen; *J.
Fichtner*, Gottes Weisheit 108–110.

[507] Von den 190 Vorkommen von *re'a* im AT übersetzt die LXX an 112 Stellen das
Wort mit ὁ πλησίον, 30mal mit φίλος, ebenso etwa 30mal in Umschreibungen mit
ἀλληλ-; 6mal mit ἕτερος; je 5mal mit ἑταῖρος, πολίτης; 3mal mit συνεταιρίς und nur
1- bis 2mal mit ἀδελφός. Im ganzen begegnet das Wort ὁ πλησίον in LXX etwa
225mal, davon mehr als 50mal in Schriften, die keine hebräische Grundlage in der
Masora haben. Von den übrigen 170 Stellen scheiden etwa 15 ohne hebräisches
Äquivalent aus, so daß nur noch 155 Vergleichsstellen bleiben. An 12 dieser Stellen

Obwohl *re'a* an sich eine weite Deutungsmöglichkeit hat und diese an vielen Stellen im AT tatsächlich auch belegt ist, gibt der Übersetzer mit der Wahl des Wortes ὁ πλησίον dem hebräischen Äquivalent eine Deutung, die eine Einschränkung auf den Genossen des Bundes nicht mehr zuläßt.[508] ὁ πλησίον bedeutet nun einfach: „jeder Mensch, der mir nahe ist, dem ich begegne, mit dem ich zu tun habe". Die damit gegebene Ausweitung des Begriffes *re'a* wird sicher mit dem Willen zur Weltmission zusammenhängen, der im Judentum dieser Zeit lebendig war.[509] Das dürfte besonders für das Judentum in der Diaspora zutreffen. Entsprechend den kosmopolitischen Anschauungen bzw. dem Humanitätsideal der hellenistischen Welt bezieht es das Wort nun auf „alle Menschen".[510]

wird πλησίον als Präposition mit Genitiv in räumlichem Sinne verwendet und von den übrigbleibenden substantivisch gebrauchten gut 140 Vorkommen, haben 112 *re'a* als Äquivalent und weitere 13 ein anderes Derivat von *re'a*. Der Rest der Stellen bietet Synonyma zu *re'a*; vgl. *J. Fichtner*, ThWNT VI,310.

[508] So mit *J. Fichtner*, Gottes Weisheit 108, dem *K. Berger*, Gesetzesauslegung 100–104 folgt. Dagegen *A. Nissen*, Gott 285 Anm. 851. Seine Kritik an Fichtner und Berger trifft m. E. die Sache nicht ganz. Es geht nicht darum, wie eng der Begriff *re'a* und wie weit ὁ πλησίον *an sich* sind, sondern darum, wie der griechische Leser die Übersetzung von *re'a* durch ὁ πλησίον verstehen konnte. Sicher sind beide Begriffe von Haus aus sehr weit gewesen. Aber, wie wir sahen, wurde die Bedeutung und die Anwendung von *re'a faktisch* schon im AT – ganz vom Rabbinentum zu schweigen – auf den Volksgenossen beschränkt.

[509] Hierzu *Bousset/Greßmann*, Religion 76ff; *H. Hegermann*, Das hellenistische Judentum, in: *J. Leipoldt/W.Grundmann*, Umwelt des Urchristentums I, bes. 309f.

[510] Vgl. Sir 24,8.23 und 24,19; ferner *Philo*, Vit. Mos. II,20, wo der Vorzug des jüdischen Gesetzes gepriesen wird. Gegen *A. Nissen*, Gott 285.289 Anm.869, der diese Auffassung entschieden bestreitet.
Zum Gebrauch von ὁ πλησίον bei *Josephus*, vgl. Bell. 5,295; 7,260; bei *Philo*, vgl. Spec Leg III,11; IV,21; Vit Mos I,137; Virt. 116. Während Philo in Virt. 82 (De Humanitate) seinen jüdisch-griechischen Lesern den dtn. Bruder-Begriff erklärt und in Spec Leg IV,197–201 einen ausführlichen Kommentar zu Lev 19,15ff gibt, erwähnt er mit keinem Wort das Liebesgebot in Lev 19,18. Zwar behandelt er das Gebot der Liebe zum Mitmenschen und widmet ihm den größten Teil seiner Schrift „περὶ ἀρετῶν". Diese „Liebe" aber wird nicht mit Worten des Stammes „ἀγαπ-" beschrieben, sondern an der Mehrzahl der Stellen als φιλανθρωπία bezeichnet. Vgl. *H. Hegermann*, Das hellenistische Judentum, in *J. Leipoldt/W. Grundmann*, Umwelt des Urchristentums I,332.
Die Testamente der XII Patriarchen verwenden den Begriff ὁ πλησίον sehr häufig, bes. die Testamente Issachar, Zabulon und Benjamin. Die Stellung zum Nächsten wird sowohl positiv (T. Zab 5,1: ποιεῖν ἔλεος ἐπὶ τὸν πλησίον; T. Ben 3,3: ἀγαπᾶν τὸν πλησίον; T. Rub 6,9; T. Ben 10,3; T. Jud 18,3; T. Zab 2,2; 5,3; 6,6; 8,3; 7,2; T. Iss 5,2; 7,6) als auch negativ (T. Lev 17,5: μισεῖν τὸν πλησίον; T. Benj 6,3: λυπεῖν τὸν πλησίον; vgl. T. Iss 4,2; 3,3; T. Gad 5,1) ausgedrückt. Gemäß der Gattung der Testamente sind ὁ πλησίον zunächst die Söhne eines Patriarchen untereinander. An einigen Stellen scheint eine allgemeine Formulierung vorzuliegen, so z. B. T. Zab 5,1; 6,7; 7,2; T. Benj 4,2; T. Iss 7,5. Vgl. den Wechsel der Begriffe: Nächster, Mensch, jeder Mensch, alle ... in diesen Texten.

Wird damit der Raum Israels wirklich gesprengt und kann man
von der universalen Nächstenliebe sprechen? Davor warnen Bousset-
Greßmann: „So deutlich sich die Tendenzen zum Universalismus
regen, so deutlich zeigt sich letztlich doch überall die nationale
partikularistische Beschränktheit, die neuen Formen vermögen die
alten Formen der Nationalreligion nicht zu sprengen . . . Das Judentum ist eine Religion der Gegensätze. Die in ihm vorliegende
Entwicklung bleibt auf halbem Weg stehen, die Tendenz kommt nicht
voll zur Erscheinung".[511] Das bedeutet: *„Die Propaganda hob das Judentum über den Partikularismus hinaus.* Aber dieser Partikularismus wird
freilich nirgends aufgehoben, sondern gleichsam nur suspendiert".[512]
Das gilt ebenso für das hellenistische Judentum, das das größte
Gewicht auf den Gegensatz zur Außenwelt und auf nationale Exklusivität legte.[513]

Außer Joh 4,5 kommt im NT „nur die substantivierte Form" von
πλησίον vor. Daß dieser Sprachgebrauch im engen sachlichen Zusammenhang mit dem AT steht, zeigt schon die Tatsache, „daß ὁ πλησίον
. . . 12mal im Anschluß an Lev 19,18, je einmal als Zitat von Sach 8,6
(Eph 4,25) und als Anspielung auf Ex 2,13 (Apg 7,27), dagegen nur
2mal (Rm 15,2; Jk 4,12) im freien Text"[514] begegnet. Dieser Befund
macht es deutlich, daß das Wort, das bei den Synoptikern nur in
dieser Geschichte — abgesehen von Mt 5,43 und 19,19 — belegt ist,
von Anfang an „seine feste Stelle in den Debatten um das *Gebot der
Nächstenliebe*"[515] hat. Ὁ πλησίον hat durchweg die Bedeutung: „der
Nächste". Wer aber gilt als der Nächste? Ist damit wie im AT und im
palästinischen Judentum nur der „Volksgenosse" und der *re'a* gemeint
oder wie in Qumran nur das „Gemeinde-Mitglied"? Oder hat der
Begriff, wie im hellenistischen Judentum, eine gewisse Ausweitung
erfahren?

---

[511] *Bousset/Greßmann,* Religion 85f; ebda. S. 3.

[512] *Bousset/Greßmann,* Religion 135; Text gesperrt.

[513] Vgl. *Bousset/Greßmann,* Religion 92; ferner *H. Hegermann,* Das hellenistische Judentum, in: *J. Leipoldt/W. Grundmann,* Umwelt des Urchristentums I, bes. 342–345.
Ebenso urteilt *E. Stauffer,* ThWNT I,40 (34f): „Auch das hellenistische Judentum
bleibt, bei allem Anpassungswillen in Äußerlichkeiten, auf dem Boden des altjüdi-
schen Liebesverständnisses".
Die philonische φιλανθρωπία, diese allgemeine Menschenliebe, die auch Tieren und
Pflanzen gilt, ja, den ganzen Kosmos umfaßt (vgl. bes. Virt 51ff. 109ff; ferner Plant.
90–92; Abr 137; Spec Leg 3,36; 2,79; 4,18.24; 2,141; Leg Gaj 73 u. a. m.), ist nicht
mit der Liebe im atl. Sinne oder sogar mit der universalen Nächstenliebe, wie sie
Jesus verkündet hat, gleichzusetzen. Hierzu sehr ausführlich *A. Nissen,* Gott
466–470.485–497; ferner *K. Berger,* Gesetzesauslegung 123–125; *U. Luck,* ThWNT
IX,107–111.

[514] *H. Greeven,* ThWNT VI,314 – Vgl. *Moulton/Geden,* Concordance 817.

[515] *H. Greeven,* ThWNT VI,314; Sperrung im Text.

Daß Jesus selbst alle Menschen als „Nächste" zu betrachten gelehrt, die universale Nächstenliebe gefordert und vorgelebt hat, gilt in der Forschung als sicher. So meint z. B. H. Montefiore: „In formulating for his own rule the command to love the *re'a*, Jesus intends completely to disengage the idea of ‚neighbour', from every relation of ‚proximity', whether of family, friendship or nationality ... The neighbour in christian language, is Man".[516] „It is probable (almost to the point of certainty) that Jesus had taught his disciples to show love to anyone in need".[517]

Wie im AT und im Judentum, so gründet auch im NT die Liebe zum Nächsten in der Liebe Gottes zur Welt und in der sich selbst für alle Menschen hingebenden Liebe Jesu Christi. Knapp formuliert es G. Eichholz: „Vor unserer Zuwendung zum Nächsten steht Gottes Zuwendung zu uns".[518]

Diesen „Nächsten" – darin sind sich Jesus und der Schriftgelehrte einig – soll man lieben ὡς σεαυτόν bzw. ὡς ἑαυτόν (V 31b. 33b). Der Ausdruck „ὡς σεαυτόν" ist die LXX-Wiedergabe der hebräischen Formel: *kāmokā*. Einige moderne jüdische Ausleger wollen sie so verstehen: „Er ist wie du". Sie fassen diese Wendung also als Begründung des Gebotes auf. D. Flusser z. B. schreibt: „Im Hebräischen kann die Wendung auch als ‚wie du selbst' verstanden werden, und dann würde das Gebot der Nächstenliebe lauten: Liebe deinen Nächsten, denn er ist wie du selbst".[519] In der stark verkürzenden Sprache der Mischna, bemerkt J. Fichtner, mag diese Übersetzung möglich sein; aber im biblischen Hebräisch ist sie nicht sehr wahrscheinlich.[520] Nissen pflichtet Fichtner bei und macht eine Reihe von

---

[516] H. *Montefiore*, Thou shalt love 159 unter Hinweis auf *C. Spicq*, Agapé dans le nouveau Testament, 1,183 – Sperrungen im Text –

[517] H. *Montefiore*, Thou shalt love 166; Sperrung im Text; ebda 165 faßt er zusammen: „In the synoptic gospels it is demanded that all men should show love to their neighbour and neighbour is defined in terms of any man in need; ..." Vgl. *H. Greeven*, ThWNT VI,315f; *U. Falkenroth*, Th. B. L. I,150; *E. Stauffer*, ThWNT I,46; *E. Fuchs*, „Du sollst deinen Nächsten lieben", bes. 16–19; *J. Ernst*, Einheit 9ff, hier 14; *R. Bultmann*, Jesus 82f; *ders.*, Nächstenliebe 231f; *J. Fichtner*, Gottes Weisheit, bes. 111–114; *J. Coppens*, La doctrine, bes. 296ff; *J. Jeremias*, Gleichnisse[8] 201–203; *ders.*, Ntl. Theologie I,206; *H.-D. Wendland*, Ethik, bes. 15f; *F. Mußner*, Der Begriff des „Nächsten", bes. 128f; *W. Günther*, Th. B. L. I,146–150; *D. Flusser*, Jesus 68–72; *S. Ben-Chorin*, Bruder Jesus 64f. 82ff; *H. Braun*, Jesus 90ff; *ders.*, Radikalismus II,91 + Anm. 2; *ders.*, Qumran und das NT II,295; *H. Schlier*, Galaterbrief 245; *F. Mußner*, Galaterbrief 371.

[518] G. *Eichholz*, J. C. und der Nächste 22, zitiert bei *J. Fichtner*, Gottes Weisheit 112.

[519] D. *Flusser*, Jesus 68; ferner *M. Buber*, Glaubensweisen 701: „Aber das ‚wie dich selbst' ist nur eine der drei Fehlwiedergaben, die in der Septuaginta ...; es bedeutet: dir gleich." Vgl. die bei *J. Fichtner*, Gottes Weisheit 104 + Anm. 96 und *A. Nissen*, Gott 283 Anm. 841 angeführten Autoren.

[520] J. *Fichtner*, Gottes Weisheit 104.

Beobachtungen, die die genannte Übersetzung als unhaltbar erscheinen lassen. Die Wiedergabe „er ist wie du" scheitert:

1. „an der Grammatik – es steht nicht *kmdk hd'* da –;
2. an der Übertragung dieser Wendung auf Lev 19,34, wo die Begründung der Liebe zum *ger* nicht dessen – in Israel nie behauptete – Gleichheit mit dem Israeliten ist, sondern Israels ehemaliges Fremdlingsdasein, das Israel fähig macht, mit dem *ger* mitzufühlen;
3. an einem Satz wie Dt 5,14, der vorschreibt, die Familie, das Gesinde und das Vieh (!) solle am Sabbat ruhen *kmdk*;
4. und an der Übersetzung der LXX (ὡς σεαυτόν) und dem Verständnis des gesamten späteren Judentums von Philo (Virt 102–104) über die vorrabbinischen Schriften (vgl. Sir 7,21; 34,15; T. Sim 4,6; T. Benj 4,3; CD 6,20f) bis ins Rabbinentum . . ."[521]

Man wird also an der Wiedergabe der LXX, die auch im NT übernommen wird, festzuhalten haben.

Worum geht es nun bei diesem „ὡς σεαυτόν"? O. Michel meint: „Dieser Vergleich wollte kein Recht zur Selbstliebe anerkennen, wohl aber auf die Wirklichkeit des Lebens und die Macht der Selbstbehauptung hinweisen".[522] Was diese Wendung bedeutet, hat S. Kierkegaard sehr eindringlich gesagt: „Soll man den Nächsten lieben ,wie sich selbst', so dreht das Gebot wie mit einem Dietrich das Schloß der Selbstliebe auf und entreißt sie dem Menschen. Wäre das Gebot der Nächstenliebe anders ausgedrückt als durch das Wörtlein ,w i e d i c h s e l b s t', das so leicht zu handhaben ist und doch die Spannkraft der Ewigkeit hat, so könnte das Gebot die Selbstliebe nicht so bemeistern. Dies ,w i e d i c h s e l b s t' läßt sich nicht drehen noch deuten; mit der Schärfe der Ewigkeit richtend, dringt es in den innersten Schlupfwinkel ein, wo ein Mensch sich selbst liebt; es läßt der Selbstliebe nicht die leiseste Entschuldigung übrig, nicht die mindeste Ausflucht offen. Wie wunderbar! Man könnte ja lange und scharfsinnige Reden darüber halten, wie ein Mensch seinen Nächsten lieben solle, und immer würde die Selbstliebe noch Entschuldigungen und Ausflüchte vorzubringen wissen, weil die Sache doch nicht ganz erschöpft, ein Fall übergangen, ein Punkt nicht genau oder bindend genug ausgedrückt und beschrieben wäre. Aber dieses ,w i e d i c h s e l b s t' – ja kein Ringer kann seinen Gegner so fest, so unentrinnbar umklammern, wie dies Gebot die Selbstliebe umklammert".[523] Es

---

[521] *A. Nissen*, Gott 283 Anm. 841.

[522] *O. Michel*, Das Gebot der Nächstenliebe, S. 70; vgl. 63. Ebenso *J. Fichtner*, Gottes Weisheit 104; *R. Bultmann*, Jesus 81f; *ders.*, Nächstenliebe 238f; *G. Bornkamm*, Jesus 100; *E. Fuchs*, „Du sollst deinen Nächsten lieben", bes. 6–9; *A. Nissen*, Gott 283f.

[523] *S. Kierkegaard*, Leben und Walten der Liebe, S. 19f – (Übersetzung von Chr. Schrempf) – Sperrung im Text.

geht also weder um die Begründung der Nächstenliebe noch um das
Recht zur Selbstliebe, sondern um die Angabe des Maßes der Liebe,
die man dem anderen entgegenbringen soll.

3. Beziehung zwischen Gottes- und Nächstenliebe (V 31 c)

Das von Jesus zitierte zweite Gebot, den Nächsten zu lieben, ist bei
Mk nicht wie bei Mt dem ersten gleichgeschaltet (V 39a): δευτέρα
ὁμοία αὐτῇ, noch werden wie bei Lk beide Gebote durch ein einfaches
καὶ miteinander verbunden. Mt und Lk erwecken den Eindruck, als
seien Gottes- und Nächstenliebe ein und dasselbe, wie Anderson
richtig beobachtet: „from the way Mt and Lk run together the two
commandments, there may just be the danger of our assuming that
love to God and love to the neighbour are one and the same thing, in
which case the divide between God and man would be violated and
his insurpassable majesty lost." Anders bei Mk. Zwar faßt Jesus V 31c
erstes und zweites Gebot, bzw. Gottes- und Nächstenliebe zu einer
untrennbaren Einheit zusammen und räumt ihnen uneingeschränkt
den Vorrang vor allen anderen Geboten ein. Aber es gibt eben eine
„Hierarchie", und den Primat hat zweifellos die Liebe zu Gott. „The
way things arc stated in Mk this danger is effectively overcome, for
the absolute priority of love for God is established. The two
commandments are directly interrelated but not identical, for recog-
nition of the sovereignty of God and the loving devotion that is his
due is first, and the sole ground and sole dynamic of love to the
neighbour".[524] Das hat auch W. Schrage vor kurzem mit aller Klarheit
gesagt: „Gottes Liebe zu entsprechen heißt also gerade nicht, sie
ersetzen zu wollen. Gott ist für Jesus nicht zu ersetzen, weder als
Subjekt noch als Objekt der Liebe, also weder durch die uns im
Nächsten geschenkte noch durch die uns vom Nächsten abverlangte
Liebe, weder so, daß Gott durch unsere Liebe gar nicht mehr direkt,
sondern nur noch über den Menschen erreichbar wird, noch auch
umgekehrt, daß seine Liebe uns nur noch durch die Liebe von
Menschen begegnet."[525] Zu unserer Perikope bemerkt er: „Auch für
Mk 12,28–34 darf man gerade nicht voraussetzen, daß die δευτέρα
ἐντολή der Nächstenliebe und die πρώτη ἐντολή der Gottesliebe
identisch seien ... Am Primat und Eigenrecht des ersten Gebotes
kann hier ... kein Zweifel sein."[526]

---

[524] *H. Anderson,* Mk 281 (beide Zitate).
[525] *W. Schrage,* Theologie 143; ebenso *G. Bornkamm,* Jesus [10]97.
[526] *W. Schrage,* Theologie 146. Anders freilich *H. Braun,* Jesus 114–122, näherhin 116ff;
ders., Problematik 405–424, bes. 423f. Zu unserer Stelle meint Braun, Jesus 117: „Das

C. Die Reaktion des Gesetzeslehrers (V 32f)

1. Jesus, der wahre Lehrer (V 32–33a.b)

Die Antwort Jesu ruft Bewunderung beim Schriftgelehrten hervor. Er kann Jesus nur zustimmen. Dabei bezeichnet er ihn ausdrücklich als διδάσκαλος.[527]

Das griechische Wort gibt das hebräische *rabij* oder *rabŭnij* wieder. Letzteres kommt im NT nur in den Evangelien vor.[528] Der Begriff „Rabbi", der von *rab* = groß, abgeleitet wird, ist zunächst die respektvolle Anrede eines Höhergestellten. Er entspricht im Griechischen dem Terminus κύριος und bedeutet: mein Großer, mein Herr (2 Kge 25,8; Jer 39,13.3).[529] Sodann bezeichnet *rabij* den Lehrer. Es war üblich, daß der Schüler seinen Lehrer „Rabbi" nannte.[530] So wurden auch die Schriftgelehrten im allgemeinen genannt und man sprach vor anderen von einem Lehrer als *rabij*. Allmählich wurde das Wort „zur ausschließlichen Bezeichnung derer, die ihr Studium ordnungsgemäß beendet und die Ordination zum Gesetzeslehrer erhalten hatten".[531] Gegen Ende des 1. Jhs. n. Chr. wird *rabij* als Titel der palästinischen Gesetzeslehrer geläufig, wobei das Personalsuffix seine ursprüngliche Bedeutung verlor.[532] Während in Babylonien der Titel *rab* gebraucht wurde, verwendeten die Qumranleute das hebräische Äquivalent zu διδάσκαλος, nämlich *moreh*; allerdings nicht ohne nähere Bestimmung (1Qp Hab 1,13; 2,2; 5,10 u. ö.; CD 1,11; 20,32...) oder *maskil* = Unterweiser (1 QS 3,13; CD 12,21 u. ö.). Wahrscheinlich bezeichnen diese Titel den Begründer der Sekte, der das wahre Verständnis der Thora lehrt.[533]

Der griechische διδάσκαλος dagegen meint zunächst den „Lehrmeister", sodann den „Schullehrer", dem die Jugend zum Elementarunterricht anvertraut wird, bei dem sie „Schreiben und Lesen

---

in Mark 12,28–34 Par. verkündigte Nebeneinander der beiden Hauptgebote, der Gottesliebe und der Nächstenliebe, ist also nur ein scheinbares N e b e n e i n a n d e r. Vergleicht man die Materialfülle der S. 46–82 mit ihrer Konzentration auf die Nächstenliebe (S. 83ff), welch anderes Verständnis der Gottesliebe, die ausdrücklich e i n Mal erwähnt wird, bleibt dann übrig als die Erklärung: Jesus und die Jesustradition legen die Liebe zu Gott aus als die Liebe zum Nächsten?" Richtig *R. Bultmann*, Jesus 80f; *ders.*, Nächstenliebe, bes. 243; *J. Ernst*, Einheit 8; *E. Fuchs*, „Du sollst deinen Nächsten lieben" 16; *J. Coppens*, La doctrine 298f...

[527] Vgl. schon Mk 12,13–17 und 12,18–27.
[528] Vgl. *E. Lohse*, ThWNT VI,962–966; *E. Schürer/G. Vermès*, History II,325ff.
[529] Vgl. ferner: T. Sanh 4,4, wo der Fürst vom Volk; Pes 8,2, der Herr von seinem Sklaven; b AZ 17b, der Handwerksmeister von seinen Gesellen... „Rabbi" genannt werden.
[530] Vgl. Ab. 1,6.16; in der Mischna, z. B. RH 2,9; Ned 9,5; BQ 8,6 u. ö.; vgl. Ber 2,5–7; Ab RN 14. Dazu *Bill.,* I,916f.971; *E. Lohse*, ThWNT VI, 963.
[531] *E. Lohse*, ThWNT VI,963.
[532] *Bill.,* I,916f; *E. Schürer/G. Vermès*, History II,326.
[533] Vgl. *G. Jeremias*, Der Lehrer der Gerechtigkeit 109; 168–267; 319–353.

lernt".[534] Der Sprachgebrauch neigt hier von Anfang an zum Technischen. Der διδάσκαλος ist „nicht der Lehrer schlechthin, sondern ein Mann, der ganz bestimmte Fertigkeiten wie Lesen, Fechten, Musik lehrt und die dazu vorhandenen Anlagen ausbildet".[535]

Das technische und rationale Moment des Begriffes διδάσκαλος bei den Griechen erklärt die Tatsache, daß die LXX an die Stelle des Nomen fast durchweg das Partizip διδάσκων setzt. Nur zweimal begegnet das Substantiv, und zwar Est 6,1, wo es durchaus im üblichen griechischen Sprachgebrauch verwendet wird, und 2 Makk 1,10. An dieser letzten Stelle entspricht der Gebrauch von διδάσκαλος eher der jüdischen Verwendung von διδάσκειν im Sinne von *limed*. Lehrer ist hier „der Mann, der den Weg Gottes nach seinem Gesetz zu weisen hatte".[536]

Im Unterschied zu LXX begegnet im NT das Substantiv διδάσκαλος ziemlich häufig. Es kommt 59mal vor, davon 48mal in den Evangelien. Hier nun wird es 41mal von Jesus ausgesagt, darunter 29mal in der direkten Anrede „διδάσκαλε", das neben κύριε die am meisten gebrauchte Anrede Jesu ist.[537] Schon die Analyse der Stellen, die nicht von Jesus handeln, zeigt, daß im NT wie in der LXX διδάσκαλος als der verstanden wird, „ w e l c h e r   a u s   d e r   T o r a   G o t t e s   W e g   w e i s t ".[538]

Als einen solchen διδάσκαλος erkennt auch der Schriftgelehrte von Mk 12,28–34 Jesus an. Damit wird einer der maßgeblichsten Eindrükke wiedergegeben, die die Evangelien vom historischen Jesus vermitteln: Er war ein Lehrer mit großer Vollmacht (Mk 1,22.27; 9,5; 10,51; 11,21; 14,45 par.). Er lehrte auf Straßen und Plätzen; am Meer und vom Boot aus, wie auch in der Synagoge.[539] So schildert ihn R.

---

[534] *K. H. Rengstorf*, ThWNT II,151 mit vielen Belegen. In der voralexandrinischen Zeit bezeichnet das Wort auch den „Chorlehrer", der eine chorische Dichtung für eine öffentliche Aufführung einübt und für die Korrektheit der Aufführung verantwortlich ist; selten aber den „Dichter" selbst.

[535] *K. H. Rengstorf*, ThWNT II,152. Diesem Sprachgebrauch folgt auch Philo: Rer Div Her 102; Sacr A.C. 65; Congr. 114; Vit Mos I,21; Migr Abr 116; Agr 66; Gig 54; Spec Leg I,59 ... Der διδάσκαλος hat bei Philo keine Beziehung zur Ethik und zum sittlichen Handeln. Er wird als Vermittler von Wissen, nicht aber als Bringer ethischer Forderung verstanden. Vgl. *K. Wegenast*, ThBL II,857. Josephus verwendet das Wort zur Bezeichnung des Elementarlehrers (Ant 15,373), aber auch dessen, der die Tora studiert, andere zum Studium anleitet und die Regeln für die Lebensführung aus ihr entnimmt (Vit. 274; Ant 18,16). Vgl. *K. H. Rengstorf*, ThWNT II,157f.

[536] *K. H. Rengstorf*, ThWNT II,154.

[537] An den 7 übrigen Stellen in den Evangelien wird mit διδάσκαλος nicht Jesus, sondern Johannes der Täufer (Lk 3,12), Nikodemus (Joh 3,10) oder Schriftgelehrte im Tempel (Lk 2,46) bezeichnet. *H. Bachmann/W. A. Slaby*, Computer-Konkordanz, Sp. 301f; *K. H. Rengstorf*, ThWNT II,154; ferner *K. Wegenast*, Th. B. L. II,857.

[538] *K. H. Rengstorf*, ThWNT II,155 – Sperrung im Text.

[539] Vgl. *K. H. Schelkle*, Jesus – Lehrer und Prophet, 300–308; *R. Bultmann*, Jesus 43–46; *S. Ben-Chorin*, Bruder Jesus 44–67; *J. Ernst*, Christologie 51–53; *G. Bornkamm*, Jesus

Bultmann: „Aber das ist nun deutlich, . . . daß Jesus in der Tat als
jüdischer Rabbi gewirkt hat. Wie ein solcher tritt er als Lehrer in den
Synagogen auf. Wie ein solcher sammelt er einen Kreis von Schülern
um sich. Wie ein solcher disputiert er über Fragen des Gesetzes mit
Schülern und Gegnern oder mit wißbegierigen Leuten, die sich an
ihn, den berühmten Rabbi, wenden. Er disputiert in den gleichen
Formen wie jüdische Rabbinen, bedient sich der gleichen Argumentationsweise, der gleichen Form der Rede; wie jene prägt er Sprüche
und lehrt in Gleichnissen. Dabei zeigt Jesu Lehre auch im Inhalt viel
Verwandtschaft mit der der Rabbinen".[540]

Doch bei aller Verwandtschaft dürfen die Unterschiede nicht
übersehen oder bagatellisiert werden. Selbst die „unwissende" Volksmenge ahnte etwas davon: „denn er lehrte sie wie einer, der Macht
hat, und nicht wie die Schriftgelehrten" (Mk 1,22 parr Mt 7,28f; vgl.
Lk 4,32). Jesus beruft sich nie, wie es die Schriftgelehrten gerne taten,
auf andere Lehrer oder Traditionsreihen. Er verkündet aus eigener
Macht (Mt 5,21–48). Niemals erscheint er, wie die Rabbinen, im
Disput oder im gemeinsamen Suchen der Lehre mit seinen Jüngern,
sondern er lehrt mit unbestrittener Autorität. Aber nicht nur seine
Botschaft und seine Art zu lehren unterscheiden Jesus von den
Rabbinen. Befremdend ist auch seine Gefolgschaft. Unter seinen
Jüngern befinden sich auch die, „die sonst ein zünftiger Rabbi sich
tunlichst vom Leibe hält: Frauen und Kinder, Zöllner und Sünder".[541]
Deshalb gilt die Behauptung, daß Jüngerwerden und Jüngersein nicht
auf dem freien Entschluß einzelner Menschen, sondern allein auf Jesu
souveräner Entscheidung beruht, nur bedingt und zwar für den
engeren Kreis der Zwölf (Mk, 1,16ff; 2,14; 3,13; Lk 5,1ff par.)[542]
Nirgends wird auch nur angedeutet, daß Jesus seine Jünger „nach Art
jüdischer Lehrer in einen besonderen Gesetzesunterricht nimmt und
sie zu Vertretern einer innerjüdischen Schulrichtung macht".[543]
Schließlich sei noch betont, daß im Gegensatz zu den Rabbinen, die
Jüngerschaft bei Jesus kein Durchgangsstadium ist. Der Jünger Jesu
bleibt immer Jünger (Mt 10,24f; Lk 6,40). Er strebt nicht danach,

---

85ff; 127ff; 51f; *E. Schweizer,* Anmerkungen zur Theologie des Mk., 95ff; *C. H. Dodd,*
Der Mann, Kap. IV,S. 63ff; *F. Normann,* Christos Didaskalos 1–17; *H. Riesenfeld,*
Tradition, bes. 161f; *E. Fascher,* Jesus der Lehrer 134–174; *A. Oepke,* ThWNT II,619f;
K. H. Rengstorf, ThWNT IV,392–465; *Ders.,* ThWNT II,150–163; *K. Wegenast,* Th. B.
L. II,857f.
[540] *R. Bultmann,* Jesus 43f; S. 44 stellt Bultmann einige Sprüche Jesu und Aussagen der
Rabbinen nebeneinander. Ebenso *G. Bornkamm,* Jesus 86f; *S. Ben-Chorin,* Bruder
Jesus 55ff.
[541] *G. Bornkamm,* Jesus 51; vgl. *E. Fascher,* Jesus der Lehrer 150.154.
[542] Mit *E. Fascher,* Jesus der Lehrer 150; *K. H. Rengstorf,* ThWNT IV,448.
[543] *G. Bornkamm,* Jesus 127; vgl. *E. Fascher,* Jesus der Lehrer 152.154f.

„Rabbi" zu werden (Mt 23,8)[544]. Ohne Bultmanns übertriebene Skepsis zu teilen, wird man ihm doch hier zustimmen dürfen, wenn er schreibt: „Alles das macht das Bild seines (Jesu) Auftretens komplizierter, man darf wohl sagen: reicher ... Aber das kann nicht zweifelhaft sein, daß die Züge eines Rabbi im Auftreten und in der Lehrweise Jesu deutlich hervortreten ..."[545]

2. Opfer und Liebe (V 33c)

Doch gibt sich der Partner Jesu nicht damit zufrieden, ihm zuzustimmen. Er geht von sich aus zur Kritik über: Das Gebot der Liebe sei" περισσότερόν ... πάντων τῶν ὁλοκαυτωμάτων καὶ θυσιῶν (V 33c). Die ὁλοκαυτώματα = 'olāh (Lev 1,1–17) und θυσίαι = zēbaḥ (= Lev 3,1–17), d. h. die Brand- und Schlachtopfer, bzw. Ganz- und Mahl- oder Gemeinschaftsopfer stellen zwei der vielen Opferarten dar (Lev 1–7), die neben dem Speise- (minḥāh), dem Sünd- (ḥaṭā't) und dem Schuldopfer ('ašam) die Hauptformen des Opferwesens bildeten.[546] Seit Bengel bezeichnet man das Brandopfer (= 'olāh) als „nobilissima species sacrificiorum".[547] Bei diesem Opfer, das täglich zweimal, am Morgen und am Abend,[548] vom Hohenpriester oder von dienstleistenden Priestern dargebracht wurde,[549] wird das Opfertier

---

[544] Vgl. auch K. H. Rengstorf, ThWNT IV,447–453; E. Lohse, ThWNT VI,965; E. Käsemann, Das Problem, in: ders., Exeg. Versuche I + II, bes. 206–210; G. Bornkamm, Jesus 127; E. Fascher, Jesus der Lehrer 143f.146ff.

[545] R. Bultmann, Jesus 46; G. Bornkamm, Jesus 85: „Sein Wirken als Lehrer steht in jedem Fall außer Frage". Nach b. Sanh 43a Bar; b. AZ 16b.17a Bar weiß auch die jüdische Tradition von Jesu talmīdijm zu berichten. Vgl. Bill. II,417; K. H. Rengstorf, ThWNT II,156 Anm. 38; Ders., ThWNT IV,445.

[546] Vgl. W. Zimmerli, Atl. Theologie 112.131; G. von Rad, Theologie I,263–275; L. Rost, BHH II,1345–1350; R. Mayer, BHH II,1350f; Bousset/Greßmann, Religion 97–102.127f; P. van Imschoot, B. Lex./Haag 1264–1267; W. Eichrodt, Theologie I, bes. 83–105; E. Schürer/G. Vermès, History II,292–308. Gewöhnlich werden die vielen Opferarten in zwei Kategorien eingeteilt: in private und in öffentliche Opfer.

[547] Zitat bei E. Lohmeyer, Mk 259 Anm. 4; vgl. V. Taylor, Mk 489. L. Rost, BHH II,1345, redet ebenfalls davon „als wichtigste Art des Opfers"; E. Schürer/G. Vermès, History II,296.300.

[548] Während Ez 46,13–15 nur von einem Brandopfer am Morgen spricht, muß nach Ex 29,38–42; Num 28,3–8 und 2 Chr 31,3 ein Brandopfer am Morgen und ein weiteres am Abend dargebracht werden. So auch Josephus, Ant 3,10,7 (257). Vgl. E. Schürer/ G. Vermès, History II,299f; Bill., III,696f.

[549] Nach Lev 6,12–16 hatte der Hohepriester das Recht, jede Opferhandlung selbst zu vollziehen. Vgl. auch Joma 1,2. So sagt Philo, Spec Leg III,23 (131) ganz allgemein, daß der Hohepriester täglich opfert: εὐχὰς δὲ καὶ θυσίας τελῶν καθ'ἑκάστην ἡμέραν ... Doch dürfte es ihm nicht unbekannt gewesen sein, daß der Hohepriester nur selten selbst den Dienst versah. Josephus, Bell V, 5,7 (230) berichtet, daß der Hohepriester gewöhnlich nur an den Sabbat- und Festtagen selbst opferte. Vgl. E. Schürer/G. Vermès, History II,276 + Anm. 4 und 301f; Bill., III,696–700, hier 698 – Aber auch wenn Priester den Hohenpriester vertraten, konnte es allgemein heißen, daß er das Opfer selbst dargebracht hatte, weil es in seinem Namen geschah und es seine Pflicht war. Vgl. O. Michel, Hebräerbrief 282.

als Geschenk an Gott vollständig verbrannt. Zugelassen wurden nur reine, makellose, männliche, mindestens sieben Tage alte Tiere wie Schafe, Ziegen und an Festtagen auch Rinder.[550] Nach Lev 1,4 werden Brandopfern ausdrücklich sühnende Kraft zugeschrieben: „Dann lege er seine Hand auf den Kopf des Brandopfers, damit es ihm wohlgefällig aufgenommen werde und für ihn Sühne bewirke" (vgl. Lev 16,24; Hi 1,5; 42,8). Die Rabbinen sind der Meinung, daß Brandopfer zur Sühnung der Gedankensünden dienen. So p. Joma 8,45[b],51: „Das Brandopfer schafft Sühnung für böse Gedanken des Herzens"; oder Lv R 7 (110[a],21): „. . . immer wird ein Brandopfer *'olāh* nur wegen sündiger Gedanken des Herzens dargebracht."[551]

Schlacht- oder Mahl- bzw. Gemeinschaftsopfer (*zēbaḥ*) sind im Unterschied zum Brandopfer das Opfer der sakralen Kommunion mit Gott, also ein heiliges Mahl. Der Eintritt der Gottheit in die sakrale Gemeinschaft findet darin seinen Ausdruck, daß das Opferblut an den Altar gesprengt und die Fettstücke auf demselben verbrannt werden (2 Kge 16,13; Lev 3).[552] Die übrigen Teile werden sodann von den Gläubigen verzehrt. Das Opferritual in Lev 3 regelt genau, welche Tiere zugelassen werden können und welche Bestandteile für Jahwe zu verbrennen sind, während 1 Sam 1 anschaulich zeigt, wie sich die Familie des Opferers zur Mahlgemeinschaft zusammensetzt und vor Jahwe Mahl hält. Das Gemeinschaftsopfer ist im übrigen ein bei den Semiten und auch sonst sehr verbreiteter Opfertyp.[553]

Von diesen Opfern nun sagt der Schriftgelehrte, daß sie an Wert mit dem Doppelgebot der Liebe nicht zu vergleichen sind. Damit verwirft er nicht grundsätzlich jedes Opferwesen.[554] Aber geht er über das Judentum hinaus? Gewöhnlich beruft man sich auf Ab 1,2, wo die Liebe neben dem Gesetz und dem Opferdienst zu den drei Dingen gezählt wird, auf denen die Welt steht, um diese Frage zu bejahen. Diese Stelle aber sagt nur: „Nicht ‚mehr', sondern gleich ist die Liebe dem Opfer und dem Gesetz."[555] Für jüdisches Verständnis mag die Anschauung des Partners Jesu in der Tat sehr befremdlich erscheinen, wie folgende Aussagen bezeugen. AB RN 4 wird erzählt: „Einmal war Rabban Jochanan b. Zakkai aus Jerusalem gegangen und R.

---

[550] Lev 1,1ff; ferner Lev 22,18–27.28f; vgl. Lev 6,1–6.

[551] Vgl. *Bill.,* III,699c + Belege – Auch Speiseopfer im allgemeinen – nicht nur die nach Lev 5,11ff – haben Sühnkraft; *Bill.,* III,697 und 699d.

[552] *W. Eichrodt,* Theologie I,94; *G. von Rad,* Theologie I,270f; *W. Zimmerli,* Atl. Theologie 131; *E. Schürer/G. Vermès,* History II,295. *Bill.,* III,697 macht darauf aufmerksam, daß ϑυσία nicht bloß das blutige Opfer, sondern auch das unblutige Minchaopfer bezeichnen kann.

[553] *G. Mensching,* Die Religion, bes. 250–253 und Register s. v. „Opfer"; *F. Heiler,* Die Religionen 29. 433 und Reg. s. v. „Opfer".

[554] Gegen *K. Berger,* Gesetzesauslegung 197f – Richtig z. B. *V. Taylor,* Mk 489.

[555] *E. Lohmeyer,* Mk 259; ähnlich *V. Taylor,* Mk 489; *J. Schmid,* Mk[5] 231; *Ders.,* Lk[4] 190.

Jᵉhoschia ging hinter ihm. Er sah das Heiligtum zerstört, den Ort, an dem man die Sünden Israels sühnte. Er sprach zu ihm: . . . Wir haben eine Sühne, die jener g l e i c h k o m m t . Und welche ist das? Die Vollbringung von Liebeswerken, wie es heißt: An Liebe habe ich Wohlgefallen und nicht am Schlachtopfer Hos 6,6." Oder das Wort R. Eleazars b. Schimeon in Midr. Spr. 21,3 (45ᵃ): „Wer Wohltätigkeit übt und Recht, dem rechnet es die Schrift so an, als brächte er Brand- und Schlachtopfer dar."[556] Doch an kritischen Stimmen gegen den Opferkult fehlt es auch bei den Rabbinen nicht.[557] So legt Ab RN 4 den oben zitierten Ausspruch von R. Schimeon dem Gerechten in Aboth 1,2 folgendermaßen aus: „Auf den Liebeserweisungen inwiefern? Siehe, es heißt: An Liebe habe ich Wohlgefallen und nicht am Schlachtopfer (Hos 6,6). Die Welt ist von Anfang an nur durch Liebe erschaffen worden: ‚Ich sage: Liebe baut die Welt auf' (Ps 89,3)." Hier wird der Akzent eindeutig auf die Liebe gesetzt; Tora und Opferdienst werden nicht mehr erwähnt. Ferner wird Dt R 5 (201ᵈ) gesagt: „Daß man Wohltätigkeit und Gerechtigkeit übe, ist Jahwe lieber als ‚Opfer' (Spr 21,3). Es heißt nicht ‚ebenso lieb wie Opfer', sondern ‚lieber als Opfer'. Inwiefern? Opfer pflegten nur dargebracht zu werden, solange der Tempel stand; aber Wohltätigkeit und Recht sind in Übung, solange der Tempel bestand und zur Zeit, da er nicht besteht". Nach b. Sukka 49ᵇ schließlich habe R. Eleazar gesagt: „Wer Wohltätigkeit übt, ist größer als alle Opfer."[558]

Diese Kritik am Tempelkult mag späteren Datums sein. Sie ist jedoch nicht neu. In scharfer Form begegnet sie vor allem bei den Propheten des alten Bundes. So stehen der Schriftgelehrte in Mk 12,33 und die eben angeführten rabbinischen Stimmen nicht isoliert da. Sie setzen fort und zitieren manchmal ausdrücklich die Propheten. Die Stellen sind bekannt.[559] Daß hier die Kritik nicht „aus grundsätzlicher Gegnerschaft gegen den Kultus" geschieht, sondern, „weil in praxi der ursprüngliche Sinn des Opferkults preisgegeben, dingliche

---

[556] *Bill.,* I,500; *Bill.,* IV¹,555 – Sperrung von mir.

[557] *J. Behm,* ThWNT III,186f bemerkt in diesem Zusammenhang, daß dem Judentum bei streng geübter Opferpraxis doch eine klare, einheitliche Opferidee fehle. Den Standpunkt strenger kultischer Gesetzlichkeit vertreten z. B. Jub 50,1ff; Sib III,574–579, wo die Endzeit als die Zeit herrlicher Vollendung des jetzt gestörten (III,570) jüdischen Opferdienstes gepriesen wird. Ferner 1 Makk 1,45; 2,68; 2 Makk mit seiner Verherrlichung von Tempel und Opferdienst (1,19ff; 3,1ff; bes. 32ff u. ö.). Aber es wird auch Kritik laut, die jeden Tempelkultus, namentlich die blutigen Tieropfer, verwirft: so z. B. Sib IV,27–30 (vgl. II,377–409); slav. Hen 45,3f; Sir 35,1 (vgl. V, 2ff); Tob 4,10f – Doch nicht die „Liebe" ist die Alternative zum kultischen Opfer, sondern das „Gebet, die Gottesfurcht, die Gesetzeserfüllung oder das Torastudium" – Vgl *J Schmid,* Mk⁵, 231.

[558] *Bill.,* I,500; IV¹,541.

[559] Es genüge, einige hier zusammenzutragen: 1 Sam 15,22; Hos 6,6; Am 4,4; 5,4.21ff; Is 1,10ff; Mich 6,6–8; Jer 6,20; 7,1ff; 11,5; Ps 51 (50); Spr 21,3.

menschliche Leistung an die Stelle g e i s t i g - p e r s ö n l i c h e r
B e g e g n u n g mit dem Gott des Heils gesetzt worden ist",[560] unter-
liegt keinem Zweifel. Das bezeugt eindeutig die Gemeinde von
Qumran.[561] Die Fülle der vorhandenen rituellen Terminologie, die
Bezeichnung der Sekte als „Reinheit" = tāhārā, die bedeutsame Rolle
der Priester und Leviten in der Sekte sowie die Bedeutung des
Tempels und seiner Opfer[562] machen deutlich, daß der Bruch mit dem
offiziellen Jerusalemer Tempelkult nicht wegen grundsätzlicher Ver-
werfung des Kultes erfolgte, sondern auf Grund von Gesetzes- und
Kalenderstreitigkeiten. Die Sekte protestierte gegen die gegenwärtige
Jerusalemer Praxis, die den Tempel profaniert und das Priestertum
verweltlicht hatte. Die Jerusalemer Priesterschaft wird als gottlos und
illegal verpönt; sie ist eine hurende (CD 4,20ff), Reichtum häufende[563]
und den Tempel verunreinigende[564] Priesterschaft.[565] Die Qumranleute sind davon überzeugt, daß Israel bis jetzt in die Irre gegangen sei.[566]
Daher galt es, durch eine rigorose Gesetzesbefolgung einen neuen
geistigen Tempeldienst zu schaffen bzw. den wahren, gottgefälligen
Tempeldienst der Endzeit zu verwirklichen. 1 QS 9,4f heißt: „um zu
entsühnen die Schuld der Übertretung und die Tat der Sünde, zum
(göttlichen) Wohlgefallen am Lande mehr als Fleisch von Brandopfern
und Fett von Schlachtopfern: das Hebopfer der Lippen nach der
Vorschrift ist wie Opferduft der Gerechtigkeit und vollkommener
Wandel wie ein wohlgefälliges Opfer" (vgl. CD 11,21). In der eschatologischen Zeit aber wird man im neuen Tempel wieder opfern. 1 QM
2,5–6 lautet: „Diese sollen sich einstellen zu den Brandopfern und zu
den Schlachtopfern, um wohlriechendes Räucherwerk zu bereiten
zum Wohlgefallen Gottes, um zu entsühnen für seine ganze Gemeinde und sich vor ihm beständig zu erquicken am Tisch der Herrlichkeit . . . "[567]

Im Judentum der Diaspora scheint die Kritik am Tempelkult
durchaus üblich gewesen zu sein. Man neigte dazu, die Erfüllung der

---

[560] *J. Behm*, ThWNT III,183 – Sperrung im Text.

[561] Hierzu vgl. *H. Braun*, Radikalismus I,16–24.34f; II,63–73; *Bousset/Greßmann*, Religion, bes. 461f; *E. Schürer/G. Vermès*, History II,579ff.582; *M. Delcor*, Contribution 537f; *M. Limbeck*, Ordnung des Heils 120ff.

[562] Vgl. *H. Braun*, Radikalismus I,34; vgl. S. 29 Anm. 5; *E. Schürer/G. Vermès*, History II 575f. Wie bedeutungsvoll der Tempel für Qumran war, wird vielleicht die neu gefundene Tempelrolle noch zeigen. Vgl. das Referat von *Y. Yadin*, Le rouleau du Temple, in: *M. Delcor*, Qumran 115–119.

[563] CD 4,17; 1 QpH 9,4 vgl. 8,9ff; 12,10.

[564] CD 4,18; 5,6f; 20,23; vgl. 1 QpH 12,8–9.

[565] Vgl. *A. S. van der Woude*, Messian. Vorstellungen 46.

[566] 1 QS 5,8ff; CD III,12ff; *Jos.*, Ant. 18, 19.

[567] Übersetzung nach *E. Lohse*, Texte aus Qumran z. St.; vgl. zum ganzen *G. Klinzing*, Die Umdeutung des Kultus in der Qumrangemeinde und im NT (StUNT 7), Göttingen 1971.

Gebote, die Gottesfurcht, das Gebet und das Märtyrerleiden als das wahre Opfer und den eigentlich von Gott gemeinten Opferdienst anzusehen.[568] Bei Philo ist der Opfergedanke im Sinne hellenistischer Mystik stark vergeistigt. Philo reflektiert zwar noch darüber, „daß zum kultischen Opfer die rechte Seelenverfassung des Darbringenden gehört."[569] Aber sein „eigentliches Interesse hängt an dem i n n e r l i - c h e n , m y s t i s c h e n O p f e r , nicht am äußeren Opferwesen, das über sich selbst hinausweisen soll."[570] So fragt er Vit. Mos II,108: ἡ γὰρ ἀληθὴς ἱερουργία τίς ἂν εἴη πλὴν ψυχῆς θεοφιλοῦς εὐσέβεια; oder wenn Spec Leg I, 201 gesagt wird: νοῦς..., ὃς ἄμωμος ὢν καὶ καθαρθεὶς καθάρσεσι ταῖς ἀρετῆς τελείας αὐτός ἐστιν ἡ εὐαγεστάτη θυσία καὶ ὅλη δ'ὅλων εὐάρεστος θεῷ,[571] wird dies erhärtet.

Zusammenfassend kann gesagt werden, daß weder das AT noch das Judentum, Qumran miteingeschlossen, so wenig wie Jesus das jüdische Opferwesen grundsätzlich verworfen haben. Nicht den Kult als solchen, sondern die nach ihrer Meinung herrschenden Mißstände am Jerusalemer Tempelkult haben sie mit ihrer Kritik bekämpfen wollen. Diese Beobachtung macht die Reaktion des Schriftgelehrten in Mk 12,33 verständlich. Eigentlich sagt er nichts Neues. Er bleibt auf dem Boden echt jüdischer, besser prophetischer Tradition.

Diese Feststellung ist nicht negativ zu beurteilen, wird doch der Schriftgelehrte von Jesus ausdrücklich wegen seiner vernünftigen Antwort gelobt. Hier stellt sich jedoch die Frage, wie weit die Übereinstimmung des Schriftgelehrten mit Jesus reicht. Gerade wegen des Lobes Jesu V 34a wird diese Übereinstimmung vielfach als selbstverständlich vorausgesetzt, und es wird nicht einmal in Erwä-gung gezogen, daß die Antwort des Schriftgelehrten vielleicht doch nicht die volle Zustimmung Jesu gefunden haben könnte. Daß Jesus und sein Partner tatsächlich nicht voll, sondern nur zum Teil überein-stimmen, scheinen folgende Beobachtungen bzw. ein Vergleich ihrer Antworten nahezulegen. Zunächst ist zu beachten, daß VV 32b.33 bis ὡς ἑαυτὸν, d. h. das Doppelgebot der Liebe eine Wiederholung der Antwort Jesu VV 29b–31b ist. Ohne sich zu widersprechen, kann Jesus sie nicht ablehnen. Lediglich mit seiner Kultkritik (V 33 Ende) bringt der Schriftgelehrte ein neues Element, das allerdings, wie wir sahen, in der prophetischen Tradition fest verankert, bei den Rabbi-

---

[568] Ep. Arist. 234; Dan 3,38ff (LXX); Sir 35,1–3; 3,30; Tob 4,10f; Sap. Sal 3,6; 2 Makk 12; 2 Makk 12,43f; 4 Makk 6,29; 17,22 – Vgl. *Bousset/Greßmann*, Religion 97–118, bes. 115f.

[569] Vgl. Spec Leg I,283.191.277; ferner Spec Leg I,68.293; II,35; Deus Imm 8; *Jos.*, Ant. 6,147ff schließt sich an 1 Sam 15,22 an.

[570] Beide Zitate aus *J. Behm*, ThWNT III,189 – Sperrung im Text.

[571] Vgl. ferner Det Pot Ins 21; Spec Leg I,290.272; Ebr. 152; Plant. 108.126; ferner Spec Leg I,287; Leg All I,50.

nen belegt ist, und deshalb nicht über das Judentum hinausgeht. Dieses Ergebnis wird noch von den Formulierungen in V 31c und V 33c bestätigt, wie ein genauer Vergleich dieser Stellen deutlich macht. Denn daß das Doppelgebot der Liebe περισσότερόν ἐστιν πάντων τῶν ὁλοκαυτωμάτων καὶ θυσιῶν . . . [572], d. h. weit mehr als alle Brand- und Schlachtopfer ist, wie der Schriftgelehrte meint, impliziert noch nicht unbedingt, daß es auch das größte Gebot, die Quintessenz des Willens Gottes ist. Anders ausgedrückt: die Komparative μείζων τούτων . . . (V 31c) und περισσότερόν (V 33c) haben hier nicht die gleiche Bedeutung.[573] Während der negativ formulierte Satz: μείζων τούτων ἄλλη ἐντολὴ οὐκ ἔστιν (V 31c) einen superlativischen Sinn hat, ist die positive Formulierung in V 33 Ende: περισσότερόν ἐστιν πάντων τῶν . . . einschränkend aufzufassen. Sie behält weiterhin die übliche komparativische Bedeutung. Nun wird es auch klar, in welchem Sinn der Schriftgelehrte Jesus verstanden und interpretiert hat. Er hat Jesu Antwort (V 31c) abgeschwächt (V 33c). Und, daß er schließlich auf die am Anfang gestellte Frage nach der ἐντολὴ πρώτη πάντων (V 28b) jetzt nicht mehr Bezug nimmt, ist daher kein Zufall, wie schon klar geworden sein dürfte.[574]

D. Die Schlussantwort Jesu (V 34ab)

1. Über die Königsherrschaft Gottes

Wird Jesus dem Schriftgelehrten auch nicht ganz zugestimmt haben können, so erkennt er doch die Richtigkeit seiner Teilantwort an und spendet ihm hohes Lob: Er habe νουνεχῶς geantwortet. Das von νουνεχής abgeleitete Adverb bedeutet: „verständig, vernünftig, überlegt".[575] Dann fährt Jesus fort: οὐ μακρὰν εἶ ἀπὸ τῆς βασιλείας τοῦ θεοῦ.

Der Begriff βασιλεία ist die griechische Übertragung des hebräischen *malkŭt* bzw. des aramäischen *malkŭtā'*, das eine alte hebräische Abstraktbildung ist.[576] Es bedeutet zunächst: Königtum, Regierungsgewalt, die Macht, die Autorität eines Königs. Dabei hat es stärker dynamischen als lokalen Charakter. Sodann kann *malkŭtā'* mit Bezug

---

[572] *W. Bauer,* Wb 1292; vgl. *Blaß-Debrunner,* Grammatik § 60,3: περισσότερόν statt πλεῖον.

[573] Gegen *K. Berger,* Gesetzesauslegung 194, der den Komparativ zu ignorieren bzw. herunterzuspielen versucht. Zur Bedeutung des Komparativs vgl. *Blaß-Debrunner,* Grammatik § 244.60.

[574] S. o. S. 144–150, näherhin S. 146ff.

[575] *W. Bauer,* Wb 1077.

[576] *G. von Rad,* ThWNT I,569; *B. Klappert,* Th. B. L. III,1026.

auf den konkreten Machtbereich vereinzelt auch „das Königreich, das Territorium eines Königs" bezeichnen.[577]

Die Vorstellung vom Königreich Gottes bzw. von einem Gott-König war in altorientalischen Religionen sehr verbreitet.[578] Obwohl sich Israel von Anfang an unter Yahwes Herrschaftsanspruch wußte (Ex 14,14; Jos 23,10 . . .), war die Vorstellung von Yahwe als König im religiösen Denken Israels „kein konstitutives Element im ursprünglichen Bestand der israelitischen Religion".[579] Sie entstand relativ spät.[580] Die ersten Bezeugungen im AT sind nach von Rad: Num 23,21; Dt 33,5; 1 Kge 22,19; Jes 6,5.[581]

Hier sind die Aussagen über das Königtum Yahwes verschieden abgetönt. Neben Aussagen, die das gleichsam Zeitlose des Königseins Yahwes, das Vergangenheit und Zukunft gleicherweise umfaßt, betonen,[582] finden sich solche, die den Akzent mehr auf das Moment der Erwartung legen.[583] Das Königsein Yahwes wird fast ausschließlich als ein eschatologisches Ereignis der Zukunft verstanden, wenn auch nicht bestritten wird, daß Yahwe gegenwärtig schon König ist. Für diese Zukunft wird die endliche Manifestierung seiner ganzen Königsmacht erwartet. Wieder andere Stellen schließlich verkünden die im Kult erlebte Gegenwärtigkeit Yahwes. Es sind die sogenannten Thronbesteigungspsalmen (Ps 47; 93; 96–99), die offenbar im Mittelpunkt eines Festes standen, „das Yahwes Thronfahrt kultisch (und

---

[577] So meist im AT: z. B. 1 Sam 20,31; 1 Kge 2,12; 1 Chr 12,24; 2 Chr 11,17; Jer 49,34; Dan 9,1 . . .

[578] In Ägypten: *Ptah* und besonders *Re*; in Babylonien: *Marduk* (vgl. Enuma Eliš); in Syrien (-Ugarit): *El* und *Baal*. Welche Rolle diese Vorstellung im religiösen Leben Phöniziens und Kanaans spielte, zeigen die zahlreichen Personennamen, „in denen *mlk*. Eigenname oder Attribut der Gottheit ist" *J. Nelis*, Reich Gottes, in: B. Lex./Haag 1459f; ferner *C. Westermann*, Reich Gottes, in: B. H. H. III,1573; *G. von Rad*, ThWNT I,567; *A. Deissler*, Grundbotschaft 109; *W. Eichrodt*, Theologie I,122; *W. H. Schmidt*, Königtum Gottes, bes. 5–74. Unter dem Eindruck der überragenden Persönlichkeit Alexanders d. Gr. entwickelte sich im Hellenismus die Idee des Gottkönigtums (vgl. Antiochus I von Kommagene). Die Vorstellung wurde auch im römischen Kaiserkult aufgenommen. Dazu *F. Heiler*, Religionen, Reg. s. v. Gott-Königtum und Gottkönig; *G. Mensching*, Die Religion, Reg. s. v. „Gott-Königtum"; *H. Kleinknecht*, ThWNT I,563; *B. Klappert*, Th. B. L. III,1024.

[579] *A. Alt*, Gedanken, in: ders., Kleine Schriften I,345–357, hier 348; vgl. *W. Eichrodt*, Theologie I,122; *G. Klein*, Reich Gottes 649; *G. von Rad*, ThWNT I,568.

[580] Nach *A. Deissler*, Grundbotschaft 110 waren „wahrscheinlich . . . sowohl die kanaanäische Mythologie wie der Molek-Kult (Kinderopfer an den Gottkönig) als hinderlich dafür empfunden worden", Yahwe den Königstitel beizulegen.

[581] *G. von Rad*, ThWNT I,567. Anders *W. Eichrodt*, Theologie I,122f; vgl. ferner *W. H. Schmidt*, Königtum Gottes 81–86; *A. Alt*, Gedanken, in: ders., Kleine Schriften I, bes. 345.348.

[582] Ex 15,8; 1 Sam 12,12; Ps 145,11ff; Ps 146,10 . . .

[583] Jes 24,23; 33,22; Zeph 3,15; Ob 21; Zach 14,16f.

dramatisch?) feierte".[584] Worin nun Yahwes Königsein besteht, wird in vielen Fällen nicht sehr klar. Wird jedoch vor dem Exil Yahwe vorwiegend als König Israels bezeichnet, von dem sich das Volk Hilfe, Errettung, Gerechtigkeit und Freude verspricht,[585] so macht sich in der exilischen und nachexilischen Zeit die Überzeugung breit, daß Yahwe auch König der ganzen Welt ist. Sein Königtum hat die Herrschaft im All (Ps 103,19). Er ist König über die ganze Erde (Ps 47,3), König der Völker und der Geschichte.[586]

Im Hinblick auf das NT ist die Aussage, die zunächst nur für Israel ausgesprochen wird, von Bedeutung, daß nämlich Gottes Königsein Hilfe, Errettung, Freude, Gerechtigkeit, mit einem Wort: „Heil" schafft und bringt.[587]

Im Judentum durchtränkt der Gedanke der Königsherrschaft Gottes die gesamte, reich entwickelte, aber auch differenzierte jüdische Eschatologie und nimmt dementsprechend verschiedene Gestalt an.[588] Um so mehr fällt es auf, daß gerade in der Apokalyptik, die sich so sehr mit der Endzeit befaßt, die erwartete Zukunft selten unter dem Motiv des Gottesreiches verarbeitet ist. Nur wenige Belege aus dem Buch Daniel, den Sibyllinen und der Himmelfahrt des Mose kommen hier in Frage.[589]

Auch in den Qumranschriften kommt die Wendung „Königsherrschaft Gottes" selten vor. Soweit uns diese Schriften bekannt sind, begegnet der Ausdruck *malkūtā'* Gottes mit Sicherheit nur 3mal, und zwar zweimal in der Kriegsrolle (1 QM 6,6: Meluka und 1 QM 12,7: Malkūt) und einmal in den Segenssprüchen (1 QSb 4,26).[590] Daß aber

---

[584] G. von Rad, ThWNT I,567; vgl. *ders.,* Theologie I,374ff; ferner *N. Perrin,* Was lehrte Jesus? 53ff; *R. Schnackenburg,* Gottes Herrschaft 8ff; *W. H. Schmidt,* Königtum Gottes 74–79, und zum neuen Verständnis des Königtums Gottes im AT, vgl. ebda S. 91–97.

[585] Num 23,21; Jer 8,19; Zeph 3,15; Mich 2,12f; 4,6ff; Jes 41,21; 43,15; 44,6.

[586] Jer 10,7.10ff; Ps 47,4.8; 99,2 u. ö.; Zach 14,9.16f; Mal 1,14; Ps 22,29. – Vgl. *R. Schnackenburg,* Gottes Herrschaft 1–8; *W. Zimmerli,* Atl. Theologie 32.

[587] Vgl. *W. H. Schmidt,* Königtum Gottes 93.97.

[588] *P. Volz,* Eschatologie 167ff; bes. 368–381; *Bousset-Greßmann,* Religion 214ff.

[589] Dan 2,44; Sib III,767; Ass. Mos. 10,1ff. – Vgl. *G. Klein,* Reich Gottes 651; *H. Conzelmann,* Theologie des NT 127, der auch Dan 3,33 = 4,3 Θ und Dan 7,13f dazu nimmt; ferner *J. Jeremias,* Ntl. Theologie I,41; *Ph. Vielhauer,* Gottesreich, in, *ders.:* Aufsätze zum NT, 86. Auch im äth. Henochbuch klingt auffälligerweise der Gedanke an Gottes Königtum selten an: äth. Hen. 22,14; 25,3; 27,3. Ausdrücklich erwähnt wird das Königtum Gottes im äth. Hen. 9,4; 84,2; 103,1. Texte bei *E. Kautzsch,* Apokryphen II,241ff nach der Übersetzung von *G. Beer.* In 4. Esra und syr. Baruch fehlt der Begriff ganz. Syr. Baruch kennt jedoch die „Herrschaft des Messias" (vgl. 39,7; 40,3; 73,1). Dazu *V. Ryssel,* Baruch-Apokalypsen, in: *E. Kautzsch,* Apokryphen II, z. St. Vgl. ferner *P. Volz,* Eschatologie 165f; *J. Becker,* Das Heil Gottes 99ff.

[590] Zu diesen Angaben und zum ganzen Problem vgl. *R. Schnackenburg,* Gottes Herrschaft 29f; *J. Becker,* Das Heil Gottes 74–99f; *J. Jeremias,* Ntl. Theologie I,41f; *J. Carmignac,* Le mirage 16–18f, der sich bes. mit der Wortbedeutung befaßt.

die gemeinte Sache auch hier vorhanden ist, wenn auch anders und
z. T. mit anderen Begriffen ausgedrückt, zeigen Stellen wie 1 QSb 3,5;
1 QH 13,11; 1 QM 12,1f; 1,14f.[591] Bemerkenswert zu der Konzeption
der Kriegsrolle überhaupt ist die Überzeugung, die auch die Zeloten
zur Zeit Jesu teilten, „daß man für Gottes Königtum und Sieg auch zu
den Waffen greifen muß, der Hilfe Gottes und seiner Engelheere
gewiß".[592]

Im rabbinischen Judentum tritt ebenfalls der Gedanke der *malkūt*
Yahwes stark zurück.[593] Zum Abstraktum geworden, begegnet er
vorwiegend in zwei stereotypen Redewendungen.[594] Die erste: „Das
Joch der Gottesherrschaft auf sich nehmen" oder „. . . von sich
werfen"[595] meint: sich dem einen einzigen Gott unterwerfen und alle
anderen Götter ablehnen, oder umgekehrt. Die positive Wendung ist
das Bekenntnis zum Monotheismus des Judentums (Dt 6,4) und
wurde praktisch mit dem Rezitieren des Sch‘ma gleichgesetzt, wie
bereits Volz erkannte.[596] Die zweite Redewendung lautet: „Offenbar
wird das Königtum Gottes", nämlich am Ende der Zeiten.[597] Das ist

---

[591] 1QSb 3,5 bricht der Text bei *malkūtā* ab, so daß es nicht sicher ist, ob es hier von der
Herrschaft G o t t e s die Rede war. 1 QSb 5,21 spricht von der Königsherrschaft
I s r a e l s („seines Volkes"). – Ebenso 1 QM 19,8; 1 QM 12,16 erscheint nur das Verb
mlk (infinitiv): „Israel, um zu herrschen . . .". 1 QH 13,11 steht nicht *malkūtā*, sondern
der Parallelausdruck *mēmšālāh*. Es geht aber auch hier um G o t t e s Herrschaft. 1 QM
12,1f wird der Himmel als Gottes besonderer Herrschaftsbereich beschrieben,
wobei nicht „M a l k u t", sondern *z‘būl* gebraucht wird. ; QM 1,14f aber ist von den
Engeln seines Reiches = des Satans Herrschaft (= *mēmšālāh*) die Rede.
Die Testamente der XII Patriarchen, die in ihrer dualistischen Grundstruktur den
Qumranschriften nahe stehen, reden, wie jene, häufig von der Herrschaft Beliars:
z. B. T. Dan 6,2–3; 4,7; T. Sim 5,3; T. Rub 4,11 . . .; vgl. T. Dan 5,10; T. Lev 18,12; T.
Sim 6,6; T. Jud 25,3, T. Lev 3,8; T. Dan 5,13; T. Benj 10,7.

[592] *R. Schnackenburg*, Gottes Herrschaft 31; vgl. *J. Becker*, Das Heil Gottes 75–82.

[593] Vgl. *K. G. Kuhn*, ThWNT I,570–573; *R. Schnackenburg*, Gottes Herrschaft 32–38; *N.
Perrin*, Was lehrte Jesus . . . 54ff. Belegmaterial bei *Bill.*, I,172–184; 418f.

[594] Nach *G. Klein*, Reich Gottes 652, erklären sich Abstraktheit und Stereotypie dieser
Ausdrucksweise daraus, daß „die lebendige Enderwartung" im Rabbinat „nicht auf
das Kommen der Gottesherrschaft, sondern auf das Kommen des Messias" sich
richtet. Vgl. *Ph. Vielhauer*, Gottesreich, in, *ders.*, Aufsätze zum NT 87; *G. Bornkamm*,
Jesus[10], S. 58: „Die aktuelle Erwartung (der Rabbinen) dagegen zielt auf das Kommen
des nationalen Messias."

[595] Tanch B *lk lk* § 6 (32ᵃ); vgl. Tanch *lk lk* 17ᵃ; Sanh 111b; SDt 32,29 § 323 (138ᵇ); sl.
Henoch 34,1; Ex. R. 23 (84ᶜ); B‘rakh 2,2.5 . . . Dazu *Bill.*, I,173ff.

[596] *P. Volz*, Eschatologie 166; ferner *M. Black*, Approach 170: „The Kingdom of Heaven
in the rabbinic sense of the Rule of Heaven or the divine Rule was closely associated
with the observance of the Torah and in particular with the Shema: the proselyte
who receives the Law and the Israelite who obeys it are both said ‚to take on
themselfes the Divine Rule (Kingdom of Heaven)'; ‚to take on oneself the yoke of the
Divine Rule' comes, in rabbinic language, to be synonymous with ‚reciting the
Shema'". Vgl. B‘rakh 61b; p. B‘rakh 2,1 (4ᵃ,59); Dt R 2 (199ᵇ). Dazu *Bill.*, I,177f unter
n.

[597] Vgl. *K. G. Kuhn*, ThWNT I,572 – Belege bei *Bill.*, I,178ff.

der immer wieder im Judentum ausgesprochene Gebetswunsch.[598]
Dabei wird der allgemeinen Tendenz des Frühjudentums entsprechend der Gottesname vermieden und durch die Umschreibung
„Himmel = *šmjm*" ersetzt. Die Wendung *mlkwt šmjm* ist einfach Ersatz
des atl. Satzes „*mlk jhwh* = Gott ist König". Niemals meint sie „das
Königreich Gottes" als das von ihm beherrschte Gebiet, sondern die
Tatsache, daß Gott König ist. Sie bedeutet also immer „das Königsein,
das Königtum Gottes"[599], und ist „von vornherein schon eine rein
theologische Begriffsbildung des Spätjudentums, nicht eine Übertragung des profanen Begriffes *mlkwt* auf das religiöse Gebiet".[600] Wie
häufig im AT, so bezeichnet das absolute *mlkwt* auch hier die irdische,
weltliche Regierung; das römische Reich, die römische Herrschaft.

Wie in der hebräischen Bibel, bezeichnet auch in der LXX die
Wortgruppe βασιλ-[εύς-εία-εύω] in erster Linie die irdischen Könige
und ihre profane Herrschaft. Erst an zweiter Stelle meint sie „das
Königtum Yahwes". Während der Stamm βασιλ –, meist als Übersetz-
zung hebräischer Wortbildungen von *mlk*, hier sonst sehr zahlreich
vorkommt, finden sich jedoch nur wenige Belege für die Wendung ἡ
βασιλεία τοῦ θεοῦ. Aber im wesentlichen stimmt der Sprachgebrauch
in der LXX mit dem der hebräischen bzw. aramäischen Vorlage
überein, wenn auch an einigen Stellen, die keine hebräische Entsprechung haben, sich hellenistischer Einfluß zeigt.[601]

Diese hellenistische popular-philosophische Ethisierung des βασι-
λεία-Begriffs, bemerkt K. L. Schmidt, ist deutlich und umfassend bei
Philo vollzogen.[602] Zwar hat das Wort bei ihm auch die Bedeutung

---

[598] Vgl. Qaddisch-Gebet; Musaph-Gebet; Alenu- und Achtzehn-Gebet 11 (paläst. Rez.) –
Bill., I,178; 418f. Von diesem Ende der Zeiten reden ebenfalls die Targumim häufig,
wo es heißt: „wenn offenbar wird das Königtum Gottes"; vgl. u. a. Tg Jes 24,23; 40,9;
52,7; Tg Mich 4,7; Tg Ob 21; Tg Zach 14,9; Traktat Soph⸳rim 14 § 12 und 19 § 7 –
Bill., I,179c.

[599] Die Targumîm ersetzen oft die verbale Wendung des AT *mlk jhwh* durch *mlkwt' djj* =
„das Königtum Gottes": z. B. Tg O. Ex 15,18; Tg Jes 24,23; 31,4 ... Später wurde
auch *šmjm* als Gottesname im rabbinischen Sprachgebrauch noch einmal durch das
ganz allgemeine „*mqwm* = der Ort" ersetzt. Nur in einigen feststehenden Ausdrükken und Redensarten, wie in unserem Fall, erhielt sich auch weiterhin noch *šmjm* als
Gottesname – Vgl. *Bill.,* I,172a; 862ff; ferner *P. Volz,* Eschatologie 166; *K. G. Kuhn,*
ThWNT I,570f.

[600] *K. G. Kuhn,* ThWNT I,570; vgl. Soṭa 9,17; Ab 3,2.5; B B 4ª; Z⸳b 102ª; Giṭṭin14ᵇ; B Q
83a; Sanh 43a ...; *Bill.,* I, 183f.

[601] So z. B. wenn es Sap 6,20 heißt: „ἐπιθυμία ἄρα σοφίας ἀνάγει ἐπὶ βασιλείαν" oder 4
Makk 2,23 gesagt wird, daß Gott dem Menschen ein Gesetz gegeben hat, bei dessen
Befolgung er „βασιλεύσει βασιλείαν σώφρονα τε καὶ δικαίαν καὶ ἀγαθὴν καὶ
ἀνδρείαν". Sprecht Sap 6,20 von der βασιλεία des Weisen, so wird 4 Makk 2,23 diese
βασιλεία mit den vier Haupttugenden identifiziert. Vgl. *A. Deißmann,* Das sog. 4.
Buch der Makk., in: *E. Kautzsch,* Die Apokryphen II, z. St.; *K. L. Schmidt,* ThWNT
I,574.

[602] *K. L. Schmidt,* ThWNT I,574; *B. Klappert,* Th. B. L. III,1027.

„Königtum, Königsherrschaft" und vor allem „Herrschaft".[603] Ebenso redet Philo auch von der βασιλεία Gottes.[604] Aber den ursprünglichen atl. βασιλεία-Gedanken hat er völlig umgebildet. Der eigentliche Inhalt der βασιλεία ist nun wie in der antiken Philosophie[605] die „Herrschaft des Weisen" als des wahren Königs.[606] Bei einem solchen Verständnis der βασιλεία geht der atl.-eschatologische Charakter des Begriffs natürlich verloren.[607] So beurteilt auch K. L. Schmidt den Befund bei Philo: „Unsere Gesamtbeurteilung aller βασιλεία-Stellen bei Philo kann nur feststellen, daß die Königsherrschaft nirgends als eine eschatologische Angelegenheit begriffen ist. Die βασιλεία ist vielmehr ein Kapitel aus der Tugendlehre. Der wahre König ist der Weise".[608] Ebenfalls fällt der Befund bei Josephus negativ aus. Nirgends findet sich bei ihm der Ausdruck ἡ βασιλεία τοῦ θεοῦ. Nur Ant. 6,60 wird im Zusammenhang mit Gott das Wort βασιλεία erwähnt. Im übrigen spricht Josephus weder von βασιλεύς noch von βασιλεία. Er bevorzugt die Termini ἡγεμών und ἡγεμονία. Diesen Tatbestand möchte K. L. Schmidt so begründen, „daß Josephus es wie auch sonst vermieden haben mag, von der mit βασιλεία gegebenen eschatologisch-messianischen Haltung seines Volkes zu sprechen, und . . . daß er als ein in Rom lebender und schreibender Historiker dem Hellenismus verhaftet und zudem ganz von seinen Quellen abhängig gewesen ist".[609]

Es wurde schon auf die z. Z. Jesu sehr aktive Gruppe der Z e l o t e n (= Eiferer) hingewiesen.[610] Im Gegensatz zu den Rabbinen bekommt der Ausdruck mlkwt šmjm in zelotischen Kreisen hohen theologischen Stellenwert. Ja, er wird zum Programm dieser Freiheitsbewegung. Es geht hier keineswegs nur um politische Freiheitskämpfer, fanatische Nationalisten und wilde Aufrührer, wie sie uns Josephus schildert.[611] Vielmehr handelt es sich um von dem alten makkabäischen Geist erfaßte Kämpfer für Gottes Königtum und Isreals theokratisches Reich.[612] Sie vertraten die Ansicht, wie bereits angedeutet, daß man nicht passiv den Anbruch der Gottesherrschaft erwarten sollte,

---

[603] Flacc 38; Plant 67; Gig 66 u. a. m.

[604] Spec leg IV,164; Mut Nom 135.

[605] Vgl. *Platon*, Polit. 292e; *Ders.*, Resp. V,473d. – Dazu *J. Kleinknecht*, ThWNT I,562f.

[606] Sacr. A. C. 49; Migr Abr 197 gibt folgende Definition von der βασιλεία: Ἀβασιλείαν . . . σοφίαν εἶναι λέγομεν, ἐπεὶ καὶ τὸν σοφὸν βασιλέα". Vgl. ferner Abr 261; Somn. II, 243f.

[607] Vgl. aber Vit. Mos I,290.

[608] *K. L. Schmidt*, ThWNT I,575.

[609] *K. L. Schmidt*, ThWNT I,576; vgl. die Ausführungen zu Mk 12,35–37.

[610] Zu den Zeloten, vgl. die Studie zu Mk 12,35–37, S. 405–409; dort auch Literatur.

[611] *Josephus*, Bell. 7,323.410ff; 7,418.

[612] Vgl. *R. Schnackenburg*, Gottes Herrschaft 31; *M. Hengel*, Die Zeloten 146ff.

sondern daß man mit allen Mitteln, auch mit Waffengewalt, die
heidnische Besatzungsmacht (= die Römer) und die jüdischen Geset-
zesbrecher bekämpfen mußte, um so die Gottesherrschaft herbeizu-
führen. Denn sie erkannten nur die Alleinherrschaft Gottes über
Israel und dafür kämpften und starben sie. Dieses ihr Anliegen
beschreibt Klein zutreffend mit den Worten: „Vom aktiven Zusam-
menwirken zwischen dem militant engagierten Frommen und Gott
erhofft man sich die Erlösung, den Anbruch des endzeitlichen Reiches
Gottes. Politisch-militärisches Kalkül und radikaler Gottesglaube sind
hier ununterscheidbar eins."[613]

Wie in der LXX begegnet auch im NT der Stamm βασιλ- sehr
häufig. Im Gegensatz jedoch zu LXX haben hier die βασιλεία-Belege
gegenüber dem Substantiv βασιλεύς und dem Verb βασιλεύειν das
Übergewicht. Bei den Synoptikern nehmen βασιλεία und βασιλεύς
einen breiten Raum ein.[614] Die ntl. Verwendung der Wortgruppe
entspricht im allgemeinen der des AT. Von biblisch-theologischer
Bedeutung ist die Tatsache, „daß im NT im engsten Anschluß an den
atl. und jüdischen Sprachgebrauch und in voller Übereinstimmung
mit ihm sowohl G o t t als der C h r i s t u s (der Messias Jesus) diesen
Würdetitel tragen und die Menschen als Könige eine einschränkende
Abwertung erfahren".[615] Wie im AT kommt auch hier allein dem Gott
der Offenbarung bzw. dem Gott Jesu Christi und seinem Messias die
Königswürde zu.[616]

Mit dem Ausdruck ἡ βασιλεία τοῦ θεοῦ griff Jesus also ein Wort auf,
das seinen Hörern durchaus vertraut war. Er holt es nun „aus dem
Ghetto der Abstraktion heraus, in das rabbinisches Denken"[617] es
hatte geraten lassen und macht es zum Zentralthema seiner Verkün-

---

[613] G. *Klein*, Reich Gottes 653; ferner *M. Hengel*, War Jesus Revolutionär? S. 12; *Ders.*,
Die Zeloten 79–150f.233.

[614] Nach *H. Bachmann/W. A. Slaby*, Computer-Konkordanz Sp. 269–277 kommt βασιλεία
162mal vor; βασιλεύς 115mal; βασιλεύω nur 21mal; βασιλικός 5mal; βασίλισσα
4mal und βασίλειος 2mal. Zum Sprachgebrauch vgl. auch *B. Klappert*, Th. B. L.
III,1027.2029ff.

[615] *K. L. Schmidt*, ThWNT I,576; Text gesperrt. Vgl. Mt 2,2; 27,11.29.37; Mk 15,2.9; Lk
23,3.37f; Apk 15,3; 19,16; 17,14. Die irdischen Könige werden meist als dem
Gottkönig oder dem Messiaskönig entgegengesetzt (z. B. Apg 7,10; Hebr 11,23.27;
Mt 2,1ff; Lk 1,5; 2 Kor 11,32; Apk 17,19ff), oder jedenfalls unterworfen dargestellt
(z. B. Apk 21,24; Apg 9,15). Das gilt auch für die irdischen Königtümer (Mt 4,8; Apk
11,15; 13,1 . . .). Positiv beurteilt wird nur die Königswürde Davids und Melchise-
deks (Mt 1,6; Apg 13,22; Hebr 7,1f). Weder im AT noch im NT wird der König als
die Inkarnation eines Gottes angesehen.

[616] Vgl. *K. L. Schmidt*, ThWNT I,577–579.581f; *H. Schlier*, Die Herrschaft Christi, in: *ders.*,
Ende der Zeit 52–66; *Ders.*, Reich Gottes, ebda. 45ff; *R. Schnackenburg*, Gottes
Herrschaft, bes. §§ 22 und 23.

[617] G. *Klein*, Reich Gottes 654.

digung.[618] Darüber herrscht Einigkeit in der Forschung.[619] Jesus optiert damit aber keineswegs für das national-politische Programm der Zeloten. Wie viele Stellen belegen, distanziert er sich ganz eindeutig von ihnen (vgl. Mk 12,13ff; Mt 11,12f; Lk 22,36–38).[620]

Wenn Jesus auch der Gedanke der immer bestehenden göttlichen Weltregierung vertraut und unumstößlich war, bezeichnet die βασιλεία τοῦ θεοῦ bei ihm jedoch immer das eschatologische Königtum Gottes. Wie verhält sich nun dieser eschatologische Charakter der βασιλεία zu Mk 12,34b: „Du bist nicht fern vom Reich Gottes?" Erscheint doch hier das Reich Gottes als eine gegenwärtige Größe, wie die Autoren mit Nachdruck betonen.[621] Ist das kein Widerspruch? Nun, schon im AT, aber auch im Judentum bei den Rabbinen sind uns Aussagen begegnet, die von der Gegenwart der βασιλεία sprachen und andere, die die zukünftige Herrschaft Gottes ankündigten. So stehen auch im NT Aussagen, die den eschatologischen Charakter und solche, die die gegenwärtig bestehende Herrschaft Gottes über Himmel und Erde betonen, nebeneinander.[622] Ob Mk 12,34b von der Gegenwart oder Zukunft die Rede ist, spiele nach Nineham hier keine Rolle: „Hence this Logion should not be invoked as an argument in favor of the thesis that the kingdom is already present. But neither

---

[618] Das Wort βασιλεία begegnet ungefähr 100mal in der synoptischen Überlieferung; dagegen in allen übrigen Schriften des NT, die verwandten Begriffe (z. B. Herrschaft Christi) mitgerechnet, nur etwa ein Viertel davon. Dazu R. *Schnackenburg,* Gottes Herrschaft 51. *H. Bachmann/W. A. Slaby,* Computer-Konkordanz Sp. 267ff zählt 162 Vorkommen des Wortes im NT. Im Mk-Evangelium kommt es 20mal vor, davon 13mal im Munde Jesu. Zur theologischen Sprachregelung, vgl. R. *Schnackenburg,* Gottes Herrschaft 247f; *J. Blank,* Jesus 43f; *K. L. Schmidt,* ThWNT I,582f.

[619] Vgl. R. *Schnackenburg,* Gottes Herrschaft und Reich 49ff; *F. Mußner,* Gottesherrschaft, in: Praesentia Salutis, 81–98; *W. A. Ambrozic,* Kingdom, bes. 177–182; *W. Schrage,* Theologie, 135ff; *J. Gnilka,* Jesus Christus 160–174; *H. Merklein,* Gottesherrschaft 96–107; ferner, „Die Theologien des NT" von z. B. R. *Bultmann,* 1ff; *H. Conzelmann,* 125–134; *J. Jeremias,* I,99ff.40–44; *W. G. Kümmel,* 29–35 – Die „Jesusbücher" von R. *Bultmann,* 23ff; *G. Bornkamm,* 57–84; *J. Blank,* 42–50.103–106.137f; *D. Flusser,* 81–95; *C. H. Dodd,* Der Mann 63ff; weiter vgl. u. a. E. *Lohse,* Gottesherrschaft 145–157; *G. Klein,* Reich Gottes 642–670; *Ph. Vielhauer,* Gottesreich, in: Ders., Aufsätze zum NT 55–91; E. *Jüngel,* Paulus und Jesus, bes. § 17, S. 174ff; *F. Hahn,* Hoheitstitel, 27–31.38 u. ö.; *H. Schlier,* Reich Gottes, in: Ders., Das Ende der Zeit 37–51; *N. Perrin,* Was lehrte Jesus wirklich 52–119; *J. Becker,* Das Heil Gottes 199–217 u. a. m.

[620] Vgl. K. *Schubert,* Jesus 111–123; bes. 114ff.

[621] So z. B. V. *Taylor,* Mk 489f; *J. Schniewind,* Mk[12] 161; *C. E. B. Cranfield,* Mk 380; E. *Schweizer,* Mk[5] 138; *J. Gnilka,* Mk II,166; *J. Carmignac,* Le Mirage 33: „Jésus parle d'une réalité presque présente, puisqu'elle concerne son interlocuteur". *A. M. Ambrozic,* Kingdom 179–181; *S. Légasse,* Scribes 487; *C. Spicq,* Agapè I,90: „De toute évidence, la Basileia ici n'est pas eschatologique, mais présente et accessible"; *C. G. Montefiore,* Synoptic Gospels I,286; *G. Bornkamm,* Doppelgebot 90f.

[622] Vgl. Mt 3,2; 4,17 par Mk 1,15; Mt 10,7; Mk 11,10; Lk 10,9; Lk 10,11; 21,31; 17,20 . . . – *W. G. Kümmel,* Theologie 32ff; E. *Jüngel,* Paulus und Jesus 174–197; *J. Becker,* Das Heil Gottes 199ff; *J. Jeremias,* Ntl. Theologie I,101ff.

should it be forced to voice a futuristic view, for it prescinds from these questions."[623]

2. Jesus und die Basileia

Viel wichtiger ist hier die Frage nach dem Verhältnis dieser βασιλεία zu der Person Jesu.[624] Wer ist der, der eine solche Aussage zu machen wagt: „Du bist nicht fern vom Reich Gottes?" Das gesamte Zeugnis des NT läßt keinen Zweifel daran zu, daß, wie es Ph. Vielhauer schön formuliert, „Jesus sich selbst in einer unauflösbaren Beziehung zum Gottesreich und seinem Kommen gesehen hat". Ja, „dieser Anspruch steht unausgesprochen schon hinter der selbstverständlichen Autorität, mit der er den neuen Äon als Herrschaft Gottes auslegt, ihre drängende Nähe verkündigt und zu sofortiger Umkehr ruft, wie hinter dem Ineinander von Zukunfts- und Gegenwartsaussagen über die Gottesherrschaft, das das Zeitschema der Äonenlehre sprengt. Besonders deutlich wird jener Anspruch Jesu aber in seinen Aussagen über die Gegenwart der βασιλεία und in seiner Stellung zum Gesetz . . . Er versteht seine Verkündigung in Heilsruf und Bußruf und Machttaten als das Nah-Sein und Da-Sein der Herrschaft Gottes, d. h. aber sich selbst als Gottes letztes Wort an die Menschen."[625]

Das trifft auch für V 34b zu, wenn Jesus sagt, der Schriftgelehrte sei nicht (mehr?) fern vom Reich Gottes.[626] Damit beansprucht Jesus nicht

---

[623] *D. E. Nineham,* Mk 328. Den Gegenwartsbezug des Logions sieht er auf der Ebene der mkn. Redaktion: „It is at least possible that the logion was understood by Mark as having a present reference" – Ähnlich urteilt auch *J. Schmid,* Mk 231: „Nur zum Schein wird hier (wie 10,15) die Gottesherrschaft als eine schon gegenwärtige Größe bezeichnet . . ."

[624] Aus der Fülle der Literatur, vgl. *A. Vögtle,* Erwägungen, in: *Ders.,* Evangelium 296–344, näherhin 334ff; *Ders.,* Der verkündigende . . . 27–91, näherhin 37ff; *N. Perrin,* Was lehrte Jesus . . . 64ff; *G. Bornkamm,* Jesus 80–84; *E. Käsemann,* Das Problem, in: *Ders.,* Exegetische Versuche I + II,187ff, bes. 206–212; *R. Schnackenburg,* Gottes Herrschaft 77–88; *J. Jeremias,* Ntl. Theologie I, Kap. II-III-IV-V-VI; *W. G. Kümmel,* Theologie 33f; *Ph. Vielhauer,* Gottesreich, in: *Ders.,* Aufsätze z. NT 55–91, bes. 87ff; vgl. ferner, *S. Ruager,* Das Reich Gottes und die Person Jesu (Lizentiatsarbeit), Frankfurt a. M. 1979.

[625] *Ph. Vielhauer,* Gottesreich, in: *Ders.,* Aufsätze zum NT 88f (beide Zitate).

[626] Das Adverb μακράν bezeichnet nach *J. Carmignac,* Le Mirage 33, allgemein „l'éloignement dans l'espace"; manchmal aber auch „l'éloignement dans le temps". So kann man βασιλεία hier entweder mit „le Royaume de Dieu" oder mit „le Règne de Dieu" wiedergeben. Vgl. *V. Taylor,* Mk 489; *A. M. Ambrozic,* Kingdom 180; *M.-J. Lagrange,* Mc 325; *Liddell/Scott,* Lexicon II,1074f; *Preisigke/Kießling,* Wb II, Sp. 47f. Dazu *G. Wohlenberg,* Mk 321: „Aber freilich zum Eintritt in das Reich Gottes ist er auch nicht geschickt. Dazu genügt nicht das Wissen davon, daß Gott einer sei, und daß Liebe sein höchstes Gebot sei, genügt auch nicht das νουνεχῶς ἀποκρίνεσθαι. Der νουνεχής muß ein πρακτικός werden"; *E. Neuhäusler,* Anspruch 30, ähnlich; ferner *M. Black,* Approach [2]170.

nur zu wissen, wie es mit der βασιλεία bestellt ist, wer in sie hineingehen und wer aus der βασιλεία ausgeschlossen wird, sondern auch der zu sein, an dessen Person (und Lehre) diese βασιλεία untrennbar gebunden ist. Die Stellung zu ihm entscheidet über die Teilnahme oder Nicht-Teilnahme am Reich Gottes (Mt 12,28; Mk 3,27; Lk 10,18 u. a. m.). „Hier spricht Einer, der weiß wer dem Königreich Gottes nahe und wer ihm fern ist, der es daran erkennt, ob einer ‚für ihn' ist oder nicht. Der ‚Meister', den der Schriftgelehrte eben noch anredete, ist zugleich der Herr, der über die ‚Nähe zum Königreich Gottes' wie mit göttlichem Blick bestimmt."[627] Wenn man auch die Meinung J. Schniewinds nicht teilt, hinter der Erzählung stecke das Messiasgeheimnis Jesu, hat er doch richtig die Stellung Jesu in Bezug auf die βασιλεία erkannt: „Nicht fern sein von der Gottesherrschaft heißt: nicht fern sein von ihm."[628]

Die oft gestellte Frage, was denn dem gelobten Schriftgelehrten fehlte zur Jüngerschaft aufgefordert zu werden (vgl. Mk 10,17ff), interessiert unsere Erzählung nicht. Verschieden ist das Anliegen von Mk 10,17ff und von Mk 12,28ff. Wichtiger war der Urgemeinde die Feststellung der Übereinstimmung Jesu mit dem jüdischen Schriftgelehrten im letzten Stück.

3. Die Heilsdimension der Basileia

Das bisher Gesagte hat bereits andeutungsweise deutlich gemacht, was mit der βασιλεία τοῦ θεοῦ inhaltlich gemeint ist. Schon im AT wie im Judentum (und Qumran) waren mit dem Begriff *mlkwt*-βασιλεία irgendwie die Heilsgüter verbunden.[629] Aber im Gegensatz zu Israels Erwartungen bedeutet Gottesherrschaft bei Jesus „das Heil für den Menschen, und zwar das eschatologische Heil, das allem irdischen Wesen ein Ende macht".[630] Es handelt sich nicht mehr um die Erfüllung nationaler Hoffnungen des Volkes Israel, d. h. um die Wiederherstellung und die Restituierung des Davidreiches in Macht und Herrlichkeit, an dessen Spitze der erwartete Messias steht (vgl. Ps Sal 17,21ff). Die βασιλεία ist „der zusammenfassende Begriff für das eschatologische Heil, für die Fülle alles dessen, was die Menschheit als Frieden, Glück, Freude und vollkommene Seligkeit ersehnt".[631] Darum

---

[627] *E. Lohmeyer*, Mk 260 – Sperrungen im Text.

[628] *J. Schniewind*, Mk 162; vgl. *E. Jüngel*, Paulus und Jesus 169ff; *E. Schweizer*, Mk⁵ 138; *K. L. Schmidt*, ThWNT I,590–592.

[629] Vgl. S. 206ff.

[630] *R. Bultmann*, Jesus 28; vgl. *Ders.*, Theologie 3; ferner *H. Conzelmann*, Theologie 132; *J. Becker*, Das Heil Gottes, bes. 213f; *J. Blank*, Jesus , bes. 42–50.103–106.137f; *G. Bornkamm*, Jesus 57ff; *J. Jeremias*, Ntl. Theologie I,105ff; *R. Schnackenburg*, Gottes Herrschaft § 8, S. 56–62; *Bill.*, I,181.

[631] *J. Blank*, Jesus 44; vgl. S. 104ff.137.

müßte man eigentlich und genauer von der „Heilsherrschaft Gottes"[632] reden. Dieser von Jesus verkündigte Heilswille Gottes ist universal verstanden. Er kennt keinen partikularistischen Gruppen- oder Volks-Gott, und der Gedanke eines „heiligen Restes" ist ihm völlig fremd. Das beste Beispiel dafür ist das Gebot der Feindesliebe (Mt 5,43–48; Lk 6,27–36). Denn Gottes Liebe gilt allen.

Während für die Rabbinen das Heil die Folge der Gottes Herr-schaft, nicht aber die Gottesherrschaft selbst ist,[633] erhebt Jesus die Königsherrschaft Gottes zum Inbegriff allen Heils und läßt in ihr alle Heilserwartung gipfeln. Damit unterscheidet sich grundlegend Jesu Verkündigung der βασιλεία ebenso von der atl.-prophetischen Pre-digt, wo Drohungen und Trostsprüche nebeneinander stehen, wie vom verstärkten Sündenbewußtsein des Frühjudentums, das seine Zuflucht in Bußgebeten sucht. Stellt die Apokalyptik im Grunde eine Flucht in eine Welt der Visionen und Träume dar, so stimmt sie doch mit der Qumran-Bewegung darin überein, daß nun der Schrei nach der Rache Gottes an den Gottlosen und Sündern, den Verfolgern und Bedrückern mindestens genauso stark ist wie der Sehnsuchtsruf nach Erlösung und künftiger Herrlichkeit.[634] Selbst Johannes der Täufer ist noch als Bußprediger aufgetreten, der zunächst mit dem unmittelba-ren und furchtbaren Gericht Gottes gegen die Sünder droht (Mt 3,7–12). Jesus dagegen versteht die Gegenwart als die Stunde des Heils, nicht der Rache. Er bietet allen Menschen ohne Ausnahme und ohne Unterschied das Heil Gottes an, indem er das Erbarmen, die Sünderliebe Gottes, kurz den Heilswillen des Vaters, eben das Evangelium der βασιλεία proklamiert. Wer seine Botschaft annimmt, wird das Heil Gottes erfahren. So ist es kein Zufall, daß die Frage nach dem ersten Gebot mit dem Hinweis auf die βασιλεία abschließt; ist die Liebe ja das Lebensgesetz der Königsherrschaft, d. h. der βασιλεία Gottes.

VI. Offene Fragen

Es sei noch im Zusammenhang mit dem Hauptgebot der Liebe auf drei in der Forschung z. T. sehr umstrittene Fragen aufmerksam gemacht.

---

[632] *J. Blank,* Jesus 44 – Sperrung im Text – So auch schon *A. M. Hunter,* Die Einheit des NT, zitiert bei *J. Becker,* Das Heil Gottes 201 Anm. 5.

[633] Belegmaterial bei *Bill.,* I,181.

[634] Vgl. *R. Schnackenburg,* Gottes Herrschaft 56 mit Belegen.

A. Neuheit der Liebesforderung Jesu

Wir haben gesehen: Jesus bezeichnet das Doppelgebot nicht nur als
das größte Gebot von allem, sondern er bindet aufs engste Gottes-
und Nächstenliebe zusammen. Ist dies seine eigentliche Leistung oder
hat er darin schon Vorgänger? Hierüber sind sich die Exegeten
keineswegs einig. Verschiedene und unterschiedliche Antworten wurden gegeben.[635]

Unsere bisherige Untersuchung dürfte gezeigt haben, daß, obwohl
das AT wie das Judentum, einschließlich Qumran, den Begriff des
Doppelgebotes kennen und das Gebot der Liebe sowohl zu Gott als
auch zum Nächsten wärmstens empfehlen, es jedoch zu dieser
untrennbaren und verbindlichen Einheit des Doppelgebotes der
Liebe wie bei Jesus nicht kommt.[636] Josephus und Philo erwähnen
nicht einmal das Doppelgebot Dt 6,5 und Lev 19,18 zusammen. Und
Philo redet eigentlich nicht von der „Liebe" zu Gott, vielmehr von der
„Gottes-Verehrung". Davon ist ja auch in anderen Religionen die
Rede.[637] Auch die Zusammenstellung von εὐσέβεια und δικαιοσύνη,
φιλανθρωπία o. ä. als Kurzformel für ein Gesamtverhalten, als Summe der Sittlichkeit ist sehr verbreitet gewesen und nicht gleichzusetzen mit dem Doppelgebot der Liebe. Zwar begegnet das Doppelgebot
der Liebe in einigen Texten der Testamente der XII Patriarchen.
Aber abgesehen von der umstrittenen Frage christlicher Interpolatio-
nen in diesem Dokument und der von der Beschränkung der Liebe
auf die Volksgenossen,[638] wird die Liebe neben andere Gebote

---

[635] Einen Überblick über die Lösungsversuche bietet jetzt *G. Schneider,* Neuheit, bes.
257f.

[636] *R. H. Fuller,* Doppelgebot 325 hat es richtig erkannt: „Das Doppelgebot ... kommt
weder in den rabbinischen Schriften noch in Qumran, geschweige denn in der
Apokalyptik vor." Vgl. ferner *A. Nissen,* Gott 241 + Anm. 642.

[637] Vgl. das noch nicht abgeschlossene große Werk von *M. Eliade,* Geschichte der
religiösen Ideen, Bd I, 1978; Bd II, 1979 (Freiburg); *ders.,* Geschichte der religiösen
Ideen. Quellentexte. Hrsg. G. Lanczkowski, Freiburg 1981 mit einer Fülle von
Zeugnissen. Ferner *F. Heiler,* Die Religionen der Menschheit, s. v. *Kult; G. Mensching,*
Die Religion 353 und Reg. s. v. *„Kultus"; J. Mbiti,* Afrikanische Religion, bes. 71–93.

[638] Zu der Diskussion über die Testamente, vgl. u. a. *J. Becker,* Untersuchungen zur
Entstehungsgeschichte der Testamente der XII Patriarchen, Leiden 1970, bes.
S. 377–401; *O. Eissfeldt,* Einleitung 855–862; *F. M. Braun,* Les Testaments des XII
Patriarches et le Problème de leur origine, RB 67 (1960) 516–549; *H. Köster,*
Einführung 269f; *M. Limbeck,* Ordnung des Heils 84f + Anm. 54 (Literaturangabe);
P. Volz, Eschatologie 30–33; *A. S. van der Woude,* Messian. Vorstellungen 192ff;
R. Eppel, Le piétisme juif 24–27. Zur Kritik an *J. Becker,* Untersuchungen, vgl.
K. Berger, Gesetzesauslegung 581 Anm. 1; *R. H. Fuller,* Doppelgebot 325 – Vgl. auch
F. Schnapp, Die Testamente, in: *E. Kautzsch,* Apokryphen II,458–460; *J. Murphy/
O'Connor,* Die Testamente, in: B. Len./Haag, Sp. 1733 1735, *M. de Jonge,* The Testa-
ments of the Twelve Patriarchs (Assen 1953); *ders.,* The Testaments of the Twelve
Patriarchs and the NT, in: Studia Evangelica (= TU 73) 546–556; *ders.,* Christian
Influence in the Testaments of the Twelve Patriarchs, in: NT 4 (1960) 182–235.

gestellt.[639] Sie hat nicht die Bedeutung, die ihr in der synoptischen Überlieferung zukommt.[640]

Die Neuheit der Forderung Jesu besteht auch nicht einfach in der Erweiterung des Begriffs des Nächsten auf alle Menschen. Zumindest haben wir Ansätze dazu schon im hellenistischen Judentum. Auch der Gedanke der Nachahmung Gottes (Mt 5,44f.48; Lk 6,35f; 1 Joh 4,11.19) ist nichts typisch Jesuanisches. Er ist nicht nur im AT (Lev 19,2b; vgl. Lev 11,44) und Judentum,[641] sondern auch in ihrer Umwelt bekannt. Marc Aurel z. B. meint, man soll gegenüber Unbelehrbaren nachsichtig sein, denn „auch die Götter sind gegenüber solchen nachsichtig (εὐμενεῖς)".[642] Bei Seneca findet sich das mit Mt 5,45 vergleichbare Wort: „Wenn du die Götter nachahmen willst, erweise auch den Undankbaren Wohltaten; denn auch über den Bösen geht die Sonne auf, und auch den Seeräubern stehen die Meere offen."[643] Vielmehr ist die Tat Jesu, wie schon angedeutet, die enge Verbindung von Gottes- und Nächstenliebe, so wie V 31c es formuliert: μείζων τούτων ἄλλη ἐντολὴ οὐκ ἔστιν. Das besagt: das Besondere der Forderung Jesu wird man darin zu sehen haben, daß er beide Gebote zu dieser untrennbaren Einheit verbindet, so aber, daß die Liebe für das entscheidende, größte Gebot erklärt wird, hinter dessen Rang und Bedeutung alles andere zweitrangig bleibt oder in dessen Befolgung alle anderen Forderungen Gottes eingeschlossen sind.[644] Die Liebe ist schlechthin die Quintessenz dessen, was den Willen Gottes ausmacht. Diese Konzentration auf das eine Gebot, die Radikalisierung der Liebesforderung ist uns sonst nirgendwo begegnet. Das betont mit Recht V. Taylor: „Distinctive of the narrative is the way in which Jesus brings together two widely separated commands...; so far as is known no one save Jesus has brought them together as the two regulative principles which sum up man's duty."[645]

---

[639] Test. Iss 5,2 und 7,6 stehen innerhalb Kap. 4 und 7; T. Dan 5,3 innerhalb Kap. 2 bis 6; T.Seb 5,1 innerhalb Kap. 5 und 10 . . .

[640] Das muß auch *G. Schneider*, Neuheit 262 zugeben. Vgl. aber ebda. S. 259. Richtig *A. Nissen*, Gott, bes. 234–236.

[641] Mekh Ex 15,2; Ex R 26 (87^b); SDt 11,22 § 49 (85a); SLev 19,2 (342a) u. a. m. . . . Vgl. *Bill.*, I,372–377; Tg Jerus. I Lev 22,28; vgl. *Bill.*, II,159.

[642] *Marc Aurel*, in Sem. IX, 11,1 zitiert bei *G. Schneider*, Die Neuheit 272 Anm. 45.

[643] *Seneca*, De benef. IV,26,1 – Zu der ganzen Frage, vgl. *A. Schulz*, Nachfolgen und Nachahmen. Studien über das Verhältnis der ntl. Jüngerschaft zur vorchristlichen Vorbildethik (StANT 6), München 1962.

[644] Vgl. *G. Schneider*, Die Neuheit 257.

[645] *V. Taylor*, Mk 488; vgl. ferner *J. Coppens*, La doctrine 296f; *R. Schnackenburg*, Die Forderung der Liebe 92; *C. Spicq*, Agapè I,88; *P. Bonnard*, Mt 327 u. a. m. Dagegen *R. Bultmann*, Jesus 79. Es ist zu wenig, wenn er ebda. S. 80 schreibt: „Man kann und muß sagen, daß dieses Doppelgebot, indem es im Zusammenhang mit der Verkündigung Jesu erscheint, seinen vollen Ernst gewinnt." *E. Jüngel*, Paulus und

B. Das „Gebot" der Liebe

Sowohl das AT als auch das NT kennen das Gebot der Liebe. Das ἀγαπήσεις der Antwort Jesu ist in der Gesetzessprache des AT ein Futur des Gebots.[646] Die Schrift macht also die Liebe zum Gebot (Dt 6,5; Lev 19,18; Mk 12,30)! Kann man aber „Liebe gebieten"?[647]

Hier steckt in der Tat ein Problem. Welche „Liebe" wird hier „geboten"? Nach einigen Autoren wird mit dem Gebot Dt 6,5 nur die Intensität der Liebe gefordert.[648] Aber wie soll man hier zwischen dem Gebot und der Intensität der Liebe unterscheiden? Mit Recht lehnt Cl. Wiéner diese Lösung ab: „Cette interprétation nous paraît exclue, non certes par la logique interne ni par la grammaire, . . . mais par le contexte psychologique et religieux du temps."[649] Ist das Liebesgebot etwa als eine „dette de justice", als eine Forderung der strikten Gerechtigkeit zu verstehen, da Gott zuerst den Menschen geliebt hat?[650] Es wäre also nur gerecht, wenn er, Gott, nun von dem Menschen auch Gegenliebe verlangen würde. Aber kann eine solche Argumentation wirklich überzeugen?

Darum versuchen andere Forscher eher das Gebot damit zu erklären, daß dies notwendig gewesen sei, um den Israeliten, der eine sehr hohe Meinung der Transzendenz Gottes hatte, dazu zu bewegen, in Beziehung der Liebe zu Gott zu treten.[651] J. Coppens, der sich dieser Auffassung anschließt, gibt noch zu bedenken: „La plupart des invitations à l'amour pour Dieu figurent dans les sections parénétiques. Ainsi elles sont moins des ordres stricts que des exhortations. Puis, l'amour réclamé par le code implique une fidélité à Yahvé à l'exclusion du service de toute fausse divinité. Pareil devoir, Dieu se devait de l'imposer. Enfin, ne perdons pas de vue qu'en Israél, la notion de loi, d'instruction, de torah, est si fondamentale que l'Israélite conçoit sous cet angle toutes ses relations avec le Seigneur. Si l'amour envers Dieu fait partie de ces rapports, . . . il ne pouvait échapper à cette optique."[652] Zieht man das „Gebot" der Nächstenliebe

---

Jesus 210. Für *E. Fuchs,* Du sollst deinen Nächsten lieben 5, besteht das Neue in der „Radikalität des Anspruchs" Jesu, während *E. Schweizer,* Mk 138 sie in V 34c „Du bist nicht fern vom Reich Gottes" erblickt.

[646] *Blaß/Debrunner,* Grammatik § 362; *M. Zerwick,* Analysis philologica zu Mk 12,30.

[647] *J. Coppens,* La doctrine 264 kommentiert so diesen Einwand: „Rien de plus contraire à la spontanéité de l'amour, . . . que de l'imposer par contrainte. L'amour ne se commande pas. Il doit jaillir du coeur, irrésistiblement en présence de la personne digne de le provoquer."

[648] So z. B. *G. Quell,* ThWNT I 27–29; vgl. *W. Eichrodt,* Theologie 2/3, S. 205.

[649] *Cl. Wiéner,* Recherches 43.

[650] So u. a. *Cl. Wiéner,* Recherches 42: „Ce commandement se justifie comme commandement, du fait qu'il s'agit d'une dette de justice . . ."

[651] Vgl. *G. Winter,* Die Liebe zu Gott 211–246, hier 228.

[652] *J. Coppens,* La doctrine 265; vgl. *G. Winter,* Die Liebe zu Gott 234f; *Cl. Wiéner,* Recherches 41.

zu diesen Überlegungen hinzu und fragt man nach dem Wesensmerk-
mal der so geforderten Liebe, die selbst den Feind nicht ausschließt,
sondern die ständige Bereitschaft zum Vergeben verlangt, so läßt sich
das „Gebot" etwas leichter verstehen. Das ἀγαπήσεις meint hier nicht
ein Gefühl, vielmehr eine bestimmte Haltung des Willens. Was
gemeint ist, wenn die Liebe zum Gegenstand eines Gebotes gemacht
wird, versucht J. Ernst in Anlehnung an R. Bultmann so zu verdeutli-
chen: Christliche Liebe „ i s t   w e i t   e n t f e r n t   v o n   j e d e r   F o r m
s e n t i m e n t a l e r   G e f ü h l s h i n g a b e ,   w e i c h l i c h e r
S c h w ä r m e r e i   u n d   u n k o n t r o l l i e r t e r   R o m a n t i k . Die
von Jesus geforderte Liebe schaut ja nicht zunächst auf edle Mensch-
lichkeit, auf das verborgene Gute im Menschen, auf den innersten
Kern, in welchem ein göttlicher Funke trotz allem noch schlummert.
Lieben wie Jesus es will und wie er selbst liebt, das bedeutet: den
Menschen so annehmen, mit seiner Bosheit und Erbärmlichkeit.
Lieben wie Jesus es will, das heißt nicht: an das Gute im Menschen
glauben, sondern den Menschen in seiner Sünde und gerade wegen
seiner Sünde zugetan sein. Hier reichen freilich menschliche Affekte,
wie Zuneigung, Sympathie, Mitleid usw. nicht mehr aus. Man kann
sich angesichts der erdrückenden Last solcher Forderungen eigentlich
nur unter die schwere Last des göttlichen Gebotes beugen und
gehorsam ‚Ja' sagen."[653] Zusammenfassend kann mit R. Bultmann
gesagt werden: „Nur wenn Liebe als Gefühl gedacht ist, ist es sinnlos,
Liebe zu gebieten; das Gebot der Liebe zeigt, daß Liebe als Haltung
des Willens gemeint ist."[654]

C. Mk 12,28–34 in der Urkirche

Die dritte und letzte Frage betrifft die Rezeption des Doppelgebotes der Liebe in der Urkirche. Es ist erstens immer aufgefallen, daß
das Doppelgebot der Liebe im übrigen NT nicht mehr ausdrücklich
zitiert wird.[655] Die ntl. Autoren reden häufig und betont von der Liebe

---

[653] *J. Ernst*, Die Einheit 13. – Text gesperrt – Vgl. *R. Bultmann*, Jesus, bes. 82f; *ders.*,
Nächstenliebe 237; ferner *E. Schweizer*, Mk 138; *E. Fuchs*, „Du sollst deinen Nächsten
lieben" 9f; *H.-D. Wendland*, Ethik 14; *W. Grundmann*, Doppelgebot 453; *J. Schmid*,
Mk ⁵230; *B. J. Bamberger*, Fear and Love 49–50; *A. Nissen*, Gott 195f; *W. Eichrodt*,
Theologie 2/3, S. 205.

[654] *R. Bultmann*, Jesus 83.

[655] Das bedeutet nicht, daß das Doppelgebot nicht bekannt war. So meint *E. Käsemann*,
An die Römer 346: Jesus-Überlieferung meldet sich wie in Gal 5,14 auch hier in
Rm 13,8–10 mit dem Zitat aus Lev 19,18; ebenso *O. Michel*, An die Römer ⁵409
Anm. 5; *R. Schnackenburg*, Johannesbriefe 121 nimmt in 1 Joh 4,21 eine deutliche
Anspielung auf das Doppelgebot der Gottes- und Nächstenliebe an. Vgl. *R. H. Fuller*,
Doppelgebot 324.

Gottes zu den Menschen, zur Welt,[656] selten jedoch von der Liebe zu Gott.[657] Das bedeutet aber keineswegs, daß damit die Liebe zu Gott ausgeschlossen wäre. Eher scheint sie als selbstverständlich vorausgesetzt zu sein.[658] Doch unterstrichen wird vor allem die Liebe zum Nächsten bzw. zum Bruder. Von Paulus wird sie als πλήρωμα ... νόμου ἡ ἀγάπη (Rm 13,10b; vgl. Gal 5,14) bezeichnet und von Jakobus νόμον βασιλικὸν (Jak 2,8) genannt.

Diese Feststellung führt uns zu der zweiten Frage: Beschränkt sich also nun auch im NT wie im AT und im Judentum die Nächstenliebe, die jetzt an vielen Stellen einfach als Bruderliebe interpretiert wird, auf den Glaubensbruder? Diesen Eindruck scheinen tatsächlich vor allem die johanneischen Schriften, aber auch einige Stellen bei Paulus zu erwecken.[659] Diese Meinung wird denn auch u. a. von E. Haenchen, H. Montefiore, C. H. Ratschow, E. Käsemann vertreten.[660] Differenzierter und wohl auch richtiger urteilt F. Mußner: „Nun läßt sich aber im NT beobachten, daß das Gebot der Nächstenliebe in der Urkirche wieder eine gewisse Einschränkung erfahren hat, insofern das ‚Hauptobjekt' der Liebe der christliche Mitbruder ist; in klassischer Weise kommt das im Gal. selbst zum Ausdruck am Ende des ethischen Abschnittes in 6,10 ... Die Universalität des Liebesgebotes bleibt zwar, aber zugleich wird eine ‚Rangordnung' geboten, wie sie sich so in der Predigt Jesu nicht findet."[661]

Trotz der Fülle der Belege, die dagegen zu sprechen scheinen und der Tatsache, daß die johanneischen Schriften den Begriff des ‚Nächsten' (ὁ πλησίον) nicht kennen, sondern nur von der Liebe der

---

[656] Rm 8,37; 8,39; 5,5.8; 1 Thess 1,4; Joh 3,16; 14,21.23; 1 Joh 4,11.19...

[657] Das hat auch der Befund im AT schon gezeigt; vgl. S. 179ff.

[658] Rm 8,28; 1 Kor 2,9; 8,3; 1 Joh 2,5; 4,21; 5,2; Jak 1,12; 2,5; ferner vgl. 1 Kor 16,22 und Eph 6,24: Liebe zum „Kyrios"; Joh 14,15.21.23f.28; 21,15–17: Liebe zu Jesus.

[659] Rm 13,8–10; Gal 5,14; 6,10; 1 Thess 4,9f; 5,15; ferner Jak 2,8; Joh 13,34.35; 15,12.17; 1 Joh 3,11.23; 4,7.11.12; 2 Joh 5; 1 Joh 2,10; 3,10.16; 4,20.21.

[660] E. *Käsemann*, Jesu letzter Wille 106f schreibt: „Nichts spricht dafür, daß die Bruderliebe exemplarisch die Nächstenliebe umfaßt, wie sie selbst im Neuen Testament gefordert wird. Im Gegenteil, hier wird eine unverkennbare Einschränkung vorgenommen, wie wir sie auch aus der Qumrangemeinde kennen..." Ferner E. *Haenchen*, Neuere Literatur zu den Johannesbriefen, in Th R. N. F. 26 (1960), S. 1–43, hier 37; E. *Stauffer*, Die Botschaft Jesu 47; H. *Montefiore*, Thou shalt love, bes. 164ff; C. H. *Ratschow*, Agape 160–182, bes. 173ff. N. *Lohfink*, Liebe, in: ders., Wörter, bes. 235–237, meint, es lasse sich „in der Sache ... praktisch kein Unterschied zwischen Altem und Neuem Testament feststellen". (S. 237).

[661] F. *Mußner*, Galaterbrief ³371; Sperrungen im Text. Ebda. S. 373 macht er darauf aufmerksam, daß es dem Apostel „sowohl in Röm 13,8–10 als auch in Gal 5,13ff um Gemeindeparänese" geht, „die das ethische Verhalten der Christen zueinander normieren will". Auch H. *Schlier*, Galater ⁵278 bemerkt zu Gal 6,10: „Es gibt für den Christen keine Beschränkung, sondern ein jeder Mensch kann sein Nächster sein. Aber praktisch ist es der οἰκεῖος τῆς πίστεως, dem man allem das Gute erweisen muß."

Jünger oder der Brüder (vgl. 2. und 3. Joh) zueinander reden,[662] gilt das eben Gesagte auch für Johannes und seine Schule. Das hat schon R. Bultmann in seinem Kommentar zum Johannesevangelium richtig gesehen. So sagt er zum ὑμεῖς ἀγαπᾶτε ἀλλήλους (Joh 13,34f): „Nicht allgemeine Menschenliebe, nicht Nächsten- und Feindesliebe wird gefordert, sondern Liebe innerhalb des Kreises der Glaubenden. Es versteht sich von selbst, daß damit nicht das umfassende Gebot der Nächstenliebe außer Kraft gesetzt werden soll; aber hier steht ja einfach die Existenz des Jüngerkreises in Frage.“[663] Speziell zu 1 Joh meint er unter Verweis auf 1 Joh 3,17: „Zudem scheint in den Sätzen des 1. Joh über die Bruderliebe keineswegs nur an den christlichen Bruder gedacht zu sein.“[664] Seinerseits weist auch R. Schnackenburg auf Stellen wie 1 Joh 3,14; 4,20.21 hin, die dazu drängen, die Bezeichnung ‚Bruder‘ in einem weiteren Sinne zu nehmen. Seine Analyse ergibt, daß sich „bei ‚Bruderliebe‘ im Munde des christlichen Autors ein eigentümliches Schwanken zwischen einer engeren und weiteren Fassung“ zeigt. Darum ist es „ungerechtfertigt, von einer Einengung der ‚Nächstenliebe‘ auf die ‚Bruderliebe‘ bei Joh zu sprechen.“[665] Das bedeutet: Man wird bei Paulus, Johannes wie bei den anderen ntl. Zeugen zwischen Nächstenliebe und Bruderliebe eine Unterscheidung sehen dürfen: Bruderliebe als „eine auf den Kreis der Gemeinde gerichtete und auf ihn eingegrenzte Agape“; Nächstenliebe hingegen als „die durch keine Schranken kirchen- oder nationalpolitischer Art eingegrenzte Sicht, als Nächster gefordert zu sein“.[666] Der Christ soll „nach dem Gebote Jesu keinen Menschenbruder von seiner Liebe ausschließen, aber das besondere Feld für seine brüderliche Hingabe und Tat in der Gemeinschaft der Glaubensbrüder suchen“.[667]

VII. Historizität der Einheit

Läßt sich Mk 12,28–34 als Ganzes oder wenigstens im Kern auf den irdischen Jesus zurückführen? Die Frage wird in der Forschung sehr unterschiedlich beurteilt. Viele Exegeten halten die Perikope für eine Gemeindebildung, und zwar hellenistisch-judenchristlicher Herkunft. Das ist für C. Burchard z. B. ganz eindeutig: „Das doppelte Liebesge-

---

[662] Vgl. *H. Schlier*, Bruderliebe, in: *ders.*, Ende der Zeit, bes. 131–133.

[663] *R. Bultmann*, Joh [18]405f; ferner *ders.*, Theologie des NT, [5]435.

[664] *R. Bultmann*, Theologie des NT [5]435.

[665] *R. Schnackenburg*, Johannesbriefe 121; vgl. auch *H. Schlier*, Bruderliebe, in: *ders.*, Ende der Zeit 133 Anm. 13.

[666] *C. H. Ratschow*, Agape 160, der trotzdem zu einem anderen Ergebnis kommt.

[667] *R. Schnackenburg*, Johannesbriefe 121.

bot als Inbegriff des göttlichen Willens ist also wohl Erbstück aus dem hellenistischen Judentum."[668] Und er schließt seine Untersuchung mit den Worten ab: „Das doppelte Liebesgebot ist also kaum von Jesus geschaffen worden, auch nicht durch ihn in die christliche Überlieferung gekommen."[669]

Andere Forscher rechnen mindestens mit einem historischen Kern der Erzählung im Leben Jesu. So meinte bereits M. Albertz zum ganzen Komplex Mk 11,27–12,37: „Überall stehen hinter den Erzählungen wirklich gehaltene Gespräche. Sie gehören zu dem Zuverlässigsten von dem, was das Evangelium überliefert."[670] Für die Echtheit von Mk 12,28–34 spricht nach Albertz das Fehlen der Kombination von Dt 6,5 und Lev 19,18 im zeitgenössischen Judentum. Er schreibt: „nur die Zusammenfassung der Gottes- und Nächstenliebe ist im zeitgenössischen Judentum nicht nachweisbar . . . und darf als Jesu originale Tat gelten."[671] Nach E. Schweizer „spricht die Einzigartigkeit von V 34 zusammen mit der Seltenheit der Parallelen zu V 28–31 und den nicht der LXX entsprechenden Zitaten eher für einen Bericht von einem Vorfall im Leben Jesu."[672] R. Pesch, S. Légasse und R. H. Fuller gehen von dem von ihnen rekonstruierten ursprünglichen Text aus[673] und glauben, Jesus einen Kern der Geschichte zuschreiben zu können. Darüber hinaus begründet Fuller seine Annahme mit dem Hinweis, daß es unwahrscheinlich sei, „daß das Doppelgebot eine Bildung der frühen nachösterlichen Gemeinde ist, denn – abgesehen von unserer Evangelienperikope in ihren verschiedenen Ausprägungen – es wird in der nachösterlichen Katechese sonst immer das e i n f a c h e Gebot der Liebe des Nächsten zitiert (Gal 5,14; Rm 13,9; Jak 2,8; auch Mt 19,19)".[674]

Was ist nun von diesem Sachverhalt zu halten? Zweifellos zeigen die unterschiedlichen Rekonstruktionsversuche, worauf oben bereits aufmerksam gemacht wurde, die besonderen Schwierigkeiten dieser

---

[668] *C. Burchard*, Liebesgebot 57; vgl. S. 55.

[669] *C. Burchard*, Liebesgebot 61. Ebenso negativ urteilen u. a. *R. Bultmann*, Geschichte 57.157; *J. Sundwall*, Zusammensetzung 74; *E. Haenchen*, Der Weg 414; *H. Merklein*, Gottesherrschaft 104; *H. Braun*, Radikalismus II,84 Anm. 2; 95 Anm. 1; *K. Berger*, Gesetzesauslegung 142–172; *H. Hübner*, Gesetz 107f + Anm. 295 u. a. m.

[670] *M. Albertz*, Streitgespräche 35.

[671] *M. Albertz*, Streitgespräche 33. Das Zeugnis von den Testamenten der XII Patriarchen hält er für christliche Interpolation.

[672] *E. Schweizer*, Mk [5]137.

[673] Vgl. *R. Pesch*, Mk II,244.246.247; *S. Légasse*, Scribes 488; *R. H. Fuller*, Doppelgebot 322.324.

[674] *R. H. Fuller*, Doppelgebot 321; Sperrung im Text. Für die Echtheit, wenigstens z. T., treten ebenfalls ein u. a. *J. Piper*, Love your enemies 94; *J. Ernst*, Einheit 6; *R. Banks*, Jesus 168; *G. Bornkamm*, Doppelgebot 85f. Das erwägt auch *A. Suhl*, Funktion 88 + Anm. 88.

Perikope. Bedeutet dies aber, daß es eine Urform dieses Gespräches nicht gegeben haben kann? Freilich haben Bornkamm, Burchard und Berger u. a. überzeugend nachgewiesen, daß in seiner j e t z i g e n Gestalt unser Text schwerlich auf den irdischen Jesus zurückgehen kann. Er stammt vielmehr aus dem hellenistischen Judenchristentum. Denn hier „bekundet sich ein für das gemeine Judentum durchaus untypisches systematisierendes Denken" und „der in der Formulierung des Doppelgebotes der Liebe erkennbare Abstrahierungs- und Generalisierungsprozeß verrät deutlich griechische Denkweise".[675] Es scheint mir aber in diesem Zusammenhang eine Bemerkung R. Bultmanns, der selbst gegen die Echtheit der Perikope ist, bedenkenswert zu sein. Er schreibt: „Daß an Jesus Fragen wie die nach dem Weg zum Leben oder die nach dem höchsten Gebot herangebracht wurden, ist an sich durchaus wahrscheinlich; ein anderes aber ist die Frage, ob die Szenen, die davon erzählen, historische Berichte sind."[676] In diesem Sinne äußert sich auch P. Bonnard: „D'ailleurs, dans l'état actuel de nos connaissances, toutes les appréciations d'authenticité demeurent très conjecturales; rappelons qu'un texte incontestablement tardif du point de vue de son style et même de son vocabulaire peut parfaitement nous apporter l'écho d'une instruction ou d'un geste historiques de Jésus."[677] Könnten diese Bemerkungen für Mk 12,28–34 nicht zutreffen? Einige Beobachtungen scheinen dies zu befürworten:

1. Der freundliche Schriftgelehrte:

Dem aufmerksamen Leser des Mk-Evangeliums fällt auf, daß dort als Feinde Jesu schlechthin die Pharisäer und die Schriftgelehrten auftreten. Unsere Perikope macht hier eine große Ausnahme, die nicht erst Werk des Redaktors Mk sein kann, wie es auch die meisten Exegeten ausdrücklich betonen. So schreibt W.-H. Kuhn: „Allerdings hat nicht Mk diese Perikope zu einer positiven Begegnung mit dem Judentum umgestaltet",[678] weil, so begründet Burchard diese Meinung, Mk „sonst über die Schriftgelehrten so positiv nicht denkt".[679] Andererseits weiß die synoptische Tradition

---

[675] G. Bornkamm, Wandlungen, Zitate S. 92 und 93; vgl. ders., Doppelgebot 85ff; K. Berger, Gesetzesauslegung 142–176; C. Burchard, Liebesgebot 57ff. So urteilen auch R. Pesch, Mk II,244; J. Gnilka, Mk II,163–167 u. a. Dagegen bestreitet E. Neuhäusler, Anspruch 117 Anm. 13 jeden hellenistischen Einfluß im Text; wohl zu Unrecht.

[676] R. Bultmann, Geschichte 57 – Für die Echtheit von Mk 10,17–31 plädiert entschieden W. Zimmerli, Die Frage des Reichen nach dem ewigen Leben, jetzt, in: ders., Gottes Offenbarung (Theol. Bücherei 19), München 1963, S. 316–324.

[677] P. Bonnard, Mt 11.

[678] H. W. Kuhn, Zum Problem 301 Anm. 11; vgl. ebda. 302 Anm. 14.

[679] C. Burchard, Liebesgebot 46; vgl. ferner E. Trocmé, Formation 70–109, bes. 76–80: Die Schriftgelehrten werden dargestellt als „meneurs de l'opposition à l'enseigne-

darüber zu berichten, daß diese Feindschaft nicht von Anfang an
vorhanden war. Zunächst zeigen die Führer Israels Interesse an
Jesu Botschaft und Bereitschaft zur Diskussion. Jesus wird sogar
von einigen von ihnen zum Essen eingeladen, wie Lk 7,36; 11,37;
14,1; (vgl. Joh 3) zu lesen ist. Man wird Légasse zuzustimmen
haben, wenn er feststellt: „des scribes juifs ont écouté Jésus avec
attention et sympathie, se sont tournés vers lui comme vers un
guide religieux exceptionnel, sont même allés jusqu'à demander
d'être de ses intimes et ont obtenu d'appartenir au groupe de ses
disciples au sens restreint."[680] Stammt Mk 12,28–34 vielleicht aus
dieser Anfangszeit? Die Perikope ist ja, wie wir gesehen haben,
zeit- und ortlos. Diese Vermutung wird noch von der Beobachtung
erhärtet, daß diese Erzählung als Streitgespräch dem mkn. Kontext
und seiner Tendenz vorzüglich gepaßt hätte. Die Seitenreferenten
haben denn auch an dieser positiven Schilderung des Schriftgelehrten Anstoß genommen und das Gespräch in ein Streitgespräch
umformuliert (Mt 22,34f; Lk 10,25). Markus verarbeitet sonst seine
Traditionen nicht. Er tradiert sie wie er sie übernommen hat, und
nur durch Anordnung seines Stoffes interpretiert er seine Überlieferung.[681]

2. Zusammenstellung von Dt 6,5 und Lev 19,18:
Die Verbindung von Dt 6,5 und Lev 19,18 zu einer untrennbaren
Einheit begegnet weder im AT noch im Rabbinentum der Zeit
Jesu. Das müssen Burchard und Berger u. a. zugeben. Letzterer
meint: „Eine Zitierung der Schriftstellen Dt 6,5 und Lev 19,18
findet sich überhaupt nur in Mk 12,28–34 par."[682] Und Burchard
schreibt: „Tatsächlich ist die Zitatkombination Dt 6,5 + Lev 19,18
in jüdischen Texten nicht belegt."[683] Aber beide Autoren versuchen
diesen Befund außer Kraft zu setzen: Berger mit der Behauptung,
daß es sich hier eindeutig um eine vorgenommene Formulierung
einer traditionellen Kombination handle, „nunmehr mit ausdrücklichen Schriftzitaten". Die Frage wiederum entstamme „der kate-
chetischen Proselytenunterweisung des hellenistischen Judentums".[684] Für Burchard könnte diese Ansicht nur dann richtig sein,
wenn das doppelte Gebot „als solches oder in seiner Funktion

---

ment et à la personne de Jésus" (76) und der γραμματεύς von Mk 12,28–34
charakterisiert als „un scribe isolé . . . Il est l'exception qui confirme la règle" (76 und
78).

[680] S. Légasse, Scribes 496; vgl. H. Kahlefeld, Gleichnisse II,7ff.

[681] W. Marxsen, Evangelist 26.

[682] K. Berger, Gesetzesauslegung 142, ihm folgt H. Merklein, Gottesherrschaft 104.

[683] C. Burchard, Liebesgebot 55. Ebenso urteilen z. B. A. Nissen, Gott 394; R. H. Fuller,
Doppelgebot 325.

[684] K. Berger, Gesetzesauslegung 142f.

gegenüber der Tora ein Novum wäre . . ." Doch ist er der Überzeugung, daß das Doppelgebot der Liebe „der Substanz und der
Funktion nach jüdisch vorgebildet ist", und zwar wiederum „im
hellenistischen Bereich".[685]
Auf die Problematik der Anwendung des mit den Worten „ein
Novum" und „traditionelle Kombination" angedeuteten Kriteriums
der Unähnlichkeit macht F. Hahn mit Recht aufmerksam, wenn er
schreibt: Dieses Prinzip „versagt dort, wo die Urgemeinde sich sehr
eng an Jesu eigene Redeweise angelehnt hat".[686] Und J. Ernst
mahnt zur Vorsicht in der Anwendung dieses Prinzips: „Der
Grundsatz: ‚Alles, was den jüdischen Horizont übersteigt, ist für
Jesus typisch', kann ebenfalls nicht als absolut zuverlässig angesehen werden. Im Gegenteil, es ist durchaus möglich, daß es
authentische Jesusworte gibt, die inhaltlich kaum oder gar nicht
von den jüdischen Vorstellungen abweichen. Bultmanns Zuordnung der Jesusverkündigung zum Judentum muß bis zu einem
gewissen Grade ernst genommen werden. Denn ‚nur als Jude
(vielleicht deutlicher: als Israelit) konnte er das Judentum radikal
überwinden.'"[687] Was nun Mk 12,28–34 betrifft, so meint er:
„Obwohl Jesus sich lediglich auf Normen des jüdischen Gesetzes
beruft, wird doch gerade hier die Haltung Jesu besonders deutlich
ausgesprochen."[688] Es muß sich also nicht immer um ein Novum
handeln, obgleich wir der Ansicht sind, daß wir es bei dieser
Zitatkombination tatsächlich mit einem Novum Jesu zu tun haben.
Auch in seiner Funktion (und Substanz?) stellt das Doppelgebot
gegenüber der Tora ein Novum dar. Man wird also Burchard nicht
uneingeschränkt zustimmen können, wenn er vereinfachend
behauptet: „Das Doppelgebot (wie das ganze Alte Testament) ist so
gemeinsamer Besitz von Juden und Christen . . ."[689] Jedenfalls
haben es die Evangelisten nicht so verstanden wie Burchard.[690] Das
zeigt Lk 10,29–37 ganz eindeutig.
Geht es also hier um eine traditionelle Kombination im Sinne
Bergers? Man wird nicht gut leugnen können, daß es ähnliche
Kombinationen von Geboten im hellenistischen Judentum gege-

---

[685] C. Burchard, Liebesgebot 55.
[686] F. Hahn, Überlegungen zur Rückfrage nach Jesus 11–77, bes. 32ff.
[687] J. Ernst, Christologie 111f – vgl. schon E. Käsemann, Das Problem des historischen
Jesus, in: ders., Exeg. Versuche I,187–214, näherhin 205.
[688] J. Ernst, Christologie 112.
[689] C. Burchard, Liebesgebot 59.
[690] Zur Kritik an C. Burchard, vgl. auch J. Piper, Love your enemies, bes. 92–94. Vgl. auch
N. Lohfink, Das Siegeslied 149f; ders., Liebe, in: Wörter, bes. 233 versucht m. E. den
Unterschied zwischen AT und NT zu verwischen. Aber seine Beweisführung ist
nicht sehr überzeugend.

ben hat. Aber ist die Zusammenordnung von Dt 6,5 und Lev 19,18 ganz dasselbe wie die Zueinanderordnung von Gottesverehrung und Nächstenliebe bei Philo?[691] Es ist befremdend, daß, obwohl die Rabbinen das Prinzip des Analogieschlusses *g^ezerah šādāh* kannten und verwendeten, sie diese beiden Stellen Dt 6,5 und Lev 19,18 nie in Verbindung gebracht haben. Dieser Schluß „kraft dessen, weil in zwei Gesetzesstellen Worte vorkommen, die gleich lauten oder gleich bedeuten, beide Gesetze, wie verschieden sie auch an sich sind, gleichen Bestimmungen und Anwendungen unterliegen",[692] ist die zweite Regel der sieben Middoth Hillels und die siebte der 32 Middoth des R. Eliezer. Die sieben Middoth Hillels sind zwar nicht von Hillel erfunden, aber sie sind „eine Zusammenstellung von damals üblichen Hauptarten des Beweisverfahrens",[693] und zählen zu den ältesten Auslegungsnormen. Sie gehören schon zur Zeit Jesu zur rabbinischen Theologie.[694] Ist das reiner Zufall, daß selbst im NT diese Verbindung nur hier, und zwar im Munde Jesu vorkommt?[695] In der nachösterlichen Katechese wird sonst, wie man richtig festgestellt hat, immer das einfache Gebot der Liebe zum Nächsten zitiert (vgl. Gal 5,14; Rm 13,9; Jak 2,8; Mt 19,19). Die Verbindung dieser formgeschichtlich verschiedenen und weit auseinanderliegenden Stellen entspricht durchaus dem Geist der Verkündigung Jesu. Vielleicht begegnet deshalb auch die Wendung ἡ βασιλεία τοῦ θεοῦ (V 34b) in diesem Zusammenhang nicht zufällig. Sie verweist auf das Zentralthema der Botschaft Jesu, deren Lebensgesetz eben die Liebe ist.

3. Die Kultkritik:

Das Argument der Kultkritik allein ist noch kein Beweis gegen die Echtheit dieser Perikope. Wieder versucht es Berger zu einseitig zu bewerten.[696] Man wird jedoch Bornkamm beipflichten dürfen, wenn er sagt: „Auch sie (die Kultkritik) ist bekanntlich der

---

[691] *J. Gnilka*, Mk II,167. Zu Philo siehe S. 277–280.

[692] *H. L. Strack*, Einl. in Talmud und Midrasch 97.

[693] *H. L. Strack*, Einl. in Talmud und Midrasch 96.

[694] *W. Diezinger*, Liebesgebot 81–83, hier 81. Er interpretiert Mk 12,28–34 parr. mit Hilfe dieser Regel. Vgl. auch *H. C. Kee*, Function of scriptural quotations 181.

[695] Bekanntlich rezitiert nicht Jesus, sondern der νομικός bei Lk das Doppelgebot. Bedenkt man 1), daß Lk die mkn. Erzählung gekannt hat und 2), daß das lk. Anliegen ein praktisches ist, d. h. daß Lk den Akzent auf die Paränese legt, so daß ihm das Doppelgebot nur zur Einleitung der Erzählung vom barmherzigen Samariter dient, scheint es nicht ausgeschlossen zu sein, daß der Redaktor Lk selbst diese Veränderung vorgenommen hat. *R. Schnackenburg*, Die Forderung der Liebe 92 urteilt „Wenn bei Lk 10 der Schriftgelehrte selbst das Hauptgebot aufsagt, so ist das schon eine sekundäre Überlieferung; das Ursprüngliche finden wir bei Markus . . ."

[696] *K. Berger*, Gesetzesauslegung 194–198.

Botschaft der Propheten und der Frömmigkeit der Psalmen nicht fremd und ein starkes Motiv auch in Jesu Verkündigung."[697]

4. Schließlich sei auf eine letzte Beobachtung hingewiesen, die in der Forschung kaum beachtet wird. Die Kritik des Schriftgelehrten bleibt auf der Ebene des AT und seiner religiösen Umwelt.[698] Es ist daher „fraglich, ob das Wort des Schriftgelehrten Mk 12,33 ganz der Meinung Jesu entspricht".[699] Der Gesetzeslehrer schwächt die Antwort Jesu V 29–31 ab. Hatte Jesus dort zusammenfassend herausgestellt: μείζων τούτων ἄλλη ἐντολὴ οὐκ ἔστιν (V 31c), so verschiebt doch sein Gesprächspartner den Akzent dieser Aussage, wenn er jetzt formuliert: das Doppelgebot der Liebe sei περισσότε-ρόν... πάντων τῶν ὁλοκαυτωμάτων καὶ θυσιῶν (V 33fin). Es heißt nicht, das Doppelgebot sei die ἐντολὴ πρώτη πάντων, auch nicht: περισσότερόν als alle anderen Gebote der Tora. Der Vergleich – man beachte den Komparativ – beschränkt sich lediglich auf das Kultwesen (Vgl. V 31c mit V 33). Ist das richtig gesehen, dann bleibt, wie gesagt, der Schriftgelehrte durchaus im jüdischen Bereich, wo diese Frage ebenso heftig debattiert wurde. Für ihn ist die Quintessenz des Willens Gottes nicht das Doppelgebot der Liebe, sondern die Torah, die natürlich auch das Gebot der Liebe zu Gott und zum Nächsten enthält. Die Radikalität der Forderung und der Aussage Jesu ist hier nicht erreicht.

Ausdrücklich muß jedoch betont werden, daß Mk 12,28–34 in d e r v o r l i e g e n d e n G e s t a l t nicht vom irdischen Jesus, vielmehr aus dem hellenistischen Judenchristentum stammt. Die eben gemachten Beobachtungen und Überlegungen scheinen aber nicht dagegen zu sprechen, daß wenigstens ein Kern der Erzählung, vielleicht in sehr einfacher Form von: Frage – Antwort und gegenseitige Zustimmung der beiden Partner auf den irdischen Jesus zurückgeht.[700] Allerdings ist es uns nicht mehr möglich, die Elemente, die im Laufe der langen Überlieferungsgeschichte zu der jetzigen Gestalt der Perikope geführt haben, zu scheiden, so sehr ist sie nun im hellenistischen Bereich verankert. Doch hat Schnackenburg recht: „Gerade für den Liebesgedanken läßt sich zeigen, daß er in den verschiedensten Dokumenten bezeugt wird, mit einer Einmütigkeit und einem Nachdruck, daß man auf einen mächtigen Impuls schließen muß. Von wem anders kann er ausgegangen sein als von Jesus selbst? Seine Liebesforderung, durch das Exempel seines Lebens und Sterbens verdeutlicht, hat

---

[697] *G. Bornkamm,* Doppelgebot 90.

[698] Vgl. S. 199ff, bes. 202f.

[699] *O. Michel,* Das Gebot der Nächstenliebe in der Verkündigung Jesu, zitiert bei *J. Piper,* Love your enemies S. 208 Anm. 108.

[700] Vgl. *S. Légasse,* Scribes 488.

das Urchristentum geprägt und entscheidend dazu beigetragen, daß sich das Christentum als Religion der Liebe im Heidentum durchsetzte."[701]

VIII. Markinische Interpretation von Mk 12,28–34

Unsere Analyse ergab, daß dem Evangelisten diese Perikope vorgegeben war. Lediglich der Rahmen stammt von ihm. Durch diesen Rahmen und die Stellung der Erzählung in dem Makrotext bringt der Redaktor seine Ideen, sein Verständnis des Stückes zum Ausdruck. Rahmen und Kontext machen es deutlich, wie Mk das Hauptgebot der Liebe verstanden hat und verstanden wissen will. Das herauszuarbeiten, gilt nun unsere Bemühung.

A. Der Rahmen

Der Redaktor stellt sich den Schriftgelehrten als Ohren- und Augenzeuge vor, der gesehen und gehört hat, wie Jesus mit verschiedenen Gruppen und Gegnern disputiert hat. Ermutigt von seinen Antworten möchte er sich nun von Jesus belehren lassen. Wie eben angedeutet, dient V 28 dem Redaktor als Bindeglied nicht nur mit der unmittelbar vorhergehenden Perikope von der Auferstehung der Toten (Mk 12,18–27), sondern auch im Sinne des Mk mit der ganzen Einheit (Mk 11,15–19.27ff–12,34). Das wird dadurch bestätigt, daß all diese Fragen nicht nur geographisch an dem einen Ort „Jerusalem", sondern auch chronologisch an einem einzigen Tag gestellt werden.[702] Nur wenn dieser Hintergrund gesehen wird, wird auch die Notiz V 34c verständlich.

Da es sich hier vorwiegend um Streitgespräche, d. h. um Auseinandersetzungen handelt, in denen die Gegner in böser Absicht versuchen, Jesus in eine Falle zu locken oder ihn beim Volk zu diskreditieren,[703] so wäre hier ebenfalls damit zu rechnen, daß gerade der nach Mk zu den stereotypen Gegnern Jesu gehörende und nun auftauchende Fragesteller (vgl. Mk 12,35ff; 12,38ff . . .) einen letzten Versuch

---

[701] R. Schnackenburg, Die Forderung der Liebe 95.

[702] Einzige Ausnahme ist Mk 11,15–19, das der Anlaß der Debatten ist.

[703] Richtig erkannt z. B. von E. P. Gould, Mk 234: „. . . but the whole series of questions to which it (d. h. V 34c) belonged was far from friendly; it was captious and hostile, having for its object to destroy the authority of Jesus by showing that he was no more than any other teacher when he came to face the real puzzles of the learned men."

machte, Jesus bloßzustellen. Anders gesagt: es besteht aus mkn. Sicht
eine Spannung zwischen dem καλῶς ... (V 28) und dem Subjekt εἷς
τῶν γραμματέων. Daß aber dieser Gesprächspartner Jesus ohne jede
böse Absicht fragt, sondern bei ihm Belehrung sucht, ist im Mk-
Evangelium singulär. Die freundliche Gesinnung des Schriftgelehrten
Jesus gegenüber unterstreicht der Redaktor gleich am Anfang des
Gesprächs, indem er die Antwort des Fragestellers V 32b vorweg-
nimmt: καλῶς, διδάσκαλε ...; sie entsprechend dem Kontext formuliert und betont an den Beginn der Perikope stellt (V 28): ἰδών ὅτι
καλῶς ἀπεκρίθη αὐτοῖς ... Der Gegner ist von Jesu Antworten tief
beeindruckt. Dies καλῶς gibt zweifellos nicht nur die Meinung des
Schriftgelehrten, sondern auch die des Redaktors wieder. Daß ein
Mann „aus der anderen Lage"[704] Jesus öffentlich lobt und damit seine
Zunftkollegen vor allen Leuten beschämt, dürfte für Mk von Bedeutung sein.

Ob sich Mk die Schriftgelehrten als eine dritte Partei neben den
Pharisäern (12,13ff) und den Sadduzäern (12,18–27) denkt, wie
V. Taylor im Anschluß an E. Lohmeyer annimmt,[705] scheint nach den
Ausführungen zu Mk 12,18ff wenig wahrscheinlich zu sein. Sowohl
Pharisäer als auch Sadduzäer hatten eigene exegetische Schulen, ·d. h.
Schriftgelehrte.[706]

Es wurde schon darauf hingewiesen, daß der Versteil V 34c aus
dem großen Zusammenhang von Mk 11,27–12,34 genommen und
nur in seinem unmittelbaren Kontext, d. h. in der Perikope betrachtet, nicht recht verstanden werden kann. So halten ihn auch manche
Exegeten für eine sinnlose oder zumindest für eine unpassende
Bemerkung. So meint K. L. Schmidt zwar, daß V 34c nicht diese
Einzelgeschichte, sondern die Reihe aller drei Szenen vorher
abschließt; aber er „würde sich besser als Schlußsatz der Zinsgro-
schengeschichte ausmachen".[707] Hatte W. Grundmann in der fünften
Auflage seines Markuskommentars noch geurteilt: „Der Schluß ist an
der jetzigen Stelle unpassend ...", so wird in der siebten Auflage
dieser Satz gestrichen. Er schreibt nur: Mk 12,34c „beschließt alle
Gespräche und verrät durch seine Stellung die Einfügung des selbständig überlieferten Gesprächs in den jetzigen Zusammenhang".[708]
Nicht überzeugend ist auch die Erklärung von H. W. Kuhn. Es

---

[704] E. Klostermann, Mk 128.
[705] V. Taylor, Mk 485; E. Lohmeyer, Mk 258 Anm. 1.
[706] Vgl. oben S. 83ff; bes. 87f.
[707] K. L. Schmidt, Der Rahmen 283. Ihm folgt E. Klostermann, Mk 128.
[708] W. Grundmann, Mk, [5]1971, S. 250; [7]1977, S. 336. Vgl. ferner W. L. Knox, Sources I
(Mk) 86: „The entirely pointless statement that' no one dared to ask him any further
questions ...".; G. Bornkamm, Doppelgebot 90; R. Pesch, Mk II,244 – E. Schweizer, Mk[5],
S. 138f versteht V 34c wie Mk 1,22.

leuchtet nicht ein, wieso „die versöhnliche Behandlung der Frage nach dem größten Gebot ... gerade nicht Anlaß zu weiteren Fragen"[709] geben soll. Dieser Meinung widerspricht V 28.[710] Richtiger dagegen dürfte V. Taylor liegen, wenn er schreibt: „It links together the four preceding controversy-stories, and marks a pause before the final member of the group in which Jesus Himself takes the initiative."[711]

Mit der Notiz V 34c grenzt Mk die Perikope gegen die drei vor der apokalyptischen Rede noch folgenden Stücke ab und ordnet die Szene den vorausgehenden Debatten zu. In der Tat sind die nun folgenden Perikopen (Mk 12,35ff; 12,38ff; 12,41ff) keine Gespräche mehr, sondern Belehrung. Außerdem markiert Mk 12,35 deutlich einen neuen Anfang. Auch die Adressaten sind nicht mehr die Gegner Jesu, sondern das Volk und die Jünger (Mk 12,35.38 und 12,43; vgl. Mk 13,1.3.5.) Wie in der ersten Unterabteilung (Mk 8,27–10,52), so auch hier in der zweiten Unterabteilung (Mk 11,1–13,37) des zweiten Hauptteils des Evangeliums (Mk 8,27–13,37):[712] nachdem Jesus seine Gegner zum Schweigen gebracht hat (11,27–12,34), lehrt er nun seine Jünger (Mk 12,41–44; 13,1–37). Aber auch das Volk hört ihn gerne (Mk 12,35–37. 38–40). Es ist darum naheliegend anzunehmen, daß V 34c eine größere Einheit abschließt und mit V 35 ein neuer Abschnitt beginnt. Man wird daher diesen Versteil 34c in dem großen Zusammenhang zu sehen und zu interpretieren haben.

B. Makrotext: Mk 12,28–34 im Mk-Evangelium

Wir sahen, daß es der Gemeinde in dieser Erzählung darum ging zu zeigen, daß Jesu Lehre mit dem Grundbekenntnis und den Grundwahrheiten des Glaubens Israels voll übereinstimmt. Das erkennt sogar ein Vertreter der Gegnergruppe, ein Schriftgelehrter an, zur Beschämung seiner Zunftkollegen. Das bedeutet: der Jude, der Jünger Jesu wird, braucht seinen Glauben nicht zu verleugnen. Daß Jesus trotzdem von der Mehrheit seines Volkes abgelehnt wurde, lag nicht an ihm und seiner Lehre ...

---

[709] *H.-W. Kuhn*, Zum Problem 304.

[710] Richtig auch *A. Suhl*, Funktion 87 Anm. 83.

[711] *V. Taylor*, Mk 490.

[712] Zum Aufbau des Mk-Evangeliums, vgl. *H. Riesenfeld*, Tradition und Redaktion 157–164, näherhin 160f; ferner *T. A. Burkill*, Strain on the Secret 31–46, bes. 31f; *E. Schweizer*, Mk[5], S. 214–216. Eine andere Gliederung nimmt *A. Kuby*, Zur Konzeption 52–64 vor. Er setzt die große Zäsur nicht wie die meisten Autoren hinter Mk 8,26, sondern bereits hinter Mk 8,21.

Diese eine Ausnahme unter den Gegnern ist Markus nicht nur willkommen, sondern auch von großer Bedeutung. Durch eine „geschickte" – markinisch betrachtet – Anordnung der Perikope in seinem Text konnte der Redaktor die ort- und zeitlos überlieferte Geschichte für seinen Zweck verwenden. Und so hat er sie in Jerusalem lokalisiert. Das ist nicht zufällig geschehen. Um die mkn. Interpretation, das mkn. Verständnis der Perikope zu verstehen, muß man sich vergegenwärtigen, was Jerusalem und die Reise Jesu in die große Stadt in markinischer Sicht bedeutet. Für Mk markiert Jerusalem nicht nur das Ende der öffentlichen Wirksamkeit Jesu. Jerusalem ist für ihn ebenso die Hochburg der Feinde, der Ort der Passion und des gewaltsamen Todes. Wegen dieser feindseligen Stimmung muß Jesus immer wieder vor Anbruch der Dunkelheit die Stadt verlassen (Mk 11,11b.19), während er tagsüber im Tempel lehrt (Mk 11,15ff; 14,48f; vgl. Mk 13,1f).[713]

Der ganze Abschnitt Mk 11,27–12,44 spielt sich im Tempel ab, und zwar, wie oben bereits festgestellt, an einem einzigen Tag. Jesus disputiert mit den Gegnern und lehrt das Volk und seine Jünger. Die Fülle des Stoffes schließt es aus, daß den Evangelisten hier ein historisches Interesse leitet. Sein Anliegen ist anderer Art.

Auch die kultkritischen Worte V 33 stehen nicht isoliert da. Man muß sie im Sinne des Redaktors mit der vorher berichteten Reinigung des Tempels durch Jesus zusammensehen, zumal wenn diese Aktion Jesu im Tempel ursprünglich den auslösenden Faktor der Auseinandersetzung darstellte, wie wir annehmen.[714] Dem Protest Jesu gegen den Tempelkult, genauer gegen die Zweckentfremdung des Gotteshauses,[715] das vom Haus des Gebetes für alle Völker zu einer Räuberhöhle geworden ist (Mk 11,17), entspricht und folgt nun die Ablehnung der gegenwärtigen Jerusalemer Opferpraxis durch den Schriftgelehrten. Angeprangert wird dabei sowohl von Jesus als auch vom Schriftgelehrten die rein äußerliche Erfüllung des Gesetzes, des Rituals, unter Vernachlässigung und Übertretung des wahren Willens Gottes; ein veräußerlichter Dienst ohne Treue und Wahrheit, wie schon der Prophet klagte: „Dieses Volk ehrt mich mit den Lippen, doch ihr Herz ist fern von mir" (Jes 29,13 LXX).[716] Von diesem Hintergrund her gewinnt die Kritik des Schriftgelehrten auch an Schärfe. Der wahre Kult besteht nicht so sehr in der äußeren Geschäftigkeit, auch nicht in den vielen Brand- und Schlachtopfern, wenn sie auch nicht grundsätzlich verworfen werden, als im Gebet

---

[713] Vgl. S. 5–8.
[714] Vgl. S. 32–34.
[715] Mit *V. Eppstein,* The historicity 41–58, hier 46.
[716] Diese Stelle Jes 29,13 LXX wird Mk 7,6f par Mt 15,8 zitiert. Vgl. ferner Jer 7,1–15.21ff; Mich 3,12; Ez 11,23ff; 11,18f; Ez 24,21; Am 5,21–27 ...

und in der Anbetung, die sich in der Tat der Liebe zu Gott und zum Nächsten konkretisieren. Wer deshalb „Gott aus allen seinen Kräften liebt und den Nächsten wie sich selbst, ist dem Reich Gottes, das mit Jesus Wirklichkeit zu werden beginnt, nahe. Er bedarf der Brand- und Schlachtopfer als Weg zu Gott nicht mehr".[717]

In diesen durch Kritik und Auseinandersetzungen mit den Gegnern charakterisierten Kontext stellt der Redaktor Markus das freundliche Lehrgespräch über das Doppelgebot der Liebe hinein. Die Zustimmung des Schriftgelehrten zu Jesus bedeutet für Markus, daß Jesus ungerechterweise von seinen Feinden verfolgt und zum Tode verurteilt wurde. So bringt diese Perikope die Böswilligkeit der jüdischen Autoritäten deutlich an den Tag, wie auch T. A. Burkill gesehen hat: „It is clear that St. Mark is again concerned to emphasise the unjustifiable character of the hostility shown by the religious authorities."[718]

Obwohl sie Jesus keiner Schuld überführen können, steht dennoch ihr Entschluß fest, ihn zu beseitigen (Mk 11,18; vgl. 12,12; 14,1). So wird man auch V 34c verstehen dürfen. Die Gegner wagen es nicht mehr, Jesus zu fragen. Widerwillig haben sie seine Überlegenheit erkannt. Doch ihre Absicht, ihn zu töten, haben sie nicht aufgegeben. Was sie mit keinem Argument erreichen können, das versuchen sie jetzt mit List und Gewalt.

Die Stellung der Perikope in diesem Kontext kurz vor der Passionsgeschichte läßt die weitere Frage aufkommen, ob der Redaktor seinen Lesern und Gemeinde(n) Jesus als Vorbild der Liebe zu Gott und zum Nächsten, mindestens diskret und andeutungsweise hinstellen will (vgl. Mk 10,40–45). Trifft diese Vermutung zu, so stellt Mk 12,28–34 nicht mehr nur eine theoretische Diskussion dar, sondern Jesu totale Hingabe an Gott und an den Menschen bis zum Tod wird, ähnlich wie Lk 10,29.30–37, zu einem konkreten Beispiel wahrer und gelebter Gottes- und Nächstenliebe. Jesus lehrt nicht nur, er tut auch das, was er lehrt (vgl. Apg 1,1). Diese Erwägung wird man nicht einfach mit dem Hinweis abtun wollen, daß, anders als im Johannesevangelium (vgl. Joh 13,1–15,27), diese Thematik bei den Synoptikern nicht reflektiert wird. Immerhin wird man eine Stelle wie Mk 14,22–24 (vgl. Mk 10,45): den Einsetzungsbericht und die Gabe der Eucharistie sicher auch als Zeichen grenzenloser Liebe auslegen dürfen. Jedenfalls wird man W. Grundmann beipflichten dürfen, wenn er sagt: „Entscheidend aber ist nun, daß das Doppelgebot der Liebe in den

---

[717] *J. Gnilka,* Mk II,167.
[718] *T. A. Burkill,* Strain on the Secret 42, vgl. *H.-W. Kuhn,* Zum Problem 303f; *H. Anderson,* Mk 280. Aber Burkills These vom mkn. Antisemitismus überzeugt keineswegs. Ihm folgt neuerdings *K. Berger,* Gesetzesauslegung 183–188. Zur Kritik, vgl. u. a. die hier genannte Arbeit von H.-W. Kuhn.

Evangelien nicht nur als ein Gebot steht, begründet in der Botschaft
Gottes, wie sie Jesus ausrichtet, sondern als geschichtliche Wirklichkeit in der Gestalt Jesu selbst. Das Doppelgebot der Liebe ist auf
Grund seiner Verwirklichung in der Geschichte Jesu Christi das
christologische Gebot."[719] Dieser „christologische Gesichtspunkt" wird
besonders stark von E. Fuchs betont: „Denn das Gebot der Gottesliebe steht nicht in der Luft, sondern ist gebunden an eine konkrete
geschichtliche Beziehung. Davon wußte schon das alte Israel . . . Was
schon für das Alte Testament galt, das gilt erst recht, ja es gilt in
einzigartiger Weise vom Neuen Testament." Fuchs verweist dabei auf
Joh 3,16 und fährt fort: „Ernst machen mit dem Gebot der Gottesliebe heißt somit: hören, daß es uns aus dem Munde Jesu verkündigt
wird, der selber die Antwort ist, die mit dem Gebot der Gottesliebe
verbunden ist."[720] Zusammenfassend heißt es dann: „Jesus ist vielmehr
deshalb die Antwort Gottes für uns, . . . weil es nur Einen gibt, der
sowohl das Gebot der Gottesliebe als der Nächstenliebe von sich aus
erfüllt hat, Jesus Christus selbst, den Messias als Jesus von Nazareth."[721]

Wenn auch, wie wir beobachteten, die Wortgruppe ἀγαπ – . . . im
Mk-Evangelium nicht häufig begegnet, so kann für die Evangelien
überhaupt kein Zweifel darüber bestehen, daß die Sendung Jesu, sein
ganzes irdisches Leben, ein einziges Zeugnis der Liebe war: der Liebe
Gottes zu den Menschen wie auch der Liebe zu Gott und dem
Nächsten. Das bezeugen eindrucksvoll sein Wirken, vor allem auch
sein Verhalten gegenüber den am Rande der Gesellschaft lebenden
und diskriminierten Menschen wie auch sein bedingungsloser Gehorsam gegen den Vater bis zum Tod. Seine Solidarität mit den Sündern
war ein Ärgernis für seine Gegner, die Gerechten ohne Liebe. So
bewährt sich die Liebe Jesu zum Nächsten; er liebt ihn wie sich selbst,
„indem er sich gerade zum Nächsten derer macht, die seine Liebe am
nötigsten haben. Er handelt als der barmherzige Samariter".[722]

Obwohl er die Erzählung für eine Gemeindebildung hält, hat C.
Burchard sicher darin recht, wenn er schreibt: „Weniges an ihm (=
Jesus) ist so unbestritten, wie daß Liebe sein Leben und seine
Verkündigung durchdrungen hat, so selten er davon gesprochen
haben mag."[723]

---

[719] W. Grundmann, Doppelgebot 454.
[720] E. Fuchs, Du sollst deinen Nächsten lieben, bes. S. 10–15, hier S. 11.
[721] E. Fuchs, Du sollst deinen Nächsten lieben, 12.
[722] W. Grundmann, Doppelgebot 455; vgl. ferner H. Montefiore, Thou shalt love 160:
„Jesus demands of others no more than he did himself . . ."; R. Schnackenburg,
Forderung der Liebe, bes. 79–89; J. Blank, Jesus 50ff.58ff; E. Jüngel, Paulus und
Jesus 211.
[723] C. Burchard, Liebesgebot 62.

Wenn es in Mk 12,28–34 auch nicht direkt, d. h. nicht in erster Linie darum geht, Jesus als Vorbild der Liebe zu Gott und zum Nächsten darzustellen, wie deutlich geworden sein dürfte, so wird man jedoch im Kontext des ganzen Mk-Evangeliums einen diskreten Hinweis auf Jesu grenzenlose Liebe zu Gott und zu den Menschen bis zur totalen Hingabe des Lebens nicht übersehen dürfen, eine Liebe, die in der Auferstehung ihre Vollendung und Krönung findet.

Angesichts der mit einer solchen Autorität vorgetragenen und vorgelebten Lehre sieht man sich auf den Anfang des mkn. Berichtes verwiesen und mit der Menge zu der Frage veranlaßt: τί ἐστιν τοῦτο; διδαχὴ καινὴ κατ᾿ ἐξουσίαν (Mk 1,27)! Doch noch eindringlicher ist zu fragen: W e r ist dieser, der mit solcher Autorität lehrt (Mk 4,41; vgl. 1,22)? Darauf geht durchaus passend die folgende Perikope der Davidssohnschaft des Messias (Mk 12,35–37) ein.

Kapitel V

DIE FRAGE NACH DER DAVIDSSOHNSCHAFT DES MESSIAS:
Mk 12,35–37

I. Literarkritik

A. QUELLENLAGE

In verschiedenen Schriften des NT wie der urchristlichen Literatur
wird die Frage nach der Davidssohnschaft des Messias ausdrücklich
aufgeworfen. Aber die Antworten, die darauf gegeben werden, sind,
wie es auf einen ersten, oberflächlichen Blick erscheint, widersprüch-
lich. Steht für die einen die davidische Abstammung des Messias Jesus
außer Zweifel, so wird sie von anderen Zeugnissen zurückgewiesen.
Kein Wunder, daß diese kleine Perikope auch in der Forschung bis
heute so umstritten ist und keine einheitliche Antwort findet.[1]
Indessen wird man, wie bereits W. Wrede 1904, fragen: „Verlohnt es
sich, die Frage nochmals aufzuwerfen? Nach allem, was darüber
gesagt worden ist, wird es kaum möglich sein, wesentlich neue
Gesichtspunkte geltend zu machen."[2]
    Unter den frühen Zeugnissen der urchristlichen Literatur verlangt
die Überlieferung, die im Barnabasbrief enthalten ist (12,10–11),
eigens erwähnt zu werden, da sie, im Gegensatz zu anderen Zeugen,[3]
die Davidssohnschaft des Messias kritisiert und eindeutig ablehnt. Sie
wird deshalb häufig als Gegenargument gegen die Abstammung des
Messias aus David angeführt. Die Stelle lautet: ἐπεὶ οὖν μέλλουσιν

---

[1] Einen instruktiven Überblick über den Stand der Diskussion bietet *G. Schneider*,
Davidssohnfrage 66–82; vgl. ferner *C. Burger*, Jesus als Davidssohn 9–15.25–41. *O.
Betz*, Messian. Bewußtsein Jesu 27 bemerkt dazu: „Die Frage hat den modernen
Schriftgelehrten fast noch mehr Kopfzerbrechen bereitet, als den alten, an die sie
gerichtet war."
[2] *W. Wrede*, Jesus als Davidssohn 148.
[3] Vgl. z. B. die Ignatius-Briefe: Eph. 18,2; 20,2; Trall. 9,1; Sm. 1,1. Hier wird die
davidische Sohnschaft Jesu positiv ausgesagt. Ignatius setzt sich mit einer doketischen
Irrlehre auseinander. Vgl. auch Ps. Clem. Hom. 18,13. Hierzu *E. Lohse*, ThWNT VIII,
492; *H. Köster*, Synopt. Überlieferung 60f; *ders.*, Einführung 719ff; *Ph. Vielhauer*,
Urchristl. Literatur 540ff, näherhin 551; *C. Burger*, Jesus als Davidssohn 35–40.

λέγειν, ὅτι ὁ Χριστὸς υἱός ἐστιν Δαυίδ, αὐτὸς προφητεύει Δαυίδ, φοβούμενος καὶ συνίων τὴν πλάνην τῶν ἁμαρτωλῶν· „Εἶπεν ὁ κύριος τῷ κυρίῳ μου· Κάθου ἐκ δεξιῶν μου, ἕως ἂν θῶ τοὺς ἐχθρούς σου ὑποπόδιον τῶν ποδῶν σου." Καὶ πάλιν λέγει οὕτως Ἡσαϊας· Εἶπεν κύριος τῷ Χριστῷ μου κυρίῳ ... ἴδε πῶς „Δαυίδ λέγει αὐτὸν κύριον", καὶ υἱὸν οὐ λέγει.[4]

Nach H. Köster ist Barn. 12,10–11 wahrscheinlich eine von den Synoptikern unabhängige Überlieferung. Jedenfalls lasse sich „keine spezielle Verwandtschaft zu einer der drei synoptischen Parallelen nachweisen".[5] Das gilt ebenso für Markus: „Mit einer Abhängigkeit von Mk verträgt sich aber wieder nicht, daß Barn. Ps 109,1 in Übereinstimmung mit LXX wie Lk 20,42f ὑποπόδιον τῶν ποδῶν σου liest, während Mk 12,36 und in Abhängigkeit davon Mt 22,44 ὑποκάτω τῶν ποδῶν σου bieten."[6]

Die Überlieferung von der Davidssohnschaft des Messias, die in den drei Synoptikern „inhaltlich und weithin auch sprachlich fest und gleich überliefert"[7] ist, dürfte ihre ursprüngliche Fassung bei Mk erhalten haben. Mt und Lk weisen gegenüber Mk nur geringfügige Abweichungen auf und, wie ein Vergleich zeigt, sind von ihm abhängig.[8] Übernimmt Lk die kleine Einheit fast unverändert von Mk (Lk 20,41–44), so gestaltet sie Mt um und macht sie zu einem eigentlichen Streitgespräch (Mt 22,41–46).[9] Wie Mk schließt er die

---

[4] Text nach *K. Aland*, Synopsis S. 388 zu Mk 12,35ff. Gegen die davidische Abstammung Jesu beruft man sich ebenfalls auf Joh. 7,41f. So z. B. neuerdings auch *C. Burger*, Jesus als Davidssohn 153–158. Aber Joh 7,41f wird nur indirekt die nicht davidische Abkunft Jesu mit Galiläa verbunden. Der Einwand der Gegner ist eher l o k a l formuliert, d. h. es werden die Abstammungsorte Bethlehem und Galiläa einander gegenübergestellt, wie *F. Neugebauer*, Davidssohnfrage 86 Anm. 5 in Auseinandersetzung mit *G. Schneider*, Davidssohnfrage 83, wahrscheinlich gemacht hat. Richtig auch *R. Pesch*, Mk II, 252f. Vgl. ferner *R. Schnackenburg*, Joh II,218–220; *W. Michaelis*, Davidssohnschaft 327–330 gegen *R. Bultmann*, Joh (zu 7,41f). *A. Descamps*, Messianisme royal, bes. 64–66 sieht hier die joh. Ironie: „Jean manie ici à l'adresse des Juifs, une ironie très subtile ..." (66).

[5] *H. Köster*, Synopt. Überlieferung 146.

[6] *H. Köster*, Synopt. Überlieferung 145. Zum Problem der Entstehungszeit des Barn. meint H. Köster in seiner Einführung in das NT: „Daß nirgends Schriften des NT ausdrücklich oder stillschweigend benutzt werden, spricht für ein frühes Datum, vielleicht noch vor dem Ende des 1. Jh." (S. 715); und zur Frage der Beziehung des Barn. zu den Evangelien: „Daß der Barnabasbrief die Evangelien gekannt hat, ist nicht nachzuweisen. Im Gegenteil, was Barnabas bietet, ist Material aus der ‚Schule der Evangelisten'" (S. 716). Vgl. *Ph. Vielhauer*, Urchristl. Literatur 599f.

[7] *E. Lohmeyer/W. Schmauch*, Mt 331.

[8] Bekanntlich ist das früheste ntl. Zeugnis über die Davidssohnschaft des Messias Rm 1,3f, wo allerdings nicht die Wendung „Sohn Davids", sondern der Ausdruck „ἐκ σπέρματος Δαυίδ" vorkommt. Vgl. 2 Tim 2,8.

[9] Mit der Mehrheit der Exegeten. Dagegen äußert *P. Bonnard*, in seinem großen Mt-Kommentar, S. 330 die Meinung, daß „dans ce cas particulier, l'hypothèse inverse

Davidssohnfrage an die Hauptgebotsfrage eng an, während Lk, der
die Perikope von dem Gebot der Liebe an anderer Stelle bringt, die
Frage nach der Davids-Abstammung des Messias mit der der Auferstehung der Toten verbindet.

B. Textanalyse

R. Pesch zum Trotz wird man den Rahmen VV 35a.37c nicht als
vormarkinisch-traditionell, sondern eher als mkn. Redaktion zu
betrachten haben.[10] Als Einleitung und Schluß der Perikope verraten
die Verse 35a und 37c deutlich die Hand des Redaktors Mk. Die
Einleitungswendung (V 35a): καὶ ἀποκριθεὶς [ὁ Ἰησοῦς] ἔλεγεν oder
λέγει, oder εἶπεν, die nicht immer als eigentliche Antwort gilt,
begegnet sehr häufig bei Mk[11] und dürfte wohl semitischem Sprachgebrauch entsprechen.[12] Bei Mk aber dient dieser Ausdruck: „καὶ
ἀποκριθεὶς ... ἔλεγεν im Unterschied zu καὶ ἀποκριθεὶς ... λέγει bzw.
καὶ εἶπεν, öfter zur Einleitung von (selbständigen) Lehr-Worten.[13] Zu
Mk 12,35 bemerkt Zerwick: das Lehrwort ist „von seinem unmittelbaren äußeren Anlaß insofern irgendwie gelöst, als sich der Gedanke an
ein längeres διδάσκειν dazwischenschiebt.“[14] Daß das ἀποκριθεὶς hier
als ein wirkliches Antworten Jesu zu verstehen sei, wie es G.
Schneider erwägt,[15] ist eine bloße Konstruktion, die zudem das
erwähnte semitische Kolorit der Formel verkennt. Auch der Hinweis
auf die Lehre Jesu (διδάσκων) und die an sich unnötige Ortsbestim-
mung ἐν τῷ ἱερῷ, da sich Jesus seit 11,27 im Tempel befindet,
erweisen V 35a eindeutig als markinisch. Er erinnert an den redaktionellen Vers Mk 11,27.[16]

---

pourrait également être défendue, Mt ayant gardé le souvenir d'un conflit que Mc ne
comprend plus et adoucit“. Ziemlich unwahrscheinlich.

[10] Nach *R. Pesch*, Mk II,249f folge Mk hier „dem Faden der vormkn. Passionsgeschichte“
(249), und die Rahmung sei „aufgrund sprachlicher Kriterien als vormkn.-traditionell
erkennbar“ (250). Die Argumente Peschs haben uns nicht überzeugt.

[11] Vgl. Mk 3,33; 6,37; 9,19; 10,3.24; 11,22.33.15; 8,29; 10,51; 15,2.12; 9,5; 14,48.

[12] *V. Taylor*, Mk 63 bezeichnet unter Berufung auf *G. Dalman*, Worte 16ff und *M.-J.
Lagrange*, Mc XCII f diesen Gebrauch von ἀποκριθεὶς ... als „semitic usages“
(S. 59).

[13] Vgl. *M. Zerwick*, Mk-Stil 60; vgl. S. 67, wo der Unterschied zwischen den beiden
Wendungen erklärt wird.

[14] *M. Zerwick*, Mk-Stil 68. Vgl. Mk 4,2; 6,4; 11,17; 12,38.

[15] *G. Schneider*, Davidssohnsfrage 87.

[16] *V. Taylor*, Mk 490 möchte unter Berufung auf *K. L. Schmidt*, Der Rahmen 289 nur den
Hinweis auf das Lehren „im Tempel“ der vormkn. Tradition zuschreiben. Dagegen
behauptet *F. Hahn*, Hoheitstitel 113 mit Recht, daß das „Lehren im Tempel“ das
redaktionelle Leitmotiv der Kapitel 11 und 12 ist. Vgl. Mk 11,17.27; 12,38a und
wörtlich Mk 14,49.

Daß auch die Schlußbemerkung V 37c von Mk stammt, wird im allgemeinen nicht bestritten.[17] Ist der determinierte und durch Voranstellung des Adjektivs auffällige Ausdruck ὁ πολὺς ὄχλος singulär bei Mk,[18] ist dagegen aber das Vokabular markinisch.[19] Zudem begegnet der Satz καὶ .. .ἤκουεν αὐτοῦ ἡδέως, wenn auch in anderer Wortstellung, wörtlich in Mk 6,20c, der markinisch sein dürfte.[20] In den synoptischen Evangelien kommt das Adverb ἡδέως nur an diesen beiden Stellen bei Mk vor. Mt und Lk kennen das Wort nicht.[21] Es ist schließlich zu beachten, daß das Bild und der Gedanke, die hier zum Ausdruck kommen, mit denen der von uns als redaktionell erkannten Verse Mk 11,18c und 12,12a übereinstimmen. Diese Verse bekunden direkt oder indirekt die Sympathie des Volkes Jesus gegenüber. Richtig hat R. Bultmann beobachtet: es gehört zu dem Bild der Wirksamkeit Jesu bei Mk, „daß die Volksmenge zu ihm (Jesus) strömt und ihn umgibt, wie mit typischen und hyperbolischen Zügen immer wieder geschildert wird".[22] Sichtlich handelt es sich dabei „um eine schematische Darstellung, um Redaktionsarbeit".[23] Daß V 37c als Einleitung der folgenden Perikope (VV 38–40) zu betrachten sei,[24] ist schwer einzusehen. Der Vers ist, wie E. Hirsch erkannt hat, „an sich ein Schlußsatz".[25] Daß er „als Schlußsatz aber gar nicht hinter die Davidssohnperikope" paßt und „heute in V 37b seltsam verloren"[26] dasteht, darf man bezweifeln.

Geht also der Rahmen auf den Redaktor Mk zurück, so umfaßt das Traditionsstück nur die Verse 35b.36 und 37a.b., d. h. die eigentliche Davidssohnfrage.

---

[17] Anders freilich R. Pesch, Mk II,250.

[18] V. Taylor, Mk 494: „The phrase ὁ πολὺς ὄχλος is unusual"; R. Pesch, Mk II,250.

[19] Vgl. 8,1; 5,21.24; 6,34; 9,14.

[20] V. Taylor, Mk 313 z. St.; J. Gnilka, Mk I,245; „wahrscheinlich . . . redaktionelle Zutat".

[21] Vgl. H. Bachmann/W. A. Slaby, Computer-Konkordanz Sp. 781; Moulton-Geden, Concordance 425.

[22] R. Bultmann, Geschichte 367; Vgl. Mk 1,32f; 2,2.13; 3,9.20; 4,1; 5,21.24; 7,14; 8,34; 9,14f.

[23] R. Bultmann, Geschichte 368.

[24] So z. B. R. Bultmann, Geschichte 357; V. Taylor, Mk 493; J. Schmid, Mk 232f; M.-J. Lagrange, Mc 327; C. E. B. Cranfield, Mk 381f; R. Schnackenburg, Mk 2/2,179; W. Grundmann, Mk [5]255; anders, Mk [7]339; P. Benoît/M. E. Boismard, Synopse I, S. 253f; K. Aland, Synopsis [2]1964, S. 388f; E. Nestle/K. Aland, Novum Testamentum [25]1975, S. 123; anders nun in der 26. Auflage 1979; richtig K. Aland/M. Black, u. a. The Greek New Testament 1966, S. 176. E. Schweizer, Mk [5]139 scheint Mk 12,35–40 als eine Einheit zu betrachten.

[25] E. Hirsch, Frühgeschichte I,139; richtig auch F. Neugebauer, Davidssohnfrage 83 Anm. 1.

[26] E. Hirsch, Frühgeschichte I, 139.

II. Form- und Gattungskritik

A. Sprache des Textes

Wie Mk 12,18 liegt auch hier keine Verknüpfung der Frage nach rückwärts vor. Der Redaktor hebt mit V 35a ganz neu an. Das zeigen die ausdrückliche Nennung Jesu, die erneute Ortsangabe und die Erwähnung der Lehrtätigkeit Jesu im Tempel an: καὶ ἀποκριθεὶς ὁ Ἰησοῦς ἔλεγεν διδάσκων ἐν τῷ ἱερῷ. In mkn. Sicht sind diese Angaben nicht überflüssig, wie es zunächst erscheinen könnte. Der Neuansatz rechtfertigt sie und markiert somit für Markus eine wichtige Zäsur: „Es ist der Abschluß der öffentlichen Wirksamkeit Jesu."[27] In der Tat, von Mk 12,43a an widmet sich Jesus nur noch seinen Jüngern (Mk 13,1ff; 14,17–25).[28]

Während Jesus namentlich genannt wird, erfährt man zunächst nicht, wer die Zuhörer bzw. die Adressaten sind. Erst der Schluß der Perikope V 37c unterrichtet darüber: es ist ὁ πολὺς ὄχλος, das Jesus zuhört. Vielleicht wird die Hörerschaft indirekt schon in dem Partizipialsatz: διδάσκων ἐν τῷ ἱερῷ angedeutet, da der Tempel für alle offen war. Oder denkt sich Mk das Volk von Anfang der Gespräche an als anwesend, obwohl es im Hintergrund bleibt? Jedenfalls wird die Tätigkeit Jesu als „διδάσκων" beschrieben. Damit wird das Motiv des Lehrens, das in den drei vorhergegangenen Perikopen (Mk 12,14.19.32) als Anrede erschien, wieder aufgenommen. Das bedeutet: auch in diesem Stück geht es nach Markus um eine Lehre Jesu, und indirekt wohl auch um den Lehrer Jesus. Daß diese Anrede und jeder Titel hier fehlen, hängt mit der Natur der Einheit zusammen.

Es wurde bereits gesagt, daß die Seitenreferenten auch hier Mk folgen. Hebt Mk 12,35a von neuem an, so verbindet Mt die neue Frage eng mit der vorhergehenden Perikope (Mt 22,34–40). Mt 22,41 wie Mt 22,34 sind Jesu Zuhörer die Pharisäer. Das entspricht übrigens der mt. Tendenz, als Gegner Jesu stets die Pharisäer anzuführen.[29] Für das mkn. ἀποκριθεὶς ... ἔλεγεν schreibt Mt: ... ἐπηρώτησεν ... ὁ Ἰησοῦς λέγων und Lk: εἶπεν δὲ πρὸς αὐτούς · ... Bei allen Synoptikern geht die Initiative von Jesus aus. Während bei Mk und Mt der Name „Jesus" fällt, kommt er bei Lk in dieser Perikope kein einziges Mal vor. Das farblose „καὶ" bei Mk ersetzen Mt und Lk wie gewöhnlich durch „δὲ". Beide übergehen die Wendung διδάσκων ἐν τῷ ἱερῷ, „was

---

[27] E. Schweizer, Mk ⁵139; vgl. schon E. Lohmeyer, Mk 261.

[28] Mk 14,3–9 geht es bei den „... τινες ἀγανακτοῦντες" (V 4) im Hause des Simon des Aussätzigen um einen kleinen (privaten?) Kreis.

[29] Mit P. Bonnard, Mt 330f; A. Suhl, Davidssohn 60f; E. Schweizer, Mt 279; J. Dupont, Ps 110,1, S. 413.

sich bei Mt aus dem eben angeführten Zusatz: συνηγμένων δὲ τῶν Φαρισαίων . . ., (und) bei Lk aus der engen Verknüpfung der Szene mit der Sadduzäerfrage nach der Auferstehung und aus 19,47a erklärt".[30] Danach sind bei Lk die Angesprochenen τινες τῶν γραμμα-τέων (20,39c), die nun durch das Pronomen αὐτούς (V 41) ersetzt werden. Merkwürdig ist es allerdings, „daß Lk den Anfang der Frage Jesu, wie sie Mt bietet, nicht übernommen hatte, da doch auch bei ihm die γραμματεῖς direkt angesprochen werden . . .".[31] Dazu meint W. Grundmann: „Wohl werden die anwesenden Schriftgelehrten angeredet – πρὸς αὐτούς bezogen auf 20,39; aber gefragt wird nach einem Lehrsatz, ohne daß er als ihr Lehrsatz bezeichnet würde – πῶς λέγουσιν".[32]

Nach dieser Einleitung (Mk 12,35a), in der Jesus als der einzige Handelnde auftritt, wird V 35b die Frage, die Gegenstand der Lehre sein soll, gestellt: πῶς λέγουσιν οἱ γρμματεῖς ὅτι ὁ Χριστὸς υἱὸς Δαυίδ ἐστιν; Es handelt sich um den Lehrsatz, der Messias (ὁ Χριστὸς) müsse Sohn Davids sein. Er wird typisch markinisch ausschließlich den Schriftgelehrten zugeschrieben, und es wird nach seiner Berechtigung gefragt. Da die Meinung, der Messias müsse Davids Sohn sein, sich im zeitgenössischen Judentum keineswegs auf die Schriftgelehrten beschränkte (vgl. Mk 10,48.49), kann mit J. Gnilka erwogen werden, ob die Frage in V 35b vielleicht ursprünglich keine nähere Subjektbe-zeichnung wie bei Lk 20,41 hatte, so daß erst Mk die bei ihm stereotyp als die Hauptgegner Jesu auftretenden Schriftgelehrten eingeführt hätte.[33]

Von den Seitenreferenten steht Lk dem Mk am nächsten. Er verbessert lediglich den mkn. Stil und verdeutlicht. Die ὅτι-Konstruk-tion ersetzt er durch die im klassischen Griechisch schönere Infinitiv-konstruktion mit Verben des Sagens[34] und läßt das in seinem Kontext überflüssige Subjekt οἱ γραμματεῖς weg. Mt, der die Szene zu einem Streitgespräch umgestaltet, leitet die Hauptfrage mit dem bei ihm beliebten Ausdruck „τί ὑμῖν δοκεῖ"; ein.[35] Und statt einer Frage wie Mk/Lk, schreibt er zwei Sätze (22,42a.b), von denen „la seconde précise et limite la première".[36] Werden die Pharisäer bei Mt direkt angeredet (ὑμῖν) und interpelliert, so sind sie auch gezwungen, auf die gestellte Frage eine Antwort zu geben. So entsteht das Gespräch.

[30] J. Schmid, Mt und Lk 147f.

[31] J. Schmid, Mt und Lk 148; so auch E. Klostermann, Lk 197: „. . . warum fährt er (Lk) nicht mit ‚πῶς λέγετε' fort?" fragt er; ferner J. Dupont, Ps 110,1, S. 411.

[32] W. Grundmann, Lk, [6]376.

[33] Vgl. J. Gnilka, Mk II,169.

[34] Vgl. Blass-Debrunner, Grammatik § 396; Aem. Springhetti, Introductio S. 232f.

[35] Vgl. Mt 22,42a; 17,25; 18,12; 21,28 u. ö. Dazu W. Grundmann, Mt 479; P. Bonnard, Mt 331; J. Schmid, Mt 315, und S. 271 zu Mt 18,12.

[36] P. Bonnard, Mt 331.

Gegenstand der Frage ist bei allen Synoptikern der Messias, der Christus, der eschatologische Gesandte Gottes, wie der hinzugefügte Artikel ὁ Χριστὸς (Mk) bzw. περὶ τοῦ Χριστοῦ (Mt) und τὸν Χριστὸν (Lk) eindeutig beweist.

Mk 12,36 verschärft Jesus seine Frage, indem er nun einen Einwand macht: αὐτὸς Δαυὶδ εἶπεν ἐν τῷ πνεύματι τῷ ἁγίῳ. Da die Gegner abwesend sind und es nach Mk um eine Lehre geht, ist hier eine Antwort nicht zu erwarten. Der Selbsteinwand Jesu wird mit einem Schriftzitat begründet, das die Auffassung der Schriftgelehrten entweder als falsch erklärt (vgl. Mk 12,18–27), oder als unzureichend erweisen und relativieren soll: Wie ist also die Meinung der Schriftgelehrten mit der Lehre der Schrift in Einklang zu bringen? Wenn auch, wie V. Taylor zutreffend zu αὐτὸς Δαυὶδ ausführt, „the pronoun, as commonly in Greek, may be used for emphasis: ‚David himself' ",[37] so scheint ihm aufgrund anderer sprachlicher Indizien „the use of semitic tradition and possibly an aramaic source"[38] wahrscheinlicher zu sein. Das Pronomen αὐτὸς dürfte also als „vorweisendes Pronomen nach aramäischer Sitte"[39] zu betrachten und die ganze Wendung αὐτὸς Δαυὶδ mit: „er, David" zu übersetzen sein. Auffällig ist auch die Einleitung des Zitates. Sie kommt bei den Synoptikern nur an dieser Stelle vor, wie auch H. Anderson bemerkt: „the introductory formula ‚inspired by the Holy Spirit . . .' occurs only here in the Synoptics".[40] Und V. Taylor präzisiert: „Here only in the sayings is the authority of the O. T. traced to the *afflatus* of the Holy Spirit . . .".[41] Den Rabbinen ist diese Redewendung nicht unbekannt. Es heißt dort: „Der heilige Geist spricht, oder ruft oder verkündet . . .".[42] Aber die Verbindung τὸ πνεῦμα + τὸ ἅγιον findet sich bei Mk sonst nur noch an zwei Stellen: Mk 3,29 und 13,11.

Wie oft beobachtet wurde, verbindet Mk seine Sätze nicht oder schlecht miteinander. Das ist auch hier der Fall. Der Übergang von V 35 zu V 36 ist abrupt. Das gilt auch für die Verse 36 und 37. Beide Male handelt es sich um ein Asyndeton.[43]

Diese mkn. Asyndeta werden von Mt und Lk beseitigt. Bei Mt

---

[37] *V. Taylor*, Mk 491. In diesem Sinne verstehen diesen Ausdruck u. a. *M.-J. Lagrange*, Mc 325f; *R. Pesch*, Mk II,250.254; *J. Schmid*, Mk 231; *R. Schnackenburg*, Mk 2/2, S. 175. *E. Schweizer*, Mk [5]139 und *W. Grundmann*, Mk [7]339 übersetzen: „er selbst, David . . ."; vgl. ferner *J. Dupont*, Ps 110,1, S. 405–407.

[38] *V. Taylor*, Mk 491.

[39] *E. Klostermann*, Mk 129; ferner *E. Lohmeyer*, Mk 262 Anm. 1.

[40] *H. Anderson*, Mk 284; vgl. schon *E. P. Gould*, Mk 237 Anm. 1. Im übrigen NT begegnet eine ähnliche Formulierung nur noch Hebr 3,7; 10,15; vgl. Hebr 9,8; Apg 1,16; 4,25; 28,25; 2 Tim 3,16.

[41] *V. Taylor*, Mk 492– Sperrung im Text.

[42] Vgl. Midr. Kl. 1,16 (56ª); 3,59 (73ª); Sota 11ª. . . ; Bill., II, 135f; vgl. *Bill.*, III, 684.

[43] *V. Taylor*, Mk 491; 49; *M.-J. Lagrange*, Mc LXX–LXXI.

werden sie durch οὖν (Mt 22,43b.45a) und bei Lk einmal durch γάρ (Lk 20,42) und sodann durch οὖν (Lk 20,44a) ersetzt. Ebenfalls ändern sie das mkn. εἶπεν in V 36 „in das zeitlose Präsens".[44] Mt schreibt καλεῖ (22,43b) und Lk λέγει (20,42). Die mkn. Formel ἐν τῷ πνεύματι τῷ ἁγίῳ wird bei Mt mit dem einfachen ἐν πνεύματι (22,43b) wiedergegeben.[45] Lk hingegen verdeutlicht, indem er angibt, wo der Anspruch steht: ἐν βίβλῳ ψαλμῶν (20,42). Diese Einführungsformel ist, wie H. Conzelmann bemerkt, dem Lukas eigentümlich.[46]

Der Ps 110,1, der nun zitiert wird, wird nach einer spät-atl. Anschauung David als Verfasser zugeschrieben. Bekanntlich ist dieser erste Vers eine der meistzitierten atl. Stellen im NT. Er wird auf die Erhöhung Jesu bezogen.[47] Der Text folgt bei allen Synoptikern fast wortgetreu der LXX-Version. Während Lk den LXX-Wortlaut genau und vollständig wiedergibt, weichen Mk/Mt im letzten Satz davon ab, indem sie an die Stelle von ὑποπόδιον nun ὑποκάτω τῶν ποδῶν σου setzen.[48] Das mkn./mt. ὑποκάτω dürfte auf Ps 8,7 verweisen, „si souvent rapproché du Ps 110,1 dans la tradition du christianisme primitif".[49] Im Unterschied zu LXX fehlt bei den Synoptikern der Artikel vor κύριος: εἶπεν κύριος . . . (Mk 12,36b; Mt 22,44a; Lk 20,42b).

Scheint also das Schriftwort dem Lehrsatz der Schriftgelehrten zu widersprechen, so kann Jesus noch V 37a betont herausstellen: αὐτὸς Δαυὶδ λέγει αὐτὸν κύριον, wobei die zweimalige ausdrückliche Berufung auf David (V 36a und V 37a) den Gegensatz zur Meinung der Schriftgelehrten noch stärker unterstreicht.[50] Unausweichlich ist die Frage καὶ πόθεν αὐτοῦ ἐστιν υἱός; (V 37b). Damit wird sachlich richtig, aber variierend die Eingangsfrage (V 35b) mit Nachdruck wiederholt.

Auf das Asyndeton in V 37a wurde bereits hingewiesen. Doch auch die Satzkonstruktion in V 37b ist auffällig.[51] Statt καὶ πόθεν αὐτοῦ υἱός

---

[44] *J. Schmid,* Mt und Lk 148.

[45] Vgl. *E. Lohmeyer/W. Schmauch,* Mt 331 Anm. 3.

[46] Vgl. *H. Conzelmann,* Mitte [6]147; vgl. Lk 3,4; Apg 1,20; 7,42.

[47] Vgl. *J. Dupont,* Ps 110,1, S. 340; *F. Hahn,* Hoheitstitel 127; *O. Cullmann,* Christologie 78; *R. H. Fuller,* Mission 113; *C. Burger,* Jesus als Davidssohn 146 . . .

[48] Zu diesem textkritischen Problem bemerkt *J. Dupont,* Ps 110,1, S. 405: „conformément au texte de la LXX, la plupart des manuscrits lisent le mot ὑποπόδιον . . . Mais une fraction non négligeable de la tradition lit ὑποκάτω . . ."; vgl. B Δ gr W Ψ 28 1 1353 syr[s] cop sa, bo geo Diatesseron. Sinaiticus Koine-Text Θ ersetzen denn auch das ὑποκάτω durch ὑποπόδιον wie in der LXX. Ferner *J. Gnilka,* Mk II,170, Anm. 8; *R. Pesch,* Mk II,254.

[49] *J. Dupont,* PS 110,1, S. 405; vgl. *P. Bonnard,* Mt 331; *V. Taylor,* Mk 492.

[50] Vgl. *A. Suhl,* Davidssohn 60.

[51] Richtig beobachtet u. a. von *W. Wrede,* Jesus als Davidssohn 175; *M. Zerwick,* Mk-Stil 120; *J. Dupont,* Ps 110,1, S. 410 + Anm. 231; *A. Suhl,* Davidssohn 60 unter Berufung auf *W. Wrede,* l.c.

ἐστιν; (vgl. Lk 20,44b), wie etwa zu erwarten wäre, wird das αὐτοῦ betont vorangestellt: καὶ πόθεν αὐτοῦ ἐστιν υἱός.[52] Zum anderen steht nun πόθεν für πῶς (V 35b).

Mt und Lk nehmen einige Veränderungen vor. „Das ganz unbetonte αὐτός[53]" (Mk 12,37a) lassen sie weg. Anstelle von λέγει schreiben beide: καλεῖ (Mt 22,45a; Lk 20,44a) und ersetzen πόθεν (Mk 12,37b) durch πῶς bzw. behalten das πῶς des Anfangs bei (Mt 22,45b und 22,43b; Lk 20,44b und 20,41b). Damit wollen sie, so E. Schweizer, deutlicher als Markus hervorheben, daß die Davidssohnschaft Jesu nicht in Frage steht, sondern nur das Problem, in welcher Weise Davidssohnschaft und Herrenwürde zu verknüpfen seien.[54] Aber Mt allein verbessert „die ungriechische Parataxe durch einen Konditionalsatz":[55] εἰ οὖν Δ . . . (Mt 22,45a; vgl. Mk 12,37).

Mit dem Vers 37c, den wir dem Redaktor Mk zugeschrieben haben, endet die mkn. Perikope. Damit wird die Reaktion der Zuhörer Jesu mitgeteilt. Die parataktische Formulierung ist sehr blaß und allgemein: καὶ ὁ πολὺς ὄχλος ἤκουεν αὐτοῦ ἡδέως.

Die Seitenreferenten gehen hier eigene Wege. Von einer Reaktion der Zuhörer oder der Gegner Jesu weiß Lk nicht zu berichten. Die mkn. Schlußbemerkung V 37c wird „zur nichtssagenden Einleitung der folgenden Perikope umgestaltet":[56] ἀκούοντος δὲ παντὸς τοῦ λαοῦ . . . (20,45). Wie Mk schließt auch Lk mit einer offenen Frage ab (20,44): καὶ πῶς αὐτοῦ υἱός ἐστιν; Dagegen gibt Mt dieser Einheit einen gewichtigen Abschluß, indem er die Angabe von Mk 12,34c hier bringt und präzisiert: ἀπ᾽ ἐκείνης τῆς ἡμέρας ἐπερωτῆσαι αὐτὸν οὐκέτι (Mt 22,46b). Ausdrücklich hebt Mt hervor, daß die Gegner Jesus nicht antworten konnten (22,46a): καὶ οὐδεὶς ἐδύνατο ἀποκριθῆναι αὐτῷ λόγον . . . Mt 22,46 dürfte vom Redaktor Mt zugleich als Abschluß des ganzen Kapitels, und das bedeutet auch der Streitgespräche gedacht sein.[57]

Erweist sich Mk 12,35–37/Lk 20,41–44 als ein Monolog Jesu (nach Mk als „Lehre" Jesu), der darum ohne Antwort bleibt, so bietet Mt (22,41–46) ein richtiges Gespräch, einen Dialog, genauer ein Streitgespräch zwischen Jesus und den Pharisäern.

---

[52] Vgl. *J. Dupont*, Ps 110,1, S. 410; *R. Pesch*, Mk II,254.
[53] *J. Schmid*, Mt und Lk 148; vgl. *J. Dupont*, Ps 110,1, S. 412 (zu Lk).
[54] *E. Schweizer*, Mt 278f; ferner *C. Burger*, Jesus als Davidssohn 87–90 und 114–116; *J. Dupont*, Ps 110,1, S. 413 und 414.
[55] *J. Schmid*, Mt und Lk 148.
[56] *C. Burger*, Jesus als Davidssohn 116.
[57] Vgl. *E. Klostermann*, Mt [4]180; *C. Burger*, Jesus als Davidssohn 89; *E. Lohmeyer / W. Schmauch*, Mt 332; *W. Grundmann*, Mt [4]480; *E. Schweizer*, Mt 279.

B. Aufbau und Gliederung der Einheit

Die kleine Einheit Mk 12,35–37 ist, wie die Analyse zeigte, ein Monolog. Sie besteht aus einer einzigen, mit einem Schriftzitat versehenen und zweimal gestellten Frage und aus einer Einleitung bzw. Exposition (V 35a) und einer Schlußbemerkung vom Redaktor, die über die Hörer Jesu und ihre Reaktion berichtet (V 37c). Die Frage selbst wird zunächst als Selbsteinwand Jesu gegen die Meinung der Schriftgelehrten über die Davidssohnschaft des Messias gestellt (V 35b). Sodann wird Ps 110,1 als Gegenargument zitiert (V 36), und schließlich die Eingangsfrage nachdrücklich wiederholt (V 37), bleibt aber unbeantwortet. Es ergibt sich folgende Gliederung:

1. Exposition: V 35a: Jesus als lehrend im Tempel dargestellt
2. Corpus: a) V 35b: Frage an die nicht näher identifizierten Zuhörer bezüglich der Meinung der Schriftgelehrten über die Davidssohnschaft des Messias.
   b) V 36a.b.: Ps 110,1 als Gegenargument gegen die Lehre der Schriftgelehrten.
   c) V 37a.b.: Schluß aus der Argumentation und Wiederholung der Frage.
3. Abschluß: V 37c: Bekanntmachung der Zuhörer und ihrer Reaktion.

C. Bestimmung der Gattung

Von den Problemen, die Mk 12,35–37 aufwirft, stellt die Frage der Gattungsbestimmung sicher nicht das größte Rätsel dar. Und doch ist diese Frage in neuerer Zeit wieder heftig umstritten.

Die in der Formanalyse gemachten Beobachtungen, daß Jesus hier einen Monolog führt und daß die abwesenden Gegner nur indirekt erwähnt bzw. interpelliert werden, daß also kein Gespräch stattfindet, sind für die Gattungsbestimmung entscheidend. Negativ kann mit Sicherheit gesagt werden, daß es sich bei dieser Perikope nicht um ein Streit-Gespräch handelt.[58] Liegt hier doch keine Debatte oder Auseinandersetzung mit den Gegnern vor.[59] Zutreffend charakterisiert

---

[58] Gegen *M. Albertz*, Streitgespräche 26.34; ferner *J. Schmid*, Mk 231 („Vielleicht...“); *R. P. Gagg*, Davidssohnfrage 25; *C. E. B. Cranfield*, Mk 381f.383; *W. Michaelis*, Davidssohnschaft 324; *A. Suhl*, Davidssohn 60; *K. L. Schmidt*, Der Rahmen 289; *J. Sundwall*, Zusammensetzung 74f; *M. J. Cook*, Treatment 29ff.48f; *C. Burger*, Jesus als Davidssohn 71.53.

[59] Das haben erkannt z. B. *R. Bultmann*, Geschichte 54; *M. Dibelius*, Formgeschichte 260f; *J. Lambrecht*, Redaktion 48; *J. M. Robinson*, Geschichtsverständnis des Mk. 62; *H.-W. Kuhn*, Sammlungen 42; *A. J. Hultgren*, Jesus 45; *J. A. Fitzmyer*, Davidssohn-Überlieferung 781. Trotzdem versucht *R. P. Gagg*, Davidssohnfrage 18–30 ein ursprüngliches Streitgespräch zu rekonstruieren.

Ph. Carrington unsere Perikope: „It is a strange story for the formcritic, a pronouncement-story without a pronouncement, and even without a story."[60] Wenn es aber darum geht, Mk 12,35–37 positiv zu bestimmen, dann gehen die Meinungen auseinander. Unter Berufung auf J. Jeremias,[61] der seinerseits D. Daube folgt,[62] betrachtet eine große Anzahl von Exegeten[63] dieses Stück als haggadische Antinomiefrage. Letztere ist „ein ganz bestimmter Typus der rabbinischen Frageform", die „von einem Widerspruch in der Schrift" ausgeht und fragt, „wie es sich erkläre. Die Antwort lautet regelmäßig: die sich widersprechenden Angaben sind beide gültig, beziehen sich aber auf Verschiedenes".[64] Der so definierten Haggadahfrage widerspricht jedoch die kleine Einheit. Bereits R. Bultmann wies mit Recht darauf hin, daß es hier nicht um zwei Schriftstellen geht, die in scheinbarem Widerspruch zueinander stünden. Es wird vielmehr eine Schriftstelle Ps 110,1 der Meinung der Schriftgelehrten gegenübergestellt, wobei von der Herkunft dieser Auffassung nichts ausgesagt wird.[65] Anders ausgedrückt: Daß sich die Lehre der Schriftgelehrten aus der Schrift erheben ließe, kommt hier nicht in den Blick. Das will beachtet sein. Läßt sich zudem nicht eindeutig nachweisen, daß Ps 110 zur Zeit Jesu messianisch gedeutet wurde,[66] so „bestand kein von der Schrift her

---

[60] *Ph. Carrington*, Mk 265. Dagegen bezeichnet *V. Taylor*, The Formation 78 das Wort als „Pronouncement-story". Ähnlich auch *A. J. Hultgren*, Jesus 45.

[61] *J. Jeremias*, Jesu Verheißung S. 45; *ders.*, Ntl. Theologie I, 247.

[62] *D. Daube*, Evangelisten und Rabbinen 119–126; *ders.*, The earliest Structure of the Gospel 174–187; *ders.*, Four types of Question 48; jetzt, in: *ders.*, The New Testament 163.

[63] *M. Horstmann*, Studien 19 Anm. 59; *J. Gnilka*, Erwartung 414; vgl. nun aber, *ders.*, Mk II,169; *G. Schneider*, Davidssohnfrage, 81f (vgl. 68f); *E. Lövestam*, Davidssohnfrage 73f; *J. A. Fitzmyer*, Davidssohn-Überlieferung 785; *E. Lohse*, ThWNT VIII,488; *J. Blank*, Schriftauslegung 227; *R. Schnackenburg*, Mk 2/2, S. 176; *W. Grundmann*, Mk ⁷339; *R. Pesch*, Mk II, 251 u.a.m.

[64] *J. Jeremias*, Ntl. Theologie I,247. So schon *D. Daube*, New Testament 158–169; hier 159.163: „These questions concern apparent contradictions between different verses from Scripture . . .; the answer is invariably a „distinction". Both passages, that is, are upheld, each being assigned its proper field of application . . . The answer implied is not that one notion is right and the other wrong, but that both are right in different contexts." Daubes These, es liege in Mk 12,13–37 das rabbinische Schema von vier Typen von Fragen zugrunde, das dem Midrasch von den 4 Kindern entspricht, wird uns noch beschäftigen.

[65] Vgl. *R. Bultmann*, Geschichte. Ergänzungsheft 55.

[66] Vgl. *F. Hahn*, Hoheitstitel 127 Anm. 1 gegen *Bill.*, IV,1 S. 452–465; *J. Dupont*, Ps 110,1, S. 406; *E. Schweizer*, Mk ⁵139; *J. Gnilka*, Mk II 170 Anm. 10; *V. Taylor*, Mk 492; *H. Anderson*, Mk 284f. Negative Argumente sind das Fehlen von Ps 110 als christologisches Testimonium in Qumran und bei *Justin*, Dialog 32.56.83, wo bezeugt ist, daß die Juden den Psalm auf den König Hiskia und auf Abraham bezogen. Nach *Bill.*, IV,1 S. 452–465 ist die messianische Deutung des Psalms im Rabbinentum aus polemischen Gründen gegen die Christen abgelehnt worden. Ebenso *J. Schmid*,

gegebenes Problem, das mit Hilfe einer Haggadah-Frage zu lösen gewesen wäre".[67]

Man wird das Stück einfach als „Debatte-Wort"[68] oder als „Streitfrage" zu bezeichnen haben.[69]

III. Lösungsversuche

Die crux interpretum dieser kleinen Einheit ist, ohne Zweifel, der Sinn des vormkn. Traditionsstückes. Demgegenüber ist die Frage der Historizität wohl von sekundärer Bedeutung. Hat Jesus die Überzeugung, der Messias müsse ein Davidide sein, zurückgewiesen? Oder wird hier die Davidssohnschaft des Messias nur relativiert?

Auf diese Frage werden verschiedene Antworten gegeben, die miteinander konkurrieren. In der Hauptsache lassen sich zwei Hauptgruppen von Lösungen unterscheiden.[70] Es handelt sich um:

A. Die Zurückweisung der Davidssohnschaft Jesu

Die eine Gruppe versteht Mk 12,37 als eine gewöhnliche rhetorische Frage, die eine negative Antwort verlange. Jesus weise also die Davidssohnschaft des Messias zurück. Denn bezeichnet David diesen als seinen Herrn, so kann der Messias nicht sein Sohn sein. Der Sohn ist nicht der Herr seines Vaters.[71]

Gegen diese Interpretation lassen sich schwerwiegende Einwände machen, die von den Befürwortern dieser These zumindest bis heute noch nicht entkräftet worden sind:

Mk 232; *W. Grundmann*, Mk [7]341; *J. Schniewind*, Mk 164; *V. Taylor*, Mk 492; *C. E. B. Cranfield*, Mk 382; *F. Neugebauer*, Davidssohnfrage 88.

[67] *G. Schneider*, Davidssohnfrage 84.

[68] So *R. Bultmann*, Geschichte 157. *R. Pesch*, Mk II,251 Anm. 2 kritisiert R. Bultmann zu Unrecht, da er nicht scharf genug zwischen Debatte-Wort und Streit-Gespräch unterscheidet.

[69] *F. Neugebauer*, Davidssohnfrage 82; ferner *J. Gnilka*, Mk II, 169.

[70] Vgl. *W. Wrede*, Jesus als Davidssohn 167f; *ders.*, Messiasgeheimnis 44–45; *C. Burger*, Jesus als Davidssohn 54–58; vgl. 9–15; ferner *G. Schneider*, Davidssohnfrage 66–80; *B. van Iersel*, Fils de David 121f; *E. Lövestam*, Davidssohnfrage 72ff; *J. Dupont*, Ps 110,1, S. 407–410; *A. Descamps*, Messianisme royal 64; *F. Neugebauer*, Davidssohnfrage 87ff.

[71] So *C. Burger*, Jesus als Davidssohn 56.71 unter Berufung auf *W. Wrede*, Jesus als Davidssohn 168; *R. Bultmann*, Geschichte 144–146; *E. Hirsch*, Frühgeschichte I,138; *J. Wellhausen*, Evangelium Mci 97; *E. Haenchen*, Der Weg 416; *A. Suhl*, Funktion 91; *ders.*, Davidssohn, bes. 57 60, *E. Trocmé*, Formation 94–95; *Ph. Vielhauer*, Ein Weg, in: *ders.*, Aufsätze zum NT 164. *K. Weiß*, Messianismus, in: *H. Bardtke*, Qumran-Probleme 363f redet von „Polemik Jesu gegen diesen Titel"; ferner *S. E. Johnson*, Davidic-royal Motif 136: „The Messiah must be David's Lord, not his son".

a) Diese Bedeutung kann nicht erklären, wie denn die Urgemeinde dazu kam, eine von Jesus eindeutig abgelehnte Lehre über die Davidssohnschaft des Messias so früh schon zu behaupten und zu vertreten (Rm 1,3f; Apg 2,30f; 13,22ff . . .)

b) Die Davidssohnschaft des Messias leugnen zu wollen, bedeutet, sich eben gegen die Worte und Voraussagen der Schrift aufzulehnen, wird jene doch ganz klar dort bezeugt. Würde nicht die Ablehnung einer von der Schrift so eindeutig bezeugten Lehre den Gegnern eher ein Argument gegen Jesus liefern?[72]

c) Keineswegs überzeugt die Berufung auf die Ep. Barnabas (12,10–12). Barnabas und andere erwähnte Zeugen sind Zeugnisse späteren Datums. Außerdem läßt sich die Meinung des Barnabasbriefes viel besser aus der Situation des 2. Jh.s erklären, wie auch Burger selbst zugibt: „Das Interesse, das Barnabas an dieser Widerlegung hat, entstammt . . . einer späteren theologischen Anschauung."[73] Wenn er aber dann fortfährt: „Die vorgetragene Argumentation ist . . . wahrscheinlich traditionell . . .",[74] so wird man ihm nicht folgen können. Gerade diese Behauptung gilt es zu beweisen. Dagegen spricht eindeutig der Befund sowohl in der Schrift als auch in der urchristlichen Literatur. Daß auch Joh 7,41f kein Gegenargument gegen die Davidsabstammung des Messias ist, hat F. Neugebauer neuerdings sehr wahrscheinlich gemacht.[75]

d) Schließlich verkennt diese Interpretation die Intention unseres Textes, da sie dessen Gattung und Herkunft nicht beachtet. Das wird noch deutlicher werden.

B. Die Relativierung der Davidssohnschaft des Messias

Aus allen diesen Gründen scheint es sehr unwahrscheinlich, in Mk 12,35–37 die Zurückweisung der Davidssohnschaft des Messias herauszuhören. Deshalb nehmen zahlreiche Exegeten eine positive Antwort der Frage Mk 12,37 an.[76] Der Sinn der Frage Mk 12,37 kann nur in der Überbietung gewisser Messiaserwartungen und -vorstellungen liegen.

Doch bei grundsätzlicher Übereinstimmung setzen verschiedene Autoren im einzelnen den Akzent anders. Für O. Cullmann impliziert

---

[72] Vgl. *E. Lövestam*, Davidssohnfrage 73; *F. Neugebauer*, Davidssonfrage 87: „Ein Rabbi hätte sich eine fehlende Davidsabstammung nicht entgehen lassen."

[73] *C. Burger*, Jesus als Davidssohn 57; vgl. *F. Hahn*, Hoheitstitel 260; auch nach *E. Schweizer*, Mk [5]140 erfolgt die Position der Ep.Barn. „aus antijüdischer Haltung".

[74] *C. Burger*, Jesus als Davidssohn 57.

[75] *F. Neugebauer*, Davidssohnfrage 86 Anm. 5; vgl. *R. Pesch*, Mk II,252f.

[76] Vgl. u. a. *V. Taylor*, Mk 491f; *ders.*, Names of Jesus 24; *G. Bornkamm*, Jesus von Nazareth [10]199; *E. Stauffer*, Jesus 21–22; *W. Michaelis*, Davidssohnschaft 325f u.a.m.

die Stelle nicht notwendig eine Leugnung der Tatsache der Davidsabstammung des Messias, vielmehr eine Zurückweisung des jüdischen
Messiasideals, also des politischen Anspruchs der jüdischen Messiaserwartung durch Jesus: „Ce que Jésus nie, ce n'est pas nécessairement
son ascendance davidique, mais l'importance christologique accordée
par les Juifs, à cette ascendance pour l'oeuvre de salut qu'il doit
accomplir."[77] J. Jeremias und den Autoren, die die Perikope als
Haggadahfrage verstehen, nach der die sich widersprechenden Angaben gültig sind, sich aber auf Verschiedenes beziehen, bereitet das
Wort keine Schwierigkeit. Die Bezeichnung „Davids Sohn" beziehe
sich „auf die irdische Erscheinung des verborgenen Messias". „Davids
Herr" dagegen ist „er als der Inthronisierte, nämlich der, von dem es
im folgenden Verse heißt: ‚Jahwe wird dein mächtiges Szepter
ausstrecken von Zion aus' (Ps 110,2)."[78]

J. Schniewind und E. Lohmeyer sehen in der Streitfrage die gegensätzlichen Auffassungen eines irdischen Messias und eines überirdi-
schen Menschensohn-Weltrichters sich widerspiegeln. Schniewind
schreibt: Jesus „ist zugleich ein irdischer Mensch aus Davids Stamm
und der kommende Weltrichter, der Herr aller Herren". Und Lohmeyer: „Jesus stellt sich auf den Boden der apokalyptischen Men-
schensohn-Erwartungen und findet in dem Worte Davids die schrift-
gemäße Begründung. Er spricht also nicht von sich, sondern wie von
einem Anderen; noch ist dunkel, woher Der stammt und wer Der ist."
Doch „hat die urchristliche Gemeinde das Psalmwort eindeutig auf
Christus bezogen".[79]

Mit Recht lehnt O. Betz den Menschensohn als Gegenbegriff zu
Davidssohn in unserem Stück ab. Für ihn ist der Schlüssel zur Lösung
des Problems in 2 Sam 7 gegeben. Jesus sei „der Davidssohn, wie man
im alten Bekenntnis Röm 1,3f und in den Evangelien immer wieder
bezeugt. Aber als der endzeitliche, ewig regierende Davidide ist er
gleichzeitig der Gottessohn und darin besteht seine einzigartige, den
Vater David überragende Würde".[80] Gilt dieses Verständnis der
Perikope schon für die Gemeinde? Davon steht aber nichts im Text.

Cullmanns Lösung, Mk 12,35ff als eine Ablehnung, zwar nicht des
Titels, wohl aber der damit verbundenen politisch-nationalen Messi-
asidee zu sehen, wird von F. Hahn mit der Begründung zurückgewiesen: „Denn der Davidssohntitel muß wie der Kyrios- und Christostitel
in einem spezifisch christlichen Verständnis vorausgesetzt werden."[81]

---

[77] *O. Cullmann,* Christologie 113; vgl. S. 114–115; ferner *W. G. Kümmel,* Theologie 65.
[78] *J. Jeremias,* Ntl. Theologie I,247; *ders.,* Jesu Verheißung 45; ferner vgl. die meisten auf
S. 244 Anm. 63 angeführten Autoren.
[79] *J. Schniewind,* Mk 163 und *E. Lohmeyer,* Mk 263.
[80] *O. Betz,* Messian. Bewußtsein Jesu 20–48, hier S. 28.
[81] *F. Hahn,* Hoheitstitel 260.

Er findet hier vielmehr die Zweistufenchristologie des Bekenntnisses
Rm 1,3 wieder. Von entscheidender Bedeutung für die richtige
Interpretation der Davidssohnfrage seien die beiden Fragepartikeln
πῶς und πόθεν (Mk 12,35b und 37b). Im Unterschied zu πῶς, das
„sicher im allgemeinen Sinn zu verstehen" ist, wird man πόθεν „an
dieser Stelle am besten wiedergeben mit ‚in welchem Sinn, unter
welchem Gesichtspunkt . . .' Die Schlußfrage bedeutet dann: in welchem Sinne kann neben dieser Aussage Davids über Jesus als ‚seinen
Herrn', als ‚den Christos', auch noch von Jesus als dem ›Sohn Davids‹
gesprochen werden?" Die Antwort findet Hahn in der bereits angeführten Stelle Rm 1,3f, die „sich als ausgezeichnete Parallele erweist".[82]
Mk 12,35ff sei im Sinne eines Sowohl-als-auch zu verstehen: „Die
Davidssohnschaft ist somit als Charakteristikum der irdischen Wirksamkeit Jesu im Sinne einer vorläufigen Hoheitsstufe neben das
Bekenntnis zur messianischen Macht des Erhöhten gerückt."[83] Eine
große Schwierigkeit hat die Deutung von F. Hahn. Sein vorausgesetz-
tes Verständnis der Partikel πόθεν läßt sich nicht belegen. Man wird
aber sagen können, daß diese Partikel die Davidssohnschaft stärker
als πῶς in V 35b relativiert.[84]

Es seien an dieser Stelle noch drei Lösungsversuche dargestellt, die
sich weder in die eine noch in die andere Hauptgruppe eindeutig
einordnen lassen. Ganz neu sind sie nicht, aber sie haben neue
Elemente in die Diskussion gebracht. Der erste Beitrag aus dem Jahre
1951 stammt von R. P. Gagg.[85] In seiner Beurteilung und Interpretation dieser Perikope folgt Gagg durchweg M. Albertz. Nur geht er
einen anderen Weg. Er versucht nämlich ein ursprüngliches Streitgespräch zu rekonstruieren. Mk 12,35–37 sei ein abgekürztes Streitgespräch, das „ein echtes Jesuswort" enthalte und „von der Tradition
uminterpretiert"[86] worden sei, und zwar wegen des Gemeindebe-
kenntnisses zu ihrem Kyrios. Der Davidssohn hingegen sei inzwischen
zu einem fast entbehrlichen Prädikat geworden. Der himmlische
Kyrios fasse alle Aussagen über Jesus zusammen. So wurde die
Perikope „zu einer Würdeaussage"[87] der Gemeinde über Jesus und
gewann an Bedeutung. Ursprünglich aber sei Jesus „nicht (mehr) der
Initiant, sondern, wie üblich, der Angegriffene" und seine Frage

---

[82] *F. Hahn,* Hoheitstitel 261 – Sperrungen im Text –.
[83] *F. Hahn,* Hoheitstitel 261f; vgl. *E. Schweizer,* Mk 141; *ders.,* ThWNT VIII,371; *E. Lohse,*
ThWNT VIII,488–489; *H. Conzelmann,* Theologie 93; *G. Bornkamm,* Jesus von Nazareth [10]200; *G. Bornkamm / G. Barth / H. J. Held,* Überlieferung und Auslegung 13–47,
hier S. 30 Anm. 1; ferner *J. Gnilka,* Mk II,171.
[84] *J. Gnilka,* Mk II,171 Anm. 14.
[85] *R. P. Gagg,* Jesus und die Davidssohnfrage. Zur Exegese von Markus 12,35–37, in:
Th.Z. 7 (1951), 18–30.
[86] *R. P. Gagg,* Davidssohnfrage 18.
[87] *R. P. Gagg,* ebda S. 29.

V 35b „in Wirklichkeit eine der mehrfach bezeugten Gegenfragen".[88]
Die Vorfrage der Gegner, die als Einleitung diente und etwa so
gelautet haben müßte: „Du lehrst doch auch, daß der Messias Davids
Sohn ist?", sei jedoch verlorengegangen.[89] Wie ist nun die Antwort
Jesu zu verstehen? Gagg meint: „Die Argumentation ist verblüffend
einfach. Sie beruft sich auf die Gewohnheiten des Alltags . . ."[90] und
die Bezeichnungen κύριος und υἱὸς Δαυὶδ seien „in keiner Weise
theologisch gefüllte Begriffe". Ihre theologische Füllung sei „erst das
Werk der alten und neuen Exegeten".[91] Unser Text selbst liefere
„keinen Beitrag zur Theologie des Neuen Testamentes".[92] Nach Gagg
also enthält Jesu Wort keine lehrhafte Zuspitzung. Es habe vielmehr
seinen Zweck in der Abwehr einer verführerischen Zumutung. Sein
Ziel sei „der Abbruch der Diskussion".[93] Jesus gebe seine persönliche
Meinung über sich selbst nie preis.[94] Es handele sich Mk 12,37 um
eine Vexierfrage, mit der Jesus seine Gegner zum Schweigen bringt,
ohne daß seine eigene Ansicht des verhandelten Problems dem
Disput zu entnehmen wäre.[95]

Daß es sich bei Mk 12,35–37 ursprünglich um ein Streitgespräch
gehandelt haben müsse, ist eine reine Konstruktion, die sich nicht
verifizieren läßt. Und daß diese Perikope eine Vexierfrage ohne
theologisches Gewicht sein soll, ist, wie Bultmann mit Recht bemerkt,
„höchst unglaubwürdig!"[96] Auch die Behauptung, „Davidssohn" und
„Kyrios" seien keine theologisch gefüllten Begriffe, ist unhaltbar.
„Solcher Verzicht wird aber dem Abschnitt, der eine der zentralen
Fragen des Neuen Testaments anschneidet und mit Ps 110, die meist
zitierte Stelle des Alten Testament aufbietet, kaum gerecht."[97] Bereits
W. Wrede hatte sich mit dieser Auffassung auseinandergesetzt und
erklärte: „Das wäre dann fast ein Rabbinenwitz. Wer mag daran
glauben?"[98]

Die von B. van Iersel jetzt vorgetragene Auffassung von der
Davidssohnfrage[99] steht einerseits der der Vertreter der ersten Grup-

---

[88] *R. P. Gagg*, l.c. 25.
[89] *R. P. Gagg*, l.c. 26f.
[90] *R. P. Gagg*, l.c. 23.
[91] *R. P. Gagg*, l.c. 24; vgl. S.29f.
[92] *R. P. Gagg*, l.c. 28.
[93] *R. P. Gagg*, l.c. 27.
[94] *R. P. Gagg*, l.c. 26.
[95] Vgl. *C. Burger*, Jesus als Davidssohn 54.
[96] *R. Bultmann*, Geschichte. Ergänzugsheft 55.
[97] *C. Burger*, Jesus als Davidssohn 54.
[98] *W. Wrede*, Jesus als Davidssohn 167. Zur Kritik an R. P. Gagg, vgl. auch *F. Hahn*, Hoheitstitel 113, Anm. 1 und 260 Anm. 4; *E. Lövestam*, Davidssohnfrage 79 Anm. 22; *G. Schneider*, Davidssohnfrage 69.
[99] *B. van Iersel*, Fils de David et Fils de Dieu, S. 113–132; vgl. aber *ders.*, Der Sohn in den synoptischen Jesusworten, Leiden 1961 = ²1964, S. 171–172.

pe, andererseits der Lösung von O. Cullmann nahe.[100] Mit den ersten
behauptet er, die Frage Jesu V 37 impliziere die Zurückweisung des
Titels „Davids Sohn": „Déjà le simple fait que l'opinion, affirmant que
le Messie est le Fils de David, est donnée comme une manière de voir
des Scribes, est une indication suffisante que Jésus la rejette . . . Le
logion est dès lors une question purement oratoire, qui vise à la
négation".[101] Mit O. Cullmann stimmt er darüber überein, daß Jesus
lediglich die politischen Aspekte der jüdischen Messiaserwartung
abgelehnt habe: Jésus „décline le titre dans la signification concrète
qu'il avait alors, en tant que visant les aspects politiques de la mission
du Messie. C'est un rejet de l'attente juive du Messie, telle qu'elle
existait chez ses adversaires et même chez ses disciples".[102]

Wie kam van Iersel zu dieser Auffassung? Die bis dahin vorgetragenen Lösungen seien seiner Meinung nach nicht zufriedenstellend.
Gehen sie ja davon aus, „qu'il s'agit ici de la descendance du Messie
ou de Jésus lui-même".[103] Doch es gebe „une solution beaucoup plus
simple".[104] Van Iersel geht von der Beobachtung aus, daß der Titel
„Sohn Davids", der erstmalig in Ps Sal 17,21–25 begegnet, in der
ganzen atl. Überlieferung fehlt. In dem jüdischen Text aber finde sich
kein Hinweis auf die Nathanweissagung, genauer auf die Gottessohnschaft dieses Sohnes Davids, obwohl „Sohn Davids" hier als König
Israels auftritt, der das Volk von den gottlosen und heidnischen
Herrschern befreien wird. Im NT dagegen wird Jesus als Gottes Sohn
mit seiner davidischen Herkunft in Verbindung gebracht (Rm 1,3f). In
diesem Kontext fehlt nun der eigentliche Titel „Sohn Davids". Es heißt
nur, daß Jesus aus dem Stamm Davids geboren wurde: γενόμενος ἐκ
σπέρματος Δαυίδ[105]. Auf Grund dieser Beobachtung unterscheidet van
Iersel zwischen dem „Titel" »Sohn Davids« und der bloßen davidischen „Herkunft" des Messias, die er im eigentlich historisch-biologi-
schen Sinne einer Genealogie versteht.[106] Mk 12,35–37 geht es nicht
um die Abstammung des Messias, sondern um den Titel „Sohn
Davids": „υἱὸς Δαυίδ et γενομένος ἐκ σπέρματος Δαυίδ . . . ne sont pas
synonymes. La première appellation contient beaucoup plus que la
seconde". Ist Jesus auch „aus dem Stamm Davids", so brauchte er
dennoch den Titel „Sohn Davids" nicht zu akzeptieren, da dieser Titel
sich auf Funktion und Mission des Messias beziehe, wie die pharisäische Messianologie von Ps Sal 17 zeigt. Eben diesen Titel und die

[100] Vgl. S. 245–247.
[101] B. van Iersel, Fils de David 123.
[102] B. van Iersel, l. c. S. 122–123, Zitat S. 123.
[103] B. van Iersel, l. c. S. 121–122, Zitat S. 121.
[104] B. van Iersel, l. c. S. 122.
[105] B. van Iersel, l. c. S. 115.
[106] Vgl. B. van Iersel, l. c. S. 121.

damit verbundene Messiaserwartung habe Jesus ablehnen, nicht jedoch seine Abstammung aus Davids Geschlecht bestreiten wollen.[107]

Die Unterscheidung zwischen dem Titel „Sohn Davids" und der bloßen Abstammung aus dem Hause Davids ist zweifellos interessant. Doch nichts in unserem Text scheint sie anzudeuten oder nahezulegen. Und das Verhältnis zwischen υἱὸς Δαυίδ und κύριος findet in der Exegese van Iersels keine Erklärung.[108]

Den letzten und neuesten in diesem Zusammenhang zu erwähnenden Beitrag hat Fritz Neugebauer geliefert.[109] Was R. Bultmann erwogen, J. Schniewind und E. Lohmeyer plausibel zu machen versucht haben,[110] wird hier, wie bereits der Titel der Untersuchung andeutet, breit entfaltet und thematisiert. Neugebauer sieht nämlich in Mk 12,35–37 den Kontrast zwischen Davidssohn und Menschensohn ausgedrückt, da in Mk 14,61f Ps 110,1 wieder aufgegriffen wird. Außerdem vermutet er einen unmittelbaren Zusammenhang zwischen der Davidssohnfrage und der Passionsgeschichte: „Die kompositorisch greifbare Nähe der Davidssohnfrage zur Passionsgeschichte verdichtet sich in der offenkundigen Verbindung zwischen dieser Frage und dem Messiasbekenntnis Jesu vor dem Synedrium, und zwar insofern, als Jesu Aussage vor dem höchsten jüdischen Organ die Davidssohnfrage unmittelbar fortsetzt oder jedenfalls wieder aufnimmt . . . Wieder ist Ps 110,1 in der Nähe, hier aber verbunden mit Dan 7,13." Ist das richtig gesehen, so wird man sagen können: „Die Davidssohnfrage wird vor dem Synedrium beantwortet."[111] Denn, so Neugebauer weiter, mit der Wendung ἐν πνεύματι (Mk 12,36), die er unter Verweis auf die Offenbarung des Johannes (1,10; 4,2; 17,3; 21,10) als „eine apokalyptische Formel" deutet, weise Jesus auf denjenigen Offenbarungshorizont hin, „der in besonderer Weise mit der Gestalt des Menschensohnes verbunden ist".[112] Das geschehe denn auch vor dem Synedrium, wo Jesus „ausdrücklich Ps 110,1 und Dan 7,13 verbindet". Die Differenz von Davidssohn und Menschen-

---

[107] Vgl. *B. van Iersel*, l. c. S. 122–123.

[108] Vgl. *G. Schneider*, Davidssohnfrage 65–90. Er greift diese Beobachtung von van Iersel auf. Der Sinn der Frage ist auch für ihn eher Ablehnung als Bejahung der Davidssohnschaft des Messias. Und doch kommt er zu einem anderen Ergebnis: „Als Fazit kann also nicht völlig eindeutig entschieden werden, ob in Mk 12,35b–37a die Davidssohnschaft des Messias bestritten oder nur relativiert wird. Im wahrscheinlicheren Falle der Bestreitung bezieht sich die Negation auf ein einseitig-genealogisches Verständnis von ‚Sohn Davids‘, nicht jedoch vordringlich auf eine politischnationale Messiaserwartung" (S. 85).

[109] *F. Neugebauer*, Die Davidssohnfrage und der Menschensohn, in: NTS 21 (1974/75), S. 81–108.

[110] *R. Bultmann*, Geschichte 145; *J. Schniewind*, Mk 163; *E. Lohmeyer*, Mk 263.

[111] *F. Neugebauer*, Davidssohnfrage 84 (beide Zitate).

[112] *F. Neugebauer*, l. c. 89 (beide Zitate).

sohn im messianologischen Sinn bestehe darin, „daß allein an die
Gestalt des Menschensohnes im Bereich jüdischer Hoffnung das
göttliche Gericht delegiert werden kann".[113] Anders gesagt: Die jüdische Hoffnung auf den Davidssohn ist „die Erwartung eines Davidischen Weltreiches, d. h. eine gesteigerte Machtfülle jüdischer Weltherrschaft und in ihrem Kern ein Machtwechsel innerhalb der
bestehenden Welt". Dort aber, „wo der Menschensohn der Träger des
Heils ist und wird, gehört zum Heil nicht bloß ein Machtumschwung
innerhalb der bestehenden Welt, sondern die neue Menschheit, die
neue Welt, die neue Schöpfung, das neue Leben".[114]

Was will Jesus also mit dieser Davidssohnfrage? Ist damit nicht
mehr fixiert als dies, daß der Messias ein Nachkomme Davids ist und
sein muß? Es geht Jesus nicht darum, so Neugebauer, den Vorwurf
fehlender Davidsherkunft, „den es unseres Wissens nie gegeben
hat",[115] zu entkräften. Auch mit dem Hinweis auf Ps 110,1 ersetzt er
„nicht eine Genealogie durch eine andere, er leitet den Kommenden
nicht aus einem anderen Strang der Generationsfolge ab, ja, er
argumentiert nicht einmal genealogisch".[116] Jesu Frage sei vielmehr
„ein provozierender messianologischer Angriff".[117] Was er tut, sei „die
Hervorhebung der Würde des Kommenden", und damit werde „nicht
ein Einzelproblem der vorgegebenen Messianologie und Messianolo-
gien, nämlich die Genealogie, sondern die gängige Messianologie als
solche in Frage gestellt". Es gehe „um Messianologie überhaupt"[118],
und Mk 12,35–37 bedeute eben den „Umbruch der Messianologie als
solcher".[119] R. Pesch, der in seiner Auslegung durchweg F. Neugebauer folgt, verdeutlicht: „Der Text diskutiert nicht die Frage Jesus
angemessener christologischer Titulatur, sondern vertritt eine neue
Messianologie eschatologischer Qualität."[120]

Trotz vieler guter Beobachtungen wird man Neugebauers Lösung
nicht uneingeschränkt akzeptieren können. Wie oben schon gesagt
wurde, wird m. E. der Kontrast von Davidssohn und Menschensohn
in unserem Text nicht zum Diskussionspunkt gemacht. Daß die
Wendung ἐν πνεύματι „eine apokalyptische Formel" sei, die „so etwas
wie Entrückung"[121] bezeichnet, wird an den angeführten Stellen aus
der Offenbarung ausdrücklich gesagt.[122] Es fragt sich nur, ob diese

---

[113] *F. Neugebauer,* l. c. 90 (beide Zitate).
[114] *F. Neugebauer,* l. c. 98f.
[115] *F. Neugebauer,* l. c. 86–87, näherhin 86.
[116] *F. Neugebauer,* l. c. 88f.
[117] *F. Neugebauer,* l. c. 87.
[118] *F. Neugebauer,* l. c. 89.
[119] *F. Neugebauer,* l. c. 90.
[120] *R. Pesch,* Mk II,251–255, hier 255; vgl. S. 251 Anm. 5.
[121] *F. Neugebauer,* Davidssohnfrage 89.
[122] Vgl. *E. Lohse,* Offenbarung des Johannes z. St.

Deutung auch für unseren Text zutrifft. Denn hier geht es nicht um „Hören" oder „Sehen, Schauen" usw., sondern betont wird der Aspekt der Rede: εἶπεν bzw. λέγει.[123] Zudem wird nicht der ganze Ausdruck ἐν τῷ πνεύματι τῷ ἁγίῳ gedeutet. Das τῷ ἁγίῳ wird gar nicht berücksichtigt.

Die Verbindung von τὸ πνεῦμα + τὸ ἁγίον findet sich bei Mk noch 3,29 und 13,11. Mk 3,29 ist der Heilige Geist die wunderwirkende und Mk 13,11 die zu Reden und Taten befähigende Gotteskraft, der Beistand der Jünger in der Verfolgung. Mk 12,36 wird er als die prophetische Gotteskraft angesehen. So wird man mit vielen Auslegern die Wendung ἐν τῷ πνεύματι τῷ ἁγίῳ an dieser Stelle als prophetische, inspirierte Rede verstehen und erklären dürfen.[124] Damit dürfte auf die Inspiriertheit dieses Wortes hingewiesen werden, das eben ausdrücklich als Wort der Schrift gekennzeichnet wird. Denn bei Mk/Mt – anders bei Lk – wird das Zitat nicht als „Wort der Schrift" angeführt. Die Wendung ἐν τῷ πνεύματι τῷ ἁγίῳ dürfte hier die Funktion von: „in der Schrift" oder „wie geschrieben steht" erfüllen. Es bleibt noch zu bemerken, daß wie bei van Iersel, auch hier das Verhältnis zwischen „Sohn Davids" und „Herr" wenig Beachtung findet. Und doch geht es m. E. in der kleinen Einheit um diesen Kontrast.

IV. Hintergrund der Perikope

Um den vollen Sinn des Wortes Jesu, die Neuheit der christlichen Lehre über den Christós und Davids Sohn herauszustellen und richtig zu verstehen, empfiehlt es sich, zunächst den Hintergrund des Textes etwas ausführlicher darzustellen. Das geschieht in der Weise, daß die verschiedenen und wichtigen in der Perikope vorkommenden Begriffe in ihre ursprüngliche Umwelt gestellt und untersucht werden.

A. Christós

Der erste in unserem Text begegnende Hauptbegriff ist ὁ Χριστός.[125] Dieser spezifischste christologische Hoheitstitel hat tiefe Wurzeln in den atl. Schriften. Auch im Judentum ist er der Sache

---

[123] Vgl. Mt 22,43b.45; Lk 20,42a.44a.

[124] Vgl. *R. Pesch,* Naherwartungen 133; ders., Mk II,253; *V. Taylor,* Mk 492.508f; *E. Schweizer,* ThWNT VI,401.

[125] Hierzu vgl. *W. Grundmann / F. Hesse / M. de Jonge / A. S. van der Woude,* ThWNT IX, 484–518; *K. H. Rengstorf,* ThBL II, 760–767; *H. Weinel, mšh* 1–82; *M. Noth,* Amt 309–333; *H. Groß,* Messias 154–170; *J. Coppens,* Messianisme royal; *O. Cullmann,* Christologie, bes. 97–117; *F. Hahn,* Hoheitstitel, bes. 133–158; *P. Vielhauer,* Ein Weg,

nach nicht unbekannt. Das griechische Wort Χριστός, Verbaladjektiv von χρίω bedeutet: aufstreichbar, aufgestrichen, gesalbt. Substantiviert meint τὸ χριστὸν = die Salbe, das Aufstreichmittel. Das Verb χρίω bezeichnet „von Haus aus einen durchaus profanen Vorgang des Alltags und hat keinerlei sakralen Unterton".[126] Das gilt ebenfalls für das Adjektiv Χριστός. Hier ist es keine Würdeaussage. Außerhalb der LXX und des AT und der davon abhängigen Schriften wird es auch sonst niemals auf Personen bezogen.[127]

1. Messias und Messiasvorstellung im AT

Anders, wie gesagt, ist es in den Schriften des AT. Hier ist Χριστός das Äquivalent des aramäischen mᵉšîḥā'bzw. des hebräischen mᵉšijaḥ dessen gräzisierte Form μεσσίας im griechischen NT nur zweimal vorkommt, und zwar im Johannes-Evangelium (1,41 und 4,25).[128] Es bezeichnet jemand, der feierlich zu einem Amt gesalbt worden ist und bedeutet dementsprechend: der Gesalbte.[129]

Die Salbung als juridisch-sakraler Akt wird im AT durch Ausgießen von Öl auf den Kopf des Betreffenden vollzogen. Welche Bedeutung dieser Akt hat, erklärt M. Noth wie folgt: „Im Öl ist nach altorientalischer Auffassung Lebenskraft enthalten; es ist ‚Lebensöl'. Diese göttliche Lebenskraft wird bei der Salbung übertragen. Der Gesalbte wird mit zusätzlicher Lebensenergie ausgestattet und damit auf die Dauer über den Kreis der übrigen Menschen hinaus begabt und aus ihm ausgesondert."[130] Die Salbung ist also „eine Amtsweihe, die den

---

in: *ders.,* Aufsätze zum NT 175–185; *J. Gnilka,* Jesus Christus 61–78; *W. G. Kümmel,* Theologie 59ff; *J. Nélis,* B. Lex./Haag 1138–1148; *A. Deissler,* Grundbotschaft 145–150; *W. Eichrodt,* Theologie I,327ff; *G. von Rad,* Theologie I, ⁷318–365; *C. Westermann,* Das AT und Jesus Christus; *A. Descamps,* Messianisme royal, in: Attente du Messie I, 57–84; *P. Volz,* Eschatologie 173–229; *Bousset-Greßmann,* Religion 222–333 (vgl. Register); *E. Schürer / G. Vermès,* History II,488–554 (Literatur!); *Bill.,* I, 6ff. Weitere Literaturangabe bei: *G. Friedrich,* ThWNT X,2, S. 1292–1293.

[126] *K. H. Rengstorf,* ThBL II,761.

[127] Vgl. *W. Grundmann,* ThWNT IX, 485.

[128] *Moulton-Geden,* Concordance 631. Beide Male wird das Wort vom Evangelisten übersetzt. Die LXX verwendet nur das griechische Χριστός.

[129] Selbstverständlich kennt das AT auch das Salben mit Öl, das das körperliche Wohlbefinden wiederherstellen oder steigern soll, d. h. die Salbung zum Zweck der Körperpflege: Jes 1,6; 2 Chr 28,15; Dt 28,40; Mich 6,15; Am 6,6; Ps 45,8 u. a. m. Im folgenden geht es jedoch nur um die als Rechtsakt verstandene Salbungshandlung. Terminologisch macht hierzu die hebräische Sprache einen Unterschied: Für die Salbung als Rechtsakt gebraucht sie stets *mšḥ*; für die Salbung als Körperpflege dagegen *sûk*. Vgl. *H. Weinel, mšḥ,* bes. S. 17–19; ferner *F. Hesse,* ThWNT IX, 485 + Anm. 4.

[130] *M. Noth,* Amt 321; vgl. *H. Weinel, mšḥ,* 27.

Amtsträger bei seiner Einsetzung mit einer gesteigerten Potenz ausstattet".[131] Sie verleiht dem Gesalbten *kābod* = Kraft, Macht und Glanz, und setzt ihn in besondere Beziehung zu Jahwe.[132] Darum wird die Königssalbung im AT „als wichtigster oder besonders kennzeichnender Akt gewertet".[133] Wenn auch in der jüdischen Gemeinde der nachexilischen Zeit der Hohepriester die Würdebezeichnung „der Gesalbte – *mšh*" erhält,[134] so wird doch der Salbungsritus als Inthronisationsritus in erster Linie an Königen vollzogen. Das wird dadurch bestätigt, daß dieser Ritus auch in der Umwelt Israels praktiziert wurde, wie das bei den Hethitern eindeutig belegt ist.[135]

Das Wort *mšh* begegnet ca. 40mal im AT, davon 30mal auf Könige bezogen. Im Gegensatz zum Gebrauch im klassischen und hellenistischen Griechisch wird es hier „ausschließlich auf Personen angewandt".[136] Der König[137] wird „Gesalbter – *mšh*", genauer „Gesalbter Yahwes = *mšh jhwh*"[138] genannt, womit seine hervorragende Beziehung zu Yahwe ausgedrückt werden soll.[139] Er ist der Schützling Yahwes.

Mit Ausnahme der Stellen, die von Saul,[140] Kyros (Jes 45,1) oder von den Erzvätern[141] reden, bezieht sich der Ausdruck „der Gesalbte Yahwes = *mᵉšijah jhwh* ausschließlich auf jüdische Könige des davidischen Geschlechts.[142] Die Dynastie ist in der Zusage Yahwes durch den

---

[131] *M. Noth,* Amt 322.

[132] 1 Sam 24,7; 26,9; 26,11.23; 2 Sam 19,22.

[133] *F. Hesse,* ThWNT IX,487; ferner *H. Weinel, mšh*, 20.

[134] Vgl. Lev 4,3; 4,5.16; 6,15; Dan 9,25–26 . . .; *M. Noth,* Amt 310–319; 329–331 zeigt, daß die Übertragung der Salbung auf Priester und Prophet erst sekundär in Israel vollzogen worden ist. Vgl. *F. Hesse,* ThWNT IX, 489–491, hier 490: „einen Salbungsakt als Initiationsritus zur Einsetzung ins Prophetenamt hat es trotz 1 Kge 19,16 gewiß niemals gegeben." Schon *H. Weinel, mšh* 59–66, hier 59, kam zu dem Ergebnis: „Es ist danach richtig, die Priestersalbung hinter die Königssalbung zu stellen."

[135] Dagegen scheinen die Assyrer und die Babylonier diesen Ritus nicht gekannt zu haben. Ebensowenig erfährt man von einer Salbung des Königs anläßlich seiner Thronbesteigung in Ägypten und Mesopotamien. Vgl. *M. Noth,* Amt, bes. 319ff mit Belegen; *F. Hesse,* ThWNT IX,486; *W. Zimmerli,* Atl. Theologie 74.

[136] *F. Hesse,* ThWNT IX,491–(23).

[137] Zur komplexen Erscheinung des Königtums in Israel sei auf die Arbeiten von *A. Alt,* besonders auf Kleine Schriften II,1–65 und 116–134 verwiesen. Letztere beginnt mit dem Satz: „Das Königtum gehört bekanntlich nicht zum konstitutiven Grundbestand der israelitischen Volksordnung . . ." Vgl. auch *W. Eichrodt,* Theologie des AT I,295–308.

[138] 1 Sam 24,11; 2 Sam 12,7.

[139] Vgl. *H. Groß,* Der Messias 155; *H. Weinel, mšh*, 27.

[140] 1 Sam 12,3.5; 24,7.11; 26,9.11.16.23; 2 Sam 1,14.16.

[141] Ps 105,15; 1 Chr 16,22.

[142] Vgl. 1 Sam 2,10.35; Ps 2,2; 20,7; 28,8; 84,10; 89,39.52; 132,10 = 2 Chr 6,42. Hab 3,13 bleibt unbestimmt, welcher König gemeint ist. Vgl. *F. Hesse,* ThWNT IX, 492–(15).

Propheten Nathan begründet (2 Sam 7,1–16).[143] Der König wird von
Yahwe zum Sohn adoptiert[144] und mit der Herrschaft über die ganze
von Gott geschaffene Welt betraut.[145] Er erhält die Zusage, daß er
seine Feinde überwinden[146] und seine Dynastie bzw. sein Königtum
immerwährenden Bestand haben werde.[147] Er übernimmt auch die
Aufgabe in Israel-Juda das Recht zu sprechen.[148] Das alles impliziert
die Abhängigkeit des Gesalbten von Gott ebenso wie die Einordnung
in seinen Plan im Gehorsam gegen seinen Willen.[149]

    Doch die dtr. Geschichtsschreibung vermerkt in der Rückschau das
Versagen der Gesalbten Israels und Judas. Sie sieht die ganze
Geschichte Israels mit Yahwe, „soweit sie im Zeichen seiner Gesalbten
stand, in einer Katastrophe enden".[150] Man hat sie als „eine Geschichte
des Scheiterns"[151] charakterisiert. Das zeigt auch die Prophetie vom
8. Jh. an deutlich, als die prophetische Aufgabe nicht mehr darin
bestand, den Fortbestand des Königtums anzusagen, sondern nun die
Zusage mit einer Geschichtsdrohung verbindet. Wie furchtbar das
Zerbrechen der Nathanverheißung auf das Gottesvolk gewirkt hat,
davon gibt der bald nach dem Sturz des jüdischen Reiches und dem
Ende der davidischen Dynastie entstandene Ps 89 ein erschütterndes
Zeugnis.[152] Aber das Ende des politischen Königtums konnte die
Zusage Gottes nicht vernichten. Die Verheißung eines neuen Königs,
eines Königs der Heilszeit lebte weiter, wenn auch jetzt grundlegend
gewandelt.

    Es ist sehr umstritten, wann mit dem Aufkommen messianischer
Vorstellungen im engeren, technischen Sinn in Israel zu rechnen ist.[153]
Indessen, trotz gelegentlichen Zurücktretens,[154] begegnen messiani-

---

[143] Vgl. *H. Gese*, Davidsbund 10–26; *J. Coppens*, Messianisme royal 39ff; *G. von Rad*,
    Theologie I,320–330; *A. Alt*, Staatenbildung, in: *ders.*, Kleine Schriften II,63f . . .

[144] 2 Sam 7,13f; Ps 2,7; Jes 9,5.

[145] Ps 2; Ps 18,44–48; 72,8–11 u. ö.

[146] Vgl. Ps 2,8; 18,32–43; 21,9–13; 20,7–9; 110,1; 1 Sam 2,10.

[147] Ps 45,7; 89,5.30.37 . . . Vgl. *H. Groß*, Messias 159–162; *J. Coppens*, Messianisme royal
    52–62; *G. von Rad*, Theologie I,331–336.

[148] Vgl. *J. Coppens*, Messianisme royal 45. Zum Problem der Rechtsprechung in der
    Königszeit vgl. vor allem *A. Alt*, Das Königtum . . ., in: *ders.*, Kleine Schriften II,116;
    W. Eichrodt, Theologie des AT I,42ff, bes. 46f; *M. Noth*, Amt 328.

[149] Vgl. *K. H. Rengstorf*, ThBL II,762.

[150] *G. von Rad*, Theologie I,320. Vgl. 1 Kge 8,61; 11,4; 15.3.14.26.34; 16,19.26 u. ö.

[151] *C. Westermann*, Das AT und Jesus Christus, 32; vgl. ferner *M. Noth*, Überlieferungsge-
    schichtliche Studien, bes. 72–110; *G. von Rad*, Theologie I,346–358, hier 350, urteilt:
    „Die Entscheidung zum Unheil ist nach der Meinung von Dtr. im Herzen der Könige
    gefallen, weil ihr ‚Herz nicht ganz war mit Jahwe'."

[152] Vgl. *C. Westermann*, Das AT und Jesus Christus 32.

[153] Vgl. *J. Coppens*, Messianisme royal 17–36 (+ Literatur!).

[154] Das Jeremiasbuch bringt nur einen einzigen Beleg: Jer 23,5f. Im Dt-Jes ist der
    Gesalbte kein Davidide, sondern der Perserkönig Kyros (Is 45,1); vgl. Ez, 17,22–24;
    34,23f; 37,24; *J. Coppens*, Messianisme royal, bes. 89–97. In der Weisheitsliteratur

sche Verheißungen in der Zeit vor und während des Exils.[155] Sie leben in nachexilischer Epoche für eine kurze Zeit neu auf[156] und verlieren dann etwas an Bedeutung,[157] ohne jedoch ganz zu verschwinden.[158] Erstmals tauchen sie bei Jesaja (8,23–9,6; 11,1–10) und Micha (5,1–3) auf.[159] Unbeschadet der weitreichenden Aussagen über die charismatischen Fähigkeiten des in diesen Texten geschilderten messianischen Königs, ist dieser Herrscher „kein übernatürliches, göttliches Wesen. Er ist ein Geschöpf, das in Jahwes Auftrag das Amt der Herrschaft stellvertretend auf Erden auszuüben hat und dafür die höchsten Gaben verliehen bekommt".[160]

Obwohl das Wort „Messias" im AT innerhalb prophetischer Verheißungen einer Neuerrichtung des Königtums nirgends verwendet wird, darf man jedoch von messianischen Verheißungen sprechen. Handelt es sich doch um einen Vorstellungskomplex, der engstens mit dem davidischen Königtum verbunden ist: „C'est aux croyances et aux espérances qui se développèrent autour de la royauté telle qu'elle s'incarna en David et son lignage qu'il convient d'assigner le terme de ‚Messianisme royal'. C'est dès lors aux Davidides, que le nom de Messie peut et doit être réservé."[161] Diese Feststellung läßt die

befaßt sich nur Jesus Sirach mit diesem Problem. *J. Coppens,* op. cit. 111–115, hier 115 urteilt: „Nous ne retrouvons dans le Siracide que l'espoir en la restauration de la nation (Sir 36,10.16) et de la cité sainte, Jérusalem (Sir 36,12–13)." Was die Eschatologie des Buches betrifft, zitiert er ebda. S. 112 zustimmend *A. Caquot,* Ben Sira et le Messianisme, in: Semitica 16 (1966) 43–68: „l'Eschatologie du Siracide n'a rien de messianique... Adhérant de tout son coeur à un système religieux qui repose sur un échange régulier de prestations, où le culte expie les péchés; où la fidélité de Dieu rétribue la fidélité de l'homme, il ne peut faire place à un messie qui bouleverserait une économie tenue pour éternelle." Ähnlich auch *M. de Jonge,* ThWNT IX, 502. Daß Gen 49,10; Num 24,17 später messianisch gedeutet wurden, ist sicher. Dazu *G. von Rad,* Theologie II,22f.

[155] Vgl. Am 9,11–15; Jer 23,5f; Ez 17,22–24; 34,23f; 37,24.

[156] Hag 2,20–23; Sach 4,1–6a.10b.11.13b; 6,9–15; vgl. Sach 9,9f.

[157] Die Bücher Tobith und Judith scheinen nicht von einem Messias zu wissen. Vgl. *E. Schürer / G. Vermès,* History II,500; *P. Volz,* Eschatologie 26.182. In dem Buch der Chroniken finden sich nur Andeutungen: 1 Chr 17,27; 2 Chr 6,42; 9,8 u. ö. Nicht eindeutig ist das Zeugnis der Makkabäerbücher; wahrscheinlich ist es negativ, d. h. als nicht messianisch zu bewerten. Vgl. *J. Coppens,* Messianisme royal 104–110; ferner *E. Schürer / G. Vermès,* History II,500.

[158] *J. Coppens,* Messianisme royal 116f.

[159] Zu Is-Texten, vgl. *J. Coppens,* Messianisme royal 67–85; *A. Alt,* Jes 8,23–9,6, in: *ders.,* Kleine Schriften II,206–225; *G. von Rad,* Theologie des AT II,174–181, näherhin 178f; *F. Hesse,* ThWNT IX,496f.499. Zu Micha, vgl. *J. Coppens,* op. cit. 85–88; *G. von Rad,* Theologie des AT II,177 und Kommentare z. St.

[160] *F. Hahn,* Hoheitstitel 137f; ähnlich *J. Coppens,* Messianisme royal 13f: „ce roi-sauveur doit apparaître comme l'instrument de Jahvé, en vue de réaliser les intentions et le royaume de Celui ci... Il se présentera comme le vizir, le vassal, le lieutenant de Jahvé"; vgl. S. 84.126.

[161] *J. Coppens,* Messianisme royal 38; vgl. ebda 13: „Notons que le terme ‚Messie' au sens technique et fort est encore absent des textes vétérotestamentaires." Vgl. ferner

nationalpolitische Dimension des Messianismus im AT ganz deutlich
hervortreten. So dürfte J. Coppens recht haben, wenn er urteilt:
„Dans l'AT, le messianisme royal ne s'est jamais entièrement affran-
chi de son cadre terrestre et national. Toutefois . . . le développement
de l'espérance tendit pour une large part à mettre l'accent progressi-
vement sur les aspects éthique, religieux et spirituel de la figure du
messie et de son règne."[162]

2. Qumran und die Psalmen Salomos

Daß mit dem Untergang des Hauses Davids die messianische
Erwartung in Israel nicht erlosch, läßt sich in verschiedenen Bewe-
gungen und Schriften des Judentums in der Zeit zwischen den
Testamenten nachweisen. Die Erwartung eines Davididen als Messias
stellt in der Zeit zwischen dem Exil und dem Bar-Kochba-Aufstand
(135 n. Chr.) nur einen Typ des Messianismus dar. In seiner Gesamtheit aber ist dieser vielfältiger.[163] Einige wichtige Zeugen sollen hier
zur Sprache kommen.

Es ist längst erkannt und wird fast allgemein angenommen, daß die
Qumrangemeinde[164] in ihrer Messianologie an die Konzeption des

---

F. Hahn, Hoheitstitel 136; J. Gnilka, Jesus Christus 62; O. Cullmann, Christologie
99.102; P. Vielhauer, Ein Weg, in: ders., Aufsätze 175; A. Caquot, Messianisme qumrânien, in: M. Delcor, Qumrân 232; M. Rese, Überprüfung 23 Anm. 10; vgl. ebda.
S. 28.

[162] J. Coppens, Messianisme royal 126; vgl. ebda. 159.

[163] Vgl. K. H. Rengstorf, ThBL II, 762; A. S. van der Woude, ThWNT IX,518; P. Volz,
Eschatologie 201ff, hier 201; W. Kasper, Jesus 123.

[164] Aus der unübersehbaren Literatur über die Messianologie der Qumrantexte seien
folgende Arbeiten erwähnt: K. G. Kuhn, Die beiden Messias, NTS I (1954/55)
168–179; revidierte englische Fassung: The Two Messiahs of Aaron and Israel, in:
The Scrolls and the NT, (ed. K. Stendahl) 1957, S. 54–64; A. S. van der Woude, Die
messian. Vorstellungen der Gemeinde von Qumran, Assen 1957; ders., ThWNT IX,
508–511; K. Schubert, Messiaslehre, BZ NF 1 (1957) 177–197; jetzt in: K. E. Grözinger,
u. a., Qumran 341–364; R. E. Brown, The Messianism of Qumran, CBQ 19 (1957)
53–82; K. Weiß, Messianismus in Qumran u. im NT, in: H. Bardtke, Qumran-
Probleme, Berlin 1963, S. 353–368; J. A. Fitzmyer, The Aramaic „Elect of God" Text
from Qumran Cave IV, CBQ 27 (1965) 348–372 + Literatur; E. L. Ehrlich, Ein Beitrag
zur Messiaslehre der Qumransekte, ZAW 68 (1956) 234–243; J. Gnilka, Die Erwartung des messian. Hohenpriesters . . ., RdQ 2 (1959/60) 395–426; J. Starcky, Les
quatre étapes du messianisme à Qumrân, RB 70 (1963), 481–505; R. B. Laurin, The
Problem of the Two Messiahs in the Qumran Scrolls, RdQ 4, (1963) 39–52;
R. E. Brown, J. Starcky's Theory . . ., CBQ 28 (1966) 51–57; E. A. Wcela, The Messi-
ah(s) of Qumran, CBQ 26 (1964) 340–349; A. J. B. Higgins, The priestly Messiah, NTS
13 (1966/67), 211–239; A. Caquot, Messianisme qumrânien, in: M. Delcor, Qumrân
231–247; H. Braun, Qumran und das NT II, bes. 75–84 + Literatur; E. Schürer /
G. Vermès, History II, bes. 550–554; 480–492: Literatur!

Propheten Sacharia anknüpft.[165] In einer Folge von ursprünglich 7
Nachtgesichten erschaut der Prophet (Sach 1,7–6,8) „ganz ebenso die
Vernichtung der Weltmächte und die Wiederbevölkerung Jerusalems". Er sieht „in der Symbolik eines Leuchters und zweier flankie-
render Ölbäume . . . die beiden Jahwegesalbten, den Davididen und
den Hohenpriester, die dienend vor Yahwe stehen."[166] Beide Gesalbten herrschen in vollkommenem Einverständnis, wie es Sach 6,13b
heißt: „Und friedliches Einvernehmen wird zwischen ihnen beiden
sein."[167] Die von Haus aus priesterliche Sekte von Qumran übernimmt
diese Vorstellung von den zwei Messiassen.[168] Man erwartet also am
Ende der Tage (1 QSa 1,1) zwei Messiasgestalten: einen Hohenpriester
aus Levi,[169] den Aaroniden[170] und einen König aus Juda,[171] den
endzeitlichen Davididen.[172] Den ältesten Beleg hierfür liefert aller
Wahrscheinlichkeit nach 1 QS 9,11. Es heißt: „bis daß der Prophet
und die Gesalbten Aarons und Israels kommen."[173] Die Bezeichnung

---

[165] Vgl. *K. Schubert*, Messiaslehre 196, bzw. in: *K. E. Grözinger* u. a. Qumran 364; vgl.
ebda. S. 181 bzw. 346: „Die atl. Grundlage für die Zwei-Messias-Lehre bot den
Leuten von Qumran der Bileam-Spruch Num 24,17b . . ." Ferner *F. Hahn*, Hoheitstitel 146; *W. Zimmerli*, Atl. Theologie 198; *W. Kasper*, Jesus 123; *J. Gnilka*, Jesus
Christus 63; *C. D. Duling*, Promises, bes. 64ff. Anders *A. Caquot*, Messianisme qumrânien, in: *M. Delcor*, Qumrân S. 233.

[166] Sach 4,11.14; vgl. Sach 3,8 (Verheißung); *W. Zimmerli*, Atl. Theologie 198 (beide
Zitate). Ferner vgl. *G. von Rad*, Theologie II,296–298, näherhin 297f; *F. Hesse*,
ThWNT IX, 498; *O. Eissfeldt*, Einleitung 580–582.

[167] Übersetzung nach der Jerusalemer Bibel.

[168] *A. S. van der Woude*, ThWNT IX,511 bemerkt dazu, daß sich also die messianischen
Vorstellungen von Qumran nicht so sehr von den traditionellen Erwartungen
abheben, wie es den Anschein haben könnte. Ebenso *K. G. Kuhn*, Die beiden
Messias 174.177; *R. E. Brown*, Messianism 63. Die These von der Zwei-Messias-Lehre
in Qumran wird vertreten u. a. von *K. G. Kuhn, K. Schubert, E. L. Ehrlich, A. S. van der
Woude, J. Gnilka, R. E. Brown* . . . Abgelehnt wird sie u. a. von *A. J. B. Higgins*, The
priestly Messiah. Er meint, Qumran kenne nur einen Messias, und zwar „only . . . a
messianic Davidic prince and deliverer" (218). – Wieder andere Forscher erkennen
zwar das Vorkommen von zwei Gestalten an, sprechen jedoch dem Hohenpriester
oder sogar beiden die Messiaswürde ab, z. B. *R. B. Laurin*, The Problem. *J. Starcky*,
Les 4 étapes und *A. Caquot*, Messianisme qumrânien, nehmen eine Entwicklung des
Messiasgedankens in Qumran an. Für eine ähnliche Entwicklung des Messiasgedankens, die von dem Glauben an einen Priester- und einen Laienmessias zu der
traditionellen Erwartung nur des letzteren geführt haben soll, tritt *E. A. Wcela*, The
Messiah(s) ein. *K. Weiß*, Messianismus 357f bestreitet eine einheitliche Messianologie
in Qumran: „Eine einheitliche Konzeption von den messianischen Ereignissen und
vor allem von den in ihnen wirkenden Gestalten liegt jedoch in den Sektenschriften
ebensowenig vor wie in der zeitgenössischen Literatur sonst . . ."

[169] 4 Q Test 14.

[170] 1 QS 9,11; CD 12,23f; 14,19; 20,1; 19,10f.

[171] 4 Q Patr Bless 1ff.

[172] 4 Q Patr Bless 2ff; 4 Q Flor 1,11; 1 Q Sb 5,20–29.

[173] Übersetzung nach *E. Lohse*, Die Texte aus Qumran, z. St. Vgl. ferner CD 12,23f;
14,19; 19,7ff; 20,1; 1 QSa 2,12ff; vgl. CD 7,18ff; 4 Q Test 9ff.14ff; 4 Q Flor 1,11. Die
zentralen Stellen sind bei *H. Braun*, Qumran und das NT II,75 zusammengetragen.

„Messias Israels – *mšjḥ jsr'l* " ist „singulär". Sie findet sich weder im AT noch sonst irgendwo im frühjüdischen Schrifttum.[174] Beide Gestalten werden fast immer zusammen als „Messias Aarons und Israels"[175] bezeichnet, jedoch immer so, daß der Priestermessias vor dem Laien-Messias genannt wird. „Die einzige Ausnahme bildet 4 Q Test 9–20."[176]

Qumran gibt dieser Konzeption insofern eine eigene Prägung, als hier, anders als bei Sach 4,14; 6,13, der Priestermessias aus Aaron eindeutig die Vorrangstellung erhält. In diesem Sinne hat man nicht zu Unrecht sagen können: „It is its sacerdotal messianism, however, which is the most characteristic feature of Qumran messianic hopes, a not unexpected ideal for a sect with priestly origins, priestly leadership and a priestly organization."[177] Diese Überlegenheit des Priestermessias über den Königsmessias bezeugen eindrucksvoll Texte wie 1 QSa 2,11–22 und verschiedene Stellen in der sog. Kriegsrolle.[178] 1 Q Sa 2,11–22 wird das eschatologische Mahl des erlösten Israel und die Sitzordnung der Gemeinde geschildert. An erster Stelle wird genannt der Messias Aarons. Er hat den Vortritt, und mit ihm zusammen nehmen die Priester Platz. Dann folgt der Messias Israels mit den Stammeshäuptern, den Familienhäuptern und den Weisen. Es ist auch dem Hohenpriester vorbehalten, bei Tisch den Segen zu sprechen; und er darf zuerst zugreifen.[179] Wird so die messianische Erwartung mehr in das Religiöse zurückgebogen, es bleibt jedoch bei der verbreiteten politisch-kriegerischen Stimmung, wie die Kriegsrolle lehrt. Die Gemeinde rüstet sich für den eschatologischen Krieg. Von den beiden Messiassen geführt, ziehen die Söhne des Lichtes in den

---

[174] *K. G. Kuhn*, Die beiden Messias 169; vgl. *Bill.*, I,6–11.

[175] Vgl. 1 QSa 2,14.20, wo nur der Ausdruck „Messias Israels" gesondert begegnet. Im übrigen wird der Hohepriester einige Male auch als *kwhn rw'š* bezeichnet (1 QSa 2,12; 1 QM 2,1; 15,4; 16,13; 18,5; 19,11). Einmal heißt er „Lehrer der Gerechtigkeit" (CD 6,11); zweimal „Torahforscher" (CD 7,18; 4 Q Flor 2). An der unsicheren Stelle 1 QSa 2,12 scheint der Messias Israels „der Messias" genannt zu sein. Sonst trägt er die Namen: „Messias der Gerechtigkeit" (4 Q Patr Bless 3); Fürst der (ganzen) Gemeinde (CD 7,20; 1 QSb 5,20; 1 QM 5,1; 4 Q p Jsᵃ, FrA 2) und Sproß Davids (4 Q Patr Bless 3–4; 4 Q Flor 2; 4 QpJsᵃ, FrD 1) – Vgl. *A. S. van der Woude*, messian. Vorstellungen 185.

[176] *A. S. van der Woude*, messian. Vorstellungen 182–185; *ders.*, ThWNT IX,510–(8).

[177] *E. Schürer / G. Vermès*, History II,550. Zum Verhältnis der beiden Messiasse, vgl. ferner *K. Schubert*, Messiaslehre 188ff, bzw. in: *K. E. Grözinger* u. a., Qumran 354f; *A. S. van der Woude*, ThWNT IX,510; *ders.*, messian. Vorstellungen 185 – Zu den oben angeführten Stellen aus Sacharja bemerkt *F. Hesse*, ThWNT IX,498–(20ff): „Allerdings ist der Priester dem Messias deutlich nachgeordnet; er nimmt zwar den Ehrenplatz ein, aber zur Rechten eines Mächtigeren."

[178] 1 QM 15,5f; 16,13ff u. ö.; vgl. 1 QM 18,5f; 19,11ff.

[179] *K. G. Kuhn*, Die beiden Messias 168ff; *K. Schubert*, Messiaslehre 183f; bzw. in: *K. E. Grözinger* u. a., Qumran 348f; *A. S. van der Woude*, messian. Vorstellungen 96–106; *F. Hahn*, Hoheitstitel 147; *R. E. Brown*, Messianism 55f.

Kampf gegen die Söhne der Finsternis. Diese werden am Ende vernichtet (1 QM 12,10–12; vgl. 18,6ff). Indessen auch im eschatologischen Endkampf, der wie ein heiliger Krieg geführt wird, spielt der Messias Aarons eine weit bedeutendere Rolle als der Fürst der Gemeinde, der Messias Israels. Er ordnet die Schlachtreihen (1 QM 15,5f) und spricht fast immer die Segenssprüche (1 QM 15,5; 16,13f).[180] Die Überlegenheit des Priestermessias bekundet sich im übrigen auch darin, „daß der königliche Messias sich durch Priester belehren lassen wird" (4 QpJes^a Fr. 8–10,23).[181]

Wie seine Namen[182] bereits deutlich machen, trägt der Messias Israels weitgehend traditionelle Züge. Auf ihn werden die atl. Verheißungen bezogen;[183] er wird angesehen als „Sproß Davids",[184] den Gott als Sohn angenommen hat.[185] Ihm ist die endzeitliche Herrschaft übertragen[186] und er übt in Vollmacht des Geistes Gericht aus.[187] Sein Thron wird in Ewigkeit Bestand haben.[188]

Zusammenfassend ist zu sagen, daß die beiden Messiasse in Qumran Werkzeuge Gottes in dieser Zeit sind. Ihre Erwartung erwuchs aus dem Bund, den Gott ewiglich mit dem Königtum Davids (2 Sam 7,11ff) und dem Priestertum des Pineas (Num 25,12f) geschlossen hatte. Wenn das auch in den Qumranschriften nicht ausdrücklich gesagt wird, so konnte doch diese Erwartung an „ältere nachexilische Traditionen" anknüpfen.[189] Es ist ferner darauf hinzuweisen, daß sich weder beim messianischen Hohenpriester noch beim Fürsten der Endzeit von den Texten her übermenschliche Züge „mit voller Sicherheit nachweisen" lassen. Vielmehr verkörpern beide Gestalten „in der von der frommen Gemeinde erlebten gottlosen Ära die ideale

---

[180] Vgl. 1 QM 2,1–4; 15,4–8; 16,11–14; 18,3–6. *R. E. Brown*, Messianism 57ff, hier 59 meint deshalb: „Thus, in our opinion, there is no reference here to the Messiah of Israel; ..." Dagegen *A. S. van der Woude*, messian. Vorstellungen 185f; *ders.*, ThWNT IX,510; *K. Schubert*, Messiaslehre 181f, bzw. in: *K. E. Grözinger* u. a. Qumran 346–348.

[181] DJD V,14; *A. S. van der Woude*, ThWNT IX,510(–36).

[182] Vgl. S. 394 Anm. 175.

[183] Vgl. Gen 49,10 in 4 Q Patr Bless 1–7; Num 24,17 in CD 7,19f; 4 Q Test 9–13; 1 QM 11,6f; Jes 11,1ff in QpJs^a Fr. C,10–13; Am 9,11 in 4 Q Flor 12f; 2 Sam 7,11b in 4 Q Flor 7; 2 Sam 7,13f in 4 Q Flor 10f; Ps 2,1f in 4 Q Flor 18f – Zur Schriftauslegung in Qumran, vgl. *G. Vermès*, Schriftauslegung in Qumran, in: *K. E. Grözinger* u. a., Qumran 185–200; *J. A. Fitzmyer*, The use 297–333; ferner *W. H. Brownlee*, The Background of Biblical Interpretation at Qumran, in: *M. Delcor*, Qumrân 183–193.

[184] 4 Q Patr Bless 3f; 4 Q Flor I,10f; 4 QpJs^a Fr. D,1; vgl. Jer 23,5; 33,15; Sach 3,8; 6,12.

[185] 4 Q Flor I,10f.

[186] 1 QSb 5,27–29; 4 QpJs^a Fr. D,1–3.

[187] 1 QSb 5,21–26; 4 QpJs^a Fr.C, 10–13; D, 4–8.

[188] 1 QSb 5,20f; 4 Q Patr Bless 4; 4 Q Flor I,10f.

[189] *A. S. van der Woude*, ThWNT IX,510.

Zukunft, in der nach Gottes Verheißung das wahre, legitime Priestertum und das wahre, legitime Königtum wiederhergestellt sein werden". Und weil die Erwartung der Gemeinde sich „in erster Linie auf
die von Gott zu der von ihm bestimmten Zeit herbeigeführte
Heilsära" richtet, „in der Gerechtigkeit herrschen und kein Übel mehr
sein wird" (1 QpHab 7,13 und 1 QS 4,18–23), darum können beide
Messiasgestalten „weit hinter Gott selber" zurücktreten.[190]

Unter den apokryphen und pseudepigraphischen Schriften des AT
verdienen vor allem die wahrscheinlich aus pharisäischen Kreisen[191]
stammenden Psalmen Salomos[192] Beachtung. Hier findet sich in der
Tat der locus classicus für die traditionelle Messiaserwartung des
Judentums. Mit diesen Liedern besitzen wir „eine ganz hervorragende
Quelle für die Stimmung innerhalb des palästinensischen Judentums
der letzten Zeit vor der Geburt Jesu Christi . . . Die Strömungen und
Parteiungen im jüdischen Volke jener Tage, . . . und vor allem ihre
hochgespannte messianische Erwartung (. . .), treten uns mit voller

---

[190] Alle Zitate aus: *A. S. van der Woude*, ThWNT IX,510; vgl. *ders.*, messian. Vorstellun-
gen 186. Genau dieselbe messianische Vorstellung wie in Qumran liegt in den
Testamenten der XII Patriarchen vor. Es werden auch hier zwei Messiasgestalten:
ein Priester aus Levi, der einmal ἀρχιερεὺς χριστός genannt wird (T. Rub 6,8), und
ein König aus Juda, erwartet. Ebenso wird Levi überwiegend vor Juda erwähnt
(T. Rub 6,7–12; T. Sim 7,1f; Z. Iss 5,7; T. Dan 5,4; T. Napht 6,6; 8,2; T. Jos 19,10; T.
Gad 8,1; vgl. aber T. Dan 5,10) und der Priester steht über dem König (T.
Juda 21,1–3; vgl. T. Napht 5,3: das Bild von der Sonne und vom Mond; anders T.
Sim 7,1f; T. Gad 8,1–2; T. Levi 2,11; T. Dan 5,4ff; T. Iss 5,7). Hierzu vgl. u. a.
K. G. Kuhn, Die beiden Messias 171ff; *A. S. van der Woude*, messian. Vorstellungen
190–216, bes. 215f; *H. Braun*, Qumran und das NT II,75; *J. Gnilka*, Die Erwartung,
bes. 405–408; *E. Schürer / G. Vermès*, History II,551: „Strikingly parallel examples of
the same expectation are contained in the Testaments of the Twelve Patriarchs."
Dagegen z. B. *A. J. B. Higgins*, The priestly Messiah 229: „There seems to be little
justification for the drawing of parallels between the Testaments and the Qumran
literature in regard to messianic ideas. While prominent in the Qumran writings,
they are almost and perhaps completely absent from the Testaments in their
original form"; ebenso auch *R. B. Laurin*, Problem 45; *M. de Jonge*, ThWNT IX,503f;
O. Eissfeldt, Einleitung 855–862; *R. Eppel*, Piétisme 97–105.
[191] Das wird von *O. Eissfeldt*, Einleitung 830f bestritten, während *J. Leipoldt / W. Grundmann*, Umwelt des Urchristentums I,278 unter Berufung auf *H. Braun*, Vom
Erbarmen Gottes über den Gerechten. Zur Theologie der Psalmen Salomonis, ZNW
43 (1950/51) S. 1–54, jetzt in: *ders.*, Ges. Studien zum NT und seiner Umwelt, Tüb.
1962, S. 8–69, die Psalmen Salomos als die „klassische Quelle für den Pharisäismus"
bezeichnet. Vgl. ferner *R. Kittel*, Die Psalmen Salomos, in: *E. Kautzsch*, Apokryphen
II,128: „Die Lieder können somit nur den Kreisen der pharisäischen Partei
entstammen."
[192] Vgl. *P. Volz*, Eschatologie 177f; *R. Kittel*, Psalmen Salomos, in: *E. Kautzsch*, Apokryphen II,127–130 (Einleitung); *O. Eissfeldt*, Einleitung 826–831; *Bousset-Greßmann*,
Religion 222–230; *O. Cullmann*, Christologie 100f; *B. van Iersel*, Fils de David 114f;
F. Hahn, Hoheitstitel 149f; *E. Schürer / G. Vermès*, History II,503f; *C. Burger*, Jesus als
Davidssohn 17f; *J. Gnilka*, Jesus Christus 62; *M. de Jonge*, ThWNT IX,504f.

Deutlichkeit vor die Seele".[193] Inbrünstig wird um die Ankunft des Messias aus dem Hause Davids gebetet. „Nirgends ist ein so glänzendes und ausführliches Gemälde vom davidischen Messias entworfen" wie in diesen Psalmen (Vgl. Ps.Sal. 17–18).[194] Eindrucksvoll ist vor allem der zweite Teil des Ps 17. Es geht darin um die Ankunft des Messias (v 21) und die Beschreibung seiner Person wie seiner Aufgabe (VV 22–43). Der Text lautet:

V 21:   „Sieh darein, o Herr, und laß ihnen erstehen ihren König, den Sohn Davids,

          zu der Zeit, die du erkoren, Gott, daß er über deinen Knecht Israel regiere.

VV 22ff:Und gürte ihn mit Kraft, daß er ungerechte Herrscher zerschmettere,

          Jerusalem reinige von den Heiden, die (es) kläglich zertreten!

          Weise (und) gerecht treibe er die Sünder weg vom Erbe, zerschlage des Sünders Übermut wie Töpfergefäße.

          Mit eisernem Stabe zerschmettere er all ihr Wesen, vernichte die gottlosen Heiden mit dem Worte seines Mundes,

          daß bei seinem Drohen die Heiden vor ihm fliehen, und er die Sünder zurechtweise ob ihres Herzens Gedanken.

          Dann wird er ein heiliges Volk zusammenbringen, das er mit Gerechtigkeit regiert . . .

V 32:   Er aber (herrscht als) gerechter König, von Gott unterwiesen, über sie,

          und in seinen Tagen geschieht kein Unrecht unter ihnen, weil sie alle heilig sind und ihr König der Gesalbte des Herrn ist . . .

V 36a: Und er ist rein von Sünde, daß er herrschen kann über ein großes Volk . . .

V 39:   Seine Hoffnung (steht) auf den Herrn: wer vermag da (etwas) gegen ihn? . . .[195]

Hier begegnet zum ersten Mal im Zusammenhang der endzeitlichen Hoffnung des Judentums der Hoheitstitel „Sohn Davids", der in der nachchristlichen jüdischen Literatur eine allgemein gebräuchliche Messiasbezeichnung wird.[196] Seine Aufgabe ist: „die Beseitigung der

---

[193] R. *Kittel*, Psalmen Salomos, in: E. *Kautzsch*, Apokryphen II,128; vgl. auch P. *Volz*, Eschatologie 177.

[194] *Bousset-Greßmann*, Religion 223; ähnlich auch E. *Schürer* / G. *Vermès*, History II,503; P. *Volz*, Eschatologie 177, der auch darauf aufmerksam macht, daß „die übrigen Psalmen nichts von ihm (Messias) wissen". Auch Ps 18 scheidet aus, da er (VV 5–9) nur „eine etwas matte Wiederholung von bereits Gesagtem", d. h. von Ps 17, ist.

[195] Übersetzung nach R. *Kittel*, in: E. *Kautzsch*, Apokryphen II,145ff, hier 146f.

[196] Vgl. *Bill.*, I,525 mit Belegen.

Fremdherrschaft, die Zerschmetterung der Feinde und der Sünder oder die Unterjochung der Völker bzw. die Zurechtweisung der Sünder; die Wiedervereinigung und Verteilung der Stämme Israels; die Reinigung Jerusalems und das weise und gerechte Regiment in Israel; die Erziehung des Volkes wie der einzelnen Reichsgenossen in Gottesfurcht und Tugend."[197] Trotz der wunderbaren Farben, mit denen seine Gestalt gezeichnet wird,[198] ist er jedoch nicht als überirdisches oder präexistentes Wesen angesehen wie in einigen Teilen im 4. Buch Esra (vgl. 4 Esr 7,28; 12,31f; 13; 14,9.52), oder in den sog. Bilderreden des äth. Henoch (Kap. 37–71).[199] Vielmehr ist er eine durchaus menschliche Gestalt:[200] Sohn Davids und König Israels. Aber er ist auch Gottes König. Denn es geht ihm nicht nur um politische Macht, Ruhm und Erfolge. Er kämpft ebenso für die Sache Israels wie für die Sache Gottes. Gerade die Verse 32–43 betonen die geistigen Aspekte seiner Herrschaft: Er ist rein von Sünde (V 36) und Gott ganz ergeben (VV 34ff). Er soll über Israel regieren (V 21b) und die Heidenvölker unter seinem Joch halten, daß sie ihm dienen (V 30), aber auch die Sünder zurechtweisen ob ihres Herzens Gedanken (V 25), und so ein heiliges Volk für Gott zusammenbringen (V 26).[201]

Abschließend sei noch angemerkt, daß die Messiashoffnung dieses Psalmes weder den Restgedanken noch das Motiv des heiligen Krieges, noch eine hohepriesterliche Messiasgestalt wie in Qumran kennt.[202]

---

[197] *P. Volz*, Eschatologie 177; vgl. *E. Schürer / G. Vermès*, History II,503f; *Bousset-Greßmann*, Religion 228f; *R. Kittel*, Psalmen Salomos, in: *E. Kautzsch*, Apokryphen II, 129.

[198] Auf die starke Anlehnung an das AT (Jes 11 in V 35; Ps 2,8 in V 23f u.a.m.) macht auch *C. Burger*, Jesus als Davidssohn 18 aufmerksam.

[199] Vgl. *E. Schürer / G. Vermès*, History II,520–523; *Bousset-Greßmann*, Religion 259–268; *P. Volz*, Eschatologie 186–188; 207f; *H. E. Tödt*, Menschensohn, bes. 24–27; *G. Beer*, Das Buch Henoch, in: *E. Kautzsch*, Apokryphen II,222f; 258ff; *H. Gunkel*, Das 4. Buch Esra, ebda., bes. 370ff.

[200] *Bousset-Greßmann*, Religion 228; *E. Schürer / G. Vermès*, History II,518–519, näherhin 519; The Messiah „appears here as an entirely human king"; *P. Volz*, Eschatologie 203–204; *F. Hahn*, Hoheitstitel 150.

[201] Vgl. *P. Volz*, Eschatologie 177; *M. de Jonge*, ThWNT IX,505. Zur Aufgabe des Messias und zu seinem Verhältnis zu Israel, der Völkerwelt und zu Gott, vgl. den Überblick bei *P. Volz*, Eschatologie § 36, S. 212–228 und *E. Schürer / G. Vermès*, History II, 517–547; ferner *A. S. van der Woude*, ThWNT IX,516–518.

[202] Vgl. *F. Hahn*, Hoheitstitel 151 – Das in einzelnen Abschnitten hervortretende Messiasbild der Apokalypsen des Baruch (vgl. Kap. 36–40: die Waldvision; Kap. 72–74: die Herrschaft des Messias) und des 4. Esra (vgl. 4. Esr 11f; 13,25–28.32–38; 12,34; 13,48–50) trägt sonst – abgesehen von den oben erwähnten Stellen – traditionelle Züge. Dazu *E. Schürer / G. Vermès*, History II,510–512; *M. de Jonge*, ThWNT IX,506–507; *P. Volz*, Eschatologie 39f.41–43; *V. Ryssel*, Die Apokalypsen des Baruch, in: *E. Kautzsch*, Apokryphen II,404–412; 424f und 439f; *H. Gunkel*, Das 4. Buch Esra, ebda. S. 335–349; 352ff. – Speziell zum Problem der Messiasvorstellung

3. LXX UND DAS GRIECHISCHSPRECHENDE JUDENTUM

Das hebräische *mašijaḥ* wird in der LXX, abgesehen von Lev 4,3 und 2 Sam 1,21, sonst immer mit χριστός wiedergegeben, wie bereits bemerkt wurde.[203] Wie die entsprechenden hebräischen Ausdrücke *mšjhj, mšjḥ jhwh*, so meinen auch die griechischen Bezeichnungen χριστός κυρίου, χριστός αὐτοῦ, μου... immer eine königliche Gestalt.[204] Bemerkenswert ist nun, daß an einigen Stellen die LXX-Wiedergabe von ihrer hebräischen Vorlage abweicht und den Text messianisch interpretiert. So Num 24,17, indem aus dem Zepter des hebräischen Textes ein Mensch wird. Die Stelle lautet wie folgt: ἀνατελεῖ ἄστρον ἐξ Ἰακώβ, καὶ ἀναστήσεται ἄνθρωπος ἐξ Ἰσραήλ. Von diesem Menschen wie vom Zepter im hebräischen Text, wird gesagt, daß er die Feinde zerschmettere und Israel stark mache. Durch die Setzung von αὐτός anstelle von αὐτό nach ἀνὰ μέσον τοῦ σπέρματος αὐτῆς, erhält Gen 3,15 LXX ebenfalls eine Interpretation im Sinne eines zukünftigen Erlösers. Auch Gen 49,10 und PS 109 = 110,3 bezieht die griechische Übersetzung auf den König der Zukunft. Er wird προσδοκία ἐθνῶν (Gen 49,10) genannt und scheint sogar präexistent zu sein. Denn es heißt: ἐκ γάστρος πρὸ ἑωσφόρου ἐξεγέννησά σε (Ps 109,3).[205] Ausdrücklich und eindeutig erwähnt Philo[206] eine eschatologische Erlösergestalt nur an einer Stelle, und zwar im Zusammenhang mit der Schilderung der Zukunft in seiner Schrift „de Praemiis et Poenis" 79ff. De Praem. Poen. 95 führt er Num 24,7 LXX an und paraphrasiert den Orakelspruch. Der Mensch, der kommen soll (ἐξελεύσεται ἄνθρωπος), ist ein Stratege und ein Krieger (στραταρχῶν καὶ πολεμῶν), der eschatologische Kriegsführer, der große und zahlreiche Völker niederwerfen wird. Er kommt nach dem Aufhören des mit den Tieren geführten Krieges zur Vernichtung der Feinde, zur Herstellung des allgemeinen Friedens und zum Beginn der Heilszeit, ist „aber dann nicht weiter berücksichtigt". Und seine Leistung wird auch „sofort wieder durch die göttliche, in Gestalt menschlicher

---

in der Apokalyptik, hellenistischen Literatur (Syb.; Weisheit . . .), vgl. *P. Volz*, Eschatologie 178–183; 185f; *E. Schürer / G. Vermès*, History II, 502f; 504–507; 510–512; *Bousset-Greßmann*, Religion 242ff, bes. 259–268.

[203] Zum folgenden vgl. *P. Volz*, Eschatologie 183.205; *A. S. van der Woude*, ThWNT IX,501f.

[204] *A. S. van der Woude*, ThWNT IX,500f.

[205] Vgl. auch die LXX-Wiedergabe von Num 24,7. Hierzu *P. Volz*, Eschatologie 183 und *Bousset-Greßmann*, Religion 219 + Anm. 6 – An anderen Stellen hat dic LXX von sich aus χρίω und Derivate eingeführt. So z. B. in 2 Chr 36,1; Ps 2,6; Hos 8,10; Ez 43,3. Dazu *A. S. van der Woude*, ThWNT IX,501f.

[206] Vgl. *P. Volz*, Eschatologie 182f; *E. Schürer / G. Vermès*, History II,507–509; *F. Grégoire*, Le Messie chez Philon, 28–50; *J. De Savignac*, Le Messianisme de Philon, 319–324; *M. de Jonge*, ThWNT IX, 511.

Eigenschaften geschickte Hilfe eingeschränkt".[207] Anstelle „des irdisch-menschlichen Zukunftskönigs" scheint bei Philo „die himmlische Figur des λόγος" zu treten.[208] Deutliche Umrisse zeigt die philonische Messiasgestalt nicht. F. Grégoire meint, sie paßt nicht in das philoni-sche System hinein, und redet in diesem Zusammenhang von „l'effa-cement du Messie chez Philon": „Quant au rôle du héros messianique de Philon, il est singulièrement effacé."[209] Die Ursachen dieser Ver-drängung seien: „les préoccupations universalistes et pacifistes" von Philo,[210] und die Bedeutung, die die Gestalt des Mose und die die Logoslehre bei ihm haben.[211] Trotzdem habe Philo die Messiashoff-nung seines Volkes nicht ganz ignorieren wollen: „Alors que d'autres Juifs renonçaient complètement au Messie, surtout à Alexandrie, Philon, lui gardait, sans aucun éclat, mais lui gardait quand même, le rôle qu'on lui attribuait le plus communément de son temps, le seul que lui conférât la littérature juive de la diaspora et le seul, aussi, que Philon ait cru découvrir dans la lettre du Pentateuque, celui de héros national, inaugurant l'ère messianique."[212]

Nicht viel anders ist die Sachlage bei Josephus. Interessanter jedoch ist seine, wenn auch einseitige und tendenziöse, Darstellung der „messianischen" Freiheitsbewegung der Zeloten.[213]

Immer wieder kommt er auf sie zu sprechen, nicht nur in „De Bello Judaico", sondern auch in „Antiquitates Judaicae".[214] Man kann des-

---

[207] *P. Volz*, Eschatologie 182 (beide Zitate).

[208] *P. Volz*, Eschatologie 183. Er verweist auf Confus. Ling. 62f; Leg. All. III,79ff. Vgl. auch *J. De Savignac*, Le Messianisme, bes. 320–323. Bei der Weissagung Bileams, Vit. Mos I,290, denkt Philo, so *P. Volz*, Eschatologie 182, „wahrscheinlich nicht an den Messias, sondern eher an die geschichtliche Gestalt des David". Auch die göttliche Gestalt in de exsecr. 165 hat „mit dem Messias nichts zu tun". *P. Volz*, ebda. 183; ebenso auch *F. Grégoire*, Le Messie 31: „Il ne s'agit pas là du messie." Vgl. aber *E. Schürer / G. Vermès*, History II,508 + Anm. 27.

[209] *F. Grégoire*, Le Messie 33; vgl. S. 37 und 29; ferner *P. Volz*, Eschatologie 182; *M. de Jonge*, ThWNT IX,511.

[210] *F. Grégoire*, l.c. 35; vgl. ebda. S. 36.

[211] *F. Grégoire*, l.c. 36–42.49–50.

[212] *F. Grégoire*, Le Messie 44.

[213] Vgl. jetzt vor allem die grundlegende Arbeit von *M. Hengel*, Die Zeloten (1961), ²1976 mit einem Nachtrag: Zeloten und Sikarier, S. 387–412; *ders.*, War Jesus Revolutionär?; *ders.*, Zeloten und Sikarier, in: Josephus-Studien, S. 175–196 in Auseinandersetzung u. a. mit *G. Baumbach*, Zeloten und Sikarier 727–740; *G. Baumbach*, Die antirömischen Aufstandsgruppen, in: *J. Maier / J. Schreiner*, Literatur und Religion, 273–283; *ders.*, Die Zeloten, in: BiLi I (1968), 2–25; *O. Cullmann*, Der Staat im NT, bes. 5–36; *E. Schürer / G. Vermès*, History II,598–606 (Literatur!); vgl. auch I, 484–513 und I,43–61.

[214] Vgl. *Bell.*, bes. 2. Buch; Ant., bes. 18. und 20. Buch. Als Parteibezeichnung aber begegnet οἱ ζηλωταί fast ausschließlich im 4. und 5. Buch des Bell. bei der Schilderung des Bürgerkrieges in Jerusalem und des ersten Teils der Belagerung. Zu Bezeichnung und Sprachgebrauch von ζηλωτής und οἱ ζηλωταί, vgl. *M. Hengel*, Zeloten 61–75.395–399; *ders.*, Zeloten und Sikarier, in: Josephus-Studien, 182–186.

halb über Josephus' Zeugnis nicht referieren ohne zugleich von dieser
Befreiungsbewegung der Zeloten zu sprechen, die im 1. nachchristl.
Jahrhundert das Gesicht des Judentums in Palästina so entscheidend
geprägt hat.

Josephus kannte wohl die messianische Erwartung seines Volkes.[215]
Gerade diese Messiashoffnung stellte, nach seiner Meinung, eine der
Hauptursachen und der treibenden Kräfte dar, die zum Krieg gegen
Rom und schließlich auch zum Untergang des jüdischen Staatswesens
geführt haben. Er schreibt: „Was sie jedoch am meisten zum Kriege
getrieben hatte, war ein zweideutiger Orakelspruch, der sich gleich-
falls in ihren Heiligen Schriften fand, wonach um diese Zeit einer aus
ihrem Lande die Weltherrschaft erlangen würde" (Bell 6,312f).[216] Aber
weder der Bandenführer Judas b. Hiskia, noch der Sklave Simon und
der Hirt Athronges, die während der Unruhen nach dem Tod
Herodes' auftraten und Ansprüche auf den königlichen Thron erhoben,[217] werden von Josephus als „Gesalbte" bzw. „Messiasse" bezeichnet. Ebensowenig werden die vielen sog. messianischen Propheten,
von deren Auftreten im Palästina jener Zeit er berichtet,[218] sowie die
Führer des jüdischen Krieges (60–70 n. Chr.) als solche angesehen.[219]
Das ist nicht so verwunderlich wie es zunächst erscheint. Vom
Römerfreund Josephus ist eine Messiashoffnung im jüdisch-nationa-
len Sinn verständlicherweise nicht zu erwarten. Das den römischen
Kaisern Vespasian und Titus gewidmete Werk „Bellum Judaicum"[220]
dient denn auch der Verherrlichung Roms und der Anklage gegen die
Zeloten.[221] Für Josephus ist Vespasian die Zentralgestalt in seiner
durch die Bibel inspirierten Zukunftserwartung geworden. Auf Vespasian deutet er die messianische Weissagung, den bereits angeführten
zweideutigen Orakelspruch (Bell 6,312f), wenn er fortfährt: „Dies
bezogen sie (die Juden) auf einen ihres Stammes, und auch viele ihrer
Weisen irrten sich in der Auslegung des Spruches. Das Orakel aber

---

[215] Vgl. Ant. 17,43–45; 10,210.276; Bell 6,312f.

[216] Übersetzung nach *H. Clementz*, Geschichte des Jüdischen Krieges Bell 6,5,4 = 6,312f
– Zu dieser messianischen Weissagung und zu der Frage nach der gemeinten
Schriftstelle, vgl. *M. Hengel*, Zeloten 243–246.

[217] Bell 2,56–65; Ant 17,271–284.

[218] Ant 18,85–87; 20,97f.167f; 20,169ff; Bell 2,258ff; 7,437ff – Vgl. *R. Meyer*, ThWNT
VI,827–(3ff); *M. Hengel*, Zeloten, Kap. V, S. 235ff.

[219] Von Menahem sagt Josephus nur, daß er „im Schmuck königlicher Kleidung zum
Gebet hinausschreitend" von seinen Gegnern ermordet wurde (Bell 2,442–448,
näherin 444). Demgegenüber spricht *M. Hengel*, Zeloten 296–304 mit Recht von
„Zelotische Messias-Prätendenten".

[220] Vgl. Vita 361; C. Ap. 1,50; Vita 363 wird mitgeteilt, daß Titus selbst das Werk mit
seiner eigenhändigen Unterschrift versah. Vgl. *E. Schürer / G. Vermès*, History I, bes.
47; *M. Hengel*, Zeloten 7f.

[221] Bell 2,265.274ff.652ff u. ö.

wies auf die Herrscherwürde des Vespasian hin, der in Judäa zum
Imperator ausgerufen wurde."[222]

Es ist darum auch kein Zufall, daß Josephus mit einer Ausnahme[223]
die Aufständischen gegen Rom vorwiegend und stereotyp „Räuber –
λησταί"[224] oder „Aufrührer – στασιασταί"[225] nennt. Damit charakterisiert er sie im römischen Sinne als „rechtlose Aufrührer und gesetzlo-
se Verbrecher".[226] Daß diese Bezeichnung tendenziös ist, zeigt schon
Ant. 18,9f.23, wo die Anhänger dieser Richtung als „vierte Philoso-
phenschule" bezeichnet und ihre Toraverschärfung sowie ihre Liebe
zur Freiheit hervorgehoben wird.[227] Wie M. Hengel nachgewiesen hat,
waren die Zeloten in der Tat alles andere als eine Räuberbande, die
für alles Übel in den Zeiten vor und während des Untergangs des
Staates Israel verantwortlich zu machen war. Sie bildeten vielmehr
eine politisch-religiöse Bewegung und handelten aus tief religiösen
Motiven. Wie ihr Name „die Eiferer – οἱ ζηλωταί" besagt,[228] ging es
ihnen um Jahwes Gesetz und Heiligtum zu Jerusalem; ihr Anliegen
war die Reinerhaltung des väterlichen Glaubens.[229] Um es mit G.
Klein zu formulieren: „Diesen Guerillas geht es um weit mehr als um
weltliche Ziele; ihr ,Eifer' erschöpft sich nicht im Streben nach
politischer Selbständigkeit eines unterdrückten Volkes. Es geht ihnen
vielmehr in allen militärischen und politischen Aktionen um die
Verwirklichung der Gottesherrschaft. Daher hat der Kampf den
Charakter des ,heiligen Krieges'.[230] Im Unterschied und Gegensatz zu
den Pharisäern waren die Zeloten der Überzeugung, man müsse für

---

[222] Übersetzung nach *H. Clementz*, op. cit. (Bell 6,5,4). *Tacitus*, hist. 5,13 und *Sueton*,
Vesp. 4,5 bezogen ebenfalls dieses Orakel auf Vespasian, ohne dabei Josephus zu
nennen. Texte bei *M. Hengel*, Zeloten 243 + Anm. 2; *E. Schürer / G. Vermès*, History
II,510 Anm. 29. Zur Frage der Beziehung zwischen Josephus und Tacitus (und
Sueton) vgl. *E. Norden*, Josephus und Tacitus über Jesus Christus, jetzt in: *A. Schalit*,
Zur Josephus-Forschung 27–69.

[223] Vgl. Ant 9,183.

[224] *Bell*. 2.65.228.235.238.253f u. ö.

[225] *Bell*. 2,452.484.525.534.538.557.651 u. ö. Vgl. *M. Hengel*, Zeloten 42–47; *ders.*,
Zeloten und Sikarier, in: Josephus-Studien, 176f.

[226] *M. Hengel*, Zeloten 25–33 und 45f, hier 46; vgl. auch *G. Baumbach*, Aufstandsgruppen
273.

[227] Vgl. *M. Hengel*, Zeloten 79–85, näherhin 82f.

[228] Zur Bezeichnung „οἱ ζηλωταί" vgl. *M. Hengel*, Zeloten 61–78, und zum religiösen
Charakter dieser Bewegung, ebda. 146–150 (Zusammenfassung).

[229] Vgl. *M. Hengel*, Zeloten 151–234, bes. 175–181.188ff; *ders.*, Zeloten und Sikarier, in:
Josephus-Studien, 179–181; ferner *G. Baumbach*, Aufstandsgruppen 277.

[230] *G. Klein*, Reich Gottes 653. Zum „heiligen Krieg", vgl. *M. Hengel*, Zeloten 277–293,
bes. 287–292. Davon geben der verzweifelte Kampf im Tempelbezirk (Bell 6,2,1ff;
6,4,1ff) und die Verteidigung der Festung Masada und Selbsttötung aller 960
eingeschlossenen Menschen (Bell 7,8,1ff; 7,9,1ff) ein eindrucksvolles Zeugnis. Vgl. *H.
Clementz*, Fl. Josephus, Geschichte des jüdischen Krieges; *O. Michel / O. Bauernfeind*,
Der Jüdische Krieg, II,2 z. St.

die Ehre Gottes und seine Herrschaft mit Waffengewalt kämpfen. Man dürfe das Kommen des zukünftigen Reiches nicht Gott allein überlassen, sondern man müsse dafür sorgen, daß es anbricht, notfalls mit dem Einsatz des eigenen Lebens.[231] So waren also die Zeloten in ihren politischen Zielsetzungen von eschatologisch-messianologischen Erwartungen getragen. Das führte auch dazu, daß sich immer wieder Führerpersönlichkeiten dieser Bewegung zu Messiassen aufwarfen: Menahem, Sohn des Judas, Simon bar Giora bis hin zu Simon ben Kosba (132–135 n. Chr.), der im Aufstand unter Hadrian von einem Teil der Rabbinen, allen voran Akiba, als messianischer König begrüßt und eingesetzt worden ist.[232]

Von dieser gesteigerten Messiaserwartung bei den Juden in der Zeit der Römerherrschaft wissen auch, wie wir sahen, nichtjüdische Schriftsteller wie Sueton und Tacitus zu berichten.[233]

4. DIE MESSIANISCHEN VORSTELLUNGEN IM RABBINISCHEN SCHRIFTTUM

Die Erwartung einer messianischen Gestalt ist bei den Rabbinen zwar nicht abgestorben, aber so lebendig wie in Ps Sal 17 oder so brisant wie bei den Zeloten ist sie nicht.[234] Eher ist die Messiasgestalt ziemlich farblos geworden. Nicht mehr der Messias und sein Wirken stehen hier im Vordergrund, sondern Gott und die von ihm heraufzuführende messianische Zeit. Auch wo der Messias als Erlöser gefeiert wird, steht als letzter Urheber allen Heils immer Gott hinter ihm.[235] Der Messias tritt weit hinter Gott zurück, der der eigentliche goēl Israels ist und der allein Heil und Erlösung bringt, indem er die endzeitliche Herrschaft auf Erden errichtet, die Tage des Messias heraufführt und den neuen Äon anbrechen läßt.[236] Das unterscheidet die Messiashoffnung der Rabbinen[237] von der Erwartung der bisher dargestellten Gruppen.

a) Jüdische Gebete

Die Hoffnung auf das Kommen eines Messias lehnt sich hier, auch in der Terminologie, stärker an das AT an, und, wie wir bereits

---

[231] Zur Botschaft der Zeloten vgl. *M. Hengel,* Zeloten 93–150, und zur Bereitschaft zum Martyrium, ebda. 261–277, bes. 263–277.

[232] Vgl. *M. Hengel,* Zeloten 296–304: „Zelotische Messias-Prätendenten".

[233] Vgl. *P. Volz,* Eschatologie 185.

[234] Vgl. *P. Volz,* Eschatologie 174ff; *Bill.,* IV,2, S. 815ff; 857ff; 880ff; I,6–11; *Bousset-Greßmann,* Religion 222ff; *E. Schürer / G. Vermès,* History II,512; vgl. ebda. 455–463; *A. S. van der Woude,* ThWNT IX,512–518; *F. Hahn,* Hoheitstitel 151–153; *C. Burger,* Jesus als Davidssohn 22–24.

[235] Vgl. *Bill.,* IV,2, S. 858; Vgl. 872ff.

[236] *Bill.,* IV,2 (Exkurs 29), S. 817ff; bes. 857ff; 968f.

[237] Im einzelnen sind die Anschauungen der Rabbinen nicht einheitlich. Das wird noch deutlich werden.

bemerkten, wird nun „Davids Sohn" als allgemein gebräuchliche Messiasbezeichnung (vgl. b. Sanh 97a–98b). Das kommt in den Gebeten der Synagoge klar zum Ausdruck. So heißt es in der 14. Bitte des Achtzehngebetes (Schᵉmoné Esrè) nach der palästin. Rezension: „Erbarme dich Jahwe unser Gott, über Jerusalem, deine Stadt, und über Zion, die Wohnung deiner Herrlichkeit, (...) und über das Königtum des Hauses David, des Messias deiner Gerechtigkeit. Gepriesen seist du Jahwe, Gott Davids, der Jerusalem erbaut."[238] Eigentlich geht es hier nur um das Haus Davids, d. h. um das Königtum des Hauses Davids, der auch „Messias deiner Gerechtigkeit" genannt wird. Die 14. Berakhah in der babylon. Rezension kennt die Bitte um den Messias nicht. Und doch wird darin das Verlangen nach Gottes Erlösung und Heil spürbar laut: „Nimm deine Wohnung inmitten Jerusalems, deiner Stadt, in naher Zeit – wie du geredet hast – und baue es als einen ewigen Bau eilends in unseren Tagen. Gepriesen seist du, Herr, der Jerusalem erbaut." Auf diese Bitte folgt dann in der 15. Berakhah die um das Kommen des Messias, des Sprosses Davids: „Den Sproß Davids laß eilends aufsprossen und sein Horn erhebe sich durch deine Hilfen. Gepriesen seist du, Yahwe, der sprossen läßt (das Horn der) Hilfe." Von der Person und der Aufgabe dieses Messias aber erfahren wir nichts. Er erscheint, wie P. Volz bemerkt, „nur als letztes Geschenk Yahwes an die Nation und hat keine Funktion beim eschatologischen Endakt selbst ... Die Hauptsache ist die einheimische Regierung, nicht der Regent."[239]

Auch in den späteren Gebeten sieht es nicht anders aus. Im Habinenugebet, das in knapper Form die wichtigsten Gebetsanliegen zusammenfaßt, wird nach der palästin. Fassung für den Sproß Davids (ṣmḥ dwd), und nach der babylon. Rezension für das Aufsprossen (ṣmḥ) eines Horns „für David, deinen Knecht" gebetet und für „die Aufrichtung einer Leuchte für den Sohn Isais, deinen Gesalbten".[240] Das Musafgebet für den Neujahrstag nennt unter den Gaben Gottes, die er gewähren möchte, auch „das Aufsprossen eines Horns für David, deinen Knecht" und „die Aufrichtung einer Leuchte für den Sohn Isais, deinen Gesalbten". Das Kaddischgebet spricht die Bitte aus, Gott möge sein Königtum errichten und herbeikommen lassen seinen Gesalbten. Schließlich heißt es im Kaddisch de-Rabbanan: „Und er möge hervorsprudeln lassen das Ende, da die Herrschaft seines Gesalbten kommt." In all diesen Gebeten wird der Messias fast nur beiläufig erwähnt. „Er gehört eben mit zu den Verheißungen und zu den wichtigen Stücken des Heils." Was im Zentrum des Interesses steht, das ist der „Wiederbeginn der davidischen Herrschaft". Das

---

[238] Übersetzung nach *Bill.,* IV,1, S. 213.
[239] *P. Volz,* Eschatologie 175 (beide Zitate).
[240] Texte bei *E. Lohse,* Der König 342; *P. Volz,* Eschatologie 176.

geknechtete Volk will wieder „ein selbständiger, machtvoller Staat werden und der Heilskönig ist die Personifikation des Zukunftsstaates".[241] „Daß die im Volke verbreitete eschatologische Hoffnung dem aus Davids Geschlecht kommenden Messias galt",[242] kommt in diesen Gebeten deutlich zum Ausdruck.

b) Rabbinische Theologie und die Targumîm

Aus der Zeit vor der Zerstörung Jerusalems und des Tempels (70 n. Chr.) ist uns keine einzige Aussage der Tannaïten über den Messias überliefert worden.[243] Nur einmal und ganz beiläufig wird der Messias in der Mischna erwähnt, und zwar Sota 9,15, wo der Zerfall der Ordnungen und die Auflösung aller Normen und Bedingungen, Kriege, Seuchen und Hunger „unmittelbar vor dem Kommen des Messias" erwartet werden.[244]

Aber nach der Zerstörung der heiligen Stadt gewinnt die Messiashoffnung neue Kraft. So erwartet, nach b. Berakh 28b, Jochanan b. Zakkai den Messias Hiskia: „Rabban Jochanan b. Zakkai sagte in der Stunde seines Abscheidens zu seinen Schülern: Räumet die Geräte fort wegen der Unreinheit und haltet einen Thronsessel bereit für Hiskia, den König Judas, wenn er kommt."[245] Dabei halten die Rabbinen an der davidischen Hoffnung fest, wie z. B. b. Berakh 48b

---

[241] Alle Zitate bei *P. Volz,* Eschatologie 175.

[242] *E. Lohse,* ThWNT VIII,485; *ders., Der König* 343. Eine Ausnahme bildet hier der Fall von Bar-Kochba.

[243] Vgl. *P. Volz,* Eschatologie 175f; *A. S. van der Woude,* ThWNT IX,513.

[244] Nach *Bill.,* I,586, lautet die Stelle wie folgt: „Kurz vor dem Auftreten des Messias wird die Unverschämtheit groß werden und der Druck zunehmen. Der Weinstock gibt seine Frucht, aber der Wein ist teuer. Die Regierung wendet sich zur Ketzerei und es gibt keine Zurechtweisung. Das Versammlungshaus wird zur Unzuchtstätte, Galiläa wird verwüstet und Gablan verheert werden und die Einwohner des Grenzlandes ziehen von Stadt zu Stadt und finden kein Erbarmen. Die Weisheit der Gelehrten wird stinkend, und die sich vor der Sünde scheuen, werden verachtet und die Wahrheit wird vermißt ... Das Aussehen des Geschlechts ist wie das Aussehen des Hundes, indem der Sohn sich nicht vor seinem Vater schämt. Auf wen sollen wir uns stützen? Auf unseren Vater, der im Himmel ist". *P. Volz,* Eschatologie 175, ist aber der Meinung, daß dieses Stück „erst später der Mischna angeheftet worden" sei. Das Fehlen von Aussprüchen über den Messias in der ältesten tannaitischen Literatur erklärt *J. Klausner,* Die messian. Vorstellungen des jüdischen Volkes im Zeitalter der Tannaiten (1904), S. 3ff, dadurch, „daß die Führer des Volkes, solange Juda noch selbständig war, es nicht für nötig hielten, die messianische Erwartung weiter auszuspinnen. Auch sei ihnen die Tora wichtiger gewesen" (Zitat von *P. Volz,* Eschatologie 175). Zur Diskussion, vgl. auch *A. S. van der Woude,* ThWNT IX,513f. Für ihn „dürften die Ablehnung der zelotischen Machenschaften und der eschatologischen Naherwartung bestimmter apokalyptischer Gruppen jener Zeit sowie Erwägungen der Staatsräson, die unter der Herrschaft der Hasmonaer gemachten schlechten Erfahrungen" ein weiterer Grund dafür gewesen sein.

[245] *Bill.,* I,31; vgl. ferner b. Sabb. 30b (R. Gamliel II); b. sanh. 97b und 98a (R. Eliezer b. Hyrkanos und R. Josua b. Chananja)...

zeigt. Mit Beziehung auf das Sch‘monè-Esrè sagt R. Eliezer: „Wer mit dem Segenswort, der Jerusalem bauet‘ die malkūt des Hauses David nicht erwähnt, der genügt seiner Pflicht nicht."[246] Auch die in der Gemara und den Midraschim gebräuchlichen Wendungen „Tage des Messias-j̊mot hamāšijah" als ein Name für die Heilszeit und „Wehe des Messias-ḥeblow šēlamāšijah"[247] als Bezeichnung der letzten, bösen Zeit sind Ausdruck für die Messiaserwartung des Rabbinentums.[248] Merkwürdig jedoch ist, wie bereits gesagt wurde, „daß der Messias im Rabbinismus nicht mit deutlichen Funktionen ausgestattet wird. Es ist also für das rabbinische Judentum, wie für die . . . erwähnten Gebete charakteristisch, daß es zwar auf den Messias wartet, aber ihn sich nicht weiter ausdenkt. Was die Rabbinen interessiert, das ist mehr das Kommen des Messias an sich, als seine Art und Tätigkeit".[249]

Beachtenswert ist ferner, daß, obwohl die Rabbinen die Präexistenz des Namens des Messias kennen,[250] dieser von ihnen jedoch niemals als eine göttliche Gestalt bezeichnet und angesehen wird. Auch für sie ist der Messias ein, wenn auch mit besonderen Gaben ausgestatteter Mensch. Er ist politischer und geistiger Führer des Volkes, und zwar ist er „ganz und nur für das Volk Israel da. Mit den Heiden verbindet ihn kein innerliches Band".[251] Er wird immer als König, und zwar als König der Herrlichkeit betrachtet. Von einem Leiden des Messias ist im tannaitischen Zeitalter nichts zu finden.[252] Und die Vorstellung, daß der Messias in Herrlichkeit oder in Niedrigkeit kommen werde, je nachdem, ob Israel seines Auftretens würdig ist oder sich durch Sünden verunreinigt hat, gehört der Amoräerzeit an.[253] Nirgends jedoch wird, wie im NT, das Leiden des Messias mit seinem Heilswerk in Verbindung gebracht.[254] Mit Billerbeck betont P. Volz mit Recht, „daß die jüdische Theologie einerseits einen leiden-

---

[246] Vgl. *P. Volz*, Eschatologie 176.

[247] *Bill.*, IV,2,977; vgl. *Bill.*, I,950.

[248] *P. Volz*, Eschatologie 176f stellt viele atl. Stellen zusammen, die von den Rabbinen „messianisch" gedeutet wurden: z. B. Hos 3,5; Jes 23,15; Ps 72,17; Num 24,17; Jes 11; Sach 9,9; Ps 2 u. a. m.

[249] *P. Volz*, Eschatologie 176; vgl. *A. S. van der Woude*, ThWNT IX,516f mit Belegen. Ebenso urteilt *E. Lohse*, Der König 343 in bezug auf den „Sohn Davids" bzw. „Sproß Davids".

[250] Vgl. *Bill.*, I,64–66, hier 64[2]; II,333–339; *P. Volz*, Eschatologie 206; *Bousset-Greßmann*, Religion 263 Anm. 1; *E. Schürer / G. Vermès*, History II,521–523, bes. 523.

[251] *Bousset-Greßmann*, Religion 228; *P. Volz*, Eschatologie 219f. Über das Schicksal der Heiden, vgl. *Bousset-Greßmann*, Religion 233ff.

[252] Vgl. *P. Volz*, Eschatologie 176; ferner *F. Hahn*, Hoheitstitel 153; anders *S. Ben-Chorin*, Bruder Jesus 129; *J. Jeremias*, ThWNT V, 697f.

[253] *Bill.*, IV,2,872ff – Zu der Amoräerzeit im allgemeinen, vgl. *H. L. Strack*, Einleitung in Talmud 135ff.

[254] *P. Volz*, Eschatologie 228; *E. Schürer / G. Vermès*, History II,547–549, hier 549; ferner *Bill.*, II,285.

den Messias kennt, der aber nicht stirbt, andererseits einen sterbenden Messias, der aber nicht leidet, also nicht einen leidenden und sterbenden Messias".[255] Ebenfalls ist von einem dem Messiaskönig überlegenen Priestermessias wie in Qumran bei den Rabbinen keine Rede. Wo die Anschauung von zwei Messiassen auftaucht – und das ist nur gelegentlich der Fall (vgl. Ab. R. Nath. 34) – nimmt eher der königliche Messias eine Vorrangstellung ein.[256]

Die spät redigierten, aber dennoch alte Anschauungen bewahrenden Targumîm beteiligen sich lebhaft an der Messiashoffnung.[257] Sie deuten Stellen des AT, so Volz, „in denen nichts vom Messias steht, christologisch und tragen sehr häufig den Messias ein, wo im biblischen Text gar kein Anlaß dazu gegeben ist".[258] Aber auch hier ist der Messias nur Gottes Instrument. Wiederum stehen nicht so sehr seine Person und Funktion im Mittelpunkt des Interesses, als das Hereinbrechen der neuen Heilszeit. Er verkörpert die nationalen Interessen, und nirgends wächst er über das Völkische hinaus. Nicht nur König, sondern auch Prophet und Gesetzeslehrer ist er und verhilft so dem Bund zwischen Gott und Volk zu einer neuen, lebendigen Realität.[259]

Rückblickend ist zu sagen, daß sich die Messiaserwartung der atl. Prophetie in den jüdischen Schriften der intertestamentarischen Zeit, sowohl in Palästina wie auch in der Diaspora, nicht wesentlich verändert hat.[260] Ob, wie in Qumran, zwei Messiasse erwartet werden, ob die Feinde des Volkes von Gott selbst oder von seinem Messias oder von den Frommen in einem heiligen Krieg besiegt werden, und schließlich, wie auch die persönliche Haltung und Stellung des Messias von den verschiedenen Gruppen gedacht werden mag,

---

[255] *P. Volz*, Eschatologie 203–229, Zitat S. 229; *Bill.*, II, (zu Lk 21,26) S. 273–299, näherhin S. 273ff und 284ff über diese späteren Anschauungen vom leidenden Messias; vgl. auch *E. Dinkler*, Petrusbekenntnis und Satanswort 127–153, hier 136f.

[256] So bes. Ab. R. Nath. 34: Text bei *Bill.*, IV,1,457; ferner vgl. u. a. b. Sukka 52b, wo sogar 4 Messiasse zusammengestellt sind: Messias Ben David, Messias Ben Joseph, Elias und der Kohen-Sedeq. Dazu *Bill.*, IV,2,786; ferner *F. Hahn*, Hoheitstitel 153 Anm. 3 u. 4 (und Literatur); *A. S. van der Woude*, ThWNT IX,517f. Zu der Gestalt und zum Amt des Elias, vgl. *Bill.*, IV,2,28; Exkurs S. 764–798, bes. 789ff; *Bill.*, IV,1, S. 462–465; ferner *P. Volz*, Eschatologie 195–197; *E. Schürer / G. Vermès*, History II,515–516 + Anm. 9 und 10.

[257] Vgl. Tg. Prof. zu Jes 52,14; zu Mich 5,1; Sach 4,7; zu Jes 11,1; 14,29...; *A. S. van der Woude*, ThWNT IX,515–(25ff) + Belege.

[258] *P. Volz*, Eschatologie 177 (mit Belegen).

[259] Vgl. Tg. Prof. zu Jes 11,3; 9,5; 11,2; 42,1.6...; ferner *A. S. van der Woude*, ThWNT IX,515–(25ff); *F. Hahn*, Hoheitstitel 153f und die dort zitierte Literatur; *E. Schürer / G. Vermès*, History II,512 (! Literatur!), vgl. ebda. S. 520, wo der Messias beschrieben wird „as a mighty warrior, who conquers his enemies in battle".

[260] So mit *F. Hahn*, Hoheitstitel 156f; vgl. *J. Coppens*, Messianisme royal 168, der stärker den Pluralismus der messian. Vorstellungen betont.

konstant bleibt die Überzeugung, daß der Messias ein Mensch ist, Davids Nachkomme, König und Herrscher[261] im irdischen Bereich. Das bedeutet, wie gesagt, daß die jüdische Hoffnung auf den endzeitlichen Gesalbten im ntl. Zeitalter keine wesentlichen Wandlungen erfahren hat. Sehr bedeutsam ist für das Verständnis des Messiasbegriffes im NT die Erkenntnis, daß dem zeitgenössischen Judentum die Vorstellung fremd ist, daß der Messias leiden muß; daß er von seinem Volk verworfen wird und eines gewaltsamen Todes stirbt. Ein leidender Messias kann für das Judentum nur ein großes Ärgernis sein. So scheint auch Jes 53 im Hinblick auf die Gedanken von Leiden und Sühne in der jüdischen Messianologie keine Bedeutung gehabt zu haben.[262] Die Frage, wie denn der christliche Glaube dazu kam, gerade diese belastete jüdische Messiaserwartung, die durchaus politisch und militärisch stark gefärbt war, sich zu eigen zu machen und Jesus als Messias zu bezeichnen und zu bekennen, wie auch die weitere, wie Jesus selbst zu den messianischen Sehnsüchten seines Volkes gestanden hat, brauchen uns in diesem Zusammenhang nicht zu beschäftigen.[263]

B. Davids Sohn

Das ist der zweite, wichtige Hoheitstitel in unserem Text. „Sohn Davids" ist eine sehr umstrittene Messiasbezeichnung. Da wir bei der Behandlung des Christos-Prädikates diesen Titel an einigen Stellen bereits berührt haben,[264] dürfen wir uns nun ziemlich kurz fassen.

---

[261] Mit Recht betont auch von E. Dinkler, Petrusbekenntnis und Satanswort, bes. 137f.

[262] O. Cullmann, Christologie, 49–55, hier 55: „Le judaïsme officiel, à l'époque de Jésus, n'avait pas incorporé dans sa notion du Messie l'idée d'une nécessaire souffrance expiatoire; . . .". Zur Beziehung zwischen den Gottesknechtliedern und Jesus Christus, vgl. C. Westermann, Das AT und Jesus Christus, bes. 12f; 14–15. Bill., I, 481f macht darauf aufmerksam, daß in der rabbinischen Literatur die Auslegung von Jes 53 auf den Messias erst seit dem 3. nachchristl. Jh. hervortritt. Dagegen äußert sich J. Jeremias, ThWNT V,676–713, bes. 685–697. Seine These wird, nach eingehender Analyse der Belege, von M. Rese, Überprüfung einiger Thesen von Joachim Jeremias zum Thema des Gottesknechtes im Judentum 21–41, abgelehnt. Die Messianologie im NT und in Qumran untersucht H. Braun, Qumran und das NT, II,75–84, wobei die wichtigsten Beiträge zum Thema besprochen werden.

[263] Vgl. dazu u. a. F. Hahn, Hoheitstitel, 159–241 (Literatur!); J. Gnilka, Jesus Christus 66ff in Auseinandersetzung mit der neueren Literatur. Zu den Thesen F. Hahns, vgl. vor allem P. Vielhauer, Ein Weg, in: ders., Aufsätze zum NT 175–185; ferner W. Thüsing, Erhöhungsvorstellung, S. 26ff und Reg. sub F. Hahn; J. Coppens, Messianisme royal, bes. 170ff und Reg. sub F. Hahn; ferner J. Ernst, Christologie, bes. S. 33ff; vgl. oben S. 319ff

[264] S. oben S. 262–264. 269ff.

1. AT

So erstaunlich und seltsam es auch erscheinen oder klingen mag, „Sohn Davids" ist keine atl. Messiasbezeichnung. Erst im NT und bei den Rabbinen wurde es zu einem Messiastitel. Aber daß dieses christologische Prädikat eine atl. Vorgeschichte hat, kann nicht bestritten werden. Seinen Ursprung hat es in der Weissagung des Propheten Nathan an David (2 Sam 7,5b–16). Der Text enthält die Zusage an David, daß er, Gott, dem David – und nicht David Gott – ein Haus (eine Dynastie) bauen wird und daß sein Königtum ewigen Bestand haben wird. So lautet die Stelle: „So läßt Jahwe dir denn verkünden, daß Jahwe dir ein Haus bauen wird. Wenn dann deine Tage voll sein werden . . ., dann will ich deinen Nachkommen nach dir, der aus deinem Leibe hervorgeht, einsetzen und sein Königtum bestätigen . . . Nein, dein Haus und dein Königtum sollen immerdar vor mir Bestand haben. Dein Thron soll für immer fest gegründet sein" (VV 11c.12.16).[265] Als „Sohn Davids" gelten eigentlich nur die leiblichen Söhne des Königs David in der ersten Generation: Salomo[266]; Absalon und Amnon[267] und Jerimot[268]. Die Pluralform „Söhne Davids" hingegen wird nicht nur auf die Söhne der ersten Generation (1 Chr 3,1–9), sondern auch auf spätere Nachkommen angewendet,[269] d. h. auf Leute, die ihre Abstammung auf David zurückführen können (Esr 8,2).

Niemals aber wird im AT der verheißene messianische König als „Sohn Davids" im späteren technischen Sinn bezeichnet. In diesem Sinne taucht das Prädikat, wie gesagt, erst im 1. vorchristlichen Jahrhundert auf, und zwar zum ersten Mal in den sog. Psalmen Salomos (17–18), die sich übrigens ausdrücklich auf die Nathan-Weissagung berufen. Diese Nathan-Weissagung (2 Sam 7,5b–16) hat in der Schrift mannigfache Neuinterpretationen erfahren, wie die zahlreichen Erwähnungen zeigen.[270]

Nach dem Exil richten sich die Hoffnungen mehr und mehr auf die Zukunft. Erwartet wird nun „ein neues Reis aus dem Wurzelstock Isais"[271], oder „ein anderer David"[272], wobei die Weise der davidischen

---

[265] Übersetzung nach der Jerusalemer Bibel z. St.

[266] 1 Chr 29,22; 2 Chr 1,1; 13,6; 30,26; 35,3; Spr 1,1; vgl. Pred 1,1.

[267] 2 Sam 13,1.

[268] 2 Chr 11,18.

[269] 2 Chr 13,8; 23,3.

[270] Vgl. Ps 132,10–18; 89,4–5.20–53; 18,51; 2 Sam 23,1.5; 1 Chr 17,14; 1 Kge 8,15–21; Jes 11,1–10; 7,13f; 9,6; Jer 23,5; 30,9; Ez 34,23f; 37,23–25; Hos 3,5; Hag 2,23; Sach 6,12–14 . . . Vgl. A. Descamps, Messianisme royal 60 Anm. 2 mit Belegen. Kurze Besprechung der Texte bei D. C. Duling, Promises 56–61 (–69).

[271] Jes 11,1.10.

[272] Jer 30,9; Ez 34,23f; 37,24f; Hos 3,5.

Herrschaftsausübung wie sein Gehorsam Jahwe gegenüber – „mein Knecht David" – als Idealbild hingestellt werden. Daß hier weniger die Gestalt des Messias selbst als vielmehr die davidische Königsherrschaft, wie schon 2 Sam 7,16, im Mittelpunkt des Interesses steht, macht die Redeweise von der ewigen „Herrschaft" des davidischen Hauses deutlich.[273]

2. Qumran und das Rabbinentum

Demnach mußte der Messias nicht unbedingt aus Davids Stamm sein, jedenfalls nicht nach allgemeiner jüdischer Überzeugung.[274] Das zeigt ganz deutlich die rabbinische Interpretation der genannten atl. Stellen. In manchen Schriften des Judentums wird die davidische Herkunft des Messias überhaupt nicht erwähnt.[275] Wo aber der erhoffte Messias als Davidide bezeichnet wird, ist „die Terminologie weithin konstant".[276] Manchmal wird er auch bei den Rabbinen einfach „der Davids"[277] oder ein anderer (zweiter) David (b. Sanh 98a.b) genannt. Und die auf die Heilszeit gerichtete Hoffnung kann auch mit dem Satz ausgedrückt werden: „Die Herrschaft des Hauses Davids kommt."[278]

Die Qumrangemeinde hat nicht nur die zwei-Messias-Vorstellung aus dem AT übernommen und ausgebaut,[279] sondern weitgehend auch die atl. Terminologie zur Bezeichnung des davidischen Messias. Dieselben atl. loci – zusammen mit wenigen anderen – bleiben auch hier in Geltung und werden immer wieder herangezogen.[280] So wird 4 Q Flor 1,10f die Nathanweissagung angeführt und kommentiert: „Das ist der Sproß Davids, der mit dem Erforscher des Gesetzes auftreten wird ..."[281] Der davidische Messias wird hier „Sproß Davids" wie Jer 23,5; 33,15 und Sach 3,8; 6,12 genannt. Diesen Sproß Davids erwarten auch 4 QpIsᵃ Fr.D¹, wo Jes 11,1–4a erklärt wird, und 4 Q Patr.Bless. 3f. Der künftige König aus Davids Geschlecht dürfte auch

---

[273] Jes 9,6; 1 Chr 22,10.

[274] *E. Lohse,* Der König 341; *O. Michel,* ThBL III, 1176b.

[275] Z. B. äth. Hen 83–90; syr Bar 40; 72f. Äth. Hen 37–71 und 4 Esr 13 ist der Messias bereits bei Gott aufbewahrt. Kann er dann aus David stammen?

[276] *C. Burger,* Jesus als Davidssohn 23.

[277] b. Chag 14a; b.Mᵉg 17b (Baraita); p.Bᵉrakh 2,5a,9; vgl. *Bill.,* I,65d; *Bill.,* II,337.

[278] Vgl. j.Bᵉrakh 3,1 (6a,58); 14. Ben. Schᵉmonè Esrè (p.Rez.); vgl. *E. Lohse,* Der König 341; *ders.,* ThWNT VIII, 484f; *P. Volz,* Eschatologie 174; *E. Schürer / G. Vermès,* History II,518.

[279] S. S. 258–261.

[280] Vgl. *C. Burger,* Jesus als Davidssohn 20f; *D. C. Duling,* Promises 64–66; *E. Lohse,* ThWNT VIII, 484; *ders.,* Der König 340f; *O. Michel,* ThBL. III,1176.

[281] Übersetzung nach *E. Lohse,* Texte aus Qumran 257; vgl. Amos 9,11, wo von der „Hütte Davids" die Rede ist.

gemeint sein, wenn z. B. 4 Q Patr.Bless 1,4 von „Davids Samen" die Rede ist, wie D. C. Duling erkannt hat: „The ‚seed of David' will thus be a way of speaking about the descendants of David with strong emphasis on the descent itself."[282]

3. Apokryphe und Pseudepigraphische Literatur

Hier kommen nur das 4. Esrabuch und die Testamente der 12 Patriarchen in Frage. Zwar ist auch hier „Sohn Davids" kein besonderer Messiastitel, aber recht interessant auf Grund der Häufung messianischer Bezeichnungen ist T. Juda 24,4–6 nach der armenischen Version. Der Text lautet: „Dann wird ein Sproß mir aufgehen und ein Szepter meines Königtums wird aufleuchten und aus eurer Wurzel ein Schößling anstehen. Und durch ihn wird ein Herrscherstab der Gerechtigkeit den Völkern aufgehen, zu richten und zu retten alle, die den Herrn anrufen."[283] Man hat es in der Tat mit „the most complete conflation of texts from the promise tradition known"[284] zu tun. Vom Zepter ist sowohl Num 24,17 als auch Gen 49,10 die Rede. Der Schößling, der aus der Wurzel aufstehen wird, erinnert eindeutig an Jes 11,1, und den Herrscherstab erwähnt ebenso der Judasegen Gen 49,10. Mit dem Sproß dürfte hier wie Sach 3,8; 6,12 der ṣēmaḥ dawijd gemeint sein.[285]

Eine Verknüpfung des Judasegens (Gen 49,10) mit der Nathan-Weissagung könnte auch in der Apokalypse Esras vorliegen. 4 Esra 12,31f heißt es: „Der Löwe aber . . ., das ist der Christus, den der Höchste bewahrt für das Ende der Tage, der aus dem Samen Davids erstehen und auftreten wird, um zu ihnen zu reden."[286] Das ist die einzige Anspielung auf den Messiastitel „Davids Sohn" in dieser Literaturgattung.

4. LXX und das griechischsprechende Judentum

Auch in der LXX erfährt die Zusage Gottes an David (2 Sam 7,5b–16) neue Deutungen. Abgesehen von Neh 9,2, wo zēra‘

---

[282] *D. C. Duling,* Promises 59. – Vgl. Ps 89,5.30.37. Ein anderer Name des Messias in 4 Q Patr. Bless. ist „der Gesalbte der Gerechtigkeit" (1,3); in 1 QM 11,6f heißt er „Stern und Szepter"; anders CD 7,18ff. Dazu *A. S. van der Woude,* Messian. Vorstellungen 118.

[283] Übersetzung nach *A. S. van der Woude,* messian. Vorstellungen 207f; vgl. *J. Schnapp,* in: *E. Kautzsch,* Apokryphen II, S. 477.

[284] *D. C. Duling,* Promises 67.

[285] Andere Anspielungen auf das AT in T. Juda 24 sind: Mal 3,20; Ps 45,4; Sach 9,9; 12,10; Ps 45,2; Joel 3,1–5; Jes 4,2; 11,1.10. Vgl. *D. C. Duling,* Promises 67.

[286] Übersetzung nach *H. Gunkel,* in: *E. Kautzsch,* Apokryphen II,394.

mit υἱός wiedergegeben wird, übersetzt die LXX *zēraʿ* regelmäßig mit
σπέρμα.[287] Dabei ist „Same" nicht auf den Nachkommen der ersten
Generation beschränkt, sondern bezeichnet in der Regel die Nachkommenschaft Davids, das davidische Königshaus.[288] Das hebräische
Verb *qum*, das 2 Sam 7,12 und 1 Chr 17,11 im Hiphil steht, und die
Bedeutung: „erwecken, aufrichten"[289] hat, wird in LXX am häufigsten
mit ἀνιστάναι wiedergegeben. Gott wird den Samen aufrichten:
ἀναστήσω τὸ σπέρμα σου (2 Sam 7,12). Der Satz ist in diesem Zusammenhang nicht wie Gen 38,8 zu verstehen: „Nachkommenschaft
zeugen" oder „ins Leben rufen". Vielmehr bezieht sich die Aussage
hier auf den schon lebenden Nachkommen Davids, der nach seinem
Tod die Regierung übernehmen soll (vgl. 1 Chr 17,11).

In exilischer und nachexilischer Zeit aber konnte die Aufrichtung
des David-Nachkommens leicht als ein „ins Leben-Rufen", ein „Gebo-
renwerden" verstanden werden. So übersetzt die LXX Jer 23,5;
Sach 3,8 und 6,12 das *zēraʿ* des hebräischen Textes mit ἀνατολή,
„apparently a reflection on the verb ἀνατέλλω which translates ,shoot
up' not only in Zech 6,12, but is found with the ,star' of Num 24,17,
the ,horn' of Ps 132,17, and the ,sun of Righteousnes' in Mal 3,20".[290]

Dem palästinisch-rabbinischen wie dem griechischsprechenden
Judentum gilt der König David als „einer der Frommen Israels, die in
besonderer Weise Gottes Gnade erfahren und seinem Willen gemäß
gelebt haben".[291] Ebenso sehen Josephus und Philo David als ein
Vorbild für tugendhaftes Verhalten an. Während Philo den Namen
Davids nur einmal erwähnt, indem er von seinen Nachkommen
spricht, die υἱοί τοῦ τὸν θεὸν ὑμνήσαντος Δαβὶδ waren,[292] widmet
Josephus dem großen König einen langen Bericht (Ant 6,156–7,394).
David wird geschildert als ἄριστος ἀνήρ, der πᾶσαν ἀρετήν bewies
(Ant 7,390), tapfer und kampferprobt in allen Lagen, das Muster eines
Herrschers, „σώφρων ἐπιεικὴς χρηστὸς, πρὸς τοὺς ἐν συμφοραῖς ὑπάρ-
χοντας δίκαιος φιλάνθρωπος, ἃ μόνοις δικαιότατα βασιλεῦσιν εἶναι
προσῆκε" (Ant 7,391). Und obwohl auch hier die Messiashoffnung gut
bezeugt ist, wie wir sahen, spielt jedoch die Bezeichnung „Sohn
Davids" keine Rolle.[293] Trotzdem dürfte Billerbeck recht haben, wenn
er schreibt: „Aber die allgemeine jüdische Überzeugung hatte sich

---

[287] Z. B. 2 Sam 7,12; Gen 7,3; 9,9; 12,7; 13,16; Jes 41,8; 45,19 usw.; vgl. *G. Quell,*
ThWNT VII, bes. 538(–40)–543(–10).

[288] *G. Schneider,* Vorgeschichte 250.

[289] *W. Gesenius / F. Buhl,* Wb 708; *G. Lisowsky,* Konkordanz 1252f; *S. Amsler,* THAT
II, 635–641.

[290] *D. C. Duling,* Promises 61–63, hier 61; Vgl. *H. Schlier,* ThWNT I,354–355.

[291] *E. Lohse,* ThWNT VIII,482.

[292] Conf. ling. 149.

[293] Das ist nach den Ausführungen S. 267ff nicht sehr verwunderlich.

jedenfalls in Jesu Tagen schon längst dahin verdichtet, daß kein anderer als ein Davidide das messianische Zepter führen werde."[294]

Die Frage, ob sich Jesus als Davids Sohn wußte oder zumindest, ob er als ein solcher angesprochen und betrachtet wurde, wird uns noch im Zusammenhang mit der mkn. Interpretation dieses Hoheitstitels beschäftigen. Es genügt, an dieser Stelle nur darauf hinzuweisen, daß dieser Titel, wohl wegen seiner politischen Implikationen, im NT sehr stark zurücktritt. Auf Jesus bezogen begegnet er nur bei den Synoptikern.[295]

C. KYRIOS

Mit diesem Hinweis auf den ntl. Gebrauch von Sohn Davids kommen wir zum letzten Hoheitstitel in Mk 12,35–37, nämlich κύριος, der für die inhaltliche Bestimmung der ntl. Christologie von größter Bedeutung ist.

Um den tiefen Sinn, die Eigenständigkeit und Besonderheit des christlichen Kyrios-Bekenntnisses, des Bekenntnisses also, daß Jesus der Herr ist, zu verstehen, ist es unerläßlich, die umstrittene religionsgeschichtliche Frage, die mit den Namen W. Bousset und W. Foerster verbunden ist, mitzubedenken.[296]

---

[294] *Bill.*, I,12; vgl. *Bousset-Greßmann*, Religion 226; *O. Michel*, ThBL III,1175ff, hier 1176.

[295] *Moulton-Geden*, Concordance 184–185: 14mal, davon 8mal bei Mt, 3mal bei Mk und 3mal bei Lk. Bekannt sind auch im NT die Bezeichnungen: „aus dem Samen Davids = ἐκ σπέρματος Δαυίδ (Rm 1,3; 2 Tim 2,8; Joh 7,42) und „Wurzelsproß Davids = ἡ ῥίζα Δαυίδ (Apk 5,5; vgl. 22,16). Bei Mk (11,10) begegnet außerdem die merkwürdige Wendung: das „Kommen der Königsherrschaft unseres Vaters David". *K. Berger*, Die königlichen Messiastraditionen 1–44 möchte die Rezeption und Aufnahme der königlichen Messiastraditionen im NT aus einer späteren jüdischen Tradition begründen. S. 2 schreibt er: „Das Gesalbtsein ist aus einem noch jüdischen, prophetischen und weisheitlichen Horizont zu verstehen, in dem Salbung Mitteilung von Lehre und Offenbarung bedeutete." Als Ergebnis seiner Studie hält er S. 43f fest: „Die königlichen Messiastraditionen des NT sind nicht unmittelbar von atl. Königsaussagen her zu verstehen – sie werden vielmehr im NT ähnlich verstanden wie auch in der zeitgenössischen Weisheitsliteratur"; vgl. ferner *ders.*, Zum Problem der Messianität Jesu 1–30; *ders.*, Gesetzesauslegung Jesu, bes. S. 186ff. Doch diese These Bergers, daß Jesus als „Weisheitslehrer", „Exorzist" und „Wundertäter" wie Salomo, d. h. im Sinne des späteren Judentums zu verstehen sei, entspricht nicht ganz dem ntl. Befund und ist m. E. zu einseitig. Zur Kritik an Berger, vgl. auch *D. C. Duling*, Salomon, Exorcism, and Son of David, bes. S. 237 Anm. 11; S. 242f; 250 Anm. 56.

[296] *W. Bousset*, Kyrios Christos; *W. Foerster*, Herr ist Jesus; *ders.*, ThWNT III, 1038–1056.1081–1098; *G. Quell*, ThWNT III,1056–1080; *H. Bietenhard*, ThBL II, 659–665; *O. Cullmann*, Christologie 169–205; *S. Schulz*, Maranatha 125–144; *R. Bultmann*, Theologie 54f; 125–130; *H. Conzelmann*, Theologie 101–103; *ders.*, Was glaubte . . .?, in: *ders.*, Theologie als Schriftauslegung 109f; 112; 125–127; *W. G. Küm-*

Konnten wir für die Christus-Bezeichnung den jüdischen Hintergrund, d. h. die Verankerung in der jüdischen Tradition mit Sicherheit feststellen, so ist es beim Kyriostitel nicht mehr der Fall. Die religionsgeschichtliche Ableitung dieses Titels stellt vor allem vor zwei bis heute noch ungelöste Fragen:
1. Woher stammt dieser Titel: aus dem palästinischen, hellenistisch-jüdischen oder hellenistisch-heidnischen Bereich?
2. Wann und wo ist er in das Christentum eingedrungen, bereits in der Urgemeinde oder erst in der hellenistischen Gemeinde?[297]

Seit Bousset auf der einen und Foerster auf der anderen Seite, haben sich bis heute die Positionen nicht oder kaum geändert. Nach wie vor treten die einen für die hellenistisch-heidnische Herkunft der Kyriosprädikation ein.[298] Andere dagegen verteidigen ihren palästinisch-semitischen und religiösen Ursprung.[299] Es ist nicht unsere Absicht, uns an dieser Diskussion zu beteiligen. Die nun folgende Darstellung einiger Lösungsversuche soll lediglich verdeutlichen, wie gespalten die Forschungslage bis heute noch ist.[300]

1. Forschungslage

A. Zu erwähnen ist zunächst die Lösung von F. Hahn. Diese ist, wie P. Vielhauer sie charakterisiert, „ein Kompromiß".[301] Hahn schreibt: „In der Tat wird man eine palästinische Vorgeschichte des Kyriostitels nicht bestreiten können, jedoch darf umgekehrt der

---

mel, Theologie 99–102; F. Hahn, Hoheitstitel 67–125; P. Vielhauer, Ein Weg, in: ders., Aufsätze zum NT 147–167; J. Gnilka, Jesus Christus 79–94; V. Taylor, Names of Jesus 38–51; J. A. Fitzmyer, Semit. Hintergrund, 267–298; H. Stegemann, Gottesbezeichnungen, in: M. Delcor, Qumrân 195–217; M. Black, christological use, bes. 6–11.

[297] Selbstverständlich steht auch der christologische Gehalt dieser Bezeichnung zur Diskussion. Vgl. H. Conzelmann, Theologie 101; P. Vielhauer, Ein Weg 150; J. A. Fitzmyer, Semit. Hintergrund 268–269.

[298] So z. B. W. Bousset, Kyrios Christos 75ff (3. Aufl.); R. Bultmann, Theologie 54f; 125–127; H. Conzelmann, Theologie 101–103; P. Vielhauer, Ein Weg 147–175; S. Schulz, Maranatha 126f.144.

[299] So W. Foerster, Herr ist Jesus, bes. 201–208; ders., ThWNT III,1038–1056; 1081–1098; O. Cullmann, Christologie 169–205; E. Schweizer, Der Glaube an Jesus den „Herrn" in seiner Entwicklung von den ersten Nachfolgern bis zur hellenist. Gemeinde; ders., Discipleship and Belief in Jesus as Lord from Jesus to the Hellenistic Church 87–99; vgl. ders., Erniedrigung und Erhöhung bei Jesus und seinen Nachfolgern, S. 77–86; R. H. Fuller, The Foundations of New Testament christology, S. 50. O. Betz, messian. Bewußtsein Jesu 30f, hier S. 30 meint: Kyrios „stammt ... nicht erst ... aus dem religiösen Sprachgebrauch des Hellenismus, sondern vom palästinischen Christentum".

[300] Einen guten Überblick über den Stand der Diskussion bietet jetzt besonders J. A. Fitzmyer, Semit. Hintergrund 268–271; vgl. auch J. Ernst, Christologie 15–21.

[301] P. Vielhauer, Ein Weg, in: Aufsätze zum NT 147.

beträchtliche Umbruch beim Übergang in die hellenistische Gemeindetradition nicht übersehen werden."[302]

Hahns Beweisführung aber bleibt weitgehend hypothetisch und seine Doppelthese, daß sowohl die titulare Bezeichnung des irdischen Jesus mit ὁ κύριος als auch die Anrede an den Wiederkommenden auf die *profane* Höflichkeitsanrede Mari dem historischen Jesus gegenüber zurückgehe, hat eher Kritik als Zustimmung gefunden.[303] Abgesehen vom Maranatha-Ruf in 1 Kor 16,22 ist die aramäische Form „Mari" im Unterschied zu Rabbi – διδάσκαλος sonst nirgendwo im NT zu belegen. Dieser spärliche Befund spricht nicht sonderlich für Hahns Konstruktion. Außerdem, wie Vielhauer und neuerdings auch Fitzmyer bemerken, ist „ein absolutes ‚Mare' bzw. eine zu absoluter Bedeutung erstarrte Suffixform ‚Mari'... für die neutestamentliche Zeit nicht nachgewiesen..., so daß die in Frage kommenden Stellen schon deshalb nicht aus der palästinischen Gemeinde stammen dürften".[304] Ferner kommt ὁ κύριος als Titel des irdischen Jesus in Q überhaupt nicht, in Mk nur einmal,[305] sonst bei Mt nie, häufig bei Lk, einige Male bei Paulus und Johannes vor. Auch die These, daß die Übertragung von atl. Jahweaussagen auf den Kyrios Jesus sich dadurch erklären lasse, „daß in der LXX für Jahwe Kyrios stand, daß also die Gleichheit der Vokabel eine solche Übertragung und damit die Vergöttlichung Jesu ermöglicht oder gar veranlaßt hätte",[306] scheint auf schwachen Füßen zu stehen. Hahn behauptet nämlich, es sei „überwiegend wahrscheinlich, daß das κύριος der Septuaginta das Ersatzwort *'adonāj* bereits voraussetzt. Denn einerseits ist κύριος im ägyptischen Entstehungsbereich der Septuaginta erst vom 2. Jahrhundert v. Chr. an nachzuweisen, und zwar primär noch als Pharaonentitel, andererseits wäre es immerhin auch naheliegend gewesen, den Jahwenamen wie bisweilen das geradezu als Name gebrauchte *ba'al* einfach zu transskribieren, statt den Namen ganz zu beseitigen. Doch hier waren offensichtlich schon sehr andere Entwicklungen vorausgegangen... Durchweg steht aber für Yahwe κύριος und ist hier zu *der* Gottesbezeichnung geworden."[307]

Diese letzte Behauptung wird von P. Vielhauer energisch zurückgewiesen. Aus welchen Gründen? Außerhalb der LXX, wird gesagt, ist Kyrios als Gottesbezeichnung bei den Juden nicht üblich. Überhaupt

---

[302] *F. Hahn*, Hoheitstitel 67.

[303] Vgl. vor allem *P. Vielhauer*, Ein Weg 150–167, näherhin 162; *W. Thüsing*, Erhöhungsvorstellung 46ff; *J. A. Fitzmyer*, Semit. Hintergrund 269.271 + Anm. 19; 273f; *J. Ernst*, Christologie 20f. Anders *M. Hengel*, Sohn Gottes, S. 120 Anm. 135; S. 124–125, der F. Hahn weitgehend zustimmt.

[304] *P. Vielhauer*, Ein Weg 154; vgl. *J. A. Fitzmyer*, Semit. Hintergrund 274.

[305] Mk 11,3 par Mt 21,3; Lk 19,31.34.

[306] *P. Vielhauer*, Ein Weg 150; vgl. *V. Taylor*, Names of Jesus 41ff.

[307] *F. Hahn*, Hoheitstitel 71 und 72. Sperrung im Text.

gibt die LXX *jhwh* nicht mit κύριος wieder. Erst in christlichen LXX-Handschriften, nicht aber in jüdischen steht κύριος für *jhwh*. Eine Reihe von Belegen unterstützen eindrucksvoll diesen Befund: ein Fragment des Kairoer Papyrus Fouad 266 (2. Jh. v. Chr.); die Lederrolle mit dem griechischen Text der Kleinen Propheten (4 Q); Aquila-Fragmente aus der Geniza von Alt-Kairo; Fragmente der 2. Kolumne der Hexapla ... Hier steht überall das Tetragramm, während 4 Q Fragmente von Lev 2–5 LXX ΙΑΩ schreiben. In manchen Handschriften wird das hebräische Tetragramm mit ΠΙΠΙ wiedergegeben.[308] Die Verwendung des Tetragramms ist hier also ein fester jüdischer Brauch, und aus der LXX ist der christliche Gebrauch von κύριος nicht abzuleiten. Es verhält sich eher umgekehrt, wie P. Kahle richtig gesehen hat: „We now know that the Greek Bible text as far as it was written by Jews for Jews did not translate the Divine name by k y r i o s, but the Tetragrammaton written with Hebrew or Greek letters was retained in such MSS. It was the Christians who replaced the Tetragrammaton by k y r i o s, when the divine name written in Hebrew letters was not understood any more."[309]

B. Die Arbeit von J. A. Fitzmyer ist in der Festschrift für H. Conzelmann: „Jesus Christus in Historie und Theologie" unter dem Titel „Der semitische Hintergrund des neutestamentlichen Kyriostitels" erschienen.[310] Der Autor lehnt sowohl die Theorie eines hellenistisch-heidnischen als auch die eines hellenistisch-jüdischen Ursprungs des Kyriostitels[311] ab. Er setzt sich für „die Theorie einer palästinisch-semitischen, aber religiösen Herkunft des Kyriostitels" ein.[312]

Zur Theorie einer hellenistisch-heidnischen Ableitung des Kyriostitels betont Fitzmyer zunächst ausdrücklich, daß es nicht zu bestreiten ist, „daß κύριος im östlichen Mittelmeerraum in absoluter Form für Götter und menschliche Herrscher gebraucht wurde ... Belege

---

[308] *P. Vielhauer,* Ein Weg 148–149; *S. Schulz,* Maranatha, bes. 128–133 mit Belegen aus der hellenistisch-jüdischen Missionsliteratur; ferner *H. Conzelmann,* Theologie 102f; *O. Eissfeldt,* Einleitung, bes. 959–960.

[309] *P. Kahle,* The Cairo Geniza 222, zitiert bei *P. Vielhauer,* Ein Weg 149 + Anm. 12 (Sperrungen im Text). Vielhauer verweist auf einen Aufsatz von H. Stegemann über die Wiedergabe des Yahwe-Namens in (spät-)jüdischen und christlichen Texten, der in ZNW erscheinen sollte. Dieser Aufsatz sowie Stegemanns Habilitationsschrift: Κύριος ὁ θεὸς und Κύριος Ἰησοῦς. Aufkommen und Ausbreitung des religiösen Gebrauchs von κύριος und seine Verwendung im NT, sind mir nicht zugänglich gewesen. Doch dürfte Stegemann seine These in seinem in dem von M. Delcor herausgegebenen Sammelband „Qumrân" ..., S. 195–217 erschienenen Aufsatz unter dem Titel: „Religionsgeschichtliche Erwägungen zu den Gottesbezeichnungen in den Qumrantexten" wiedergegeben haben.

[310] *J. A. Fitzmyer,* Semit. Hintergrund 267–298; vgl. *ders.,* Contribution 382–407, bes. 386–390.

[311] *J. A. Fitzmyer,* l.c. 276–279 und 279–290.

[312] *J. A. Fitzmyer,* l.c. 269(2); 271; bes. 290ff.

für den griechischen Titel finden sich mindestens vom Beginn des 1. Jahrhunderts v. Chr. an in Texten aus Ägypten, Syrien und Kleinasien. Niemand, der sich mit dem neutestamentlichen Titel befaßt, darf diesen Sachverhalt übergehen".[313] Und doch, meint er, ein Text wie 1 Kor 8,5–6, wo κύριος Ἰησοῦς Χριστός zweifellos einen religiösen Klang hat, spricht dagegen, „daß der griechische Titel κύριος, anders als der Titel θεός, mit dem zusammen er oft für die gleiche Person benutzt wurde, ausschließlich politische Klangfarbe hatte".[314] Dieser religiöse Klang der im NT auf Jesus bezogenen Kyrios-Bezeichnung „muß gerade durch einen entsprechenden Gebrauch des Worts in der griechisch-heidnischen Umwelt mindestens mit beeinflußt gewesen sein".[315] Und, daß tatsächlich „die hellenistisch-heidnische Verwendung des Worts seine Verwendung im Neuen Testament b e e i n - f l u ß t hat", kann nicht geleugnet werden.[316] Nur läßt das u. a. die Frage noch völlig offen, „ob der hellenistisch-heidnische Gebrauch den einzigen Ursprung oder Hintergrund darstellt".[317] Diese Frage sei sehr wahrscheinlich zu verneinen. Denn punische Inschriften zeigen einwandfrei, „daß der heidnische Gebrauch des Kyriostitels für Götter in der Periode, um die es hier geht, nicht nur in griechischen, sondern auch in semitisch-heidnischen Texten und Inschriften belegt ist".[318] Das besagt, so Fitzmyer, daß die punischen Belege wenigstens das deutlich machen, „daß der absolute Gebrauch des Kyriostitels auch in der semitisch-sprechenden heidnischen Welt des Mittelmeerraumes bekannt war".[319]

Hat aber der Kyriostitel doch einen hellenistisch-jüdischen Ursprung? Man weist ja in diesem Zusammenhang auf die Übersetzung des Jahwe-Namens durch das griechische κύριος in der LXX hin und sieht hier einen Beleg für einen vorchristlichen absoluten Gebrauch des Kyriostitels für Yahwe.[320] Dieser angeblich vorchristliche Belegzusammenhang wird von Fitzmyer unter Hinweis auf H. Conzelmann abgelehnt.[321] Damit aber ist die weitere Frage noch nicht geklärt, „ob griechisch-sprechende Juden in Palästina Jahwe als den

---

[313] *J. A. Fitzmyer*, l.c. 276.

[314] J. A. Fitzmyer, l.c. 276 gegen *W. Foerster*, ThWNT III,1052–1054.

[315] *J. A. Fitzmyer*, l.c. 276f.

[316] *J. A. Fitzmyer*, l.c. 277. – Sperrung im Text.

[317] *J. A. Fitzmyer*, l.c. 277.

[318] *J. A. Fitzmyer*, l.c. 278. Er zitiert Weiheinschriften des punischen Heiligtums in El-Hofra in Constantine im heutigen Algerien.

[319] *J. A. Fitzmyer*, l.c. 279; ebenso *M. Hengel*, Sohn Gottes 121 Anm. 135: „Das absolute ‚Kyrios' als Göttertitel ist im Grunde ungriechisch. Um so häufiger finden wir die Bezeichnung ‚Herr' in vielfältiger Form bei semitischen Gottheiten in Syrien, Palästina und Mesopotamien, die Juden nicht ausgenommen. Nicht selten erscheint darum ‚Kyrios' als Titel örtlicher Baalim . . ."

[320] So z. B. *F. Hahn*, Hoheitstitel 71–74.

[321] Vgl. *H. Conzelmann*, Theologie 102–103; ferner *P. Vielhauer*, Ein Weg 148–149.

κύριος bezeichnet haben oder bezeichnen konnten".[322] Und der
Auskunft von P. Kahle, S. Schulz, P. Vielhauer, H. Conzelmann u. a.,[323]
daß erst die Christen den Titel ὁ κύριος in Bibelhandschriften der
LXX eingeführt hätten, steht er skeptisch gegenüber, weil sie nicht
erklären könne, woher der Verfasser des NT den Kyriostitel für Gott
(= Yahwe) erhalten haben.[324] Während Philo von Alexandrien die
Gottesbezeichnung Kyrios neben Theos bereits geläufig war, so daß
bei ihm die damit verbundene Namenspekulation Eingang gefunden
hat,[325] hat Josephus κύριος in bezug auf Gott ganz gemieden bis auf
ein Gebet (Ant 20,90) und ein Schriftzitat (Ant 13,68). Bei Josephus
also, der sonst gewöhnlich δεσπότης anstelle vom Tetragramm für
Gott verwendet, taucht an diesen beiden Stellen das κύριος auf. Von
Bedeutung ist, daß der dort zitierte griechische Text nicht mit der
LXX übereinstimmt, so daß man nicht sagen kann, „κύριος sei in
diesen beiden Stellen in Abhängigkeit von christlichem Sprachgebrauch oder von christlichen Septuagintahandschriften in Jose-
phusmanuskripte sekundär eingeführt worden". Wie gerieten also
diese isolierten Belege in Josephus' griechischen Text hinein? Bezeugen sie vielleicht „den Anfang einer Praxis unter griechisch-sprechen-
den Juden Palästinas . . . Jahwe κύριος zu nennen?"[326] Einen weiteren
Beleg für κύριος will Fitzmyer im Aristeasbrief gefunden haben. Es
handle sich um eine Anspielung auf Dt 7,18–19: μνείᾳ μνησθήσῃ
κυρίου τοῦ ποιήσαντος ἐν σοὶ τὰ μεγάλα καὶ θαυμαστά.[327] In den
Fragmenten der Aquila-Übersetzung von 2 Kge 23,21–24 (Palimpsest-
Fragmente) finde sich wenigstens ein Fall (2 Kge 23,24), wo die
griechische Abkürzung K͞Y͞ steht, und zwar nur dieses eine Mal. Sollte
hier nicht also doch eine jüdische Sitte vorliegen, Jahwe gelegentlich
mindestens durch κύριος zu übersetzen?[328]

Dafür scheint der Befund in der Apostelgeschichte zu sprechen.
Denn die Unterscheidung zwischen „Hebräern" und „Hellenisten" in
der Urgemeinde, von denen in Apg 6,1–6 die Rede ist, existierte
„nicht nur innerhalb der christlichen Gemeinde, sondern auch schon
unter den Juden in Palästina selbst".[329] Im Anschluß an C. F. D. Moule

---

[322] *J. A. Fitzmyer*, l.c. 281.
[323] Auch *H. Stegemann*, Gottesbezeichnungen, teilt diese Meinung.
[324] Vgl. die Diskussion bei *J. A. Fitzmyer*, l.c. 284f.
[325] Vgl. Somn. I,163: Philo hat in allegorischer Weise in κύριος einen Hinweis auf die
βασιλικὴ δύναμις, in θεός einen auf die Χαριστικὴ δύναμις gesehen; ferner Abr. 121;
Leg. All. 96; Plant 86; Mut. nom. 15.24 u. a. Vgl. *S. Schulz*, Maranatha 131; *W.
Foerster*, ThWNT III,1083; *H. Bietenhard*, ThBL II,661.
[326] *J. A. Fitzmyer*, l.c. 286 (beide Zitate).
[327] Vgl. *J. A. Fitzmyer*, l.c. 287 + Anm. 55. Dagegen *S. Schulz*, Maranatha 131: „Der
Aristeasbrief . . . kennt als ständige Gottesbezeichnung ausschließlich Theos."
[328] Vgl. *J. A. Fitzmyer*, l.c. 288.
[329] *J. A. Fitzmyer*, l.c. 289.

definiert Fitzmyer die „Hellenisten" als Juden, „die nur griechisch
sprachen", und die „Hebräer" dagegen als "Juden, die zwar griechisch
sprechen konnten, aber darüber hinaus a u c h eine semitische
Sprache sprachen".[330] Hier sieht Fitzmyer den Schlüssel zur Lösung
unserer Frage. Für die Entstehung des griechischen Kyriostitels für
Jesus vermutet er die aktive Mitwirkung dieser judenchristlichen
Ἑλληνισταί in Palästina.[331] Das bedeutet: der Kyriostitel ist palästinisch-semitischen, aber religiösen Ursprungs.

Die Stelle 1 Kor 16,22 (μαράνὰ θά), die man für diese Theorie sonst
anzuführen pflegt, bereitet dem Autor Schwierigkeit, weil „es sich um
eine Suffixform handelt", und es sei „schwer zu verstehen, wie das
absolute κύριος daraus entstehen konnte".[332] Deshalb versucht er
seine These mit anderen Argumenten bzw. Belegen zu beweisen:

a) der Gebrauch vom absoluten oder attributlosen „der Herr –
mr'", der für R. Bultmann als „nicht denkbar" galt,[333] scheint jetzt doch
bezeugt zu sein. Im Hiob-Targum aus Höhle 11 von Qumran werde
das aramäische „mr' – der Herr" absolut als Titel für Gott, und zwar
in Parallelismus zu „Gott – 'lh" gebraucht. Der Text ist zwar
fragmentarisch, aber nach Fitzmyer eindeutig.[334]

b) Ein weiterer Beleg finde sich in dem Genesis-Apokryphon, wo
attributloses mr' zweimal für Gott verwendet wird (1 Q ap. Gen
20,12–13; 20,15). Im ganzen sei darauf zu achten, „daß nicht nur der
s t a t u s a b s o l u t u s von mr', sondern auch absoluter Gebrauch
bezeugt ist".[335]

Wenn wir auch die Unterlage für die vollständige Gleichung Jahwe
= mr' = κύριος damit noch nicht gefunden haben, ist die Sachlage
jedoch nicht aussichtslos.[336] In der Tat, ein Zeugnis für die Entsprechung „mr' = κύριος liefert das Danielbuch (2,47). Dort erhält Gott
den Titel mr' mlkjn = „Herr der Könige".[337] Und sowohl die LXX als

---

[330] C. F. D. Moule, Once more, who were the Hellenists?, S. 100–102 zitiert bei J. A.
Fitzmyer, Semit. Hintergrund 289 – Sperrung im Text – Ebenso auch J. Kürzinger,
Apg. (geistl. Schriftlesung 5/1), S. 153–154; E. Haenchen, Apg. (7. Aufl.) 253–254 +
Anm. 1.

[331] J. A. Fitzmyer, l.c. 290.

[332] J. A. Fitzmyer, l.c. 291 (beide Zitate).

[333] R. Bultmann, Theologie 54; vgl. schon G. Dalman, Die Worte Jesu 147. Zum
Gebrauch von Marah, vgl. S. Schulz, Maranatha, bes. 134–137.

[334] 11 Q Tg Hiob 24,6–7; vgl. 11 Q Tg Hiob 24,5; 26,8 – Dazu J. A. Fitzmyer, l.c. 291f;
ders., Contribution 388. Diesen Beleg läßt H. Stegemann, Gottesbezeichnungen 213
Anm. 57 nicht gelten, da er vom Erhaltungszustand der Handschrift her ihm
zweifelhaft erscheint.

[335] J. A. Fitzmyer, Semit. Hintergrund 292; vgl. auch S. Schulz, Maranatha 136 mit
Belegen.

[336] Vgl. J. A. Fitzmyer, l.c. 293.

[337] Vgl. J. A. Fitzmyer, l.c. 293; ders., Contribution 387–390. Vgl. aber S. Schulz,
Maranatha 135f.

auch Theodotion übersetzen ihn mit „κύριος“: „κύριος τῶν βασιλέων“.
Der Gebrauch von *mr'* hier erlaube, „das absolut gebrauchte *mr'* in 11
QTg Hiob 24,7 als das ‚missing link‘ zwischen einem absoluten
Jahwetitel ‚der Herr‘ und dem neutestamentlichen Gebrauch von
κύριος einmal für Jahwe, dann auch für Jesus zu betrachten“.[338] Die
beiden aramäischen Belege werden von einigen hebräischen aus
Qumran unterstützt. Denn bekannt geworden ist kürzlich der hebräische Urtext vom Ps 151 = (11 Q Psᵃ 28,7–8). „In ihm findet sich nun
ein eindeutiger Beleg des Titels *'dwn* in absoluter, attributloser Form
für Yahwe, und zwar in Parallelismus mit *'lwh*.“[339] Auch das Tetragramm kommt hier vor.[340]

Das vorgelegte Material, schließt Fitzmyer, läßt es zumindest als
möglich erscheinen, „daß Juden Palästinas die Wörter *mr'* und *'dwn*,
die sie für Gott gebrauchten, in dem Augenblick, als sie Christen
wurden, auch auf Jesus anwendeten, und daß diese palästinischen
‚Hebräer‘, die ja auch griechisch sprachen, selbst dann diesen Titel
mit dem Wort κύριος wiedergaben, wenn sie mit den ‚Hellenisten‘
der Urgemeinde zu tun hatten, die nur griechisch sprachen. So kann
der christologische Titel ‚der Herr‘ wirklich auf die Urgemeinde
zurückgeführt werden, und zwar in der Form *mr'* oder *'dwn* bei den
‚Hebräern‘, in der Form κύριος bei den ‚Hellenisten‘. Die linguistische
Interdependenz dieser beiden Sprachgruppen in der Urgemeinde ist
die Matrix, in der das Kerygma entstand“.[341] Daß der Kyriostitel einen
religiösen Hintergrund hat, wird deutlich und einsichtig, wenn man
an die Ehrfurcht der Juden dem Jahwenamen gegenüber erinnert,
von der wir eine Überfülle von Zeugnissen besitzen.[342]

C. Der Beitrag von H. Stegemann befaßt sich zwar hauptsächlich
mit den Gottesbezeichnungen in den Qumranschriften, doch er
nimmt auch Stellung zu unserem Problem.[343] Den Optimismus von
Fitzmyer teilt Stegemann nicht. Nach ihm wurde in Palästina um ca.
2. Jh. v. Chr. statt des Tetragramms oder gar anstelle seiner
graphischen Ersetzung durch vier Punkte wie in Qumran[344] oder

---

[338] *J. A. Fitzmyer,* Semit. Hintergrund 293; *ders.,* Contribution 390. Der Autor gibt zu,
daß in 11 QTg Hiob nicht *jhwh,* sondern *šdj* mit *mr'* übersetzt wird und fügt hinzu:
„and that is not exactly the same thing“.

[339] *J. A. Fitzmyer,* Semit. Hintergrund 294; vgl. 1 QH 10,8.

[340] Für das Vorkommen von *'dwn* für Jahwe verweist *J. A. Fitzmyer,* l.c. 295 auch auf Ps
114,7; ferner Mal 3,1; Jes 1,24; 3,1; 10,33; 19,4.

[341] *J. A. Fitzmyer,* l.c. 295–296.

[342] Man denke an die verschiedenen Techniken bei den Rabbinen wie in Qumran das
Tetragramm zu ersetzen – Vgl. *J. A. Fitzmyer,* Semit. Hintergrund 296f; *H.
Stegemann,* Gottesbezeichnungen 195ff mit Belegen.

[343] *H. Stegemann,* Gottesbezeichnungen 195–217, näherhin 199–202; 204ff.

[344] Vgl. Jesaja-Zitat in 1 QS 8,14; mehrfach in 4 Q Testimonia; *H. Stegemann,* l.c. 200 +
Anm. 14 mit Belegen.

durch Adonaj . . . usw. bei den Rabbinnen und den Masoreten die Gottesbezeichnung *'lh'* im aramäischen Text und sehr wahrscheinlich *'lwhjm* oder *'l* im hebräischen gesetzt und wohl auch gelesen. Das sei jetzt eindeutig in 11 QTg Hiob belegt.[345] Die Befunde sprächen dafür, „daß *'l* tatsächlich zumindest von der Qumrangemeinde technisch anstelle des Tetragramms bei der Schriftlesung verwendet worden ist".[346]

Zu der Frage, wie es nun zu der Tetragramm-Lesung *'dwnj* gekommen ist, meint er: „. . . *'dwnj* stammt aus der Schriftlesung nicht der palästinischen Synagoge, sondern der hellenistischen Synagoge zunächst Ägyptens, dann natürlich auch Palästinas, des Zweistromlandes, Kleinasiens, wo immer die Juden damals Griechisch sprachen, und zwar von vornherein als Äquivalent für (ὁ) κύριος."[347] Als Belege bringt er die uns bereits bekannten Dokumente: den Papyrus Fouad 266; 4 Q Lev[b] LXX (ΙΑΩ) u. a.[348] Das Zustandekommen dieses Brauches im griechischsprachigen Judentum möchte Stegemann „in die erste Hälfte des 2. Jh.s v. Chr." datieren.[349] Er vertritt sogar die These, „daß auch der Gebrauch von *'dwnj* als Q e r e für das Tetragramm im rabbinischen Judentum aufgekommen sein muß durch den Einfluß des hellenistischen Judentums. Ja, überhaupt alle Befunde, die eine absolute Herrenbezeichnung anstelle des Gottesnamens haben oder die ‚der Herr' wie einen Gottesnamen verwenden bis hin zum syrischen *mrj'* sind dann aus dieser und keiner anderen Wurzel abzuleiten."[350] Als Ergebnis hält der Autor fest: „Das schriftliche (ὁ) κύριος in Bibelhandschriften haben offenbar erst die Christen aufgebracht. In keiner einzigen Handschrift jedenfalls, die nachweislich jüdisch ist, findet sich regelmäßig griechisch geschriebenes κύριος an solchen Stellen, wie umgekehrt außer so gelehrten Christen wie Origenes kaum ein Christ diese Tetragramme beibehalten hat. Sondern die Christen haben sehr rasch . . . die Tetragramme ihrer Bibelhandschriften durch die bis dahin nur gesprochenen Formen von (ὁ) κύριος schriftlich ersetzt."[351]

Die Gegenargumente und Gegenbefunde, z. B. das Vorkommen von *mrj'* als Gottesbezeichnung im aramäischen Text der Henoch-Fragmente läßt Stegemann nicht gelten, weil „die allermeisten dieser Befunde in ·J. T. Milik's Edition . . . Rückübersetzungen aus dem Griechischen" sind, „an Stellen, wo der nur fragmentarisch erhaltene

---

[345] *H. Stegemann,* l.c. 200–201.

[346] *H. Stegemann,* l.c. 202ff, hier 202; vgl. auch S. 195.

[347] *H. Stegemann,* l.c. 204–207, hier 204.

[348] Vgl. oben S. 281f.

[349] *H. Stegemann,* l.c. 206.

[350] *H. Stegemann,* l.c. 207, Sperrungen im Text.

[351] *H. Stegemann,* l.c. 210 – vgl. schon *P. Kahle,* zitiert bei *P. Vielhauer, Ein Weg* 149 + Anm. 12.

Text Lücken hat". Aber „die wenigen Stellen, wo der e r h a l t e n e
aramäische Text tatsächlich Formen von *mr'* bietet, zeigen bis auf
eine einzige Ausnahme das übliche Bild, also suffigierte Formen oder
Wortkombinationen, wo dann *mr'* als nomen rectum einer Construc-
tus-Verbindung auftritt, also z. B. *mr' 'lm'* erscheint".[352] Es bleibt dabei:
„Wiewohl also auf den ersten Blick der Editionsbefund sehr eindrück-
lich ist und man meint, nunmehr in reichem Maße Belege in
palästinischem Schrifttum des 2., vielleicht gar des 3. Jh.s v. Chr. für
den absoluten Gebrauch der Gottesbezeichnung ‚der Herr‘ (*mrj'*) zu
haben: Tatsächlich gibt es auch hier wieder keinen einzigen gesicher-
ten Befund dieser Art."[353]

Auch die neuesten Beiträge zum religionsgeschichtlichen Problem
der Herleitung des Kyriostitels führen uns zu keinem endgültigen
Ergebnis. Hierzu ist das letzte Wort sicher noch nicht gesprochen. Da
die wichtigsten Schriften bzw. Zeugen der Umwelt des NT zu dieser
Frage in den angeführten Beiträgen ziemlich ausführlich zur Sprache
gebracht worden sind, dürfen wir nun mit einigen zusammenfassen-
den Bemerkungen zum Gebrauch von (ὁ) κύριος schließen.

2. Schlußbemerkungen

Es dürfte inzwischen deutlich geworden sein, daß in der Umwelt
des NT, im griechischen wie im orientalischen Heidentum, viel von
„κύριοι" und „Herren" gesprochen wurde. Mit der Rede vom Herrn
oder von Herren verband sich im alten Griechenland immer der
Gedanke der Rechtmäßigkeit: Daß einer rechtens Herr ist, über
etwas, eine Sache oder eine Person verfügt.[354] Die Anwendung auf
Götter ist hier relativ selten und hat auch meist einen eingeschränk-
ten Sinn, da der Begriff nur den Gedanken einer Vollmacht und
Verantwortung für bestimmte Personen oder einen bestimmten
Bereich impliziert.[355] Anders aber liegen die Dinge im Orient. Hier
sind Götter Herren der Wirklichkeit, sie haben das Schicksal in der
Hand und der Mensch ist von ihnen abhängig. Deshalb werden sie
auch als κύριοι angesehen und bezeichnet. Neben dem König ist
„Herr" primär Gott.[356]

---

[352] *H. Stegemann,* l.c. 210–213; alle Zitate S. 212f; Text gesperrt.
[353] *H. Stegemann,* l.c. 213; vgl. ebda. Anm. 57 gegen *J. A. Fitzmyer,* Semit. Hintergrund
291f.
[354] Vgl. *W. Foerster,* ThWNT III, bes. 1040ff; *H. Bietenhard,* ThBL II,659–661; *O. Cullmann,* Christologie 169–205; *F. Hahn,* Hoheitstitel 68–74.
[355] Vgl. *W. Foerster,* ThWNT III,1045f; *H. Bietenhard,* ThBL II,659; *F. Hahn,* Hoheitstitel
68.
[356] Auf den engen Zusammenhang von König und Gott in Ägypten, ähnlich auch in
Persien und Mesopotamien, wurden wir schon aufmerksam.

Diese orientalische Auffassung ist deswegen auch von Bedeutung, weil sie auf verschiedenen Wegen in den Hellenismus eindringt und besonders in den hellenistischen Mysterienreligionen eine große Rolle spielt. Hier wird der jeweils angerufene Kultgott: Isis, Serapis, Osiris, Artemis von Ephesus usw. als der unumschränkte Herr seiner Gemeinde betrachtet. Die Gemeindemitglieder fühlen sich als seine δοῦλοι = Sklaven, die durch die totale Unterwerfung unter diesen Herrn glauben, den Zutritt zum erlösenden Leben erlangt zu haben.[357] Diese Vorstellung wird, wie wir schon bemerkten, auch im römischen Kaiserreich aufgenommen. Haben die Imperatoren Augustus und Tiberius die Kyriosbezeichnung verabscheut, so gewinnen Kyriostitel und Herrscherkult von Caligula an zunehmend an Bedeutung. Bei Nero ist beides bereits gebräuchlich, und mit Domitian dürfte sich beides endgültig durchgesetzt haben.[358]

Bleibt die religionsgeschichtliche Frage der Herkunft des Kyriostitels dunkel und umstritten, klar ist, daß die christliche Gemeinde Gott und eben auch dem gekreuzigten und erweckten Jesus von Nazareth diesen Titel zuerkannte. Im Anschluß an J. Ernst wird man vielleicht sagen können: die entscheidenden Einflüsse für die Entstehung des Kyriostitels „sind freilich weniger in den verschiedenen Bereichen der Religionsgeschichte zu suchen, sondern an *erster* Stelle in der Grundüberzeugung, daß Jesus, der Gekreuzigte, jetzt der Lebendige ist".[359]

V. Voraussetzungen der Frage Jesu und Interpretation des Traditionsstückes

A. Bevor nun endlich nach dem Sinn des Wortes Jesu gefragt wird, sollen noch die Voraussetzungen dieser Frage geklärt werden:

1. Jesus geht davon aus, daß die Schriftgelehrten mit ihm darin übereinstimmen, daß Ps 110,1 vom Messias redet, daß also der Psalm messianisch zu deuten sei. Nun, es wurde bereits darauf hingewiesen, daß die messianische Deutung dieses Psalmes im Judentum erst in der Mitte des 3. Jh.s n. Chr. erfolgte. Qumran kennt sie überhaupt nicht. Andererseits ist wohl bekannt, welche große Rolle dieser Psalm in der

---

[357] Daß κύριος sonst auch im profanen Sinn gebraucht wird, steht nicht zur Diskussion.

[358] Vgl. *Sueton,* Caes, 53; *ders., Domitian* 13; *Dio Cassius,* 57,8,2; *W. Foerster,* ThWNT III, 1053–1055; hier 1054. Zum Herrscher-, bzw. Kaiserkult, vgl. *E. Lohse,* Umwelt des NT 159–163; *M. Hengel,* Judentum, bes 520ff; *H. Köster,* Einführung, S. 32ff.315ff.323f.377ff u. Reg. s. v. „Herrscher".

[359] *J. Ernst,* Christologie 21; Sperrung von mir – Ähnlich *O. Cullmann,* Christologie 169; vgl. *V. Taylor,* Names of Jesus 40.49–51.

christlichen Urgemeinde gespielt hat. Diese Feststellung ist für die Frage der Authentizität dieses Wortes nicht ohne Bedeutung.[360]

2. Es wird ferner die Überzeugung geteilt, daß der Psalm von David komponiert worden ist und daß der Messias ein Davidide, ein Sohn Davids sein muß. Darin kommt die im Volk am meisten verbreitete und in der Schrift des AT wie im Judentum begründete Erwartung des Messias zum Ausdruck. Diese Meinung scheint von Jesus nicht in Frage gestellt zu sein.

3. Eine dritte Voraussetzung ist, daß sich Jesus und seine Gegner darüber einig sind, daß ein Sohn nicht der Herr seines Vaters sein kann. Wrede formulierte es so: „Der Sohn ist nicht der Herr des Vaters, sondern nach menschlichen Verhältnissen ist es umgekehrt."[361]

Würden diese Voraussetzungen von den Schriftgelehrten nicht akzeptiert, dann hätte die Frage Jesu überhaupt keinen Sinn.

B. Das richtige Verständnis der kleinen Perikope wird dadurch erschwert, daß die Übersetzung der beiden Fragepartikeln πῶς und πόθεν Schwierigkeiten bereitet, wie R. P. Gagg zutreffend bemerkt: „Unser Text enthält ein einziges, aber entscheidendes sprachliches Problem: Die Erklärung von πῶς (Vers 35) und πόθεν (Vers 37)."[362] In der Tat scheint die Schlußfrage V 37 alles offen zu lassen. Hat man in der Deutung der beiden Partikeln zu differenzieren, so daß πῶς „im allgemeinen Sinn zu verstehen" und πόθεν „am besten . . . mit ‚in welchem Sinn, unter welchem Gesichtspunkt' zu übersetzen wäre?[363] Doch scheint die vermutete gegensätzliche Deutung dieser Partikeln sprachlich nicht gedeckt zu sein.[364] Eher wird man sowohl πῶς als auch πόθεν „als Ausdruck des Erstaunens und Befremdens zu übersetzen"[365] haben, wobei πόθεν die Davidssohnschaft stärker als πῶς relativiert. So haben es auch die ersten Ausleger von Mk, Mt und Lk verstanden. Sie haben nämlich πόθεν durch πῶς ersetzt. Bedenkt man jetzt die oben gemachten Einwände gegen die Auffassung, die hier eine Zurückweisung der Davidssohnschaft des Messias sieht, mit, so erscheint das Urteil, daß wir es bei Mk „mit einer rhetorischen Frage zu tun" haben, „die eine verneinende Antwort bezweckt",[366] nicht zufriedenstellend.

---

[360] Vgl. unten S. 444ff; ferner *F. Neugebauer*, Davidssohnfrage 88.

[361] *W. Wrede*, Jesus als Davidssohn 169; ferner *E. Haenchen*, Der Weg 415.

[362] *R. P. Gagg*, Davidssohnfrage 19f, Zitat S. 19.

[363] So *F. Hahn*, Hoheitstitel 261.

[364] Vgl. *F. Passow*, Handwörterbuch der griechischen Sprache, 4 Bde (Nachdruck Darmstadt 1970) s. v.; *W. Bauer*, WB 1349; *R. P. Gagg*, Davidssohnfrage 19f.

[365] *R. P. Gagg*, Davidssohnfrage 20.

[366] *R. P. Gagg*, l. c. 20; ebenso *C. Burger*, Jesus als Davidssohn 56; *F. Neugebauer*, Davidssohnfrage 86; *B. van Jersel*, Fils de David 123.

Der Sinn von Mk 12,35–37 läßt sich nicht allein von der Wortbedeutung dieser Partikeln oder von der Art der Frage, sondern auch
von der Sache her, von der Intention des Textes her erschließen. Die
Argumentation muß dabei sowohl die Gattung als auch die Herkunft
der Perikope berücksichtigen. Die kleine Einheit, sahen wir, ist ein
Monolog Jesu und kein Gespräch. Die angegriffenen Gegner sind ja
abwesend. Von hier aus ist von vornherein eine Antwort von den
Schriftgelehrten nicht zu erwarten. Darum haben wir das Stück als
eine Streitfrage bezeichnet. Von dieser Gattungsbestimmung her wird
es auch verständlich, daß Jesus die Frage unbeantwortet läßt. Für die
Gegner mag sie wohl als ein Rätsel erscheinen, nicht aber für die
Gemeinde. Läßt sich Mk 12,35–37 nicht als Wort des irdischen Jesus
bezeichnen, wie noch begründet wird, dann wird die Antwort auf die
Frage Jesu klar. Hierzu ist die Beobachtung von H. Anderson aufschlußreich. Er schreibt: „If we are right in thinking that the saying as
it stands is a Church production, then the matter at issue is not
whether Jesus is actually of Davidic lineage, but whether from the
standpoint of the Church's christology he is not something other or
more than Son of David."[367] Vom Standpunkt der christlichen
Gemeinde aus besteht kein Zweifel darüber, daß Jesus zugleich
Davids Sohn und Davids Herr ist. Sie argumentiert ja von ihrer
Erfahrung mit dem und von ihrem Glauben an den Gekreuzigten und
Auferstandenen her, der für sie einfach „der Herr" ist (vgl. Apg 2,36).
Das bedeutet: das Jesus in den Mund gelegte Wort ist für die
Gläubigen, die nachösterliche Gemeinde, die es gebildet hat, kein
Rätsel. Es enthält keine Dunkelheit, und darum bedarf die Frage
keiner ausdrücklichen Erklärung. Dagegen bleibt sie für die Außenste-
henden, die ungläubigen Gegner, dunkel und rätselhaft.

Man hat den Eindruck, daß der kurze Text ein kritisches Wort
gegen das schriftgelehrte Messiasverständnis ist und sein soll. Er reißt
eine Schwierigkeit gegen die betont als Lehre der Schriftgelehrten
über den Messias bezeichnete Meinung auf. Es geht offenbar nicht
um „a conundrum, a scriptural puzzle", wie E. P. Gould richtig
erkannt hat, sondern um „a criticism of the messianic teaching of the
Rabbis", dessen Ziel ist: „to expose the insufficiency of the messianic
idea taught by the Rabbis."[368] Dabei ist zu beachten, daß unser Text
im Unterschied zu Röm 1,3f nicht darüber reflektiert, wie beide
Prädikate „Davids Sohn" und „Davids Herr" zugleich auf den Messias
bezogen werden können. So entspricht das Wort durchaus der
Gattung und der Intention dieses Stückes.

---

[367] H. Anderson, Mk 284; ähnlich auch H. Weinacht, Menschwerdung 135, der allerdings
„auch bei Markus eine Kritik am Begriff des Davidssohnes" heraushören will.
[368] E. P. Gould, Mk 234f.

VI. Historizität der Einheit

Die Zuversicht, mit der Wrede urteilte: „Bis auf ganz vereinzelte und heute verklungene Stimmen ist die Exegese darin einig, daß hier die treue Überlieferung eines Jesuswortes vorliegt",[369] wird von vielen modernen Exegeten nicht mehr ohne weiteres geteilt.[370] Doch wie Wrede halten mehrere Forscher noch daran fest, daß es sich hier um ein echtes Jesuswort handelt. Stellvertretend für viele sei V. Taylor zitiert. Wegen des Inhalts und wegen sprachlicher Indizien möchte er Mk 12,35–37 aus palästinischer Tradition herleiten. So schreibt er: „In any case, the content of the story and its linguistic features suggest, that it was derived from Palestinian tradition."[371] Für seine Authentizität spräche, daß das Wort „the very idiom of Jesus himself, as his message to the Baptist shows (Lk 7,22f)", reflektiere. „It is not the tone or method of primitive christianity. In the earliest preaching and teaching there is nothing tentative, tantalizing, or allusive." Die Folgerung kann nur sein: „The one speaker to whom Mk 12,35–37 can be credibly assigned is Jesus himself."[372]

Während J. Jeremias jetzt die Meinung vertritt, daß die Echtheitsfrage „bei dieser Perikope mit unseren Mitteln weder pro noch contra sicher zu entscheiden" sei,[373] halten dagegen viele andere Forscher die Davidssohnfrage für eine Gemeindebildung, und zwar aus der hellenistischen Gemeinde.[374] Gegen die Echtheit dieser Perikope sprechen meines Erachtens gewichtige Gründe:

---

[369] W. Wrede, Jesus als Davidssohn 167.

[370] Vgl. das Referat bei C. Burger, Jesus als Davidssohn 52–53 und G. Schneider, Davidssohnfrage 66–81.

[371] V. Taylor, Mk 490.

[372] V. Taylor, Mk 493; ähnlich auch E. Trocmé, Formation 96 Anm. 84; ähnlich schon W. Wrede, Jesus als Davidssohn 170f. Für die Echtheit der Perikope treten ein u. a. M. Albertz, Streitgespräche 26.34f; E. Lohmeyer, Mk 263; R. P. Gagg, Davidssohnfrage 18.20–22; M. Dibelius, Formgeschichte 260f; J. Schniewind, Mk 163f; C. E. B. Cranfield, Mk 381f; R. Pesch, Mk II,254–255; O. Cullmann, Christologie 78.114; W. Grundmann, Mk ⁷340f; vgl. aber ders., ThWNT IX,521; ders., Mt ⁴479; ders., Lk ⁶376. Grundmann kann sich nicht endgültig entscheiden; so auch R. H. Fuller, Mission, 113; ferner W. G. Kümmel, Theologie 65; J. Gnilka, Erwartung 417 + Anm. 100; vgl. aber ders., Mk II,169–171; F. Neugebauer, Davidssohnfrage 81; E. Lövestam, Davidssohnfrage 81f; B. van Jersel, Fils de David 119 Anm. 1 und S. 121; W. Beilner, Christus 198: „Wenn man irgendwo in der Schrift den Atem Christi spürt, so hier"; J. Jeremias, Jesu Verheißung 45.

[373] J. Jeremias, Ntl. Theologie I,247 Anm. 9 – Ihm folgt nun J. Ernst, Christologie 52.

[374] R. Bultmann, Geschichte 145f; vgl. S. 70; der., Theologie 29f; B. H. Branscomb, Mk 222ff; E. Klostermann, Mk ⁷129; E. Hirsch, Frühgeschichte I,138; F. Hahn, Hoheitstitel 113f; M. Horstmann, Studien 19f; N. Perrin, Was lehrte Jesus . . . 20–21; E. Haenchen, Der Weg 416; J. Gnilka, Mk II,169; R. Schnackenburg, Mk 2/2, S. 177f; Ph. Carrington, Mk 265; G. Schneider, Davidssohnfrage 85f; J. Dupont, Ps 110, S. 407; A. J. Hultgren, Jesus 45; C. Burger, Jesus als Davidssohn 57f.71 und die S. 52f zitierten Autoren. Sh. E. Johnson, Mk 204 nimmt eine Abstammung aus der palästinensischen Gemeinde

1. Die Initiative geht von Jesus aus:
   Auffällig ist die Tatsache, daß Jesus selbst die Initiative ergreift und ein Problem der jüdischen Messiasdogmatik aufwirft. Das ist, wie R. Bultmann beobachtet hat, ein Zeichen sekundärer Bildung, wenn Jesus selbst die Initiative ergreift.[375]

2. Das betont christologische Interesse:
   Die Häufung der Hoheitstitel verrät ein betont christologisches Interesse der Gemeinde und damit auch eine ziemlich späte Entstehung des Stückes. Denn, wie jetzt fast allgemein angenommen wird, hat Jesus selbst sämtliche Hoheitstitel für sich nicht gebraucht, sondern eher verhüllt und indirekt seinen Anspruch erhoben (vgl. Mk 8,27–30). Erst recht äußert er sich nirgends über den jüdischen Messiasglauben, wie es hier der Fall ist.

3. Die Art der Argumentation und der Auslegung von Ps 110,1:
   E. Hirsch bemerkt zu der Argumentation und Interpretation von Ps 110,1: „Es scheint doch unwahrscheinlich, daß Jesus in so spitzer Weise, nach der Methode jüdischer Theologie gegen die Davidssohnschaft des Messias den Beweis geführt haben sollte."[376] Und F. Hahn macht geltend, „daß die Frage unter der Voraussetzung jüdischer Messiaslehre gar nicht zu beantworten ist",[377] gibt es hier doch verschiedene Messiaserwartungen. Die Erwartung eines Davididen als Messias stellt nur einen Typ des Messianismus in dieser Zeit dar.[378] Daß die angeführte Schriftstelle sich in der jüdischen Literatur nicht oder erst spät für das messianische Verständnis belegen läßt, in der Urkirche aber eine hervorragende Rolle spielt,[379] wurde bereits gesagt. Schließlich ist zu beachten, daß die hier angedeutete Relativierung der Davidssohnschaft des Messias im palästinischen Judenchristentum schwer verständlich wäre. Dagegen sprechen schon die Genealogien Mt 1–2 und Lk 1–2. Hier aber wird die Davidssohnschaft der Kyriotes des Messias gegenübergestellt! Allerdings gilt dieses Argument nur, wenn sich das Kyriosprädikat nicht vom hebräischen A d o n a j oder aramäischen m a r ableiten läßt.

4. Sprachlicher Befund:
   Es ist schließlich auf den Wortlaut des Zitates hinzuweisen. Mk 12,36 gibt fast wörtlich den Text der Psalmstelle nach der

---

an; *H. Anderson,* Mk 284 erwägt beides: palästin. und hellenistische Gemeinde als Ursprungsort. Er läßt die Frage also offen.

[375] *R. Bultmann,* Geschichte 70.

[376] *E. Hirsch,* Frühgeschichte I,138; auch *W. Wrede,* Jesus als Davidssohn 170f.

[377] *F. Hahn,* Hoheitstitel 114.

[378] Vgl. *K. H. Rengstorf,* ThDL II,702; *A. S. van der Woude,* ThWNT IX,518; *P. Volz,* Eschatologie 201ff.

[379] Vgl. Apg 2,34; 1 Kor 15,25; Eph 1,20; Kol 3,1; Hebr 1,3; 1,13 u. ö. Hierzu vgl. bes. *J. Dupont,* Ps 110, S. 340–419.

Septuaginta. Daß das auf Jesus selbst zurückgehe, ist nicht sehr wahrscheinlich.

Damit scheinen uns die Gründe für die Unechtheit, und d. h. für eine Gemeindebildung von Mk 12,35–37, zu überwiegen. Als Gemeindebildung vermag das Wort m. E. am besten das für seine Echtheit von V. Taylor angeführte und seither immer wieder wiederholte Hauptargument, nämlich „this allusive manner", die Unklarheit der Argumentation, zu erklären, wie die Interpretation gezeigt haben dürfte.

VII. Interpretation des Redaktors

Markus hat die kleine Einheit auf seine Weise gedeutet. Denn die Verse 35a und 37c erwiesen sich in der Textanalyse eindeutig als mkn. Rahmen. Außerdem ist die Stellung der Perikope im Makrotext für das mkn. Verständnis von nicht geringer Bedeutung. Wie hat also Mk das Traditionsstück interpretiert?

A. RAHMEN

Bereits V 35a hat Mk den Akzent anders als seine Tradition gesetzt, indem er die orts- und zeitlose Perikope in Jerusalem, und zwar ἐν τῷ ἱερῷ lokalisierte und das Wort als Wort, genauer als Lehre Jesu deutete: . . . ὁ Ἰησοῦς ἔλεγεν διδάσκων ἐν τῷ ἱερῷ . . .

Aber warum wiederholt der Redaktor hier diese an sich unnötige Ortsangabe, wenn Jesus seit 11,27 sich schon im Tempel befindet? G. Schneider hat gemeint, daß die Davidssohnfrage offenbar „der Sache nach in den T e m p e l " gehöre, weil „der historische David den Tempel bauen wollte, ein ‚Sohn Davids', Salomo, . . . der Erbauer des Tempels" war und Jesus „einen neuen, ‚nicht mit Händen gemachten Tempel', erbauen" wollte (Mk 14,58).[380] Das wird jedoch, wie auch R. Pesch mit Recht betont, weder im Text noch im vormarkinischen oder mkn. Kontext angedeutet oder gar reflektiert.[381] Vielmehr ist für Mk der Tempel der Ort der Lehrtätigkeit Jesu bzw. seines Wirkens während seines Aufenthaltes in Jerusalem (Mk 11,11.15ff.27ff; 12,38ff; vgl. 13,1f). Mit der erneuten Ortsangabe markiert Mk mit Nachdruck einen Neuansatz, eine wichtige Zäsur. Gemeint ist damit nicht nur der Abschluß der öffentlichen Wirksamkeit Jesu,[382] sondern

---

[380] G. Schneider, Davidssohnfrage 88 – Sperrungen im Text.
[381] R. Pesch, Mk II,251.
[382] S. oben S. 238f.

für Mk besonders wichtig dürfte dabei die Hervorhebung der Lehre Jesu und seiner Initiative sein. Das bedeutet, daß Mk das Wort als eine Lehre versteht, wie schon festgestellt wurde. Das Lehren im Tempel ist ja auch das redaktionelle Leitmotiv der Kapitel 11 und 12 (vgl. Mk 13). Und nach dem Evangelisten soll Mk 12,35–37 das Volk über die wahre Natur des Christós belehren.

Den Eindruck, den diese Lehre macht, schildert die Notiz V 37c: καὶ ὁ πολὺς ὄχλος ἤκουεν αὐτοῦ ἡδέως. Während Mk 12,34c gesagt wird, daß die Gegner es nicht mehr wagen, Jesus zu fragen, vom Volk dagegen heißt es nun, daß es Jesus gerne hörte. Damit ist der Kontrast zwischen Volk und Führern bzw. Schriftgelehrten scharf herausgestellt. Und dieses Volk repräsentiert hier die christliche Gemeinde, die auch die kleine Einheit bildete.

B. Makrotext

Dieser Kontrast zwischen dem Volk, seinen Führern und Jesus wird noch deutlicher und schärfer, wenn man die Stellung dieser Perikope innerhalb des ganzen Evangeliums, d. h. im Makrotext mitbedenkt.

Betrachtet man Mk 12,35–37 zunächst innerhalb von Mk 11,15–19.27–33 bis 12,37, so wird in der Davidssohnfrage die Überlegenheit des Lehrers Jesus über die Führer des Volkes noch einmal kräftig betont. Hatte Jesus auf alle Fragen seiner Gesprächspartner eine passende Antwort gefunden, so daß diese die Zuverlässigkeit seiner Lehre und die Richtigkeit seiner Antworten selber feststellen und zugeben mußten (Mk 12,14; 12,28), so muß umgekehrt nun die einzige von ihm gestellte Frage unbeantwortet bleiben und die Lehre der Schriftgelehrten über den Messias von Jesus als nicht zutreffend, nicht schriftgemäß und einseitig bezeichnet werden. Im Gegensatz zu Mk 12,24.27 wird hier jedoch der Vorwurf der Unkenntnis der Schrift nicht direkt ausgesprochen, wohl aber vom Redaktor Mk angedeutet.

So verbindet Mk vom Inhalt her dieses Stück mit den vorhergehenden Perikopen Mk 11,15–19.27–33; 12,13ff; 12,18ff; 12,28ff aufs engste und zeichnet dabei ein großartiges Bild des Lehrers Jesus. Hier wie dort wird dieser als ein unübertrefflicher Lehrer hervorgehoben.[383] Selbst die Gegner, die Lehrer Israels, sind ihm unterlegen (Mk 11,31–33; 12,17.28; 12,34c). Er allein – und nicht diese – lehrt in Wahrheit den Weg Gottes: ἐπ'ἀληθείας τὴν ὁδὸν τοῦ θεοῦ διδάσκεις

---

[383] Den lehrhaften Charakter des Mk-Evangeliums betont *U. B. Müller*, Christologische Absicht des Mk 159–193, im Anschluß an *E. Schweizer*, Anmerkungen 93–104; ferner *P. von der Osten-Sacken*, Streitgespräch 375–394, der auf Streitgespräch und Parabel als Formen mkn. Christologie aufmerksam macht.

(12,14). Er allein weiß um die Bedingungen, um in das Reich Gottes hineinzugehen: οὐ μακρὰν εἶ ἀπὸ τῆς βασιλείας τοῦ θεοῦ (12,34b; vgl. Mk 12,24.27b). Das wird vom Volk noch bestätigt: Es hört ihn gerne (Mk 11,18c; 12,37c), während seine Führer Jesus ablehnen und ihm zu Unrecht nach dem Leben trachten (Mk 11,18a.b; 12,12; vgl. 12,34c).

Mit diesen Beobachtungen aber ist die Frage, wie Mk 12,35–37 im Makrotext zu verstehen ist, nur zum Teil beantwortet. Der Redaktor Mk schildert Jesus nicht nur als Lehrer schlechthin, sondern auch als Davids Sohn und Herrn. Auf Jesus bezogen kommt zwar die Herr-Bezeichnung im Mk-Evangelium sehr selten vor,[384] aber daß auch Mk und seine Gemeinde(n) an dem Bekenntnis, daß Jesus der Herr ist, festhalten, wird niemand im Ernst bestreiten wollen, wenngleich hinzuzufügen ist, daß das Kyriosprädikat für Mk nicht der charakteristischste Titel für Jesus ist.

Etwas anders liegen die Dinge bei der Bezeichnung „Davids Sohn". Hier fällt es zunächst auf, daß Mk seine Überlieferung über Jesus als Davids Sohn auf drei zusammenhängende Kapitel (10,46–52; 11,1–11; 12,35–37) konzentriert und auf dem Weg nach oder in Jerusalem lokalisiert. Das entspricht aber nicht nur der rabbinischen Überlieferung, nach der der Messias-König in Jerusalem erwartet wird.[385] Das ist auch bewußte mkn. Redaktionsarbeit. Jerusalem, sahen wir, stellt für Mk die Stadt der Feinde dar; es ist der Ort der Ablehnung und des Todes Jesu. Die Konzentration der Davidssohn-Überlieferung auf diese drei Kapitel und ihre Lokalisierung um oder in Jerusalem bekundet also bereits das Interesse, genauer das theologische Interesse, das Mk diesem Titel entgegenbringt, so daß man die Meinung A. Suhls, nach der der Evangelist „die Perikope von der Davidssohnschaft notwendig nach ihrem klaren Wortsinn als Ablehnung verstanden haben muß",[386] als unzutreffend zurückzuweisen hat. Das dürfte aus den zwei ersten Stellen klar hervorgehen. Denn Jesus lehnt die Bezeichnung „Sohn Davids" in Mk 10,47–48 nicht ab. Und Mk 11,1–10 verbietet er auch die Akklamation des Volkes nicht.[387] Was Mk 12,35–37 betrifft, so scheint nichts darauf hinzudeuten, daß der mkn. Jesus die Davidssohnschaft des Messias zurückweist. Im Gegenteil, Mk teilt die Überzeugung der Urkirche, daß Jesus zugleich Herr und Sohn Davids ist. Nur interpretiert er die letzte Bezeichnung anders als das AT und das Judentum. Das läßt der Kontext deutlich

---

[384] *Moulton-Geden*, Concordance 566.
[385] Vgl. *P. Volz*, Eschatologie 225f; *E. Schürer / G. Vermès*, History II,529; *Bill.*, IV, 883–885; 919–931; vgl. Ps. Sal 17,25.33.
[386] *A. Suhl*, Funktion 93; vgl. auch *S. E. Johnson*, Davidic-royal Motif 136. Gegen ihn äußern sich u. a. *F. Neugebauer*, Davidssohnfrage 90; *C. Burger*, Jesus als Davidssohn 64; *T. A. Burkill*, Strain on the Secret 33f Anm. 8; *E. Klostermann*, Mk 145 u. a. m.
[387] Vgl. auch *J. Bowman*, Mk 233.

erkennen wie auch das mkn. Anordnungsprinzip. Der Evangelist und Redaktor Mk versteht die Titel „Christos, Messias und Davids Sohn" nicht im atl.-jüdischen Sinne. Sein, der christliche, Messias und Davids Sohn ist kein Eroberer, kein nationaler Held und politischer Befreier, wie ihn das Volk erwartete (vgl. Mk 11,10f); er ist kein Weltherrscher. Vielmehr wird der Messias Gottes von Markus als der messianische Friedenskönig von Sach 9,9 geschildert, obwohl Mk diesen Text im Unterschied zu Mt 21,5 nicht ausdrücklich zitiert. Daß er aber im Hintergrund des mkn. Berichtes steht, daran ist kein Zweifel.

Doch mit der Auskunft, daß der Messias kein Eroberer und politischer Befreier sei, sondern ein Friedenskönig, ist die ganze Tiefe der mkn. Verkündigung noch nicht erreicht. Mk betont immer wieder, daß der Christos Gottes leiden und am Kreuz sterben muß (Mk 11,18a.b; 12,1–12; 14,1b). Seit dem Beginn des zweiten Hauptteils seines Evangeliums, d. h. seit dem Petrus-Bekenntnis (Mk 8,27ff) läßt er Jesus seine Jünger mehrmals und nachdrücklich über die Notwendigkeit des Leidens des Messias belehren (Mk 8,27ff; 9,31f; 10,32–34; vgl. 10,45). Der mkn. Messias ist ein leidender und gekreuzigter Messias.[388] Nur so, in diesem Ärgernis, enthüllt sich ein wenig das Geheimnis seiner Person und die wahre Natur dieses Messias und Davids Sohnes. Der Christos der Christen steht so im schärfsten Gegensatz zu dem Messias der Juden. Mit dieser Darstellung korrigiert Mk die atl.-jüdische Messiaserwartung und Vorstellung und verkündigt eine unerhörte und für jüdische Ohren sehr anstößige Botschaft (vgl. 1 Kor 1,18–24).

Zusammenfassend kann gesagt werden: die auch in den Kapiteln 11 und 12 immer wieder indirekt auftauchende Frage nach der Identität von Jesus Christus beantwortet der Evangelist und Redaktor Mk mit verschiedenen Hoheitstiteln. Jesus von Nazareth ist der unübertreffliche Lehrer, der Christos, der Messias, der Davidssohn, der Herr. Alle diese Prädikate hat Mk von seiner Tradition übernommen und teilt sie auch mit ihr. In s e i n e r Christologie aber spielen sie keine sehr große Rolle. In der Sicht des Mk geben diese Bezeichnungen also nur eine vorläufige Antwort auf diese Frage. Wer Jesus eigentlich ist, kann nach Mk nur dann adäquat und richtig erkannt werden, wenn man bekennt, daß Jesus der S o h n G o t t e s ist. Diese Bezeichnung fällt zwar nicht in unserem unmittelbaren Kontext, ist aber in der mkn. Konzeption der zentralste und spezifischste Titel für Jesus. Das zeigt seine Betonung am Anfang, Schluß

---

[388] Vgl. u. a. *U. B. Müller,* Christologische Absicht, bes. 166.170ff; *E. Lövestam,* Davidssohnfrage 80f; *B. Rigaux,* Mc 143f.145ff; *F. Neugebauer,* Davidssohnfrage 84f; *C. H. Dodd,* Der Mann 113 (zu Mk 8,27ff); 150ff; *J. Delorme,* Aspects doctrinaux 97 schreibt zutreffend: „Car selon Marc, les titres du Christ ne peuvent être prononcés sans équivoque que si on le rencontre en son mystère de souffrance."

und in der Mitte des Evangeliums sehr deutlich (Mk 1,1; 15,39; 9,7).[389]

So bereitet der Evangelist an dieser Stelle (Mk 12,35–37) schon das Bekenntnis des heidnischen Hauptmannes (15,39) vor und gibt damit auch sein eigenes und das Bekenntnis seiner Gemeinde(n) wieder (Mk 1,1).

[389] Vgl. noch Mk 1,11; 3,11; 5,7; 12,6; 14,61; vgl. 8,38. Diese mkn. Anschauung wird von den Autoren im allgemeinen nicht bestritten, eher als Charakteristikum mkn. Christologie hervorgehoben. So argumentiert z. B. *H. Weinacht*, Menschwerdung 135 unter Berufung auf *P. Vielhauer*, Ein Weg, S. 42f bzw. S. 163f (= Aufsätze). Nach *S. E. Johnson*, Davidic-royal Motif 136–150, hier 136 versteht der Evangelist Mk „Jesus as suffering son of man and Son of God". Vgl. die Kommentare zu Mk und Monographien.

ZUSAMMENFASSUNG UND ERGEBNISSE

1. SAMMLUNG VON STREITGESPRÄCHEN IN MK 11–12?

Auf die Kontroverse zwischen R. Bultmann und M. Dibelius über die Begriffe „Apophthegma" und „Paradigma" braucht hier nicht eingegangen zu werden. Denn, obwohl beide in der formalen Charakterisierung dieser Stücke weitgehend übereinstimmen, hat sich jedoch die Terminologie Bultmanns durchgesetzt, und mit gutem Grund. Während die Bezeichnung „Paradigma" nicht den Ursprungsbereich der Einzelstücke, sondern einen späteren Anwendungsbereich trifft,[1] bezieht sich Bultmanns Benennung auf den soziologischen Ursprungsort der Einzelstücke und ist neutraler.[2] Sie wird hier vorausgesetzt. Das bedeutet nicht, daß Bultmanns Bezeichnung nicht der Korrektur oder der Präzisierung bedürfe.

Formmäßig bietet der Stoff in Mk 11–12 kein einheitliches Bild. Wir haben es hier, wie die Einzelstudien klar gemacht haben dürften, mit verschiedenen Gattungen zu tun. Die Vollmachts- (Mk 11,27–33) und die Auferstehungsfrage (Mk 12,18–27) erwiesen sich als Streitgespräche; die Steuerfrage (Mk 12,13–17) als Lehrgespräch mit apophthegmatischem Charakter, die Hauptgebotsfrage (Mk 12,28–34) als reines Schulgespräch. Die Frage nach der Davidssohnschaft des Messias schließlich bezeichneten wir als Streitfrage oder Debatte-Wort.[3] Allein dieses Bild spricht nicht sehr für eine vormarkinische Sammlung von Streitgesprächen. Aber welche Argumente bringt M. Albertz für seine These vor, und welchen Umfang soll die angebliche Sammlung gehabt haben?

Nach Albertz enthält die Sammlung, „außer einem Vorbericht über die Tempelreinigung (Mk 11,15–17), der ursprünglich nicht mehr gewesen sein mag als die Exposition zu dem ersten Gespräche, und

---

[1] Vgl. *A. Olrik*, Epische Gesetze der Volksdichtung 1ff; *A. J. Hultgren*, Jesus 50.

[2] *R. Bultmann*, Geschichte 8.39ff; *ders.*, Erg.-Heft S. 31; *ders.*, Erforschung der syn. Evangelien 27. Vgl. *M. Dibelius*, Formgeschichte 34–66, bes. 64f; *V. Taylor*, Formation 22–30 nennt diese Stücke „Pronouncement-stories". Das ist aber auch nicht erhellender. Zur Kritik vgl. u. a. *W. Thissen*, Erzählung der Befreiung 100–113; *P. Vielhauer*, Urchristl. Literatur 298–300; *A. J. Hultgren*, Jesus 25–38.52–59. Der Vorschlag vom Autor, diese Stücke im englischen als „conflict-stories" zu bezeichnen, ist nicht neu Schon *W. L. Knox*, Sources I,85–92 nennt sie so.

[3] Das als Gleichnis oder Allegorie verstandene Stück Mk 12,1–12 wird auch von *M. Albertz*, Streitgespräche 17 mit Recht aus der angeblichen Sammlung ausgeschieden.

einem abschließenden Wort Jesu (12,38–40) fünf Gespräche, die die
Fragen nach der Vollmacht Jesu, der Kaisersteuer, der Auferstehung,
dem ersten Gebot und der Davidssohnschaft des Messias behandeln".[4]

Zwei sind die Hauptargumente für seine Annahme:

a) Die angebliche innere Geschlossenheit der Sammlung. Albertz
   beschreibt sie und das dort gebotene Bild von Jesus wie folgt: In
   der Sammlung „sehen wir Jesus als Lehrer in einem Erfolge
   ohnegleichen, die Gegner mundtot, das Volk für ihn gewonnen,
   ihn als Triumphator in der Hochburg seiner Feinde".[5] Dem
   Sammler erweise sich „Jesus so als Autorität über alle in Frage
   kommenden jüdischen Instanzen: Tempelobrigkeit, Pharisäer, Sadduzäer, Schriftgelehrte".[6] Die fünf Streitgespräche würden „die
   höchsten Anliegen des Judentums zur Zeit Jesu" betreffen,[7] und, so
   Albertz weiter, „die Unterredung von Mund zu Mund" bieten. „Ein
   Urgespräch" sei „der Ausgangspunkt einer vielgestaltigen Entwicklung, die schließlich die Streitgespräche so geformt hat, wie wir sie
   jetzt bei den Synoptikern lesen."[8] Auf den Höhepunkten der
   Erzählung setze der Sammler die Lichter auf, unter denen er seine
   Gespräche angesehen wissen will (Mk 12,17.34.37).[9]

b) Das zweite Argument betrifft das Verhältnis zum mkn. Kontext.
   Zu dem so geschilderten Bild der Sammlung passe der mkn.
   Kontext schlecht: „Das Gesamtbild der Streitgespräche widerspricht der Gesamtdarstellung des Mk aufs schärfste."[10] Im Gegensatz zu den Gesprächen, die „ohne jede Spur der nahen Katastrophe" seien,[11] zeige Mk dagegen den Bruch auf zwischen Jesus und
   dem Volk, bereite auf die Passion vor und führe in das Geheimnis
   des trostlosesten Sterbens ein.[12] Dementsprechend werden Mk
   11,18 und Mk 12,12 sowie die „Allegorie" (Mk 12,1–12) als

---

[4] *M. Albertz,* Streitgespräche 19; vgl. S. 34f; *ders.,* Die Botschaft des NT I,1, S. 173 läßt
   die Sammlung mit Mk 12,37 enden, da er erkannt hat, daß Mk 12,38–40 offenkundig
   etwas anderes ist als ein Streitgespräch. Das gilt aber auch für Mk 11,15–17(–19).
   Nach *W. Grundmann,* Mk-Evangelium [2]1959 und [5]1971, S. 9; und [7]1977, S. 10, ist die
   Abgrenzung der Sammlung nicht ganz sicher; der Stamm sei Mk 12,13–34. *W.
   Marxsen,* Einleitung (4. Aufl.) betrachtet nur noch Mk 2,1–3,6 als vormarkinische
   Streitgesprächsquelle (S. 136). Mk 11,27–12,37 wird nicht mehr so bezeichnet (S. 141);
   vgl. die 1. Auflage 1963, S. 121, wo er von einem vormarkinischen Komplex von
   Lehr- und Streitgesprächen redete.

[5] *M. Albertz,* Streitgespräche 18.

[6] *M. Albertz,* l.c. 22, vgl. S. 27.35.

[7] *M. Albertz,* l.c. 26f, Zitat S. 26.

[8] *M. Albertz,* l.c. 57–80, Zitat S. 57.

[9] *M. Albertz,* Streitgespräche 19; vgl. S. 17.

[10] *M. Albertz,* l.c. 18.

[11] *M. Albertz,* l.c. 19.

[12] *M. Albertz,* l.c. 18–19.

„Lichter" verstanden, „die der Evangelist dem andersartigen Stoff seiner Streitgespräche aufgesetzt hat, den Weg zur Passion zu beleuchten".[13]

Die wichtige Frage nach dem Sitz der Sammlung hat sich Albertz auch gestellt. Er möchte die Sammlung auf „die Kreise des Stephanus" zurückführen. Denn „in ihnen wird zuerst der Gegensatz gegen die jüdischen Rabbinen ausschließlich . . . Sind sie selbst immer in Debatten mit der Synagoge, von der sie sich gelöst haben, . . . so bedürfen sie des tapferen, unbekümmert wahrhaftigen Lehrers, der die Verteidigung offensiv führt und die berühmten Rabbinen in ihrem heiligen Tempel schlägt – gerade des Christus, der uns aus der Sammlung entgegenleuchtet".[14] Wahrscheinlicher erscheint ihm jedoch, daß diese Sammlung als ganze einen biographisierenden Charakter hat: „Nur die zweite Markussammlung zeigt Anfänge zu einer historischen Kunst, die einen Eindruck von der Persönlichkeit Jesu vermittelt."[15]

Wie stichhaltig sind diese von M. Albertz angegebenen Argumente? Zu der postulierten Einheitlichkeit der Sammlung ist zunächst zu betonen, daß, obwohl Albertz richtig sieht, daß die Gespräche „zunächst einzeln erzählt" worden sind[16], und auch die Frage nach dem Sitz im Leben der Gemeinde stellt, sich doch die fehlende streng formgeschichtliche Betrachtungsweise bei der Abgrenzung der angenommenen Sammlung als von großem Nachteil erwiesen hat. Es hat sich nämlich gezeigt, daß wir es nicht mit formgeschichtlich zusammengehörigen Perikopen in Mk 11,27–12,37(–40) zu tun haben, die alle aus einem gleichen Sitz im Leben der Gemeinde herzuleiten sind und für die Belange der Gemeinde zusammengestellt wurden. Gerade für die Ermittlung eines gemeinsamen Sitzes im Leben als eines zusammenbindenden Prinzips für eine Sammlung ist die formgeschichtliche Analyse von hoher Bedeutung. Hinzu kommt, daß auch eindeutige literarkritische Argumente für einen Überlieferungszusammenhang fehlen. Albertz selbst hat erkannt, daß die scheinbar abschließende Warnung in Mk 12,38ff sich nur gegen die „Schriftgelehrten" richtet, obwohl der Kreis der Gegner in den genannten Stücken viel umfassender ist: „Es entspricht nicht dem Gesamtzuge der Streitgespräche, wenn der Angriff Jesu sich dann nur auf Schriftgelehrte erstreckt (Mk 12,35.38).[17] Auch die erneute Nennung des Tempels in Mk 12,35 paßt schlecht, wie H.-W. Kuhn zutreffend bemerkt, zu der Annahme, daß eine vormarkinische Redaktion die

---

[13] M. Albertz, l.c. 17.

[14] M. Albertz, Streitgespräche 107–108, hier 107.

[15] M. Albertz, l.c. 110.

[16] M. Albertz, l.c. 35.

[17] M. Albertz, Streitgespräche 22. Er erklärt dies als Zeichen „konservativer Treue" des Sammlers seinem Stoff gegenüber.

Szenen sämtlich im Tempel lokalisierte.[18] Die Perikopen von der Kaisersteuer, der Auferstehung und vom Hauptgebot (Mk 12,13–34) sind außerdem orts- und zeitlos überliefert. Schließlich haben wir auch die „Lichter", die der Redaktor der Sammlung aufgesetzt haben soll, anders erklären können: Mk 12,17c könnte durchaus stilgemäßer Abschluß des Apophthegmas sein.[19] Die Notizen Mk 12,34c und 12,37c meinten wir dem Redaktor Mk zuschreiben zu sollen.[20]

Ebensowenig überzeugt das zweite Hauptargument M. Albertz', nämlich das Verhältnis zum mkn. Kontext. Unsere Beobachtungen dürften deutlich gemacht haben, daß Mk 11–12 eine intensive Redaktionsarbeit des Evangelisten verraten, wie u. a. auch C. K. Barrett ganz richtig betont: „The whole of Mk 11 and 12 (and 13) is a carefully constructed composition."[21] Der Redaktor Mk bereitet hier das Passionsgeschehen vor. Durch literarkritische Notizen verbindet er die verschiedenen, z. T. orts- und zeitlos überlieferten Perikopen miteinander und schafft durch „geschickte" Anordnung in seinem Evangelium ein Ganzes, das eindrucksvoll das Drama der Zurückweisung und Ablehnung des wahren Lehrers, Messias und Gottes Sohnes durch Israel erklären soll.

Daß wir es also in Mk 11–12 mit einer vormarkinischen Sammlung von Streitgesprächen zu tun haben, dürfte sich damit als höchst unwahrscheinlich erwiesen haben.[22] Dieses negative Ergebnis macht die Frage nach der Funktion einer solchen Sammlung, die es nicht gibt, ipso facto überflüssig.

---

[18] *H.-W. Kuhn,* Sammlungen 41.

[19] Vgl. *R. Bultmann,* Geschichte 66.

[20] Vgl. S. 186f (zu Mk 12,34c) und S. 357ff (zu Mk 12,35ff).

[21] *C. K. Barrett,* The House of Prayer, in: Jesus und Paulus (F. S. für W. G. Kümmel), S. 13–20, Zitat S. 13. Ebenso urteilen auch *G. M. de Tillesse,* Secret 160–162; *J. Lambrecht,* Redaktion, bes. 15–63. *J. Jeremias,* Abendmahlsworte [4]1967, S. 83–84, hier 84 schreibt dazu: „Mit Kap. 11 setzt (im Mk-Evgl.) eine straffe, zielstrebige zusammenhängende Darstellung mit genauen örtlichen und zeitlichen Angaben..." Mit dieser Feststellung will Jeremias auf das Alter der Überlieferung in Kap. 11ff schließen. Uns geht es zunächst um die Feststellung mkn. Redaktion. Ferner *K. Stock,* Gliederung 481–515, näherhin S. 499; vgl. auch S. 515 (Zusammenfassung).

[22] Vgl. *W. L. Knox,* Sources I,85–92. Er kommt zu dem Ergebnis: „In this case it would seem that we have in Mk 11,27–12,37 not a collection of conflict-stories, but a marcan compilation drawn from various sources" (S. 91). Seine eigene These läßt sich m. E. nicht verifizieren – vgl. ferner *H.-W. Kuhn,* Sammlungen 39–43; *J. Lambrecht,* Redaktion 44–52; *J. Gnilka,* Mk II,172. *A. J. Hultgren,* Jesus, bes. 151ff scheint nur Mk 2,1 bis 3,6 als vormkn. Sammlung von Streitgesprächen anzunehmen. Aus ganz anderen Gründen lehnt auch *E. Güttgemanns,* Offene Fragen 230 hier eine vormkn. Sammlung von Streitgesprächen ab.

2. Die Pascha-Haggada-Hypothese von D. Daube

Neuerdings versucht D. Daube in Mk 12,13–37 ein aus der Pascha-Haggada stammendes und den Rabbinen gut bekanntes Viererschema als übergreifendes Prinzip nachzuweisen.[23] Er schreibt: „Whoever united them (the four questions) followed a four fold scheme with which the first-century Rabbis were familiar. More precisely, he regarded these questions as representative of four different types of question distinguished by the early Rabbis."[24] Ob erst Mk oder schon ein vormarkinischer Redaktor dieses Schema auf die Zuordnung der Perikopen anwandte, vermag er nicht eindeutig zu entscheiden, neigt aber eher dazu, es dem Redaktor Mk zuzuschreiben.[25] Jedenfalls sei dieses Viererschema im hellenistischen Judentum Ägyptens entstanden[26] und von dort nach Palästina herübergekommen.[27] Daube nennt deshalb diesen Markus-Abschnitt einen judenchristlichen Seder: „The Markan section discussed furnishes definite proof that matters took this course. It betrays the immediate influence of the Passover-Eve recital. Very likely, it first came into existence, or at any rate was published, on the occasion of a Jewish-Christian Seder."[28]

Was ist die Pascha-Haggada, oder wie es auch heißt, der Midrasch von den vier Söhnen? Worum geht es dabei?[29] Der Midrasch nimmt seinen Ursprung in der Bibel. Diese schreibt viermal vor, die Kinder über den Sinn und die Bedeutung vom Auszug aus Ägypten, vom Exodus also, zu belehren (Dt 6,20f; Ex 12,26f; Ex 13,14; 13,8). Die Erzählung wird im Ritual der Seder-Nacht durch vier Fragen eingeleitet, die einer der Söhne zu stellen hat (vgl. Dt 6,20f). In der Pascha-Haggada nun werden diese Stellen auf vier verschiedene Typen von Fragen bzw. von Kindern gedeutet:

1. der kluge oder weise Sohn (Hakham) stellt eine Weisheits- oder Halachafrage (Hokhma): Dt 6,20f;

---

[23] D. Daube, Four Types of Question, in: JThS N. S. 2 (1951) 45–48; ders., The Earliest Structure of the Gospel, in: NTS 5, (1958/59), 180–184; jetzt in: ders., New Testament, S. 158–169.

[24] D. Daube, New Testament 158.

[25] D. Daube, New Testament 162–163: „Was it Mark or a pre-Markan narrator? Nothing seems to speak against the former alternative ... There is no reason why Mark should not be the author of the grouping to be met with in his and Matthew's gospels"; vgl. S. 168.

[26] D. Daube, l.c. 161f.

[27] D. Daube, l.c. 158f.163–166; vgl. Bab. Nid. 69b–71a.

[28] D. Daube, l.c. 168.

[29] Vgl. Bill., IV, 1, S. 41–74; bes. 67 68; E. D. Goldschmitt, Die Pessah Haggadah (Berlin 1936), S. 39ff; ferner D. Daube, New Testament, bes. 163–166; J. Jeremias, Abendmahlsworte, S. 50–54; 60f; S. Ben-Chorin, Bruder Jesus 137–145. Er meint, dieses Schema eher im Johannesevangelium (Kap. 13) entdecken zu können.

2. der schlechte und böse Sohn (Rasha') eine Vulgärfrage (Boruth): Ex 12,26f;
3. der einfältige Sohn (Tam) fragt nach der Paschaordnung insgesamt (derekh'eres): Ex 13,14;
4. schließlich der Sohn, der (noch) nicht zu fragen versteht, wird vom Vater selbst unterrichtet (Haggada): Ex 13,8.

Jeder der vier Söhne fragt „in seiner Weise nach dem Sinn des Festes, und von hier aus entwickelt der Midrasch verschiedene Zugänge zur Erkenntnis des Festes, jeweils angepaßt dem Verständnis des betreffenden ‚Sohnes'".[30]

Auf den ersten Blick erscheint die von Daube vorgeschlagene Lösung ganz plausibel und in der Tat, der Vergleich zwischen Mk 12,13–37 und dem Viererschema ist frappierend. Vor allem die Hohnfrage der Sadduzäer (Mk 12,19ff) und die von Jesus selbst gestellte Frage nach der Davidssohnschaft des Messias (Mk 12,35ff) scheinen ihm recht zu geben. Es bleiben jedoch Schwierigkeiten.

Daube selbst weist nachdrücklich auf die formalen Unterschiede zwischen diesem Schema im Talmud und dem Neuen Testament hin. Sie betreffen die Zahl, den Tenor und die Reihenfolge der Fragen und nicht zuletzt auch die Tatsache, daß im Talmud „all questions are put by the Alexandrians to R. Joshua. In the New Testament, the first three are put by one side, the adversaries or admirers of Jesus, but the fourth by the other, Jesus himself."[31] Die letztgenannte Schwierigkeit möchte er nun in der Weise lösen, daß er Mk 12,34c als Einleitung zur Davidssohnperikope (Mk 12,35–37) zieht.[32] Aber dann wirkt die neue Ortsangabe in V 35a ganz deplaziert.[33] Hinzu kommt, daß eine große Sicherheit hinsichtlich der Entstehungszeit dieses Schemas schwer zu erreichen ist, um Markus davon beeinflußt sein zu lassen. Zu beachten ist auch, daß, während sich in der Haggada die Fragen ausschließlich auf die Paschaordnung richten, sie bei Mk ganz andere Probleme betreffen. In Mk 12,35–37 geht es nicht, wie deutlich geworden sein dürfte, um Widersprüche in der Schrift, sondern um den Widerspruch der Schriftgelehrten zur Schrift. Und Mk 12,28–34 gibt nicht Regeln für Anstand und Erfolg, sondern das Hauptgebot schlechthin.[34] Nicht übersehen darf man auch, daß die mkn. Perikopen teils palästinisch-, teils hellenistisch-judenchristlicher Herkunft sind. Ist ihre Verwendung in einer christlichen Paschafeier vorstellbar?

---

[30] S. Ben-Chorin, Bruder Jesus 137; vgl. ferner zum Ritual Mekh. zu Exod. 13,8.14; Pal. Pes. 37d.
[31] D. Daube, New Testament 160–161, hier 161.
[32] D. Daube, l.c. 166f.
[33] Vgl. unsere Analyse zu Mk 12,35ff, S. 238f.
[34] Vgl. die Studien zu Mk 12,28–34 und 12,35–37.

Diese Bedenken machen die These von D. Daube nicht sehr wahrscheinlich. „On peut tout au plus reconnaître un mode général de composition groupant une série de questions ou controverses dans un ordre d'ailleurs non immuable, dont le milieu d'origine a pu être la diaspora alexandrine. C'est seulement de la sorte qu'on pourra mettre notre ensemble synoptique en rapport avec les sources juives mentionées."[35]

3. STREIT- UND SCHULGESPRÄCH IM NT UND IM RABBINISCHEN JUDENTUM

Es handelt sich im folgenden nicht um eine Definition des Streitgespräches. Es wurde bereits gesagt, daß wir die neutrale Kategorie von R. Bultmann übernehmen. Im Gegegensatz zu M. Dibelius bezeichnet er diese Stücke als „Apophthegmata", „weil sie in ihrem Bau nahe verwandt sind mit Erzählungen der griechischen Literatur, die herkömmlich Apophthegmata genannt werden".[36] Streit- und Schulgespräche stellen zwei Gattungen oder Untergruppen dieser Gattung dar.[37] Was nun versucht wird, ist eine Präzisierung des Begriffes „Streitgespräch" im Unterschied zu Lehr- oder Schulgespräch und zu anderen Typen von Gesprächen im Evangelium sowie im rabbinischen Judentum. Es gilt also die Eigenart des Streitgespräches schärfer in den Blick zu bekommen.

Mit Recht hat R. Bultmann auf die enge Verwandtschaft von Streit- und Schulgespräch hingewiesen.[38] Darum behandelt er sie gelegentlich auch zusammen.[39] Anders als M. Dibelius und M. Albertz sieht er hier Analogien zu den rabbinischen Streit- und Schulgesprächen. Und der Vergleich ihres Stils ergibt, daß die Art zu disputieren „die typisch rabbinische" sei. Daraus folgert er: „Der ‚Sitz im Leben' ist für die Streitgespräche also in den Diskussionen der Gemeinde über Gesetzesfragen zu suchen, die mit den Gegnern, aber gewiß auch in der eigenen Mitte geführt wurden."[40] Nun hat A. J. Hultgren, der sonst

---

[35] S. Légasse, Scribes 481 Anm. 108. Vgl. ferner J. Lambrecht, Redaktion 48 Anm. 3; C. Burchard, Liebesgebot 44 Anm. 18; R. Bultmann, Geschichte, Erg.-Heft (4. Aufl.), S. 113; G. M. de Tillesse, Secret 162 Anm. 5; J. Gnilka, Mk II,172.

[36] R. Bultmann, Erforschung 27 – Sperrung im Text – vgl. ders., Geschichte 8f.

[37] R. Bultmann, Geschichte 40.

[38] R. Bultmann, Geschichte 56ff; 39f.

[39] Vgl. R. Bultmann, Geschichte 9ff; 42ff; vgl. aber S. 39ff. 56ff; ferner ders., Erforschung 27–31.

[40] R. Bultmann, Geschichte 42ff; beide Zitate S. 12; vgl. ders., Geschichte, Erg.-Heft 5. 31 in Auseinandersetzung mit M. Dibelius. – M. Albertz, Streitgespräche, bes. 156ff möchte eher diese Analogie im AT, besonders bei den Propheten entdecken. Seine Belege überzeugen nicht.

auch R. Bultmanns Bezeichnung übernimmt, ihm sowie M. Dibelius
in diesem Punkte widersprochen. Er macht auf die Gefahr solcher
Analogien und Vergleiche aufmerksam, wenn er schreibt: „While
analogies to rabbinic and hellenistic forms of debate and pronounce-
ments are useful, comparative studies should not obscure the peculiar
genre and various S i t z e i m L e b e n of the conflict stories themselves."[41] Er verlangt mit Recht, daß die Eigenart synoptischer Streitgespräche stärker beachtet werde. Doch der Behauptung, daß „the
conflict stories in the synoptic gospels have no f o r m a l dependence
on other literary or popular forms of the period. They are as new in
form as they are in content",[42] wird man nicht vorbehaltlos zuzustimmen haben. Im übrigen ist dem Autor, wie mir scheint, der Nachweis
dieser These nicht gelungen. Darf man so undifferenziert und so
schnell die frühchristliche Literatur mit den Historikern oder Schrift-
stellern der Antike und der Klassik vergleichen, und solche weitreichenden Schlußfolgerungen ziehen? Daß der Inhalt der Streitgespräche, d. h. das Jesus-Ereignis, auch die Form der Aussagen bedingt,
kann nicht gut bestritten werden. Heißt es aber deshalb, daß die
christlichen Autoren nicht von den vorhandenen Formen oder Kategorien beeinflußt oder inspiriert werden konnten, die sie dann auf
Grund ihrer Glaubenssituation modifizierten? Das Neue und Unter-
scheidende scheint hier weniger in der Form als im Inhalt[43] zum
Ausdruck zu kommen.

Der Unterschied zwischen Streit- und Schulgesprächen in den
Evangelien liegt nach Bultmann „im Wesentlichen" darin, daß in den
Schulgesprächen „nicht eine bestimmte Handlung den Ausgangspunkt zu bilden braucht, sondern daß in der Regel einfach der
Meister von einem Wißbegierigen gefragt wird".[44] Vielleicht darf man
das Gesagte so präzisieren: Wird in einem echten Schulgespräch die
Frage von einem W i ß b e g i e r i g e n gestellt, so in einem Streitgesp-
räch von einem V e r s u c h e n d e n, von einem Streit-Suchenden.
Das Moment des Konfliktes dürfte hier wesentlich sein. Anders
gesagt: Der Unterschied zwischen Streit- und Schul- oder Lehrgespräch besteht nicht so sehr in der Form von Rede und Gegenrede, von
Frage – Gegenfrage und Antwort, als vielmehr in der Intention des
Fragenden.[45] Während also formal sich das Streit- vom Lehrgespräch
kaum abhebt, ist für das Schulgespräch das Moment der Wißbegierde

---

[41] *A. J. Hultgren,* Jesus 19; Text gesperrt. Vgl. ebda. S. 29–30; 32–36.
[42] *A. J. Hultgren,* Jesus 39ff, hier 39; Sperrung von mir.
[43] Hierin hat Hultgren zweifellos etwas Richtiges gesehen.
[44] *R. Bultmann,* Geschichte 56.
[45] Das scheint mir bei R. Bultmann mit dem Terminus „Wißbegieriger" angedeutet zu
sein.

und des Lernen-Wollens, für das Streitgespräch hingegen das des Versuchens und des Konfliktes konstitutiv.[46]

Dieses Moment des Konfliktes – neben formalen Elementen – unterscheidet auch das Streitgespräch von den anderen Formen des Gespräches im Evangelium. Das hat auch M. Albertz klar erkannt: „Die Erzählungen der Streitgespräche Jesu binden in eigentümlicher Weise Wort und Tat zusammen. Von den einfachen Herrenworten unterscheiden sie sich durch Darbietung von Worten anderer, durch die Erzählung eines oder mehrerer Gesprächsgänge, zum Teil auch durch Mitteilungen über Ort und Zeit, Anlaß und Erfolg der Gespräche. Von den Erzählungen über die Taten Jesu entfernen sie sich dadurch, daß das Schwergewicht der Erzählung auf dem Gespräch und in diesem wieder auf dem Endbescheide Jesu liegt. Und nach beiden Hinsichten bringt der Kampfcharakter der Gespräche noch eine besondere Note".[47] Speziell auf die Frage, „worin sich die Streitgespräche von den übrigen Gesprächen formell unterscheiden", antwortet Albertz zutreffend:

a) „Bei den Streitgesprächen liegt aller Nachdruck auf dem Streitgespräch als solchem . . .

b) Die Streitgespräche werfen eine Streitfrage auf . . . Freilich werden auch bei den anderen Gesprächen oft Fragen gestellt und beantwortet, aber bei diesen bieten sie nur eine Gelegenheit zu einer lediglich sachlichen B e l e h r u n g über den Sinn eines Gleichnisses . . . In allen diesen Fragen wird eine Auskunft erbeten und gewährt, wie sie bei einem anerkannten Lehrer natürlich war. Es entsteht bei der Verhandlung k e i n S t r e i t".[48]

Wie verhält sich nun das synoptische Streitgespräch zum rabbinischen? Schon G. Minette de Tillesse und R. Hummel hatten etwas Richtiges gesehen, als sie meinten, daß, so berechtigt auch der Vergleich mit den rabbinischen Gesprächen ist, die rabbinischen Parallelen jedoch wenig aufschlußreich seien, versucht man die Eigenart der markinischen Streitgespräche und ihre Funktion voll zu erfassen.[49] Um den Unterschied zwischen Markus und den Rabbinen richtig und tiefer verstehen zu können, muß folgendes beachtet werden:

---

[46] M. Albertz, Streitgespräche kennt den Begriff „Lehr- oder Schulgespräch" nicht. Er verwendet stets die Bezeichnung „versucherische" und „nicht versucherische" Streitgespräche (vgl. ebda. VII; S. 2 u. ö.). Diese Bezeichnung ist nicht glücklich und trägt keineswegs zur Klärung der Begriffe bei.

[47] M. Albertz, Streitgespräche 117f.

[48] M. Albertz, Streitgespräche 133–134 – Sperrungen von mir.

[49] G. M. de Tillesse, Secret 112–163; R. Hummel, Die Auseinandersetzung zwischen Kirche und Judentum im Mtt., bes. 53–56; ferner A. J. Hultgren, Jesus 19; 36.

1. Die synoptischen Streitgespräche nehmen ihren Ausgangspunkt von einer Handlung oder von einem Verhalten Jesu oder seiner Jünger, woran die Gegner anknüpfen und ihren Angriff als Vorwurf oder Frage vorbringen. Anders verhält es sich bei den rabbinischen Disputationen. Hier wird nicht das Verhalten oder eine Handlung eines Rabbi angegriffen. Lediglich wird an ihn eine Frage oder ein Problem von einem anderen Rabbi, von einem Schüler oder auch von einem Außenstehenden gerichtet.
2. Die Streitgespräche Jesu oder der Urgemeinde mit dem Judentum bringen keine anderen Beweise als die Autorität Jesu. Umgekehrt verfahren die Rabbinen nach einem bestimmten Schema und einer strengen Methode der Disputation. Ihre Autorität kommt von ihrer Beweisführung.

In diesem Sinne sind die rabbinischen Disputationen richtiger als „Lehr- oder Schulgespräche" zu bezeichnen. Denn sie bleiben im Rahmen der gemeinsamen Glaubensüberlieferung. Hingegen sprengen Jesu Konflikte mit den religiösen Autoritäten seines Volkes diesen Rahmen und lassen so das Gottesbild seiner Gegner und ihre Tradition zusammenbrechen (vgl. Mk 7,2ff; 10,2ff . . .). Das bedeutet: Der ungeheure Anspruch und die unerhörte Autorität, die Jesu Auftreten charakterisieren, machen jeden Vergleich mit anderen Lehrautoritäten in Israel und anderswo unmöglich.[50]

Der Hinweis auf den Anspruch und die Autorität Jesu wirft sofort die Frage nach der Funktion der mkn. Streitgespräche auf. Was sollen sie nach Markus leisten? Unsere Untersuchung dürfte die Eigenart, die unvergleichliche Autorität und die überragende Bedeutung gezeigt haben, die die Gestalt Jesu für Markus und seine Gemeinde(n) hat. Das Geheimnis seiner Person versuchen die Streitgespräche in großartiger Weise darzustellen und ein wenig zu enthüllen, ohne es freilich ganz durchdringen zu können.

Nicht daß hier nun die Alternative „Theologie oder Christologie" zur Geltung gebracht werden soll. Diese Alternative läßt sich in unserem Zusammenhang weder halten noch rechtfertigen. Denn sie wird „weder dem Besonderen dieses Botschafters und seiner Botschaft noch der unlöslichen Bindung der Verkündigung an die Person des Verkündigers" wirklich gerecht.[51] Vielmehr gilt gerade auch für Mk 11–12 das Wort von I. de la Potterie: „Activitatem docendi Jesu connecti intime cum revelatione mysterii eius et cum secreto messi-

---

[50] Ähnlich auch *U. Luz,* Das Jesusbild 347–374, bes. S. 368–371. Er weist auch auf die Nähe der Intention von Streitgesprächen und Wundergeschichten hin (369ff). Die Kritik von *A. J. Hultgren,* Jesus 33 an R. Bultmann, daß der letzte die Eigenart der mkn. Apophthegmata, vor allem der Streitgespräche verkenne, ist, nach dem Gesagten, berechtigt.

[51] *A. Vögtle,* Der verkündigende . . ., bes. S. 37–46, Zitat S. 42.

anico".[52] Man kann und darf hier also Theologie und Christologie nicht voneinander trennen oder, was noch schlimmer ist, gegeneinander ausspielen. Sie gehören engstens zusammen.[53]

---

[52] *I. de la Potterie,* Sectio Panum (Mk 6,6–8,33), S. 19; vgl. auch *R. Schnackenburg,* Gottes Herrschaft 50; *W. Schrage,* Theologie und Christologie 121–154, bes. 135ff; *P. von der Osten-Sacken,* Streitgespräch, S. 375–394, bes. 375–384f. 390ff.

[53] Vgl. u. a. *J. Delorme,* Aspects doctrinaux 97f.

ABKÜRZUNGEN UND ZITATIONSWEISE

Die Sigel für Zeitschriften, Lexika und Sammelwerke folgen im allgemeinen *S. Schwertner,* Internationales Abkürzungsverzeichnis für Theologie und Grenzgebiete (IATG), Berlin-New York 1974. Für die übrige antike Literatur wurde das Abkürzungsverzeichnis des ThWNT zugrunde gelegt. Für die biblischen Bücher, vgl. die Abkürzungen der Jerusalemer Bibel, der auch die Übersetzung der Bibelstellen entnommen ist.

LITERATURVERZEICHNIS

I. Texte (Quellen und Übersetzungen)

A. Bibel

Biblia hebraica, ed. R. Kittel, Stuttgart [13]1962.

Septuaginta. Id est Vetus Testamentum graece iuxta LXX interpretes, 2 Bde, ed. A. Rahlfs, 9. Aufl. Stuttgart 1935.

Novum Testamentum Graece, ed. E. Nestle et K. Aland, Stuttgart [25]1975; [26]1979.

Novum Testamentum Graece et latine, ed. A. Merk, Romae [8]1957.

The Greek New Testament, ed. K. Aland, M. Black, B. M. Metzger, A. Wikgren, (= UBS), London 1966.

Die Bibel. Deutsche Ausgabe mit den Erläuterungen der Jerusalemer Bibel, herausgegeben von D. Arenhoevel, A. Deissler, A. Vögtle. Freiburg, Basel, Wien [3]1972.

B. Judentum

Flavii Josephi Opera, ed. B. Niese, 7 Vol., Berlin 1955 (Neudruck)

Flavius Josephus, De Bello Judaico. Der Jüdische Krieg, Ed. und Übers. von O. Michel und O. Bauernfeind, 4 Vol., Darmstadt 1959–1969.

Flavius Josephus, Geschichte des Jüdischen Krieges, Ed. und Übers. von H. Clementz, Dreieich 1977.

Philonis Alexandrini Opera quae supersunt, ed. L. Cohn et P. Wendland, 6 Bde, Berlin 1896–1915; Bd 7: Indices von J. Leisegang, Berlin 1926–30 (= 1962).

Philo von Alexandria. Die Werke in deutscher Übersetzung, 6 Bde., hrsg. von L. Cohn, F. Heinemann, M. Adler und W. Theiler, Berlin 1962 (Neudruck),

Altjüdisches Schrifttum außerhalb der Bibel, übers. und erläutert von P. Rießler, Heidelberg [3]1975.

Die Apokryphen und Pseudepigraphen des Alten Testamentes, übers. und hrsg. von E. Kautzsch, 2 Bde, Darmstadt [4]1975.

Die Texte aus Qumran. Hebräisch und Deutsch, hrsg. von E. Lohse, Darmstadt [2]1971

II. Allgemeine Hilfsmittel

Aland, K., Synopsis Quattuor Evangeliorum. Locis parallelis evangeliorum apokryphorum et patrum adhibitis, Stuttgart ²1964.

Bachmann, H. – Slaby, W. A., Computer-Konkordanz zum Novum Testamentum Graece von Nestle-Aland, 26. Auflage und zum Greek New Testament, 3rd Edition, Berlin-New York 1980.

Bauer, W., Griechisch-Deutsches Wörterbuch zu den Schriften des Neuen Testaments und der übrigen vorchristlichen Literatur, Berlin 1971 (Nachdruck der 5. Aufl.).

Benoît, P.-M./Boismard, E., Synopse des Quatre Evangiles en français. Avec parallèles des Apocryphes et des Pères. Tome I: Textes, Paris 1965.

Beyer, Kl., Semitische Syntax im Neuen Testament I,1, (StUNT 1) Göttingen ²1968.

Blass, F./Debrunner, A., Grammatik des neutestamentlichen Griechisch. Mit einem Ergänzungsheft von D. Tabachovitz, Göttingen ¹³1970.

Coenen, L./Beyreuther, E./Bietenhard, H., Theologisches Begriffslexikon zum Neuen Testament (= ThBL), 3 Bde. Wuppertal, ³1972.

Eissfeldt, O., Einleitung in das Alte Testament, Tübingen ³1964.

Feine, P./Behm, J./Kümmel, W. G., Einleitung in das Neue Testament, Heidelberg ¹⁶1970.

Galling, K. u. a., Die Religion in Geschichte und Gegenwart (= RGG) 6 Bde. Tübingen 1957–1962, 3. Auflage.

Gesenius, W./Buhl, Fr., Hebräisches und Aramäisches Handwörterbuch über das Alte Testament (= Wb), Berlin, Göttingen, Heidelberg 1962 (Unv. Neudruck der 1915 erschienenen 17. Auflage).

Haag, H., Bibel-Lexikon (= B. Lex./Haag), Einsiedeln, Zürich, Köln, ²1968.

Hawkins, J. C., Horae Synopticae. Contributions to the Study of the Synoptic Problem. Oxford ²1909 (= 1968).

Jastrow, M., A Dictionary of the Targumim, the Talmud Babli and Yerushalmi and the Midrashic Literature, 2 Vol., New York 1950 (Neudruck).

Jenni, E./Westermann, Cl., Theologisches Handwörterbuch zum Alten Testament (= THAT), 2 Bde, München, I, ³1978; II, 1976.

Kittel, G./Friedrich, G., Theologisches Wörterbuch zum Neuen Testament (= ThWNT), Bd I–X/2, Stuttgart 1933–1979.

Köster, H., Einführung in das Neue Testament, Berlin, New York 1980.

Levy, J., Wörterbuch über die Talmudim und Midraschim, Bd I–IV, Darmstadt 1963 (unv. Nachdruck der 2. Auflage 1924).

Liddel, H. G./Scott, R., A Greek-English Lexikon. A New Edition revised and augmented throughout by H. S. Jones and R. Mc Kenzie, Oxford [12]1953 (Unv. Nachdruck der 9. Aufl. 1940).

Lisowsky, G., Konkordanz zum Hebräischen Alten Testament, Stuttgart [2]1958.

Marxsen, W., Einleitung in das Neue Testament. Eine Einführung in ihre Probleme, Gütersloh [4]1978.

Moulton, J. H./Milligan, G., The Vocabulary of the Greek Testament. Illustrated from the Papyri and other Non-Literary Sources, London 1952.

Moulton, W. F./Geden, A. S., A Concordance to the Greek Testament, Edinburgh [4]1970.

Passow, F., Handwörterbuch der Griechischen Sprache, 4 Bde, 5. Auflage, Leipzig 1841ff.

Preisigke, F./Kießling, E., Wörterbuch der griechischen Papyrusurkunden, Bd. I–IV, Heidelberg-Marburg 1925ff.

Reicke, B./Rost, L., Biblisch-Historisches Handwörterbuch (BHH), 3 Bde, Göttingen, I, 1962; II, 1964; III, 1966.

Springhetti, Aem., Introductio historica-grammatica in Graecitatem Novi Testamenti, Romae 1966.

Vielhauer, Ph., Geschichte der urchristlichen Literatur, Berlin-New-York 1975 (Durchgesehener Nachdruck 1978).

Wellhausen, J., Einleitung in die drei ersten Evangelien, Berlin [2]1911.

Wikenhauser, A./Schmid J., Einleitung in das Neue Testament, Freiburg, Basel, Wien [6]1973.

Zerwick, M., Analysis philologica Novi Testamenti graeci (S.P.I.B 107), Romae [2]1960.

–, Graecitas biblica exemplis illustratur, (S.P.I.B. 92), Romae [4]1960.

III. Kommentare

A. SYNOPTIKER

Anderson, H., The Gospel of Mark. New Century Bible, London 1976.

Billerbeck, P. / Strack, H., Kommentar zum Neuen Testament aus Talmud und Midrasch, 4 Bde, München [7]1978; Bd 5/6: Rabbinischer Index, Verzeichnis der Schriftgelehrten, Geographisches Register, hrsg. von J. Jeremias in Verbindung mit K. Adolph, München [4]1974.

Bonnard, P., L'Evangile selon saint Matthieu (C.N.T. 1), Neuchâtel 1963.

Bowman, J., The Gospel of Mark. The New Christian Jewish Passover Haggadah (Studia Postbiblica 8), Leiden 1965.

Carrington, P., According to Mark. A Running Commentary on the Oldest Gospel, Cambridge 1960.

Cranfield, C. E. B., The Gospel according to St. Mark (CGTC), Cambridge ²1963.

Gnilka, J., Das Evangelium nach Markus, 2 Bde (EKK II/1–2), Zürich, Einsiedeln, Köln 1978/79.

Gould, E. P., A critical and exegetical Commentary on the Gospel according to St. Mark (ICC), Edinburgh ¹⁰1961.

Grundmann, W., Das Evangelium nach Markus (Th.H.K 2), Berlin ⁵1971 und ⁷1977.

–, Das Evangelium nach Matthäus (Th.H.K 1), Berlin ⁴1975.

–, Das Evangelium nach Lukas (Th.H.K 3), Berlin ⁶1971.

Haenchen, E., Der Weg Jesu. Eine Erklärung des Markus-Evangeliums und der kanonischen Parallelen, Berlin ²1968.

Johnson, S. E., A Commentary on the Gospel according to St. Mark, New York, London 1960.

Klostermann, E., Das Markusevangelium (HNT 3), Tübingen ⁵1971.

–, Das Matthäusevangelium (HNT 4), Tübingen ⁴1971.

–, Das Lukasevangelium (HNT 5), Tübingen ³1975.

Lagrange, M.-J., Evangile selon saint Marc (Et.B.), Paris ⁵1929.

–, Evangile selon saint Matthieu (Et.B.), Paris ⁸1948.

–, Evangile selon saint Luc (Et.B.), Paris ⁸1948.

Lohmeyer, E., Das Evangelium des Markus (KEK I/2), Göttingen ¹⁷1967. Mit einem Ergänzungsheft, bearbeitet von G. Saß, ³1967.

Lohmeyer, E. / Schmauch, W., Das Evangelium des Matthäus (KEK, Sonderband), Göttingen ⁴1967.

Loisy, A., Les Evangiles Synoptiques, 2. Vols., Paris 1907–1908.

Montefiore, C. G., The Synoptic Gospels, I + II, New York ²1968.

Nineham, D. E., The Gospel of St. Mark, London 1963.

Pesch, R., Das Markusevangelium (HThK II), I, ²1977; II, 1977.

Rengstorf, K. H., Das Evangelium nach Lukas (NTD 3), Göttingen ¹⁶1975.

Schmid, J., Das Evangelium nach Markus (RNT 2), Regensburg ⁵1963.

–, Das Evangelium nach Matthäus (RNT 1), Regensburg ⁵1965.

–, Das Evangelium nach Lukas (RNT 3), Regensburg ⁴1960.

Schnackenburg, R., Das Evangelium nach Markus (geistliche Schriftlesung II/1–2), 2 Bde, Düsseldorf 1966 und 1971.

Schniewind, J., Das Evangelium nach Markus, Göttingen ¹²1977.

Schürmann, H., Das Lukasevangelium (HThK III), I, Freiburg, Basel, Wien 1969.

Schweizer, E., Das Evangelium nach Markus (NTD 1), Göttingen ⁵1978.

–, Das Evangelium nach Mattäus (NTD 2), Göttingen ²1976.

Taylor, V., The Gospel according to St. Mark, London ²1966.

Wellhausen, J., Das Evangelium Marci, Berlin ²1909.

–, Das Evangelium Lucae, Berlin 1904.

Wohlenberg, G., Das Evangelium des Markus (KNT 2), Leipzig ³1930.

B. Sonstige Kommentare

Bultmann, R., Das Evangelium des Johannes (KEK II), Göttingen ¹⁰1968. Mit Ergänzungsheft, Neubearbeitung 1957.

Conzelmann, H., Der erste Brief an die Korinther (KEK V), Göttingen ²1981.

Haenchen, E., Die Apostelgeschichte (KEK III), Göttingen ⁷1977.

Käsemann, E., An die Römer (HNT 8a), Tübingen 1973.

Kürzinger, J., Die Apostelgeschichte (geistliche Schriftlesung 5/1–2), 2 Bde, Düsseldorf 1965 und 1970.

Lightfoot, R. H., St. John's Gospel, Oxford 1956.

Lohse, E., Die Offenbarung des Johannes (NTD 11), Göttingen ⁴1976.

Michel, O., Der Brief an die Hebräer (KEK 13), Göttingen ⁷1975.

–, Der Brief an die Römer (KEK 4), Göttingen ⁴1966 und ⁵1978.

Mußner, Fr., Der Galaterbrief (H.Th.K. IX), Freiburg, Basel, Wien ³1977.

Schlier, H., Der Brief an die Galater (KEK VII), Göttingen ⁵1971.

–, Der Römerbrief (H.Th.K. VI), Freiburg, Basel, Wien 1977.

Schnackenburg, R., Die Johannesbriefe (H.Th.K. XIII), Freiburg/Basel/Wien ⁶1979.

–, Das Johannesevangelium (H.Th.K. IV), Freiburg, Basel, Wien, I, ⁶1972; II, 1971; III, ²1976.

IV. Monographien und Aufsätze

Die Artikel der bekannten Hilfsmittel, Lexika und Wörterbücher sind ins Verzeichnis nicht aufgenommen. Ihre Zitation erfolgt an Ort und Stelle jeweils mit den üblichen oder angegebenen Abkürzungen. Die Sekundärliteratur wird in den Anmerkungen mit Verfassernamen, Kurztitel und Seitenzahl zitiert.

Abrahams, I., Studies in Pharisaism and the Gospels, Vols I + II, Cambridge 1917/24, Repr. New York 1967 (LBS).

Albertz, M., Die Botschaft des Neuen Testamentes, I. Die Entstehung der Botschaft, 1. Hbd. Die Entstehung des Evangeliums, Zürich 1947.

—, Die synoptischen Streitgespräche. Ein Beitrag zur Formengeschichte des Urchristentums, Berlin 1921.

Alt, A., Kleine Schriften zur Geschichte des Volkes Israel, München, I, ⁴1968; II, ⁴1978.

Ambrozic, A. M., The hidden Kingdom. A redaction-critical Study of the references to the Kingdom of God in Mark's Gospel (CBQ Monogr. Series II), Washington 1972.

Ammassari, A., Gesù ha veramente insegnato la risurrezione, in: BeO. 15 (1973), S. 65–73.

Audet, J. P., La Didachè. Instructions des Apôtres (Et.B.), Paris 1958.

Bacon, B. W., Pharisees and Herodians in Mark, in: JBL 39 (1920), S. 102–112.

Bamberger, B. J., The Sadducees and the Belief in Angels, in: JBL 82 (1963), S. 433–435.

—, Fear and Love of God in the Old Testament, in: HUCA 6 (1929), S. 39–53.

Bammel, E., The Baptist in Early Christian Tradition, in: NTS 18 (1971), S. 95–128.

Banks, R., Jesus and the Law in the Synoptic Tradition (MSSNT S. 28), Cambridge 1975.

Bardtke, H., Die Handschriftenfunde am Toten Meer II, Berlin 1958.

Barrett, C. K., The House of Prayer and the Den of Thieves, in: Jesus und Paulus (FS. W. G. Kümmel), Göttingen 1975, S. 13–20.

Bartsch, H. W., Die „Verfluchung" des Feigenbaumes, in: ZNW 53 (1962), S. 256–260.

Baumbach, G., Die antirömischen Aufstandsgruppen, in: J. Maier / J. Schreiner, Literatur und Religion des Frühjudentums, Würzburg 1973, S. 273–283.

—, Der sadduzäische Konservatismus, ebda. S. 201–213.

—, Das Sadduzäerverständnis bei Josephus Flavius und im Neuen Testament, in: Kairos 13 (1971), S. 17–37.

—, Die Zeloten. Ihre geschichtliche und religionspolitische Bedeutung, in: BiLi 1 (1968), S. 2–25.

—, Zeloten und Sikarier, in: ThLZ 90 (1965), S. 727–740.

Becker, J., Das Heil Gottes (StUNT 3), Göttingen 1964.

—, Johannes der Täufer und Jesus von Nazareth (BSt 63), Neukirchen 1972.

Beilner, W., Christus und die Pharisäer, Wien 1959.

Bellinzoni, A. J., The Sayings of Jesus in the Writings of Justin Martyr (NT S. 17), Leiden 1967.

Ben-Chorin, Sch., Bruder Jesus. Der Nazarener in jüdischer Sicht (dtv-List 1253), München ²1978.

Bennett, jr., W. J., The Herodians of Mark's Gospel, in: NT 17 (1975), S. 9–14.

Berger, K., Die Gesetzesauslegung Jesu. Ihr historischer Hintergrund im Judentum und im Alten Testament. I. Teil: Markus und Parallelen (WMANT 40), Neukirchen, Vluyn 1972.

–, Die königlichen Messiastraditionen des Neuen Testaments, in: NTS 20 (1973/74), S. 1–44.

–, Zum Problem der Messianität Jesu, in: ZThK 71 (1974), S. 1–30.

Betz, O., Die Frage nach dem messianischen Bewußtsein Jesu, in: NT 6 (1963), S. 20–48.

Black, M., An Aramaic Approach to the Gospels and Acts, Oxford ²1954.

–, The christological use of the Old Testament in the New Testament, in: NTS 18 (1971/72), S. 1–14.

Blank, J., Jesus von Nazareth. Geschichte und Relevanz (tS), Freiburg 1972.

–, Paulus und Jesus. Eine theologische Grundlegung (StANT 18), München 1968.

–, Schriftauslegung in Theorie und Praxis, München 1969.

–, Die Sendung des Sohnes. Zur christologischen Bedeutung des Gleichnisses von den bösen Winzern Mk 12,1–12, in: Neues Testament und Kirche (FS. R. Schnackenburg), Freiburg 1974, S. 11–41.

Blank, S. H., The LXX Renderings of Old Testament Terms for Law, in: HUCA 7 (1930), S. 259–283.

Blinzler, J., Jesusverkündigung im Markusevangelium, in: Jesus in den Evangelien (SBS 45), S. 71–104.

–, Der Prozeß Jesu, Regensburg ⁴1969.

Bloch, R., Quelques aspects de la figure de Moïse dans la tradition rabbinique, in: H. Cazelles, Moïse, l'homme de l'Alliance (cahiers Sioniens 2–3–4), Paris 1954, S. 93–167.

Bornkamm, G., Das Doppelgebot der Liebe, in: Neutestamentliche Studien für R. Bultmann (BZNW 21), Berlin ²1957, S. 85–93; jetzt in: ders., Geschichte und Glaube I. Teil (Ges. Aufsätze, Bd. III), München 1968, S. 37–45.

–, Jesus von Nazareth (UB 19), Stuttgart ¹⁰1975.

–, Wandlungen im alt- und neutestamentlichen Gesetzesverstandnis, in: ders., Geschichte und Glaube. II. Teil (Ges. Aufsätze, Bd IV), München 1971, S. 73–119.

Bornkamm, G. / Barth, G. / Held, H. J., Überlieferung und Auslegung im Matthäusevangelium (WMANT 1), Neukirchen/Vluyn ⁶1970.

Bousset, W., Kyrios Christos. Geschichte des Christusglaubens von den Anfängen des Christentums bis Irenaeus (FRLANT 21), Göttingen ³1926.

Bousset, W. / Greßmann, H., Die Religion des Judentums im späthellenistischen Zeitalter, Tübingen ⁴1966.

Bratsiotis, N. P., *nepheš* ψυχή. Ein Beitrag zur Erforschung der Sprache und der Theologie der LXX (VT S. 15), Leiden 1966, S. 58–89.

Braun, F. M., L'expulsion des vendeurs du Temple, in: RB 38 (1929), S. 178–200.

Braun, H., Jesus. Der Mann aus Nazareth und seine Zeit (GTB 70), Gütersloh 1973.

–, Die Problematik einer Theologie des Neuen Testaments, in: Das Problem der Theologie des Neuen Testaments, hrsg. von G. Strecker (Wege der Forschung, Bd CCCLXVII), Darmstadt 1975, S. 405–424.

–, Qumran und das Neue Testament, 2 Bde I–II, Tübingen 1966.

–, Spätjüdisch-häretischer und frühchristlicher Radikalismus (BHTh 24), 2 Bde, Tübingen ²1969.

Brown, R. E., The Messianism of Qumran, in: CBQ 19 (1957), S. 53–82.

–, J. Starcky's Theory of Qumran messianic Development in: CBQ 28 (1966), S. 51–57.

Buber, M., Zwei Glaubensweisen, in: Werke I (Schriften zur Philosophie), München 1962, S. 653–782.

Bultmann, R., Die Erforschung der synoptischen Evangelien, Berlin ⁵1966.

–, Die Geschichte der Synoptischen Tradition (FRLANT 29), Göttingen ⁸1970. Mit einem Ergänzungsheft, bearbeitet von G. Theißen und Ph. Vielhauer, Göttingen ⁴1971.

–, Das christliche Gebot der Nächstenliebe, in: ders., Glauben und Verstehen I, Tübingen ⁶1966, S. 229–244.

–, Jesus (GTB/Siebenstern 17), Gütersloh ³1977.

–, Theologie des Neuen Testaments, Tübingen ⁵1965.

Burchard, Chr., Das doppelte Liebesgebot in der frühen christlichen Überlieferung, in: Der Ruf Jesu und die Antwort der Gemeinde (FS. J. Jeremias), Göttingen 1970, S. 39–62.

Burger, Chr., Jesus als Davidssohn (FRLANT 98), Göttingen 1970.

Burkill, T. A., Strain on the Secret: An Examination of Mark 11,1–13,37, in: ZNW 51 (1960), S. 31–46; jetzt auch in: ders., Mysterious Revelation. An Examination of the Philosophy of St. Mark's Gospel, New York 1963, S. 188–209.

Burkitt, F. C., The Cleansing of the Temple, in: JThSt 25 (1924) S. 386–390.

Campenhausen, H. von, Der Ablauf der Osterereignisse und das leere Grab (SHAW.PH 4), Heidelberg ³1966.

Caquot, A., Le Messianisme qumrânien, in: M. Delcor, Qumrân. Sa piété, sa théologie et son milieu (BETL XLVI), Paris-Louvain 1978, S. 231–247.

Carmignac, J., Le mirage de l'Eschatologie, Paris 1979.

Colson, F. H., Mark 11,27 and Parallels, in: J.T.S. 25 (1924), S. 71–72.

Congar, Y.-M. J., Das Mysterium des Tempels, Salzburg 1960.

Conzelmann, H., Die Mitte der Zeit. Studien zur Theologie des Lukas (BHTh 17), Tübingen ⁶1977.

–, Grundriß der Theologie des Neuen Testaments, München ²1968.

–, Was glaubte die frühe Christenheit? in: ders., Theologie als Schriftauslegung (Aufsätze zum Neuen Testament), München 1974, S. 106–119.

Cook, M. J., Mark's treatment of the Jewish Leaders (NT.S LI), Leiden 1978.

Coppens, J., La doctrine biblique sur l'amour de Dieu et du prochain, in: E.Th.L. 40 (1964), S. 252–299.

–, Le Messianisme royal. Ses origines. Son Développement. Son Accomplissement (Le Div. 54), Paris 1968.

Coutts, J., The Authority of Jesus and of the Twelve in St. Mark's Gospel, in: J.T.S. 8 (1957), S. 111–118.

Cullmann, O., Der Staat im Neuen Testament, Tübingen ²1961.

–, Christologie du Nouveau Testament, Neuchâtel-Paris 1966.

–, Jesus und die Revolutionäre seiner Zeit, Tübingen ²1970.

–, Unsterblichkeit der Seele oder Auferstehung der Toten?, Stuttgart, Berlin ³1964.

Daalen, D. H. van, Some observations on Mark 12,24–27, in: T.U. 102 (Studia Evangelica IV), Berlin 1968, S. 241–245.

Dalman, G., Die Worte Jesu: Mit Berücksichtigung des nachkanonischen jüdischen Schrifttums und der aramäischen Sprache, Leipzig 1898.

Daube, D., The New Testament and Rabbinic Judaism, London 1956.

Dautzenberg, G., Sein Leben bewahren. ψυχή in den Herrenworten der Evangelien (StANT 14), München 1966.

De Savignac, J., Le Messianisme de Philon d'Alexandrie, in: NT 4 (1960), S. 319–324.

Deissler, A., Die Grundbotschaft des Alten Testaments. Ein theologischer Durchblick (tS), Freiburg ³1973.

Delcor, M., Contribution à l'étude de la législation des sectaires de Damas et de Qumrân, in: RB 61 (1954), S. 533–553; 62 (1955), S. 60–75.

Delling, G., Jesus nach den drei ersten Evangelien, Berlin 1964.

Delorme, J., Aspects doctrinaux du second Evangile, in: EThL XLIII, (1967), S. 74–99.

–, Lecture de l'Evangile selon St. Marc (cahiers Evangile 1/2), Paris 1972.

Descamps, A., Le Messianisme royal dans le Nouveau Testament, in: L'Attente du Messie I (Recherches Bibliques), Bruges 1954, S. 57–84.

–, Pour une histoire du titre „Fils de Dieu", in: M. Sabbe, L'Evangile selon Marc. Tradition et Rédaction (BETL XXXIV), Louvain 1974, S. 529–571.

Dibelius, M., Die Formgeschichte des Evangeliums, Tübingen ⁶1971.

–, Rom und die Christen im ersten Jahrhundert, in: ders., Botschaft und Geschichte II (Ges. Aufsätze), hrsg. von G. Bornkamm, Tübingen 1956, S. 177–228.

Diezinger, W., Zum Liebesgebot Mk 12, 28–34 und Parr., in: NT 20 (1978), S. 81–83.

Dinkler, E., Petrusbekenntnis und Satanswort, in: Zeit und Geschichte (FS. R. Bultmann zum 80. Geb.), Tübingen 1964, S. 127–153.

Dodd, C. H., Der Mann nach dem wir Christen heißen (Gestalten und Programme 5), Limburg 1975.

Dreyfus, F., L'argument scripturaire de Jésus en faveur de la résurrection des morts (Marc 12,26–27), in: RB 66 (1959), S. 213–224.

Duling, D. C., The Promises to David and their entrance into Christianity – Nailing down a likely hypothesis, in: NTS 19 (1973/74), S. 55–77.

Duling, D. C., Solomon, Exorcism, and the Son of David, in: HThR 68 (1975), S. 235–252.

Dupont, J., „Assis à la droite de Dieu". L'interprétation du Ps 110,1 dans le Nouveau Testament, in: Resurrexit. Actes du Symposium international sur la Résurrection de Jésus (Rome 1970), éd. E. Dhanis SJ, Rome 1974, S. 340–422.

Ehrlich, E. L., Ein Beitrag zur Messiaslehre der Qumransekte, in: ZAW 68 (1956), S. 234–243.

Eichrodt, W., Theologie des Alten Testaments, 2 Bde., Göttingen, Teil 1, ⁸1968, Teil 2/3, ⁶1974.

Eliade, M., Geschichte der religiösen Ideen, Freiburg, Bd. I, 1978; Bd. II, 1979.

Ellis, E. E., Jesus, the Sadducees und Qumran, in: NTS 10 (1963/64) S. 274–279.

–, New Directions in Form Criticism, in: Jesus Christus in Historie und Theologie (FS. H. Conzelmann), Tübingen 1975, S. 299–315.

Eppel, R., Le Piétisme juif dans les Testaments des Douze Patriarches, Paris 1930.

Eppstein, V., The Historicity of the Gospel Account of the Cleansing of the Temple, in: ZNW 55 (1964), S. 42–58.

Ernst, J., Anfänge der Christologie (SBS 57), Stuttgart 1972.

–, Die Einheit von Gottes- und Nächstenliebe in der Verkündigung Jesu, in: Th.Gl. 60 (1970), S. 3–14.

Fascher, E., Jesus der Lehrer, in: ders., Socrates und Christus, Leipzig 1959, S. 134–174.

Feneberg, W., Der Markusprolog (StANT 36), München 1971.

Feuillet, A., L' ἐξουσία du Fils de l'homme (d'après Mc 2,10–28 et parr.), in: RScR 42 (1954), S. 161–192.

Fichtner, J., Der Begriff des „Nächsten" im Alten Testament mit einem Ausblick auf Spätjudentum und Neues Testament, in: ders., Gottes Weisheit. Gesammelte Studien zum Alten Testament, hrsg. von K. D. Fricke (AzTh II,3), Stuttgart 1965, S. 88–114.

Fiedler, M. J., Der Begriff Δικαιοσύνη im Matthäusevangelium, Diss. Halle 1957.

Fischer, G., Die himmlischen Wohnungen. Untersuchungen zu Joh 14,2f, Bern, Frankfurt a.M. 1975.

Fitzmyer, J. A., Die Davidssohn-Überlieferung und Mt 22,41–46 (und die Parallelstellen), in: Conc. 2 (1966), Sp. 780–786.

–, Der semitische Hintergrund des neutestamentlichen Kyriostitels, in: Jesus Christus in Historie und Theologie (FS H. Conzelmann), Tübingen 1975, S. 267–298.

–, The Aramaic „Elect of God" Text from Qumran Cave 4, in: CBQ 27 (1965), S. 348–372.

–, The contribution of Qumran Aramaic to the study of the New Testament, in: NTS 20 (1973/74), S. 382–407.

–, The Use of explicit Old Testament quotations in Qumran literature and in the New Testament, in: NTS 7 (1960/61), S. 297–333.

Flusser, D., Jesus. (Rowohlts Monogr. 140), Hamburg 1968.

Foerster, W., Herr ist Jesus. Herkunft und Bedeutung des urchristlichen Kyriosbekenntnisses (NTF II,1), Gütersloh 1924.

Fuchs, E., Was heißt: „Du sollst deinen Nächsten lieben wie dich selbst"?, in: ders., Zur Frage nach dem historischen Jesus, Tübingen ²1965, S. 1–20.

Fuller, R. H., Das Doppelgebot der Liebe. Ein Testfall für die Echtheitskriterien der Worte Jesu, in: Jesus Christus in Historie und Theologie (FS. H. Conzelmann), Tübingen 1975, S. 317–329.

Fuller, R. H., The Foundations of New Testament Christology, New York 1965.

–, The Mission and Achievement of Jesus (Sudies in Biblical Theology 12), Chicago 1954.

Gagg, R. P., Jesus und die Davidssohnfrage, in: ThZ 7 (1951), S. 18–30.

Gerhardsson, B., The Parable of the Sower and its Interpretation, in: NTS 14 (1967/68), S. 165–193.

Gese, H., Der Davidsbund und die Zionserwählung, in: ZThK 61 (1964), S. 10–26.

Giblin, C. H., „The Things of God" in the Question concerning tribute to Caesar (Lk 20,25; Mk 12,17; Mt 22,21), in: CBQ 33 (1971), S. 510–527.

Gils, F., Le Sabbat a été fait pour l'homme et non l'homme pour le Sabbat (Mc 2,27), in: RB 69 (1962), S. 506–523.

Gnilka, J., Das Martyrium Johannes' des Täufers (Mk 6,17–29), in: Orientierung an Jesus (FS. J. Schmid), Freiburg 1973, S. 78–92.

–, Der Täufer Johannes und der Ursprung der christlichen Taufe, in: BiLe 4 (1963), S. 39–49.

–, Die Erwartung des messianischen Hohenpriesters in den Schriften von Qumran und im Neuen Testament, in: RdQ 2 (1959/60), S. 395–426.

–, Die essenischen Tauchbäder und die Johannestaufe, in: RdQ 3 (1961), S. 185–207.

–, Jesus Christus nach frühen Zeugnissen des Glaubens, München 1970.

–, War Jesus Revolutionär?, in: BiLe 12 (1971), S. 67–78.

Goguel, M., Au seuil de l'Evangile. Jean-Baptiste, Paris 1928.

Goppelt, L., Die Freiheit zur Kaisersteuer (zu Mk 12,17 und Röm 13,1–7), in: ders., Christologie und Ethik (Aufsätze zum Neuen Testament), Göttingen 1968, S. 208–219.

–, The Freedom to pay the Imperial Tax (Mark 12,17), in: TU 87, Berlin 1964, S. 183–194.

Grégoire, F., Le Messie chez Philon d'Alexandrie, in: E.Th.L 12 (1935), S. 28–50.

Groß, H., Der Messias im Alten Testament, in: TThZ 71 (1962), S. 154–170.

Grundmann, W., Das Doppelgebot der Liebe, in: ZdZ 11 (1957), S. 449–455.

Güttgemanns, E., Offene Fragen zur Formgeschichte des Evangeliums. Eine methodologische Skizze der Grundlagenproblematik der Form- und Redaktionsgeschichte, München ²1971.

Haenchen, E., Johanneische Probleme, in: ders., Gott und Mensch (Ges. Aufsätze I), Tübingen 1965, S. 78–113.

–, Das Thomas-Evangelium, in: K. Aland, Synopsis Quattuor Evangeliorum, Stuttgart ²1964, S. 517–530.

−, Neuere Literatur zu den Johannesbriefen, in: ThR-NF 26 (1960), S. 1–43.

Hahn, F., Christologische Hoheitstitel. Ihre Geschichte im frühen Christentum (FRLANT 83), Göttingen ³1966.

−, Methodologische Überlegungen zur Rückfrage nach Jesus, in: K. Kertelge, Rückfrage nach Jesus (Q.D. 63), Freiburg 1974, S. 11–77.

Heiler, F., Die Religionen der Menschheit (Reclam 8274–85/85a/b), Stuttgart ²1962.

Hengel, M., Christus und die Macht, Stuttgart 1974.

−, Judentum und Hellenismus (WUNT 10), Tübingen ²1973.

−, War Jesus Revolutionär? (CwH 110), Stuttgart ³1971.

−, Der Sohn Gottes. Die Entstehung der Christologie und die jüdisch-hellenistische Religionsgeschichte, Tübingen ²1977.

−, Die Zeloten. Untersuchungen zur jüdischen Freiheitsbewegung in der Zeit von Herodes I. bis 70 n. Chr. (AGJU 1), Leiden, Köln ²1976.

Hengel, M., Zeloten und Sikarier, in: Josephus-Studien (FS. O. Michel), Göttingen 1974, S. 175–196.

Heupel, C., Taschenwörterbuch der Linguistik (LTW 1421), München ²1975.

Higgins, A. J. B., The priestly Messiah, in: NTS 13 (1966/67), S. 211–239.

Hirsch, E., Frühgeschichte des Evangeliums, 1. Buch: Das Werden des Markusevangeliums, Tübingen ²1951.

−, Frühgeschichte des Evangeliums, 2. Buch: Die Vorlagen des Lukas und das Sondergut des Matthäus, Tübingen 1941.

Hoehner, H. W., Herod Antipas (MSSNTS 17), Cambridge 1972.

Hoffmann, P., Mk 8,31. Zur Herkunft und markinischen Rezeption einer alten Überlieferung, in: Orientierung an Jesus (FS J. Schmid), Freiburg 1973, S. 170–204.

−, Studien zur Theologie der Logienquelle (NTA-NF 8), Münster ²1972.

−, Die Toten in Christus. Eine religionsgeschichtliche und exegetische Untersuchung zur paulinischen Eschatologie (NTA-NF 2), Münster ²1969.

Horstmann, M., Studien zur markinischen Christologie. Mk 8,27–9,13 als Zugang zum Christusbild des zweiten Evangeliums (NTA-NF 6), Münster ²1973.

Hruby, K., L'amour du prochain dans la pensée juive, in: NRTh 91 (1969), S. 493–516.

Hübner, H., Das Gesetz in der synoptischen Tradition. Studien zur These einer progressiven Qumranisierung und Judaisierung innerhalb der synoptischen Tradition, Witten 1973.

Hultgren, A. J., Jesus and his Adversaries. The Form and Function of the Conflict Stories in the Synoptic Tradition, Minneapolis 1979.

Hummel, R., Die Auseinandersetzung zwischen Kirche und Judentum im Matthäusevangelium (B.Ev.Th 33), München 1963.

Iersel, B. M. F., van, Fils de David et Fils de Dieu, in: La Venue du Messie (Recherches Bibliques VI), Bruges 1962, S. 113–132.

Jeremias, G., Der Lehrer der Gerechtigkeit (StUNT 2), Göttingen 1963.

Jeremias, J., Die Abendmahlsworte Jesu, Göttingen ⁴1967.

–, Die Gleichnisse Jesu, Göttingen ⁸1970.

–, Jerusalem zur Zeit Jesu. Eine kulturgeschichtliche Untersuchung zur neutestamentlichen Zeitgeschichte, Göttingen ²1958.

–, Jesu Verheißung für die Völker, Stuttgart ²1959.

–, Das Gebetsleben Jesu, in: ZNW 25 (1926) S. 123–140.

–, Die Muttersprache des Evangelisten Matthäus, in: ders., Abba, S. 255–260.

–, Neutestamentliche Theologie I. Die Verkündigung Jesu, Gütersloh ²1973.

–, Das tägliche Gebet im Leben Jesu und in der ältesten Kirche, in: ders., Abba, S. 67–80.

Jervell, J., Imago Dei/Gen 1,26f im Spätjudentum, in der Gnosis und in den paulinischen Briefen (FRLANT 76), Göttingen 1960.

Johnson, S. E., The Davidic-royal Motif in the Gospels, in: JBL 87 (1968), S. 136–150.

Jonas, H., Gnosis und spätantiker Geist II,1 (Von der Mythologie zur mystischen Philosophie), (FRLANT 63), Göttingen ²1966.

Jülicher, A., Die Gleichnisreden Jesu, 2 Bde., Darmstadt 1963.

Jüngel, E., Paulus und Jesus. Eine Untersuchung zur Präzisierung der Frage nach dem Ursprung der Christologie, Tübingen ⁴1972.

Käsemann, E., Die Johannesjünger in Ephesus, in: ders., Exegetische Versuche und Besinnungen, Bd. I + II, Göttingen ³1964, S. 158–168.

–, Jesu letzter Wille nach Johannes 17, Tübingen ³1971.

–, Das Problem des historischen Jesus, in: ders., Exegetische Versuche und Besinnungen, Bd. I + II, Göttingen ³1964, S. 187–214.

Kahlefeld, H., Gleichnisse und Lehrstücke im Evangelium, Frankfurt a. M., I, ²1964; II, 1963.

Kamlah, E., Frömmigkeit und Tugend, in: Josephus-Studien (FS. O. Michel), Göttingen 1974, S. 220–232.

Kasper, W., Jesus der Christus, Mainz 1974.

Kee, H. C., The Function of Scriptural Quotations and Allusions in Mark 11–16, in: Jesus und Paulus (FS. W. G. Kümmel), Göttingen 1975, S. 165–188.

Kennard jr. J. S., The Jewish provincial Assembly, in: ZNW 53, (1962), S. 25–51.

Kertelge, K., Die Epiphanie Jesu im Evangelium (Markus), in: J. Schreiner, Gestalt und Anspruch des Neuen Testaments, Würzburg 1969, S. 153–172.

–, Die Vollmacht des Menschensohnes zur Sündenvergebung (Mk 2,10), in: Orientierung an Jesus (FS. J. Schmid), Freiburg 1973, S. 205–213.

Klein, G., „Reich Gottes" als biblischer Zentralbegriff, in: Ev.Th. 30 (1970), S. 642–670.

Klijn, A. F., Scribes, Pharisees, Highpriests and Elders, in: NT 3 (1959), S. 259–267.

Knox, W. L., The sources of the Synoptic Gospels. I, St. Mark, Cambridge 1953.

Köster, H., Synoptische Überlieferung bei den Apostolischen Vätern, (TU 65), Berlin 1957.

Kraeling, C. H., John the Baptist, New York, London 1951.

Kuby, A., Zur Konzeption des Markus-Evangeliums, in: ZNW 49 (1958), S. 52–64.

Kümmel, W. G., Die Theologie des Neuen Testaments nach seinen Hauptzeugen (NTD-Ergänzungsreihe 3), Göttingen 1969.

Kuhn, H.-W., Ältere Sammlungen im Markusevangelium (StUNT 8), Göttingen 1971.

–, Enderwartung und gegenwärtiges Heil (StUNT 4), Göttingen 1966.

–, Zum Problem des Verhältnisses der markinischen Redaktion zur israelitisch-jüdischen Tradition, in: Tradition und Glaube (FS. K. G. Kuhn), Göttingen 1971, S. 299–309.

Kuhn, K.-G., Die beiden Messias Aarons und Israels, in: NTS 1 (1954/55), S. 168–179.

Lambrecht, J., Die Redaktion der Markus-Apokalypse. Literarische Analyse und Strukturuntersuchung (An.Bib. 28), Rom 1967.

Lang, F., Erwägungen zur eschatologischen Verkündigung Johannes des Täufers, in: Jesus Christus in Historie und Theologie (FS. H. Conzelmann), Tübingen 1975, S. 459–473.

Laurin, R. B., The Problem of the Two Messiahs in the Qumran Scrolls, in: RdQ 4 (1963), S. 39–52.

Lauterbach, J. Z., A significant controversy between the Sadducees and the Pharisees, in: HUCA 4 (1927), S. 173–205.

–, The Pharisees and their Teachings, in: HUCA 6 (1929), S. 69 139.

Légasse, S., Scribes et disciples de Jésus, in: RB 68 (1961), S. 481–505.

Lehmann, K., Auferweckt am dritten Tag nach der Schrift (Q D 38), Freiburg ²1969.

Leipoldt, J. / Grundmann, W., Umwelt des Urchristentums, Berlin, Bd. I, ⁵1966, (Bd. II, ⁴1975; Bd. III, 1966).

Lentzen-Deis, F., Die Taufe Jesu nach den Synoptikern (FTS 4), Frankfurt 1970.

Licht, J., Die Lehre des Hymnenbuches, in: K. E. Grözinger u. a., Qumran (Wege der Forschung, Bd. CDX), Darmstadt 1981, S. 276–311.

Lightfoot, R. H., The Gospel Message of St. Mark, Oxford ²1952.

Limbeck, M., Die Ordnung des Heils. Untersuchung zum Gesetzesverständnis des Frühjudentums, Düsseldorf 1971.

Linnemann, E., Gleichnisse Jesu. Einführung und Auslegung, Göttingen ⁶1975.

Lövestam, E., Die Davidssohnfrage, in: SEÄ XXVII (1962), S. 72–82.

–, Jésus, Fils de David chez les Synoptiques, in: StTh 28, (1974), S. 97–109.

Lohfink, N., Das Hauptgebot, in: G. u. L. 36 (1963), S. 271–281; jetzt in: ders., Das Siegeslied am Schilfmeer, Frankfurt a. M. ³1965, S. 129–150.

–, Unsere großen Wörter. Das Alte Testament zu Themen dieser Jahre, Freiburg ²1979.

Lohmeyer, E., Galiläa und Jerusalem (FRLANT-NF 34), Göttingen 1936.

Lohse, E., Der König aus Davids Geschlecht. Bemerkungen zur messianischen Erwartung der Synagoge, in: Abraham unser Vater (FS. O. Michel), Leiden, Köln 1963, S. 337–345.

–, Umwelt des Neuen Testaments (NTD-Ergänzungsreihe 1), Göttingen 1971.

Luz, U., Das Jesusbild der vormarkinischen Tradition, in: Jesus Christus in Historie und Theologie (FS. H. Conzelmann), Tübingen 1975, S. 347–374.

Maier, J. / Schreiner J., Literatur und Religion des Frühjudentums, Würzburg 1973.

Manson, T. W., The Sayings of Jesus, London 1950 (= 1937).

Manson, W., Jesus the Messiah, London ⁶1952.

Marxsen, W., Der Evangelist Markus. Studien zur Redaktionsgeschichte des Evangeliums (FRLANT 67), Göttingen ²1959.

Mbiti, J. S., Afrikanische Religion und Weltanschauung, Berlin 1974.

Ménard, J.-E., L'Evangile selon Thomas. (Nag Hammadi Studies, Vol. V,), Leiden 1975.

Mendner, S., Die Tempelreinigung, in: ZNW 47 (1956), S. 93–112.

Mensching, G., Die Religion (GG 882–883), München, o. J.

Merkel, H., Jesus und die Pharisäer, in: NTS 14 (1968), S. 194–208.

Merklein, H., Die Gottesherrschaft als Handlungsprinzip (FzB 34), Würzburg, Stuttgart 1978.

Michaelis, W., Die Davidssohnschaft Jesu als historisches und kerygmatisches Problem, in: H. Ristow und K. Matthiae, Der historische Jesus und der kerygmatische Christus, Berlin 1960, S. 317–330.

Monsengwo Pasynia, L., La notion de Nomos dans le Pentateuque grec (An. Bibl. 52), Rome 1973.

Montefiore, H., Thou shalt love the Neighbour as thyself, in: NTS 5 (1962), S. 157–170.

Moran, W. L., The Ancient Near Eastern Background of the Love of God in Deuteronomy, in: CBQ 25 (1963), S. 77–87.

Müller, K. H., Jesus und die Sadduzäer, in: Biblische Randbemerkungen (Schülerfestschrift für R. Schnackenburg), Würzburg 1974, S. 3–24.

Müller, U. B., Die christologische Absicht des Markusevangeliums und die Verklärungsgeschichte, in: ZNW 64 (1973), S. 159–193.

Münderlein, G., Die Verfluchung des Feigenbaumes (Mk 11,12–14), in: NTS 10 (1963/64), S. 89–103.

Mußner,Fr., Der Begriff des „Nächsten" in der Verkündigung Jesu. Dargelegt am Gleichnis vom barmherzigen Samariter, in: ders., Praesentia Salutis, Düsseldorf 1967, S. 125–132.

Mußner, Fr., Jesus und die Pharisäer, in: ders., Praesentia Salutis, Düsseldorf 1967, S. 99–112.

Neirynck, Fr., Duplicate expressions in the Gospel of Mark, in: EThL XLVIII, Louvain 1972, S. 150–209.

Neugebauer, F., Die Davidssohnfrage (Mk 12,35–37 Parr.) und der Menschensohn, in: NTS 21 (1974/75), S. 81–108.

Neuhäusler, E., Anspruch und Antwort Gottes. Zur Lehre von den Weisungen innerhalb der synoptischen Jesusverkündigung, Düsseldorf 1962.

Nissen, A., Gott und der Nächste im antiken Judentum. Untersuchungen zum Doppelgebot der Liebe (WUNT 15), Tübingen 1974.

Normann, F., Christos Didascalos, Münster 1966.

Noth, M., Amt und Berufung im Alten Testament, in: ders., Gesammelte Studien zum Alten Testament (ThB 6), München ²1960, S. 309–333.

–, Überlieferungsgeschichtliche Studien, Tübingen, ³1967.

Olrik, A., Epische Gesetze der Volksdichtung, in: ZDA 51 (1909), S. 1–12.

Osten-Sacken, P., von der, Streitgespräch und Parabel als Formen markinischer Christologie, in: Jesus Christus in Historie und Theologie (FS. H. Conzelmann), Tübingen 1975, S. 375–394.

Paeslack, M., Zur Bedeutungsgeschichte der Wörter φιλεῖν, lieben; φιλία, Liebe, Freundschaft; φίλος, Freund, in der Septuaginta und im Neuen Testament (unter Berücksichtigung ihrer Beziehungen zu ἀγαπᾶν, ἀγάπη, ἀγαπητός), in: Theologia Viatorum V, Berlin 1954, A. 51–142.

Patsch, H., Der Einzug Jesu in Jerusalem. Ein historischer Versuch, in: ZThK 68 (1971), S. 1–26.

Pedersen, J., Israel, its Life and Culture, I + II, London 1926.

Perrin, N., Was lehrte Jesus wirklich? Rekonstruktion und Deutung, Göttingen 1972.

Pesch, R., Anfang des Evangeliums Jesu Christi. Eine Studie zum Prolog des Markusevangeliums (Mk 1,1–15); in: Die Zeit Jesu (FS. H. Schlier), Freiburg 1970, S. 108–144.

–, Naherwartungen. Tradition und Redaktion in Mk 13, Düsseldorf 1968.

–, Die Passion des Menschensohnes. Eine Studie zu den Menschensohnworten der vormarkinischen Passionsgeschichte, in: Jesus und der Menschensohn (FS. A. Vögtle), Freiburg 1975, S. 166–195.

–, Die Salbung Jesu in Bethanien (Mk 14,3–9). Eine Studie zur Passionsgeschichte, in: Orientierung an Jesus (FS. J. Schmid), Freiburg 1973, S. 267–285.

Petzke, G., Der historische Jesus in der sozialethischen Diskussion (Mk 12,13–17 par.), in: Jesus Christus in Historie und Theologie (FS. H. Conzelmann), Tübingen 1975, S. 223–235.

Piper, J., ‚Love your enemies‘. Jesus' love command in the synoptic Gospels and in the early christian paraenesis. A history of the tradition and interpretation (MSSNTS 38), Cambridge 1979.

Potterie, I., de la, Exegesis Synopticorum. Sectio Panum in Evangelio Marci (6,6–8,33). In usum privatum auditorum tantum, Romae (P.I.B.), ²1971/72.

Pryke, E. J., Redactional Style in the Markan Gospel. A Study of Syntax and Vocabulary as guides to Redaction in Mark (MSSNTS 33), Cambridge 1978.

Quecke, H., Das Thomasevangelium, in: W. C. van Unnik, Evangelien aus dem Nil-Sand, Frankfurt 1960, S. 161–173.

Quesnell, Q., The mind of Mark (An. Bibl. 38), Rome 1969.

Rad, G. von, Theologie des ALten Testaments, 2 Bde, München, I, ⁷1978; II, ⁷1980.

Rasp, H., Flavius Josephus und die jüdischen Religionsparteien, in: ZNW 23 (1924), S. 27–47.

Ratschow, C. H., Agape. Nächstenliebe und Bruderliebe, in: ZSth 21 (1950/52), S. 160–182.

Rehkopf, Fr., Grammatisches zum Griechischen des Neuen Testaments, in: Der Ruf Jesu und die Antwort der Gemeinde (FS. J. Jeremias), Göttingen 1970, S. 213–225.

Reicke, B., Neutestamentliche Zeitgeschichte, Berlin ²1968.

Reploh, K. G., Markus – Lehrer der Gemeinde. Eine redaktionsge-schichtliche Studie zu den Jüngerperikopen des Markus-Evangeliums (SBM 9), Stuttgart 1969.

Rese, M., Überprüfung einiger Thesen von Joachim Jeremias zum Thema des Gottesknechtes im Judentum, in: ZThK 60 (1963), S. 21–41.

Riesenfeld, H., Tradition und Redaktion im Markusevangelium, in: Neutestamentliche Studien (FS. R. Bultmann), Berlin 1954, S. 157–164.

Rigaux, B., Témoignage de l'Evangile de Marc, Bruges [2]1972.

–, Témoignage de l'Evangile de Luc, Bruges 1970.

Rist, M., The God of Abraham, Isaac, and Jacob: a liturgical and magical formula, in: JBL LVII (1938), S. 289–303.

Robinson, J. M., Das Geschichtsverständnis des Markus-Evangeliums (AThANT 30), Zürich 1956.

Rohde, J., Die redaktionsgeschichtliche Methode. Einführung und Sichtung des Forschungsstandes, Hamburg 1966.

Roloff, J., Das Kerygma und der irdische Jesus. Historische Motive in den Jesus-Erzählungen der Evangelien, Göttingen 1970.

Roth, C., The Cleansing of the Temple and Zechariah XIV. 21 (Mk 11,15f), in: NT 4 (1960), S. 174–181.

Rowley, H. H., The Herodians in the Gospels, in: JThS 41 (1940), S. 14–27.

Schalit, A., König Herodes. Der Mann und sein Werk (SJ 4), Berlin 1969.

Shae, G. S., The Question on the Authority of Jesus, in: NT 16 (1974), S. 1–29.

Schelkle, K. H., Die Auferstehung der Toten, in: BiLe 15 (1974), S. 54–65.

–, Jesus – Lehrer und Prophet, in: Orientierung an Jesus (FS. J. Schmid), Freiburg 1973, S. 300–308.

Schille, G., Offen für alle Menschen. Redaktionsgeschichtliche Beobachtungen zur Theologie des Markus-Evangeliums (AzTh 55), Stuttgart 1974.

Schlier, H., Die Beurteilung des Staates im Neuen Testament, in: ders., Die Zeit der Kirche (Exeg. Aufsätze und Vorträge I), Freiburg [3]1962, S. 1–16.

–, Die Bruderliebe nach dem Evangelium und den Briefen des Johannes, in: ders., Das Ende der Zeit (Exeg. Aufsätze und Vorträge III), Freiburg 1971, S. 124–135.

–, Reich Gottes und Kirche nach dem Neuen Testament, ebda. S. 37–51.

–, Der Staat nach dem Neuen Testament, in: ders., Besinnung auf das Neue Testament (Exeg. Aufsätze und Vorträge II), Freiburg ²1967, S. 193–211.

–, Über die Herrschaft Christi, in: ders., Das Ende der Zeit, Freiburg 1971, S. 52–66.

Schmid, J., Matthäus und Lukas. Eine Untersuchung des Verhältnisses ihrer Evangelien (BSt[F]23²⁴), Freiburg 1930.

Schmid, K. L., Der Rahmen der Geschichte Jesu, Berlin 1919 (Neudruck Darmstadt ²1969).

Schmidt, W. H., Königtum Gottes in Ugarit und Israel (BZAW 80), Berlin ²1966.

Schnackenburg, R., Die Forderung der Liebe in der Verkündigung und im Verhalten Jesu, in: Prinzip Liebe (Perspektiven der Theologie), Freiburg 1975, S. 76–103.

Schnackenburg, R., Gottes Herrschaft und Reich. Eine biblisch-theologische Studie, Freiburg ⁴1965.

–, Markus 9,33–50, in: ders., Schriften zum Neuen Testament. Exegese in Fortschritt und Wandel, München 1971, S. 129–154.

–, Mitmenschlichkeit im Horizont des Neuen Testaments, in: Die Zeit Jesu (FS. H. Schlier), Freiburg 1970, S. 70–92.

–, Die sittliche Botschaft des Neuen Testaments, München 1954.

–, Zum Verfahren der Urkirche bei ihrer Jesusüberlieferung, in: ders., Schriften zum Neuen Testament. München 1971, S. 155–176.

Schneider, G., Die Davidssohnfrage (Mk 12,35–37), in: Bib 53 (1972), S. 65–90.

–, Die Neuheit der christlichen Nächstenliebe, in: TThZ 82 (1973), S. 257–275.

–, Zur Vorgeschichte des christologischen Prädikats „Sohn Davids", in: TThZ 80 (1971), S. 247–253.

Schneider, Joh., Zur Analyse des lukanischen Reiseberichtes, in: Synoptische Studien (FS. A. Wikenhauser), München 1953, S. 207–229.

Schrage, W., Die Christen und der Staat nach dem Neuen Testament, Gütersloh 1971.

–, Theologie und Christologie bei Paulus und Jesus auf dem Hintergrund der modernen Gottesfrage, in: Ev.Th. 36 (1976), S. 121–154.

–, Das Verhältnis des Thomas-Evangeliums zur synoptischen Tradition und zu den koptischen Evangelien-Übersetzungen (BZNW 29), Berlin 1964.

Schramm, T., Der Markus-Stoff bei Lukas. Eine literarkritische und redaktionsgeschichtliche Untersuchung (MSSNTS 14), Cambridge 1971.

Schreiber, J., Theologie des Vertrauens. Eine redaktionsgeschichtliche Untersuchung des Markusevangeliums, Hamburg 1967.

Schubert, K., Die Entwicklung der Auferstehungslehre von der nachexilischen bis zur frührabbinischen Zeit, in: BZ-NF 6 (1962), S. 177–214.

–, Jesus im Lichte der Religionsgeschichte des Judentums, Wien-, München 1973.

–, Die Messiaslehre in den Texten von Chirbet Qumran, in: BZ 1 (1957), S. 177–197; jetzt in: K. E. Grözinger u. a., Qumran (Wege der Forschung, Bd. CDX), Darmstadt 1981, S. 341–364.

Schürer, E., Geschichte des jüdischen Volkes im Zeitalter Jesu Christi, 3 Bde, Leipzig 1901–1909, 3. und 4. Aufl.

Schürer, E., The History of the Jewish People in the Age of Jesus Christ (175 B.C. – A.D. 135). A new English Version revised and edited by G. Vermès and F. Millar, Edinburgh, Vol. I, 1973; Vol. II, 1979.

Schürmann, H., Jesu ureigener Tod. Exegetische Besinnungen und Ausblick, Freiburg ²1976, S. 16–65.

–, Wie hat Jesus seinen Tod bestanden und verstanden? Eine methodenkritische Besinnung, in: Orientierung an Jesus (FS. J. Schmid), Freiburg 1973, S. 325–363.

Schütz, R., Johannes der Täufer (AThANT 50), Zürich 1967.

Schulz, S., Maranatha und Kyrios Jesus, in: ZNW 53 (1962), S. 125–144.

–, Die Stunde der Botschaft. Einführung in die Theologie der vier Evangelisten, Hamburg, Zürich ²1970.

Schweizer, E., Anmerkungen zur Theologie des Markus, in: Neotestamentica et Patristica (FS. O. Cullmann), Leiden 1962, S. 35–46; jetzt in: ders., Neotestamentica, Zürich, Stuttgart 1963, S. 93–104.

Schweizer, E., Discipleship and Belief in Jesus as Lord from Jesus to the Hellenistic Church, in: NTS 2 (1955/56), S. 87–99.

–, Erniedrigung und Erhöhung bei Jesus und seinen Nachfolgern (AThANT 28), Zürich 1962.

–, Der Glaube an Jesus den „Herrn" in seiner Entwicklung von den ersten Nachfolgern bis zur hellenistischen Gemeinde, in: Ev.Th. 17 (1957), S. 7–71.

–, Jesus Christus im vielfältigen Zeugnis des Neuen Testaments (Siebenstern-Taschenbuch 126), München, Hamburg ²1970.

–, Die theologische Leistung des Markus, in: ders., Beiträge zur Theologie des Neuen Testaments, Zürich 1970, S. 21–42 (Erstmalig in: Ev.Th 24 (1964), S. 337–355).

Selwyn, E. G., The Authority of Christ in the New Testament, in: NTS 3 (1956/57), S. 83–92.

Spicq, C., Agapè dans le Nouveau Testament, I + II + III, Paris 1958–1959.

–, Le verbe ἀγαπάω et ses dérivés dans le Grec classique, in: RB 60 (1953), S. 372–397.

Starcky, J., Les quatre étapes du messianisme à Qumrân, in: RB 70 (1963), S. 481–505.

Stauffer, E., Die Botschaft Jesu. Damals und heute (DT 333), Bern, München 1959.

–, Die Geschichte vom Zinsgroschen, in: ders., Christus und die Caesaren, Hamburg ³1952, S. 121–149.

Steck, O. H., Israel und das gewaltsame Geschick der Propheten (WMANT 23), Neukirchen 1967.

Stegemann, H., Religionsgeschichtliche Erwägungen zu den Gottesbezeichnungen in den Qumrantexten, in: M. Delcor, Qumrân. Sa piété, sa théologie et son milieu (BETL XLVI), Paris, Louvain 1978, S. 195–217.

Steinmueller, J. E., Ἐρᾶν, Φιλεῖν, Ἀγαπᾶν in extra-biblical and biblical sources, in: Miscellanea biblica et orientalia (FS. A. Miller), Romae 1951, S. 404–423.

Stock, K., Gliederung und Zusammenhang in Mk 11–12, in: Bib. 59 (1978), S. 481–515.

Strack, H. L., Einleitung in Talmud und Midrasch, München ⁵1961.

Strecker, G., Die Leidens- und Auferstehungsvoraussagen im Markusevangelium, in: ZThK 64 (1967), S. 16–39.

Stuhlmacher, P., Schriftauslegung auf dem Wege zur biblischen Theologie, Göttingen 1975.

Suhl, A., Der Davidssohn im Matthäus-Evangelium, in: ZNW 59 (1968), S. 57–81.

–, Die Funktion der alttestamentlichen Zitate und Anspielungen im Markusevangelium, Gütersloh 1965.

Sundwall, J., Die Zusammensetzung des Markusevangeliums (AA Abo.H. IX/2), Åbo 1934.

Tagawa, K., Miracles et Evangile. La pensée personnelle de l'évangéliste Marc (EHPhR 62), Paris 1966.

Taylor, V., The Formation of the Gospel Tradition, London ²1949.

–, The Names of Jesus, London 1962.

Theissen, G., Urchristliche Wundergeschichten (StNT 8), Gütersloh 1974.

Thoma, C., Der Pharisäismus, in: J. Maier / J. Schreiner, Literatur und Religion des Frühjudentums, Würzburg 1973, S. 254–272.

Thomas, K. J., Liturgical citations in the Synoptics, in: NTS 22 (1976), S. 205–214.

–, Torah citations in the Synoptics, in: NTS 24 (1978), S. 85–96.

Thüsing, W., Erhöhungsvorstellung und Parusieerwartung in der ältesten nachösterlichen Christologie (SBS 42), Stuttgart, o. J.

–, Neutestamentliche Zugangswege zu einer transzendental-dialogischen Christologie, in: K. Rahner / W. Thüsing, Christologie – systematisch und exegetisch (QD 55), Freiburg 1972, S. 81–315.

Thyen, H., Βάπτισμα μετανοίας εἰς ἄφεσιν ἁμαρτιῶν, in: Zeit und Geschichte (FS. R. Bultmann), Tübingen 1964, S. 97–125.

Tillesse, G. M. de, Le secret messianique dans l'Evangile de Marc (LeDiv. 47), Paris 1968.

Tödt, H. E., Der Menschensohn in der synoptischen Überlieferung, Gütersloh ⁴1978.

Trilling, W., Fragen zur Geschichtlichkeit Jesu, Düsseldorf ³1969.

–, Die Täufertradition bei Matthäus, in: BZ-NF 3 (1959), S. 271–289.

–, Das wahre Israel. Studien zur Theologie des Matthäus-Evangeliums (StANT 10), München ³1964.

Trocmé, E., L'expulsion des marchands du Temple, in: NTS 15 (1968/69), S. 1–22.

–, La Formation de l'Evangile selon Marc (EHPhR 57), Paris 1963.

–, Jésus de Nazareth vu par les témoins de sa vie, Neuchâtel 1971.

Turner, C. H., Western Readings in the Second Half of St. Mark's Gospel, in: JTS 29 (1928), S. 1–16.

Vielhauer, Ph., Ein Weg zur neutestamentlichen Christologie?, in: ders., Aufsätze zum Neuen Testament (TB 31), München 1965, S. 141–198.

–, Erwägungen zur Christologie des Markusevangeliums, ebda., S. 199–214.

–, Gottesreich und Menschensohn in der Verkündigung Jesu, ebda. 55–91.

Vögtle, A., Exegetische Erwägungen über das Wissen und Selbstbewußtsein Jesu, in: ders., Das Evangelium und die Evangelien. Beiträge zur Evangelienforschung, Düsseldorf 1971, S. 296–344.

–, Jesus von Nazareth, in: E. Kottje / B. Möller, Ökumenische Kirchengeschichte I, Mainz, München 1970, S. 3–24.

–, Die sogenannte Taufperikope Mk 1,9–11. Zur Problematik der Herkunft und des ursprünglichen Sinnes, in: EKK.V.IV, Zürich . . . 1972, S. 105–139.

–, Der verkündigende und verkündigte Jesus „Christus", in: J. Sauer, Wer ist Jesus Christus, Freiburg 1977, S. 27–91.

–, Wunder und Wort in urchristlicher Glaubenswerbung (Mt 11,2–15 / Lk 7,18–23), in: ders., Das Evangelium und die Evangelien, Düsseldorf 1971, S. 219–242.

Völkl, R., Christ und Welt nach dem Neuen Testament, Würzburg 1961.

Volz. P., Die Eschatologie der jüdischen Gemeinde im neutestamentlichen Zeitalter, Hildesheim 1966.

Wcela, E. A., The Messiah(s) of Qumran, in: CBQ 26 (1964), S. 340–349.

Weinacht, H., Die Menschwerdung des Sohnes Gottes im Markusevangelium. Studien zur Christologie des Markusevangeliums (HUTh 13) Tübingen 1972.

Weinel, H., *mšḥ* und seine Derivate. Linguistisch-archäologische Studie, in: ZAW 18 (1898), S. 1–82.

Weiß, K., Messianismus in Qumran und im Neuen Testament, in: H. Bardtke, Qumran-Probleme. Vorträge des Leipziger Symposions über Qumran-Probleme vom 9.–14. Oktober 1961, Berlin 1963, S. 353–368.

Wellhausen, J., Die Pharisäer und die Sadduzäer, Hannover ²1924.

Wendland, H.-D., Ethik des Neuen Testaments (NTD-Ergänzungsreihe 4), Göttingen, ²1975.

Westermann, Cl., Das Alte Testament und Jesus Christus, Stuttgart ²1973.

Wiéner, Cl., Recherches sur l'Amour pour Dieu dans l'Ancient Testament, Paris 1957.

Wilamowitz-Moellendorf, U. v., Platon / Sein Leben und seine Werke. Nach der 3. vom Verf. herausg. Auflage durchgesehen von B. Snell, Berlin, Frankfurt 1948.

Winter, G., Die Liebe zu Gott im Alten Testament, in: ZAW 9 (1889), S. 211–246.

Winter, P., On the Trial of Jesus, Berlin 1961.

Wolff, H.-W., Anthropologie des Alten Testaments, München ³1977.

Woude, A. S. van der, Die messianischen Vorstellungen der Gemeinde von Qumran, Assen 1957.

Wrede, W., Jesus als Davidssohn, in: ders., Vorträge und Studien, Tübingen 1907, S. 147–177.

–, Das Messiasgeheimnis in den Evangelien. Zugleich ein Beitrag zum Verständnis des Markusevangeliums, Göttingen ⁴1969.

Zerwick, M., Untersuchungen zum Markus-Stil. Ein Beitrag zur stilistischen Durcharbeitung des Neuen Testaments (SPIB 81), Romae 1937.

Zimmerli, W., Grundriß der alttestamentlichen Theologie (ThW 3), Stuttgart 1972.

Zimmermann, H., Das Gleichnis vom barmherzigen Samariter: Lk 10,25–37, in: Die Zeit Jesu (FS. H. Schlier), Freiburg 1970, S. 58–69.

–, Neutestamentliche Methodenlehre. Darstellung der historisch-kritischen Methode (KBW), Stuttgart ³1970.

STELLENREGISTER (IN AUSWAHL)

1. A.T.

Genesis

1–2	89 A. 78
1,26	60
2,17	144 A. 168
3,15 LXX	265
3,19	93
4,12	170
6,12	46 A. 33
7,3	278 A. 287
8,21	161 A. 285
9,9	278 A. 287
12,5	163 A. 308
12,7	278 A. 287
13,16	278 A. 287
15,6	11 A. 34
17,10	144 A. 169
17,17	160 A. 284
18,5	156
18,14	29 A. 149
21,14	90 A. 90
25,28	179 A. 415
27,25	163 A. 311
29	180 A. 423
31,6	170
34,3	157 A. 243; 164 A. 315
36,6	163 A. 308
37,3	180 A. 423
37,21	162 A. 304
38,8	75; 82; 87; 95; 278
41,4	94
41,7	94
41,8	165 A. 331
44,20	179 A. 415
45,26	11 A. 34
46,15	163 A. 308
46,18	163 A. 308
46,22	163 A. 308
46,25–27	163 A. 308
49,3	170
49,10	256 A. 154; 261 A. 183; 265; 277

Exodus

1,5	163 A. 308; 166 A. 334
2,13	192
3,6 LXX	73f; 80; 95; 95 A. 120; 96; 95 A. 121
3,6a	96; 101; 104
4,1	11 A. 34
4,5	11 A. 34
4,8	11 A. 34
4,9	11 A. 34
4,14	156 A. 241
7,23	157
8,6 LXX	139
8,11	157 A. 253
8,28	157 A. 253
9,34	157 A. 253
10,1	157 A. 253
12,26f	303
13,8	303f
13,14	303f
14,3	90 A. 90
14,4	205
14,28	171 A. 365
14,31	11 A. 34
15,6	89 A. 78; 170
15,8	156 A. 237; 205 A. 582

Josua

2,11	156 A. 242
14,7	157 A. 246
14,8	160 A. 283
22,5	161 A. 285; 175 A. 387; 181 A. 425; 181 A. 430
23,5	181 A. 433
23,10	205
23,11	181 A. 425; 181 A. 430

Richter

2,12	98 A. 136
2,19	46
3,4	175 A. 386
3,8	171 A. 365
5,15f	157 A. 246
5,31	181 A. 426
14,20	187 A. 483
16,5	171 A. 365
16,6ff	170
16,25	156 A. 241
19,5.8	156

Rut

4,5.10	87

1 Samuel

1,5	179 A. 414
1,8	156 A. 240; 179 A. 414
1,10	164 A. 313
2,10	255 A. 142; 256 A. 146
2,16	163 A. 312
2,35	255 A. 142
12,3.5	255 A. 140
12,12	205 A. 582
15,22	201 A. 559
16,21	179 A. 416

18,1	166; 179 A. 416
18,3	179 A. 416
19,11	163 A. 306
20,4	166
20,17	164 A. 315; 179 A. 416
20,31	205 A. 577
24,7	255 A. 132; 255 A. 140
24,11	255 A. 138.140
25,37	156 A. 236
26,9.11	255 A. 132.140
26,16	255 A. 140
26,23	255 A. 132.140
28,17	188 A. 491
28,20.22	170

2 Samuel

1,9	163 A. 305
1,14.16	255 A. 140
1,21	265
7	247
7,1–16	256
7,5b–16	275; 277
7,11ff	261
7,11b	261 A. 183
7,11c	275
7,12	275; 278; 278 A. 287
7,13	256 A. 144; 261 A. 183
7,16	275
12,7	255 A. 138
13,1	275 A. 267
13,3	187 A. 486
15,24ff	84
15,37	187 A. 488
16,16	187 A. 488
17,15	84
18,14	156 A. 236
19,6	163 A. 306
19,12	84
19,22	255 A. 132
23,1.5	275 A. 270

5,9	79 A. 40		2,1f	261 A. 183
6,13	80 A. 44		2,2	255 A. 142
6,14	76 A. 30		2,6	265 A. 205
7,12 LXX	80 A. 44		2,7	256 A. 144
7,15	100 A. 145		2,8	256 A. 146
(Vulg.)			5,12	182 A. 443
13,9ff	21 A. 94		6,5f	100 A. 149
13,14 BA	182 A. 446		7,11	157 A. 251
(LXX)			8	29 A. 148
13,16f	21 A. 95		11,2	157 A. 251
14,4f	21 A. 94		11,5	164 A. 316
14,5	21 A. 94		12,3 LXX	160 A. 283
			13,3	156 A. 240
Judit			14,2	173 A. 376
8,14	161 A. 287		17,8	112
9,11f	98		18,32–43	256 A. 146
			18,44–48	256 A. 145
Ester			18,51	275 A. 270
1,9	188 A. 491		19	89 A. 78
4,8	79 A. 38		20,7–9	256 A. 146
6,1	197		20,7	255 A. 142
13,15	100 A. 145		21,9–13	256 A. 146
14,18	100 A. 145		21,27	158 A. 258
			22,15	157
1 Makkabäer			22,21	163 A. 306
			22,29	206 A. 586
1,45	201 A. 557		24,4	157 A. 251
2,19ff	59 A. 106		25,1	163 A. 312
2,68	201 A. 557		25,13	163 A. 311
3,18	17 A. 69		26,8	182
			27,3	157
2 Makkabäer			27,12	166
1,2	98		28,5	172
1,10	197		28,8	255 A. 142
1,19ff	201 A. 557		29	29 A. 148
3,1ff	201 A. 557		30,9b.10	100 A. 149
3,32ff	201 A. 557		31,11	170
12	203 A. 568		31,24	181 A. 425f
12,43f	203 A. 568		32,19	79 A. 38
			33,19	163 A. 306
Psalmen			33,20	163 A. 312
1,1	46 A. 33		34,19	157
2	256 A. 145; 272 A. 248		35,13	163 A. 311
			35,14	187 A. 486

4. QUMRANSCHRIFTTUM

6. RABBINISCHES SCHRIFT-TUM

F. *Außerkanonische Traktate*

7. GRIECHISCH—RÖMISCHE SCHRIFTSTELLER

Ps. Demosthenes

Erot.
61,30   180 A. 421

Dio Cassius

57,8,2   289 A. 358

Diodor v. Sic.

1,92,5   151
5,7   152

Epiktet

Diss. I,
27,21   158 A. 261
Diss. III,
22,20   160 A. 278

Euripides

Ba 434   66 A. 137
Or. 1172   166 A. 338

Herodot

1,22   174 A. 382
1,24,2   166 A. 338
1,90,3   160 A. 281
2,95   66 A. 137
2,134,4   166 A. 338
2,169,2   160 A. 280
3,147   174 A. 382
8,97,3   160 A. 281

Hesiod

Theo-
  gonie 96 57 A. 100

Homer

Il.1,3ff   167
Il.9,98f   57 A. 100
Il.9,322   166 A. 338
Il.10,94   158 A. 260
Il.10,244   158 A. 263
Il.14,518f   167
Il.21,441   158 A. 262
Il.21,547   158 A. 261

Il.23,880   166 A. 338
Od. 3,74   166 A. 338
Od. 4,548   158 A. 261
Od. 6,60   174 A. 380
Od.10,515   172
Od.
  11,601ff   167
Od. 14,426 166 A. 338
Od. 22,444 166 A. 338

Isokrates

De pace
  8,45   180 A. 421

Lukian v. Samos

Demosth.
  Enc. 18 151 A. 208

Marc Aurel

In Sem.
  IX,11,1   216 A. 642

Pindar

Olymp.
  13,16ff   158 A. 262

Platon

Apol. 41d
             160 A. 281
Crat. 418a 160 A. 282
Critias
  113a   160 A. 282
Eutyphron
  12d–e   152
Gorgias
  507b   152 A. 210
Phaedr.
  63c   160 A. 280
Phaedr.
  79c   90 A. 89
Phaedr.
  228d   160 A. 282
Phaedr.
  234b   160 A. 279

9. APOKRYPHE EVANGE-LIEN, FRÜHCHRISTLICHE AUTOREN

Paed. III,
12,88   111 + A. 6

Epiphanius
Haer. 14,3   71 A. 1
Anc. 39,2   71 A. 1

Eusebius
Praep.
  Evang.
  VIII,7,6   147 A. 187

Polykarp
Phil. 3,3   110

Hom. Clem.
3,55   71 A. 1

Ps. Hom. Clem.
18,13   234 A. 3

Tertullianus (Q.S.Flor.)
Apologeti-
cum 13,6   55 A. 83